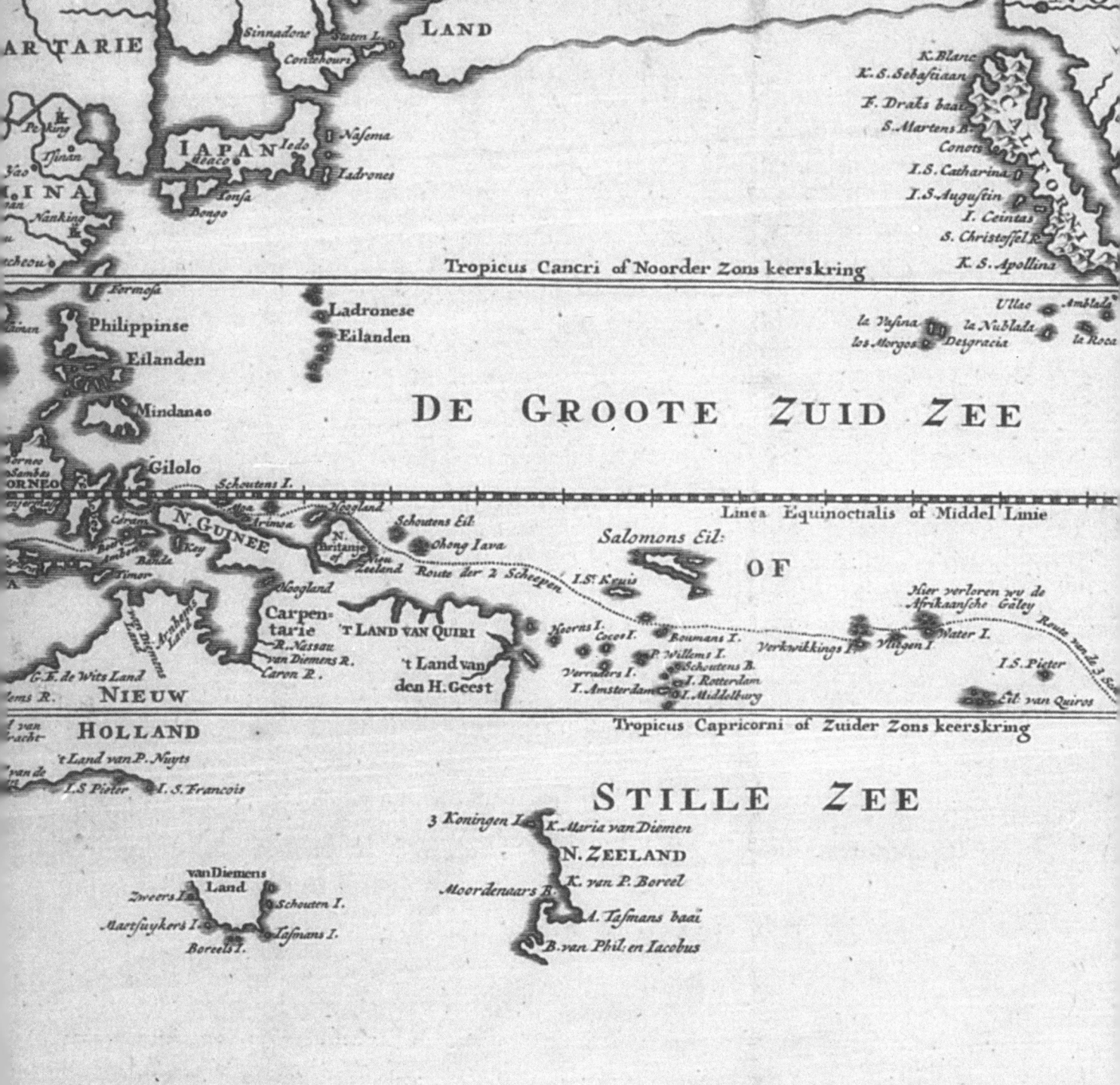

1500 Jahre Kultur der Osterinsel

Schätze aus dem Land des Hotu Matua

VERLAG PHILIPP VON ZABERN · MAINZ AM RHEIN

Die Ausstellung wird veranstaltet von der
Deutsch-Ibero-Amerikanischen Gesellschaft, Frankfurt am Main
und der Senckenbergischen Naturforschenden Gesellschaft,
Frankfurt, im Senckenbergmuseum Frankfurt,
Senckenberganlage 25
5. April bis 3. September 1989

Öffnungszeiten:
Mo., Di., Do., Fr.: 9–17 Uhr, Mi.: 9–20 Uhr,
Sa., So. und an Feiertagen: 9–18 Uhr

Ausstellungskonzeption und wissenschaftliche Beratung:
Dr. Heide-Margaret Esen-Baur

Ausstellungsgestaltung: Renate Klein-Rödder

Arbeits- und Organisationsausschuß:
Edmund Berz, Dr. Heide-Margaret Esen-Baur,
Malte Kindt, Renate Klein-Rödder, Sigrid Manolagas,
Dieter F. Sauer, Herrat Zeinecke

Redaktion: Arno Graf von Bothmer-Plates,
Dr. Heide-Margaret Esen-Baur, Dieter F. Sauer

Übersetzungen: Heike Dietrich, Eva Jenschke,
Gunter Krauskopf

Vorsatz:
Reiseroute des Admirals Jacob Roggeveen im Jahre 1722
aus: »Tweejaarige Reyze rondom de wereld«, Dordrecht 1728

Frontispiz:
Blick auf die Tempelanlage Ahu Naunau in Anakena,
Jürgen Stüwe

Katalog-Handbuch: *326 Seiten mit 125 Farb- und 207 Schwarzweißabbildungen*

© 1989 Verlag Philipp von Zabern, Mainz
Alle Rechte, insbesondere das der Übersetzung in fremde Sprachen, vorbehalten. Ohne ausdrückliche Genehmigung des Verlages ist es auch nicht gestattet, dieses Buch oder Teile daraus auf photomechanischem Wege (Photokopie, Mikrokopie) zu vervielfältigen.
ISBN 3-8053-1064-1
ISBN 3-8053-1079-X (Museumsausgabe)
Satz: Typo-Service Mainz
Lithos: SWS Repro GmbH, Wiesbaden
Papier: Papierfabrik Scheufelen, Lenningen
Gesamtherstellung: Zaberndruck, Mainz am Rhein
Printed in Germany / Imprimé en Allemagne
Printed on fade resistant and archival quality (PH 7 neutral)

Inhaltsverzeichnis

Sponsoren 6

Leihgeber 7

Autoren 8

Grußworte 9

Natur- und kulturgeschichtlicher Hintergrund

Heide-Margaret Esen-Baur
Einführung 17

Georg Zizka
Naturgeschichte der Osterinsel 21

Waldemar Stöhr
Lebensraum Ozeanien 39

Erika Vogler
Die Europäer entdecken die Osterinsel 53

Matthias Buschkühl
Missionsgeschichte der Osterinsel 82

Kultur der Osterinsel

Heide-Margaret Esen-Baur
Megalithische Steinplastiken und monumentale Architektur 87

Georgia Lee
Die Felsbilder-Kunst auf *Rapa Nui* 109

Francina Forment
Das Vogelmotiv in der traditionellen Holzskulptur der Osterinsel 116

Thomas S. Barthel
Eingekerbte Vergangenheit. Die Zukunft der *Rongorongo*-Studien 125

Jean Guiart
Die Schriftzeichen der Osterinsel 134

Heide-Margaret Esen-Baur
Sieben *tapa*-Arbeiten von der Osterinsel 139

Archäologie und Chemie

Michael Roth
Konservierung der großen Steinbüsten 145

Ursula Hänig und Dieter F. Sauer
Die Abformung von zwei *moai* und einer *ahu*-Fassade auf der Osterinsel sowie die Ausformung zur Gewinnung originalgetreuer Kopien 152

Gegenwart und Zukunft

Heide-Margaret Esen-Baur und Christian Walter
Die Osterinsel heute 160

Heide-Margaret Esen-Baur
Gedanken zum heutigen Kunstschaffen auf der Osterinsel 167

Heide-Margaret Esen-Baur
Katalog 1–154 177

Abbildungsnachweis 323

Glossar 325

Sponsoren

AEG AG
Aerolineas Argentinas
Alte Leipziger Lebensversicherungsgesellschaft a.G.
Auswärtiges Amt
Bank für Gemeinwirtschaft AG
Basler Versicherungen
Bayer AG
Berliner Handels- und Frankfurter Bank
Chilenische Regierung
Ciba-Geigy AG
Commerzbank AG
Daimler Benz AG
Degussa AG
Deutsche Bank AG
Deutsche Bundesbank
Deutsche Lufthansa AG
Deutsche Städte-Reklame GmbH
DG Bank
Dresdner Bank AG
Eberhard Chemie GmbH
Frankfurter Versicherungs-Aktiengesellschaft
Glashüttener Hof
Graphia Hans Gundlach GmbH + Co.
Hapag-Lloyd AG
Helaba Frankfurt
Helvetia Schweiz. Feuervers.-Gesellschaft

Henkel KGaA
Hessischer Rundfunk
Hoechst AG
Horchler GmbH & Co. KG
Otto Kern, Honorarkonsul
Knauf Westdeutsche Gipswerke
Kodak Aktiengesellschaft
Konex GmbH
LAN-Chile
Land Hessen
Meissner + Wurst GmbH + Co
Messe Frankfurt GmbH
Metallgesellschaft AG
Pippert & Koch GmbH & Co. KG
Antje Reiss-Wittstock
Sandoz AG
Schenker + Co. GmbH
Senckenbergische Naturforschende Gesellschaft
Siemens AG
Stadt Frankfurt
Stadtsparkasse Frankfurt
Steigenberger Hotel Frankfurter Hof
Verband der Chemischen Industrie e.V.
Volkswagen AG
Wacker-Chemie GmbH
Herrat Zeinecke

Leihgeber

NEUSEELAND UND AUSTRALIEN

Auckland Institute and Museum, Auckland
Canterbury Museum, Christchurch
Otago Museum, Dunedin
National Museum of New Zealand, Wellington
Australian Musem, Sydney

NORDAMERIKA

Peabody Museum of Archaeology and Ethnologie, Cambridge
Field Museum, Chicago
Bernice P. Bishop Museum, Honolulu
New Brunswick Museum, New Brunswick
American Museum of Natural History, New York
Peabody Museum, Salem

SÜDAMERIKA

Museo Etnográfico de la Universidad de Buenos Aires, Buenos Aires
Museo de Concepción, Concepción
Museo Padre Sebastian Englert, Hangaroa
Museo del Carmen de Maipú, Maipú
Templo Votivo, Maipú
Museo Nacional de Historia Natural, Santiago
Museo de Historia Natural, Valparaiso

EUROPA

Ulster Museum, Belfast
Museum für Völkerkunde SMPK, Berlin
Musées Royaux d'Art et d'Histoire, Brüssel
Private Sammlung, Erlangen
Sammlung Bechtel, Frankfurt
Sammlung Welge, Frankfurt
Institut und Sammlung für Völkerkunde der Universität Göttingen, Göttingen
Sammlung Ralph Nash, Hamburg
Roemer- und Pelizaeus-Museum, Hildesheim
Rautenstrauch-Joest-Museum, Köln
Sammlung Esen-Baur, Kronberg
Rijkmuseum voor Volkenkunde, Leiden
Museum für Völkerkunde, Leipzig
Museum N. N. Miklucho-Maklaja, Leningrad
Völkerkunde-Sammlung der Hansestadt Lübeck, Lübeck
Staatliches Museum für Völkerkunde, München
Etnografisk Museum, Oslo
Musée de l'Homme, Paris
Sammlung Guy Ladrière, Paris
Sammlung Quentin Laurens, Paris
Congregazione dei SS Cuori, Rom
Museo Preistorico ed Etnografico »Luigi Pigorini«, Rom
Sammlung Dietrich, Stuttgart
Museo Missionario Etnologico, Vatikan
Museum für Völkerkunde, Wien

Autoren

PROF. DR. THOMAS S. BARTHEL
Heute emeritierter Professor der Universität Tübingen,
Spezialist für zirkumpazifische Kulturen:
Altamerika, Mesoamerika, Andine Kulturen, Polynesien,
altasiatische – altamerikanische Kulturbeziehungen.
Er veröffentlichte grundlegende Studien zu frühen
Schriftsystemen, zum Kalenderwesen und zu polytheistischen
Religionen.

DR. MATTHIAS BUSCHKÜHL
Leiter der theologischen und philosophischen Teilbibliothek
und der Bibliothek der Abteilung München der
katholischen Universität Eichstätt.
Forschungsschwerpunkt englische und schottische
Kirchengeschichte.
Zahlreiche Veröffentlichungen zu diesen Themen.

DR. HEIDE-MARGARET ESEN-BAUR
Wissenschaftliche Mitarbeiterin
der Deutsch-Ibero-Amerikanischen Gesellschaft, Frankfurt.
Verantwortlich für Konzeption und wissenschaftliche
Beratung der Osterinsel-Ausstellung.
Ozeanistin mit Forschungsschwerpunkt Polynesien –
Osterinsel, Kunstethnologie, frühe Glaubenssysteme und
Archäoethnologie.
Zahlreiche Veröffentlichungen zu diesen Themen.

PROF. DR. JEAN GUIART
Co-Direktor des Musée de l'Homme, Paris.
Weltbekannter Ozeanist mit Schwerpunkt Melanesien;
grundlegende Forschungen über Neu-Kaledonien.

URSULA HÄNIG
Geologisch-Paläontologische Präparatorin am
Senckenbergmuseum.
Zuständig für Schausammlungsarbeiten: alle Arbeiten
von Ausgrabung bis Ausstellung.

FRANCINA FORMENT
Kustodin für Ozeanien der Musées Royaux d'Art et d'Histoire,
Brüssel.
Polynesienforscherin mit Schwerpunkt Osterinsel, hier
insbesondere traditionelle Holzschnitzkunst.

DR. GEORGIA LEE
Herausgeberin Rapa Nui Journal.
Zahlreiche Veröffentlichungen zur Steinschnitzkunst
traditioneller Kulturen in Nordamerika und Ozeanien,
insbesondere auf der Osterinsel und Hawai'i.

DR. MICHAEL ROTH
Diplom-Chemiker, zuständig für die Entwicklung und
Anwendung von Silikonbautenschutzmitteln und Steinfestigern
bei Wacker Chemie, Burghausen.
Zahlreiche Veröffentlichungen und Vorträge zu diesen Themen.

DIETER F. SAUER
Diplom-Kaufmann
Direktor der Degussa AG, verantwortlich für Beschaffung,
Materialwirtschaft und Organisation; Leitung des Arbeits- und
Organisationsausschusses zur Vorbereitung der Osterinsel-
Ausstellung.

DR. WALDEMAR STÖHR
Oberkustos i. R. des Rautenstrauch-Joest-Museums, Köln.
Zahlreiche Veröffentlichungen zu indonesischen Religionen
und zur Kunst Melanesiens.

ERIKA VOGLER
Kunsthistorikerin mit Forschungsschwerpunkten und
Veröffentlichungen über französische Renaissance-Architektur
und Malerei des 19. Jahrhunderts.

CHRISTIAN WALTER
Lebt seit mehr als einem Jahrzehnt auf der Osterinsel
und gilt als guter Kenner der infrastrukturellen Verhältnisse.

DR. GEORG ZIZKA
Diplom-Biologe, Botaniker, Kurator Palmengarten der
Stadt Frankfurt mit Forschungsschwerpunkten Taxonomie
höherer Pflanzen und Pflanzengeographie.

Grußwort

Zum 35jährigen Bestehen darf ich der Deutsch-Ibero-Amerikanischen Gesellschaft sehr herzlich gratulieren.
Durch ihre vielfältigen Aktivitäten hat die Deutsch-Ibero-Amerikanische Gesellschaft stets dazu beigetragen, die traditionellen Beziehungen zwischen der iberischen und iberoamerikanischen Welt und der Bundesrepublik Deutschland zu vertiefen.
Gerade eine Stadt wie Frankfurt am Main, die sich zur kulturellen und wirtschaftlichen Drehscheibe entwickelt hat, ist dankbar dafür, daß eine solche Gesellschaft, die völkerverbindend tätig ist, hier ihren Standort hat.
Ganz besonders begrüße ich es als Oberbürgermeister der Stadt Frankfurt am Main, daß sich die Gesellschaft aus Anlaß ihres Jubiläums mit der Senckenbergischen Naturforschenden Gesellschaft in Frankfurt zusammengetan hat, um eine Ausstellung zu zeigen, die weit über die Grenzen Frankfurts hinaus Bedeutung haben wird.
Erstmals in Europa wird die Kultur der Osterinsel präsentiert.
Ich darf diesem Vorhaben einen sehr großen Erfolg wünschen und möchte vor allem auch im Namen des Magistrats und der Körperschaften der Stadt Frankfurt am Main allen denen danken, die sich um dieses kulturelle Ereignis verdient gemacht haben.

Wolfram Brück
Oberbürgermeister der Stadt Frankfurt am Main
Schirmherr der Ausstellung

Vorwort

Ihr 35jähriges Bestehen hat die Deutsch-Ibero-Amerikanische Gesellschaft zum Anlaß genommen, auf deutschem Boden die wohl bislang umfassendste und anregendste Ausstellung über die Kultur der Osterinsel durchzuführen. Für die getroffene Entscheidung, ein Gebiet Chiles einer breiten Öffentlichkeit hierzulande vorzustellen, möchte ich der DIAG meinen aufrichtigen Dank aussprechen.

Diese 180 km² große Insel vulkanischen Ursprungs, die 3760 km vor der Küste Chiles im Pazifischen Ozean liegt, über subtropisches Klima verfügt und eine Einwohnerzahl von ca. 2000 Menschen aufweist, ist seit 1888 nicht nur ein fester und voll eingegliederter Bestandteil des chilenischen Staatsgebietes, sondern auch bevorzugter Gegenstand akademischen und touristischen Interesses.

Zwar wurde sie, die mit ihren monumentalen Werken eines der bemerkenswertesten Museen unter freiem Himmel darstellt, erstmalig 1722 der europäischen Welt offenbart, jedoch ist damit die Frage nach ihrer kulturellen Herkunft und Entfaltung noch nicht abschließend beantwortet, sondern geradezu erst aufgeworfen. Grundproblem bleibt zweifelsfrei in diesem Zusammenhang, wie in dieser geographischen Abgeschiedenheit eine solch ausgeprägte Kultur erblühen konnte. Und dadurch ist das Rätsel aufgeworfen, inwieweit Entstehung und Bedeutung beispielsweise von so gewaltigen steinernen Figuren mit religiöser Symbolik einen isolierten Ausgangspunkt haben können oder aber als Ergebnis einer Kreuzung von Einflüssen einer Befruchtung von außen unterworfen sind.

Der unablässige Versuch einer wissenschaftlich fundierten Entschleierung und Deutung ihrer in vieler Hinsicht als Hochkultur anzusehenden Erscheinungen — die Ausstellung im Frankfurter Senckenbergmuseum gewährt hierzu einen ersten Einblick — hat Generationen von Gelehrten, darunter auch deutsche Missionare, angezogen und gefesselt.

Der Notwendigkeit einer zusätzlichen Anstrengung zur Beantwortung der noch bleibenden Geheimnisse ist sich die Republik Chile völlig bewußt und möchte, indem sie der kulturwissenschaftlichen Forschung einen Teil ihres Territoriums zugänglich macht, hierzu einen wichtigen und fördernden Beitrag leisten.

Dr. Ricardo Riesco
Botschafter von Chile
in der
Bundesrepublik Deutschland

Prologo

Con ocasión de celebrar su trigésimo quinto aniversario, la Sociedad Germano-Iberoamericana presenta la exposición probablemente más completa y atrayente que sobre la cultura de la Isla de Pascua haya sido auspiciada hasta la fecha en el país germano. Me permito expresar mis profundos agradecimientos a esta sociedad por su decisión de exhibir en Alemania una parte del territorio de Chile a un amplio público.

Esta isla de orígen volcánico de 180 km² de superficie se ubica en el Océano Pacífico a 3760 km frente a la costa de Chile. Se caracteriza por su clima subtropical y alberga alrededor de 2000 habitantes. Constituye desde 1888 no solamente un sólido miembro integrado completamente al territorio nacional, sino que representa para el país un objetivo privilegiado de interés académico y turístico.

Este singular y monumental «museo al aire libre» se reveló al mundo europeo por primera vez en el año 1722, pero la interrogante acerca de su orígen y evolución cultural no ha podido aún ser integralmente resuelta. Al contrario, cómo se ha podido desarrollar una cultura de esas características en un lugar geográfico tan aislado y, qué significado encierran y simbolizan esas colosales estatuas pétreas. De este modo se plantea la inquietud en qué medida puede darse el orígen y desarrollo de una cultura a partir de una base aislada, o si esta surge más bien como el resultado de un entrecruzamiento de influencias y, de esta manera, queda supeditada a una «fertilización» externa.

El impostergable intento de una explicación e interpretación científicamente fundada de estos elementos que en muchos sentidos corresponden a expresiones de «altas culturas» — la exposición del Museo Senckenberg brinda en este sentido una visión introductoria — ha atraído y cautivado a generaciones de estudiosos, entre ellos también a misioneros germanos.

La República de Chile está plenamente consciente de la necesidad de realizar un esfuerzo adicional para dar respuesta a una serie de incógnitas pendientes, y al hacer accesible una parte de su territorio nacional a la investigación científica y cultural, desea contribuír con un importante impulso al logro de este objetivo.

Dr. Ricardo Riesco
Embajador de Chile
en la
República Federal de Alemania

Grußwort

Auf dem ostpazifischen Rücken, östlich seines Scheitels, erhebt sich die durch vulkanische Tätigkeit vom Ozeanboden aufgebaute *Osterinsel* bis auf etwa 500 m über den Meeresspiegel. Geologisch eine der jüngsten Inseln, die im Zusammenhang mit dem ostpazifischen Rücken stehen, ist sie eine der am stärksten isolierten Pazifik-Inseln; sie ist 3700 km von der südamerikanischen Pazifikküste und fast 2000 km von der nächsten größeren Insel (Pitcairn) entfernt.

Diese Isolation hat sicherlich dazu beigetragen, daß sich gerade auf der Osterinsel eine so faszinierende und doch eigenartige Kultur entwickeln konnte, deren Kolossalstatuen das auffallendste Zeichen sind. Die geologische Entstehungsgeschichte der Osterinsel lieferte das Material für die Herstellung solch riesiger Gebilde, aber auch für Tausende anderer Kultur- und Kunstgegenstände: leichte, gut zu bearbeitende basaltische Tuffe, Aschen und großporige, bei der Entstehung schnell entgaste Spezialbasalte als Rohmaterial und harte basaltische Lava und Obsidiane als Werkzeuge der noch immer unbekannten Steinmetzen.

Die naturhistorische Situation der Osterinsel ist so faszinierend wie die menschliche Besiedlung und die Entwicklung der Kultur. Die marinen Faunen um die Insel enthalten Elemente des Ostpazifiks wie des indopazifischen Ozeans als Produkt einer passiven Besiedlung durch die verschiedenen vorherrschenden Meeresströmungen. Die Besiedlung durch den Menschen, wohl im wesentlichen von Polynesien herkommend, ist sicherlich strömungsbedingt und damit naturnahe beeinflußt. Diese Strömungen mögen in der Zeit der menschlichen Geschichte Siedler (wie bei der marinen Fauna) aus verschiedenen Richtungen und aus verschiedenen Kulturen gebracht haben.

Naturkunde und Ethnologie sind eng miteinander verbunden, und dies ist bei Senckenberg von Anbeginn so gewesen. Wenn auch seine ethnologischen Sammlungen schon im Jahre 1878 an das Völkerkundemuseum der Stadt Frankfurt am Main übergeben wurden, so bleibt das Interesse der Senckenberger an ethnologisch-naturkundlichen Fragen wach, was sich in Hilfestellungen bei großen ethnologischen Ausstellungen ausdrückt (zuletzt bei der Neuguinea-Ausstellung des Frankfurter Völkerkundemuseums).

Senckenbergische Hilfe für die Verwirklichung der Idee der Deutsch-Ibero-Amerikanischen Gesellschaft (DIAG), eine Osterinsel-Ausstellung zu machen, lag deshalb nahe. Während die DIAG neben den finanziellen Voraussetzungen die wissenschaftlichen Konzepte für die Ausstellung entwickelte, stellte das Naturmuseum Senckenberg seine museumstechnische Infrastruktur zur Verfügung und setzte diese in Ausstellung um.

So sind z. B. die Abgüsse der großen Köpfe (der *moai*) und der Kultwand von den senckenbergischen Präparatoren in wochenlanger mühseliger Arbeit auf dem Gelände der Firma Hoechst AG hergestellt worden.

Die Gestaltung der Ausstellung besorgte die senckenbergische Graphik-Designerin Renate Klein-Rödder. Viele andere senckenbergische Mitarbeiter haben ihre Erfahrung und ihre Kraft in mannigfacher Weise — und vor allem gegen Ende der Vorbereitungszeit der Osterinsel-Ausstellung — zur Verfügung gestellt.

Ich möchte ihnen allen an dieser Stelle sehr herzlich danken. Auch den Vertretern der DIAG möchte ich hier meinen Dank sagen für die Zusammenarbeit auf dem sehr komplexen und weiten Feld, das diese Ausstellung umfaßt.

Mögen die Ausstellung über die Kunst und Kultur der Osterinsel und ihrer Bewohner und dieser schöne Katalog dazu viele Besucher erfreuen.

Prof. Dr. W. Ziegler
Direktor des Senckenbergmuseums, Frankfurt

Grußwort

Der Name Osterinsel löst bei uns vielfältige Vorstellungen aus. Wer dächte da nicht zuerst an die Faszination einer rätselhaften Kultur, deren berühmte Steinskulpturen sich vor dem inneren Auge emporrecken? Wer denkt nicht an Thor Heyerdahl und seine »Kontiki«?
Wenn wir aber versuchen, diesen Vorstellungen die Meßlatte konkreten Wissens anzulegen, stoßen wir schnell an Grenzen. Es ist das Verdienst der Deutsch-Ibero-Amerikanischen Gesellschaft mit dem Senckenbergmuseum Frankfurt, erstmals eine Ausstellung über die Kultur der Osterinsel als Gesamtschau in der Bundesrepublik Deutschland zu zeigen. Eine Ausstellung, die uns die wesentlichsten und sehenswertesten Zeugnisse dieser polynesischen Kultur anschaulich macht und dem Besucher ein umfassendes Bild der Gegebenheiten der Insel, aber auch einige ihrer Probleme vermittelt.
Im Mittelpunkt der Ausstellung stehen die beiden Abgüsse der uns nur aus Bildern bekannten Steinskulpturen — magische Rätsel, die damit in voller Größe vor uns stehen.
Unser Dank gilt den Initiatoren dieser Ausstellung und allen, die sich um ihr Zustandekommen und ihre Gestaltung verdient gemacht haben.
Der Ausstellung wünsche ich guten Erfolg.

Dr. B. C. Witte
Leiter der Kulturabteilung
des Auswärtigen Amtes, Bonn

Geleitwort des Präsidenten der Deutsch-Ibero-Amerikanischen Gesellschaft

Die Deutsch-Ibero-Amerikanische Gesellschaft feiert in diesem Jahr ihr 35jähriges Bestehen. Dies war für uns Anlaß zu Überlegungen, was getan werden könnte, um diesem Jubiläum einen würdigen Akzent zu geben. Sehr bald konzentrierten sich die Gespräche auf eine Ausstellung über die Kultur der Osterinsel. Als wir uns damals anschickten, dieses anspruchsvolle kulturelle Projekt zu planen und zu realisieren, befanden wir uns in einer ähnlichen Situation wie die frühen Besiedler des ozeanischen Raumes, die am Beginn ihrer Fahrten ins Ungewisse auch nicht ahnten, welche Gefahren, Klippen und Untiefen sie zu überwinden hatten, um an das ersehnte Ziel zu gelangen.

So gingen auch wir an den Start — mit fast nichts ausgestattet als mit einer Perspektive und dem Enthusiasmus, dieses Abenteuer zu bestehen. In einer Kampagne auf der Osterinsel wurden unter Mühen und Schwierigkeiten zwei kolossale *moai*-Steinbüsten und eine Kultwand abgeformt. Nach sorgfältiger Ausformung und Präparation hier in Frankfurt setzen diese naturgetreuen Abbildungen der kolossalen Osterinsel-Kunst einen wichtigen Akzent in dieser großen Ausstellung.

Es ist ferner gelungen, von 37 Museen aus aller Welt etwa 150 bedeutende Exponate zu erhalten, die der Besucher in den Lichthöfen sowie in der Schatzkammer bewundern kann.

Schließlich ist ein Katalog zustande gekommen, der uns ein umfassendes und faszinierendes Bild von dieser einsamen Insel im Pazifik, ihrer Lage und Entwicklung und vor allem ihrer außerordentlichen Kultur, die bis heute nur teilweise enträtselt werden konnte, vermittelt.

Daß dieses abenteuerliche Vorhaben gelungen ist, erfüllt uns mit Freude und Genugtuung. Es konnte jedoch nur glücken, weil sich Menschen zusammenfanden, die mit Enthusiasmus und Engagement diese Aufgabe aufgriffen und gemeinsam bewältigten. Die Deutsch-Ibero-Amerikanische Gesellschaft hat sich diese Ausstellung selbst zum Jubiläumsgeschenk gemacht, und ich möchte all denen, die zum Gelingen beigetragen haben, meinen aufrichtigen Dank aussprechen. Ohne die Unterstützung und Förderung durch den Direktor des Senckenbergmuseums, Herrn Prof. Dr. Willi Ziegler, sowie ohne die kompetente Arbeit seines Präparatoren-Teams, der Grafikerin sowie der Senckenberg-Handwerker hätten wir diese einmalige und bedeutende Ausstellung in Europa nicht realisieren können. Ohne das persönliche, fachliche und unternehmerische Engagement von Herrn Franz Rutzen, dem Inhaber des Verlags Philipp von Zabern in Mainz, sowie seiner Mitarbeiter würde es diesen Katalog nicht geben.

Mein Dank gilt allen Leihgebern, die durch großzügige Überlassung der kostbaren Exponate diese Ausstellung ermöglichten, und insbesondere auch allen Förderern, das heißt, den Firmen und Institutionen, die dieses Unternehmen großzügig unterstützt haben.

Meine besondere Anerkennung gilt Frau Dr. Heide-Margaret Esen-Baur, die dieses Projekt wissenschaftlich betreut und mit Zähigkeit, Beharrlichkeit und unermüdlichem persönlichem Einsatz vorangetrieben hat. Zu Dank verpflichtet sind wir auch dem Arbeits- und Organisationsausschuß, der die vielfältigen Aktivitäten des Projekts gesteuert und durch straffe Planung und Kontrolle eine zielgerichtete Projektverfolgung betrieben hat. In diesem Zusammenhang soll auch der besondere Einsatz des Redaktionsteams hervorgehoben werden.

Schließlich möchte ich Frau Herrat Zeinecke, der langjährigen Geschäftsführerin und Vizepräsidentin der Deutsch-Ibero-Amerikanischen Gesellschaft, danken, die es verstanden hat, neben ihren vielfältigen Verpflichtungen bei der Bewältigung des gesamten Arbeitsprogramms der DIAG auch dieses Projekt mit Ideenreichtum, Fleiß und Tatkraft zu unterstützen.

Ich möchte diese Ausstellung im Herzen Europas als eine Premiere internationalen Ranges bezeichnen und freue mich, daß wir einem interessierten und kunstsinnigen Publikum Schätze aus dem Land des Hotu Matua und wichtige Beispiele aus der 1500jährigen Kultur der Osterinsel zeigen können.

Günter Wohlenberg

Isla de Pascua: Estrella solitaria oceánica

En las antípodas del valle del Indus, una de las cunas de las grandes familias de la humanidad, sólo existe la vastedad del inmenso océano. Y, también, está ese gran océano cubriendo las antípodas del Africa y de Europa y, aun, de la casi totalidad del Asia, incluso de países que tienen su litoral en ese mismo océano.

Son millones de millas cuadradas de océano, que se extiende más allá de los horizontes, sin que nada lo rompa, sin que la tierra emerja entre las aguas y se levante.

Pero, súbitamente, en la antípoda de un punto de aquel valle, en medio de las dilatadas extensiones marinas del mayor desierto oceánico del orbe, se yergue, aislada y solitaria una isla volcánica.

Y en esa isla, un misterio más de la creación del hombre, se forjó una cultura prodigiosa.

Esa isla es Isla de Pascua, Te Pito te henua, el ombligo del mundo, como la concebían sus habitantes; y su cultura, es la cultura rapa nui.

Pensar en la formación de su cultura, equivale a entrar en sus misterios. Esta isla solitaria, emerge de las aguas en los tiempos geológicos de la gestación y formación de las tierras emergidas, con la fuerza incontenible de un centenar de volcanes. Pero son tres los que marcan su geografía triangular y, con otros dos, sumarán elementos telúricos a la creación de la historia.

En algún instante, siguiendo el viento, pero también el instinto certero de la única raza navegante de dimensiones oceánicas, a través de miles de millas de mar, llegó un pueblo a habitar la isla. Supo encontrar la única isla habitable en un especio de océano de varios millones de millas cuadradas. Lejos de las corrientes marinas dominantes, la isla solitaria permaneció oculta en sus horizontes de distancias, a lo largo de los siglos. Y el pueblo de Rapa Nui tuvo que aprender a vivir solo, aislado en el mar y en ese territorio volcánico. Alli creó su cultura. En sus embarcaciones traía la vida y los frutos y plantas para su producción y alimentación, Y la isla volcánica entregó los materiales para expresar una cultura. La obsidiana fue su instrumento o su medio para herir sus grandes presas marinas. Le lava gris del Rano Raraku,

admitió el tallado de los moais, invocando el espíritu de sus arikis. La piedra roja del Punapau, permitió tocar sus cabezas con los tupu, símbolos de su rango. Y las que fueron rocas incandescentes lanzadas por sus volcanes en ya extinguidas erupciones, fueron las bases de sus casas-bote, o de sus diversas construcciones.

Un orden superior, basado en el respeto a su estirpe y a sus antepasados, regulaba la sociedad y su trabajo.

Un culto ceremonial, invocando, tal vez, el secreto de la vida y el retorno anual del manutara, o, quizás, la superioridad del aire y del vuelo para derrotar el espacio, creaba el mito del tangata manu, la aldea ceremonial de Orongo en el Ranokao y la ceremonia competitiva y mágica para alcanzar el mando, trayendo el huevo desde el Mtu nui.

Una cultura formada en la soledad y el aislamiento, alejada en el tiempo y la distancia, surgida y desaparecida sin contactos extermos, y, sin duda, marcada por las tragedias ocultas por el silencio de sus volcanes, el rumor del mar o el bramido del viento, siempre tendrá como su signo el misterio.

Pero, igual, la cultura rapa nui vive en la intuición y en el sentimiento de su pueblo y de quienes nos identificamos con su misterio.

El pueblo solitario fue creciendo, hasta alcanzar, tel ver, los 22 mil habitantes. Y su cultura fue puesta a prueba por esa misma densidad poblacional.

La cultura rapa nui sufrió, aún antes del contacto con Occidente, en 1722, la destrucción profunda que provocaron sus guerras sociales y tribales, que concluyó con el orden superior y su expresión física, la construcción de los moais. Su pueblo quedó sin un sentido superior, sin una actividad a la que daban trascendencia, aprisionados por la soledad, Navegantes y barcos de las diversas banderas llegan atraídos por la soledad geográfica de la isla y sus misterios, y van llevándose su patrimonio arqueológico. Otros, verdaderos piratas, a lo largo del siglo XIX, atacaron, dieron muerte o secuestraron a los isleños para esclavizarlos. Cuando, posteriormente, presiones internacionales obligan a que devuelvan a unos pocos centenares de sobrevivientes, ellos traen enfermedades que diezman a su población y la acercan a su exterminio.

En 1877, el obispo de Tahití, escribe al obispo de Valparaíso, pidiendo que interceda ante el gobierno de Chile para que tome posesión de la isla y proteja a sus desafortunados habitantes. Finalmente, estas súplicas son atendidas.

En 1888, Chile incorpora Isla de Pascua a su soberanía, con plena aceptación de sus ya escasos 127 habitantes. Así entre otras expresionas, lo demuestran la enseñanza de su idioma, en la educadión básica isleña.

Han transcurrido 100 años. En la actualidad más de dos mil pascuenses forman parte del pueblo de Chile y comparten su nacionalidad, su idioma y su progreso, sin perjuicio de mantener su lengua rapa nui, su propia idiosincrasia y prerrogativas particulares. No se ha aplastado su personalidad, ni sus expresiones polinésicas, y, aun, conservan su encanto, cordialidad, musicalidad y apego a las tradiciones. En estos últimos años, se han dado pasos muy importantes, tanto en beneficio y progreso de la Isla, de su población y su cultura, como en las investigaciones arqueológicas y antropológicas, en la restauración y conservación de moais y petroglifos, y en las tareas museográficas de su patrimonio cultural. Expresión de lo anterior son, por ejemplo, la restauración de seis ahus; numerosas investigaciones y sus informes; el estudio general de restauración del patrimonio arqueológico de Rapa Nui, realizado por la Dirección de Bibliotecas, Archivos y Museos; la ejecución de la consolidación del moai Kio E, con apoyo del PNUD; la investigación para consolidar la caverna Ana kai tangata, con apoyo de la OEA; la construcción del nuevo Museo Sebastián Englert; el proyecto de construcción de la Biblioteca Wiliam Mulloy, con el concurso del World Munument Fund y otros; el Concurso Internacional para la Conservación de la Piedra o Toba Volcánica, convocado por la Dirección de Bibliotecas, Archivos y Museos de Chile con el respaldo de ICCROM y del WMF; etc., etc.

Isla de Pascua es un monumento nacional y, por ende, todo su patrimonio histórico cultural está protegido. Es, a la vez, en su mayor parte, un parque nacional, por lo que es igualmente protegido su entorno y su medio natural.

Es, en el centro del Pacífico sur, el vértice oceánico de Chile y da forma y dimensión al mar y al territorio chileno. Isla de Pascua, para Chile, es una síntesis de geografía, humanidad y cultura oceánicas, integradas en nuestro propio ser nacional. Por eso, es tan valiosa y tan sentida por nuestro pueblo, como lo es la estrella solitaria de la bandera chilena.

Mario Arnello Romo
Director de Bibliotecas Archivos y Museos
Vicepresidente del Consejo
de Monumentos Nacionales Chile

Einführung

HEIDE-MARGARET ESEN-BAUR

Die pazifische Inselwelt ist das von Menschen zuletzt besiedelte, zugleich auch das von den Europäern zuletzt entdeckte Gebiet der Welt. Der Umstand des späten Eindringens der Europäer in Ozeanien hat sicherlich mehr Vor- als Nachteile für die dort lebenden Menschen mit sich gebracht. Denn somit konnten sich in jener Region lange Zeit Kulturen ungestört und in großer Vielfalt entwickeln, deren Kunstschaffen und deren dahinterstehende Weltbilder uns heute tief beeindrucken.

Geschichtliche Zufälle erklären, daß wir in Europa bis heute über diese Menschen und Kulturen noch recht wenig wissen. Denn ihnen wurden im Augenblick ihrer Entdeckung Vorstellungen und Verhaltensweisen zugewiesen, die nicht so sehr ihre eigene, sondern vielmehr die Kultur ihrer Entdecker kennzeichneten. Ihre eigene Wesensart, ihre autonome Kreativität, blieben uns somit weit über ihre Entdeckung hinaus verborgen.

Es waren insbesondere die Franzosen in der 2. Hälfte des 18. Jahrhunderts, die die polynesische Inselwelt für uns in diesem Sinne ›mythologisierten‹. Über Frankreich zogen sich damals bedrohliche Wolken zusammen, die die Große Revolution, der wir in Europa in diesem Jahr besonders gedenken, ankündigten. Die politischen Erfahrungen jener Zeit aber machten alle französischen Stände, und auch die in anderen europäischen Ländern, empfänglich für Utopien. Solche Utopien überlagerten in besonderem Maße die gerade entdeckten Südsee-Kulturen. Für viele Zeitgenossen existieren sie auch heute noch. Sie haben in beträchtlichem Umfang die Deutung und das Verstehen der polynesischen Kulturen hinausgezögert.

Die Osterinsel, als winziger Bestandteil dieser riesigen Inselwelt, ist durch ihre überraschende Kulturblüte im Verhältnis zu anderen ozeanischen Kulturen in Europa jedoch relativ gut bekannt. Doch auch die Osterinsel-Kultur wird weitgehend überlagert von einem in Europa gewebten Schleier des Rätselhaften.

Bis heute ist diese einzigartige Kultur noch nie in einer großen und repräsentativen Ausstellung, wie sie anderen bedeutenden vergangenen Kulturen gewidmet worden sind, dargestellt worden — mit dem Ziel, ihre Wesenszüge wirklich sichtbar zu machen. Die Osterinsel-Forschung selbst ist noch weit entfernt davon, diese große Aufgabe zu erfüllen. Bis heute hat sie gewissermaßen erst die Bühne des Inselgeschehens rekonstruiert. Um die Akteure, die uns ihre Kultur erschließen und in deren Kern hineinführen könnten, hat sich die Forschung bisher nicht genügend bemüht. Es scheint sogar, daß sie diese Hauptaufgabe gelegentlich ganz aus den Augen verloren hat.

Diese Ausstellung steht somit nicht am Ende einer langen erfolgreichen Erforschung der traditionellen Osterinsel-Kultur, noch macht sie auch nur eine Zwischenbilanz. Sie markiert vielmehr ihren zukunftsorientierenden Neubeginn. Mit ihr verbindet sich die Hoffnung, daß sie die interdisziplinäre Forschung beleben und den freimütigen Austausch zwischen den Wissenschaftlern fördern möge, um zum eigentlichen Verständnis dieser alten bedeutenden Kultur zu gelangen.

Mit wenigen Ausnahmen verharrt der Zugang von außen nach innen beim Sehen, Messen und Beschreiben. Heute wissen wir, wie viele verschiedene kulturelle Erscheinungsformen es gibt; wie sie beschaffen, wann und wo sie entstanden sind. Alles, was sich tabellarisch oder quantitativ erfassen läßt, ist zum größten Teil erarbeitet, und dieser Befund ist schon für sich eine bedeutende Leistung der Forschung. Gleichzeitig ist aber zuzugeben, daß nur die raum-zeitliche Basis und die materiellen Ausprägungen dieser polynesischen Kultur erfaßt sind. Doch das, was hinter diesem Inventar steht, was die aufgezeigten Umrisse ausfüllt, was die

Motivationen, das Wertsystem der Akteure umschließt, all das ist bis heute nur ansatzweise erschlossen. Der Versuch, zu verstehen, wie sich der Mensch auf der Osterinsel, die Natur gestaltend, seine Kultur in all ihren Aspekten geschaffen hat, ist von der bisherigen Forschung bislang nur bruchstückhaft geleistet worden.

Es ist jedoch Aufgabe der Humanwissenschaften — und dort ist die Ethnologie angesiedelt — dieses Ziel zu erreichen, d.h. das Herz jener Kultur, das fremde Weltbild mit seinen religiösen Riten und Kulten zu begreifen, ihre Grundidee zu offenbaren. Es ist Aufgabe der Geisteswissenschaften, im hermeneutischen Erkenntnisgang, also mit einer die Naturwissenschaft und auch die Archäologie ergänzenden Perspektive, die fremde Kultur aus sich heraus wirklich verstehen zu lernen.

Bei schriftlosen Völkern ist der Zugang zu dem fremden Weltbild in erster Linie möglich über die mündlichen Überlieferungen. Das schließt ein die Gesänge, die Legenden, die Mythen, die Aufführungen etc. Obwohl gerade im Falle der Osterinsel hier ein schmerzhafter Traditionsverlust zu registrieren ist, ist dieser Zugang uns dennoch nicht verwehrt, besitzen wir doch einen großen Bestand an mündlichen Überlieferungen. Unverständlicherweise hat die Osterinsel-Forschung insgesamt die systematische Auswertung dieser Quellen vernachlässigt. Beispielsweise steht eine kritische Gesamtanalyse der Folklore, wie sie schon seit langem gefordert wurde, bis heute noch aus.

Im Falle der Osterinsel befinden wir uns ferner in der einzigartigen Lage, noch über ein anderes Medium Zugang zur kulturellen Tradition, also von innen, zu gewinnen. Dieser Lösungsansatz verläuft über die Deutung und Entzifferung der Schriftdenkmäler, die uns wenigstens bruchstückhaft erhalten geblieben sind. Das ist jedoch ein äußerst schwieriges und komplexes Unterfangen und hat wohl deshalb dazu geführt, daß es nicht entsprechend seiner Schlüsselrolle für das tiefere Verständnis der Osterinsel-Kultur gepflegt und systematisch weiterentwickelt wurde.

Diese Trennung zwischen Desiderata der Forschung und dem Forschungsalltag sollte aufgebrochen werden. Die zukünftige Forschung ist komplex und kann nicht im Alleingang erbracht werden, sondern sie benötigt das ständige Gespräch im Rahmen eines interdisziplinär angelegten Gesamtkonzeptes.

Von der doppelten Aufgabe der Ethnologie — einerseits die Bestimmung des uns Ähnlichen und andererseits die Bestimmung des Besonderen, des Einzigartigen bei fremden Kulturen — darf die zweite Aufgabe wohl als die entscheidendere gelten.

Den Weg, den die alten Osterinsulaner gegangen sind, konnte die Wissenschaft bis heute nur bruchstückhaft erschließen. Es fehlt noch an mannigfaltigem Wissen, ihn für uns alle verständlich zu rekonstruieren. Dennoch hoffen wir, daß die hier zusammengetragenen Gegenstände aus der erarbeiteten Basis heraus ebenso wie aus sich selbst heraus dem Betrachter etwas von der Eigenart ihrer polynesischen Schöpfer vermitteln können.

Die bedeutendsten und schönsten Erinnerungsstücke dieser alten Kultur sind heute weit verstreut in privaten Sammlungen und Museen in Europa und Übersee. Die für diese Ausstellung zusammengetragenen etwa 160 Exponate kommen aus 44 Sammlungen und Museen in 16 Ländern.

Konzeptionell ist die Ausstellung in vier größere Bereiche gegliedert:

1. Die Osterinsel wird dargestellt als Teil des Lebensraumes Ozeanien, d.h. im Rahmen natur- und kulturgeschichtlicher Zeugnisse. Darüber hinaus wird ihre Bedeutung für die europäische Kunst aufgezeigt.

2. Die traditionelle Kultur wird dargestellt anhand der o.g. Exponate und der vier wichtigsten archäologischen Komplexe: *Rano Raraku*, *Vinapu*, *Anakena* und *Orongo*. In diesem Zusammenhang wird auf die Bedeutung und zeitliche Entstehung der *moai* (Steinfiguren) und *ahu* (offene Tempelanlagen) sowie auf die Gefährdung dieser steinernen Kulturdenkmäler durch Witterungseinflüsse eingegangen.

3. Darauf aufbauend wird der Versuch unternommen, die traditionelle Kultur durch die Auswertung von Legenden und Mythen zu deuten.

4. Im letzten Bereich werden Fragen und Probleme der heutigen Bevölkerung aufgegriffen: Wie bewältigen die Osterinsulaner ihr großes kulturelles Erbe? Wie werden sie mit den Gegebenheiten unserer modernen Welt fertig? Diese Fragen sind eng verknüpft mit dem Tourismus und dem heutigen Kunstschaffen.

Kontrovers diskutiert wird sowohl in der Ausstellung als auch in diesem Katalog der Verlauf der Kulturentfaltung auf der Osterinsel. Über die ungefähre Dauer der menschlichen Besiedlung und über die Herkunft der Siedler herrscht unter Wissenschaftlern heute weithin Einvernehmen. Danach erfolgte die Besiedlung der Osterinsel von Ostpolynesien aus etwa in der Mitte des ersten nachchristlichen Jahrtausends. Doch über den Verlauf der weiteren Kulturentfaltung gehen die Meinungen der Forscher noch immer weit auseinander.

In dieser Ausstellung wird der historische Prozeß im Rahmen einer Zweifachbesiedlungsthese verstanden. Kulturblüte wie auch Kulturverfall, der noch vor der Ankunft der Europäer anzusetzen ist, gelten uns als Folge bzw. Spätfolge eines äußeren Kulturkontaktes. Dagegen geht die andere Position von einer sich stufenweise in Isolation entwickelnden Gesellschaft, die schrittweise aus einem bescheidenen frühen protopolynesischen Erbe hervorging und schließlich aufgrund demographischer und ökologischer Faktoren auseinanderbrach, aus. Der legendäre Inselkönig *Hotu Matua* wird in dieser Ausstellung als Anführer einer bedeutenden Zweitsiedlergruppe aufgefaßt, die zwar wie die Erstsiedler ebenfalls aus Ostpolynesien stammte, aber bedeutsame kulturelle Neuerungen zur Osterinsel brachte und eine Blütezeit interkultureller Befruchtung auslöste.

Danksagung

Das Zustandekommen einer solch umfassenden Ausstellung ist das Verdienst vieler, in erster Linie ist es das Verdienst der privaten Sammler und Museen, die ihre kostbaren Gegenstände bereitwillig trotz des damit verbundenen großen Arbeitsaufwandes nach Frankfurt ausgeliehen haben. Mein Dank gilt somit in erster Linie all den Kolleginnen und Kollegen in diesen Instituten:
Roger Neich, G. S. Park (Auckland), Janet Davidson, Bettie McFadgen, John Yaldwyn (Wellington), Lynette Williams, Michael Trotter (Christchurch), Richard Cassels, Dimitri Anson, M. White (Dunedin), Jim Specht (Sydney), Toni Han, Donald Duckworth, Yosihiko Sinoto (Honolulu), Janet Miller, Christine Gross (Chicago), Belinda Kaye, Philip Gifford (New York), Lucy Butler, Peter Fetchko (Salem), Genevieve Fisher, Carl Lamberg-Karlowsky, Richard Beauchamp, Kathleen Skelly (Cambridge, USA), Robert Elliot, Donald Lemon (New Brunswick), Winifred Glover, D. Crone (Belfast), Jean Guiart (Paris), Corinne Thépaut, Guy Ladrière (Paris), Quentin Laurens (Paris), Gisela Völger, Karin von Welck, Waldemar Stöhr, Burkhard Fenner (Köln), Rose Schubert, M. Kecskesi, Walter Raunig (München), Manfred Urban (Göttingen), Arne Eggebrecht, Christine Brauer (Hildesheim), Markus Schindlbeck, Klaus Helfrich, Gundolf Krüger (Berlin), Helga Rammow (Lübeck), Barbara Treide, Lothar Stein (Leipzig), H. Manndorff, Hanns Peter (Wien), Rudolf F. Its (Leningrad), Sergio Rapu H. (Hangaroa), Hans Niemeyer F., Eliana Duran S., Harold Krusell J. (Santiago), Carlos Riesco (Maipú), Pater R. Feres S. (Maipú), Ana Avalos V. (Valparaiso), J. A. Pérez G. (Buenos Aires), Alv Alver (Oslo), Dirk Smidt (Leiden), G. Scichilone (Rom), Pater André Mark (Rom), C. Pietrangeli, Jozif Penkowski, A. Cicherchia (Vatikan), Michael Dietrich (Stuttgart), Marianne Bechtel (Frankfurt), Friedhelm Welge (Frankfurt), Johannes Mehl (Erlangen), Ralph Nash (Hamburg).

Dank gilt meinen Kolleginnen und Kollegen, die Beiträge für den Katalog geschrieben haben. Und Dank gilt denen, die Bilder und andere Unterlagen sowohl für die Ausgestaltung der Ausstellung wie des Kataloges zur Verfügung gestellt haben (siehe Abbildungsnachweis). Dank gilt den Mitgliedern der Kampagne, die im April/Mai 1988 mit mir zur Osterinsel gereist sind, sowie den Präparatoren des Senckenbergmuseums, die die Ausformung der beiden *moai* und der Kultwand so vorzüglich durchgeführt haben. Herrn Prof. Dr. W. Ziegler, Direktor des Senckenbergmuseums, danke ich für die vielfältige Unterstützung und die persönlichen und fachlichen Gespräche.

Mein größter Dank gilt Herrn Prof. Dr. Thomas Barthel, dem ich mein Wissen und meine Begeisterung für die Osterinsel-Kultur weitgehend verdanke. Diese Verbindung reicht nunmehr ein Dutzend Jahre zurück. Für all seine Unterstützung und die Bereitschaft zum Dialog bin ich Herrn Barthel sehr dankbar.

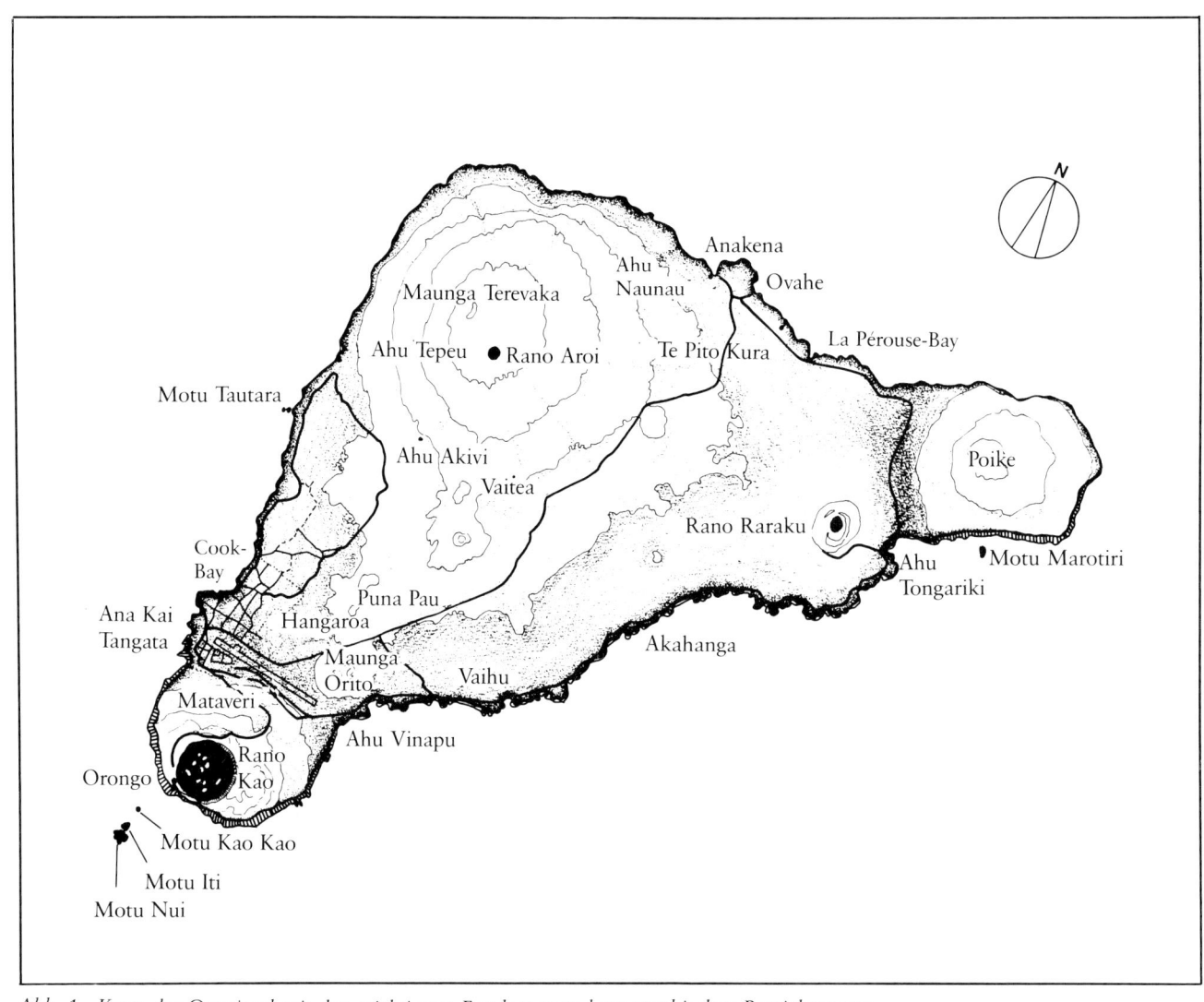

Abb. 1   Karte der Osterinsel mit den wichtigsten Fundorten und geographischen Bezeichnungen

Naturgeschichte der Osterinsel

GEORG ZIZKA

Geographie

Die Osterinsel, Rapa Nui oder Isla de Pascua ist vulkanischen Ursprungs. Sie liegt 27° 09' 30'' südlich des Äquators und 109° 26' 14'' westlich von Greenwich in den Weiten des Pazifischen Ozeans. Vom chilenischen Festland (Caldera) trennen diese wohl isolierteste menschliche Ansiedlung 3600 km. Von der Insel Mangareva im Gambier-Archipel etwa 2600 km.

Die Insel hat eine Fläche von 166 km² und besitzt ungefähr die Form eines rechtwinkligen Dreiecks, dessen Hypotenuse annähernd von Südwesten nach Nordosten verläuft und ca. 24 km lang ist. Die größte Breite beträgt 12 km.

Die Ecken des Dreiecks bilden die drei großen, das Bild der Insel bestimmenden Vulkane, *Poike*, *Rano Kao* und *Maunga Terevaka*. Die Osterinsel wird wegen ihres vulkanischen Ursprungs als Hochinsel bezeichnet, die höchste Erhebung (*Maunga Terevaka*) liegt 511 m über dem Meeresspiegel.

Der Küste vorgelagert sind einige kleine Felsinseln. Die größten sind im äußersten Südwesten *Motu Kaokao*, *Motu Iti* und *Motu Nui*, im Südosten *Motu Marotiri* und an der

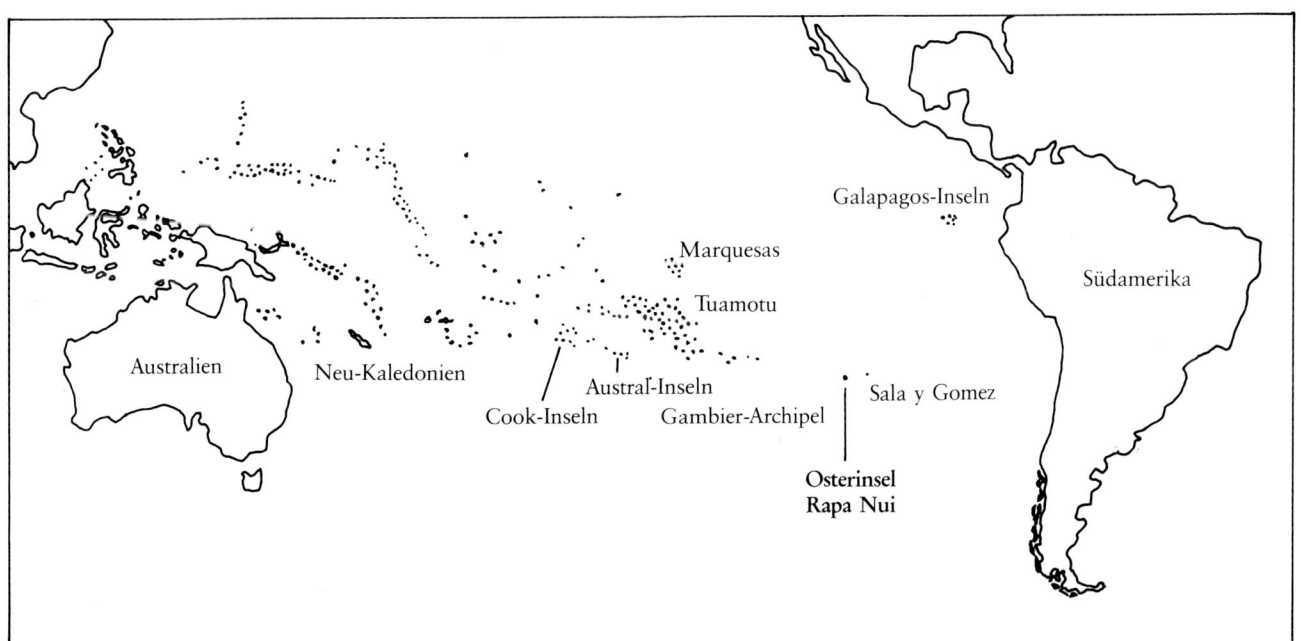

Abb. 2   Lage der Osterinsel im Pazifischen Ozean

Abb. 3   Satellitenbild der Osterinsel (Aufnahme NASA)

Abb. 4   Die Osterinsel mit den im Text erwähnten geographischen Bezeichnungen

Westküste *Motu Tautara*. 415 km östlich der Osterinsel liegt die kahle, unbewohnte Insel Sala y Gomez. Sie besitzt ungefähr die Form eines Halbkreises und ist etwa 700 m lang und zwischen 50 m (Mittelteil) und 400 m (östlicher Teil) breit.[1] In früheren Zeiten soll Sala y Gomez wegen der reichen Fischgründe und der Eier der dort in großer Zahl brütenden Seevögel von den Osterinsulanern besucht worden sein.

Klima

Die Osterinsel hat ein ozeanisch geprägtes, subtropisches Klima. Die mittlere Jahrestemperatur beträgt 20 °C, die Durchschnittsmenge der jährlichen Niederschläge liegt bei 1365 mm.[2] Sie beträgt in Frankfurt 614 mm. Wie aus dem Klimadiagramm ersichtlich, gibt es keine Trockenzeit, die meisten Niederschläge fallen in den Monaten Mai bis Juni. Die höheren Lagen des *Maunga Terevaka* erhalten deutlich mehr Niederschläge (über 1600 mm). Die Schwankungen von Jahr zu Jahr können erheblich sein, die jährlichen Niederschlagsmengen liegen zwischen 700 und über 2100 mm.

Die Temperaturkurve zeigt nur geringe Schwankungen und erreicht ihr Maximum in den Monaten Januar bis März. Das Mittel der kältesten Monate (Juli und August) beträgt 17,8 °C, das des wärmsten Monats (Februar) 23,7 °C.
Auf der Insel weht ein ständiger Wind. In den Monaten September bis Juni herrschen Passatwinde aus O und SO vor, im Juli und August dominieren N- und NW-Winde.[3]
Trotz der hohen Niederschlagsmenge fehlen auf der Insel ganzjährig wasserführende Fließgewässer, da das Wasser rasch im porösen Untergrund versickert. Es fließt unterirdisch zum Meer hin ab und tritt z. T. im Küstenbereich wieder zutage.
Den Kraterboden von *Rano Kao*, *Rano Raraku* und *Rano Aroi* bedecken Süßwasserseen. Noch bis vor kurzer Zeit mußten die Bewohner der Insel in Trockenperioden auf dieses Süßwasser im *Rano Kao* zurückgreifen. Mit der Bohrung von Tiefbrunnen wurde hier Abhilfe geschaffen.
Der Kratersee im *Rano Aroi* speist ein kleines Rinnsal, das die meiste Zeit des Jahres Wasser führt und nach Süden zum Meer hin abfließt. Der kleine Bach verläuft streckenweise in einer engen, 3–4 m tiefen Schlucht, an deren Wänden sich eine üppige Farnvegetation findet.

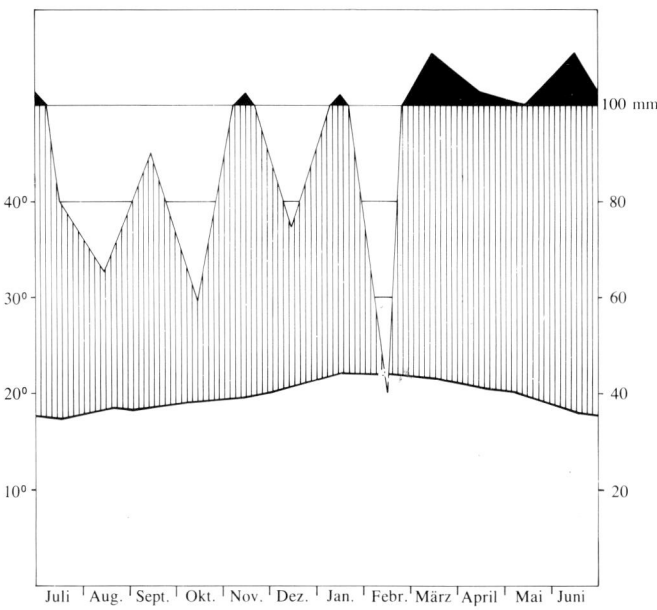

Abb. 5 Klimadiagramm (Walter, Harnickell und Müller-Dombois 1974). Die untere Kurve gibt den Jahresgang der Temperatur, die obere die Niederschlagsverteilung wieder

Geologie

Die Osterinsel ist das Produkt der Aktivität der drei großen Vulkane *Poike*, *Rano Kao* und *Maunga Terevaka*. Die früher angestellte Vermutung, es handele sich um Reste eines versunkenen Archipels oder gar Kontinents[4], ist durch geologische Untersuchungen widerlegt worden.
Neben den drei Hauptvulkanen existieren noch eine Vielzahl von Nebenvulkanen, deren kegelförmige Erhebungen ein charakteristisches Element der Osterinsel-Landschaft darstellen. Tief eingeschnittene Täler oder Schluchten fehlen, da das Oberflächenwasser rasch versickert und unterirdisch abfließt. Bei den Gesteinen der Osterinsel handelt es sich um Laven, deren chemische Zusammensetzung von kieselsäurearmen Ozeanbasalten (Tholeite) bis zu kieselsäurereichen Rhyoliten reicht, oder um verfestigte vulkanische Lockerprodukte (Aschen, Tuffe).

Die vulkanische Aktivität auf der Insel erlosch vor der menschlichen Besiedlung, in den Überlieferungen finden sich keine Hinweise auf Vulkanismus. Baker schätzt das Alter eines Lavastromes an der Westküste, der der jüngsten Periode vulkanischer Aktivität entstammt, auf etwa 2000 bis 3000 Jahre.[5]
Poike ist der älteste der drei Vulkane, für dessen Lavaströme an der Nordseite ein Alter von etwa 2,5 Millionen Jahren bestimmt wurde.[6] Der Schicht- oder Strato-Vulkan besitzt eine Höhe von 370 m. Am Gipfel befindet sich ein kleiner, trockener Krater von etwa 80 m Durchmesser und 7 m Tiefe, der heute von einem kleinen Eukalyptuswald bestanden ist.
Wie an der bis fast 200 m abfallenden Steilküste zu erkennen, ist die Landmasse des *Poike*-Vulkans durch Abrasion verkleinert worden. Die Halbinsel mißt heute etwa 5 km in Ost-West- und 3,5 km in Nord-Süd-Richtung. Im Südwesten, zum Inselinneren hin, zeugen steil abfallende Klippen von mariner Erosion aus der Zeit, bevor die Lavaströme des *Maunga Terevaka* den Poike mit dem übrigen Teil der Insel verbanden.
Wesentlich jünger ist der *Rano Kao*, dessen Gestein auf etwa 1 Million Jahre datiert wurde.[7] Bei dem etwa 1,6 km großen, kesselartig erweiterten Gipfelkrater, dessen Boden von einem Süßwassersee bedeckt ist, handelt es sich um eine Caldera (durch Einsturz des Gipfels entstanden). Auch hier hat die Abrasion deutliche Spuren hinterlassen und im Süden, bei *Orongo*, bereits den Kraterrand selbst erreicht. Die Klippen fallen hier etwa 300 m nahezu senkrecht zum Meer hin ab.
Die Innenwände des Kraters erheben sich bis etwa 200 m über den Kratersee. Drei kleine, im SW vorgelagerte Inseln (*Motu Kaokao*, *Motu Iti*, *Motu Nui*) stellen wahrscheinlich Reste parasitärer Vulkane des *Rano Kao* dar.[8]
Mit bis zu 240 000 Jahren am jüngsten ist die Lava des *Maunga Terevaka*.[9] Nach Norden und Westen zu wird er von Steilküsten begrenzt, während die Süd- und Osthänge zum Meer hin langsam abfallen. Die Lavaströme des *M. Terevaka* und seiner etwa 70 Nebenvulkane bedecken den größten Teil der Oberfläche der Osterinsel.
Der *Terevaka* besitzt einen aus mehreren Kratern aufgebauten Gipfelbereich. Einer der größten dieser zu einem nach Norden offenen Halbkreis verschmolzenen Vulkane ist der *Rano Aroi*, in dessen flachem Krater sich ebenfalls ein Süßwassersee findet.
Von besonderem Interesse ist der östlichste parasitäre Vulkan des *Terevaka*, der *Rano Raraku*. Aus seinem Gestein wurden fast alle größeren Figuren auf der Osterinsel ge-

Abb. 7   Halbinsel Poike, vom höchsten Punkt der Insel (Maunga Terevaka) aus gesehen

hauen. Es handelt sich dabei um leichten, porösen Tuff mit zahlreichen Einschlüssen von bis zu einem Meter Größe.[10] Das unvorhersehbare Auftreten solch großer, harter Einschlüsse hatte in vielen Fällen den Abbruch der Arbeiten an einer Figur zur Folge. Das Gestein ist an frischen Bruchflächen grünlichgelb, nimmt jedoch bei Verwitterung eine gelblichgraue Farbe an.

◁ *Abb. 6   Obsidianvorkommen am Maunga Orito*

Die asymmetrische Form des etwa 100 m hohen Vulkans und das Vorkommen des Tuffes ausschließlich in seiner südlichen Hälfte deuten nach Baker darauf hin, daß der Tuff des *Rano Raraku* von einem im SO unmittelbar angrenzenden Vulkan ausgestoßen wurde, dieser jedoch von der Brandung zerstört wurde.[11] Heute liegt der *Rano Raraku* gut 1 km von der Meeresküste entfernt.

Zwei weitere parasitäre Vulkane des *Maunga Terevaka*, *Puna Pau* und *Maunga Orito*, sind wegen ihres Gesteins für die Osterinselkultur von besonderer Bedeutung. Aus den porösen und blasigen Schlacken des nur 2 km östlich von *Hangaroa* gelegenen *Puna Pau* wurden die *pukao* gefertigt, die

die Köpfe der *moai* krönten. Die leuchtendrote, an frischen Bruchstellen fast schwarze Färbung wird durch den Gehalt an Eisenoxid hervorgerufen.

Vom *Maunga Orito*, einem Vulkankegel am Fuße des *Rano Kao*, stammt der Obsidian, aus dem die Osterinsulaner ihre Messer und Speerspitzen (*mata'a*) herstellten. Obsidian ist ein dunkles Gesteinsglas, das bei rascher Erstarrung vulkanischen Schmelzflusses entsteht und auf den pazifischen Inseln selten vorkommt.

Außer am *Maunga Orito* findet sich Obsidian noch am Nordwest-Hang des *Rano Kao* und auf den vorgelagerten Inseln *Motu Iti*, *Motu Kaokao* und *Motu Nui*. Die heutige weite Verbreitung dieses Gesteins auf der Osterinsel wird durch die menschliche Nutzung erklärt.

Der Küste vorgelagerte Korallenriffe fehlen, es finden sich jedoch vereinzelte Korallenkolonien in den Gewässern um die Insel. Mit Ausnahme von vier kleinen, z. T. nur einige Meter langen Sandstränden (*Anakena*, *Ovahe*, *Vaihu*, *La Pérouse*) besitzt die Insel Felsküsten, deren Klippen meist nur wenige Meter, auf *Poike* und bei *Orongo* aber 100–300 m tief zum Meer hin abfallen. Die zahlreichen Höhlen im Küstenbereich sind durch Auswaschung von Asche- oder Tuffschichten zwischen härteren Lavadecken entstanden.

Die Oberfläche der Osterinsel ist mehr oder weniger dicht mit Lavabrocken übersät, eine Tatsache, die das Anlegen von Kulturflächen erschwert und die Fortbewegung abseits der Wege behindert.

Die Böden sind sämtlich Verwitterungsprodukte der vulkanischen Gesteine, häufig flachgründig, stellenweise jedoch tiefgründig und fruchtbar (z. B. im Bereich von *Hangaroa*, *Vaitea* oder auf der Halbinsel *Poike*).

Wohl als Folge der Überweidung und der daraus resultierenden lückigen Pflanzendecke ist die Bodenerosion zu einem Problem geworden, dessen man durch die Aussaat schnellwüchsiger, bodenstabilisierender Pflanzen Herr zu werden versucht.

Veränderung der belebten Natur durch den Menschen

Die Tier- und Pflanzenwelt der Osterinsel ist, verglichen mit anderen Inseln der Südsee, sehr artenarm.

Im Zuge der menschlichen Besiedlung sind durch die Einführung oder unbeabsichtigte Einschleppung zahlreiche neue Arten hinzugekommen, aber auch einheimische Arten ausgestorben. Die Rekonstruktion der ursprünglichen Zustände und der vom Menschen verursachten Veränderungen ist ein hochinteressantes, in vielen Fällen aber kaum zu lösendes Problem.

Der Zustand zur Zeit der Besiedlung und der Einfluß der ersten Siedler müssen an Hand archäologischer Funde (Palmfrüchte), Pollenuntersuchungen und der Überlieferungen rekonstruiert werden. Für die tiefgreifenden Veränderungen nach der Entdeckung durch Europäer gibt es vor allem aus neuerer Zeit Aufsammlungen und Reiseberichte, die die Veränderungen dokumentieren.

Von besonderem Interesse für die Rekonstruktion der ursprünglichen Verhältnisse sind dabei die natürlichen, d. h. vom Menschen unabhängigen Verbreitungsmöglichkeiten verschiedener Tier- und Pflanzenarten.

So bietet die Verfrachtung von Tieren (z. B. Reptilien) auf Treibholz oder der Transport von Samen oder Früchten mit Meeresströmungen oder durch Vögel Erklärungsmöglichkeiten für ungewöhnliche, weit auseinander liegende Vorkommen von Arten.

Fauna

Die heute auf der Insel lebenden Säugetiere (Pferd, Rind, Schwein, Schaf, Katze, Hund, Maus) wurden alle nach der Entdeckung durch Roggeveen im Jahre 1722 eingeführt oder eingeschleppt. Möglicherweise ohne Hilfe des Menschen gelangte die polynesische Ratte (*Rattus concolor*) auf die Osterinsel, wurde aber später von den größeren, mit europäischen Schiffen eingeschleppten Wander- und Hausratten (*Rattus norvegicus* und *R. rattus*) verdrängt. Ratten waren früher wahrscheinlich Bestandteil der menschlichen Ernährung.[12] Heyerdahl nimmt an, daß die polynesische Ratte von den frühen Siedlern zusammen mit dem Huhn eingeführt wurde.[13] Hühner waren die einzigen Haustiere der Osterinsulaner zur Zeit der Entdeckung durch Europäer.

Die Vermutung, daß mit den polynesischen Siedlern auch Schweine und Hunde auf die Insel gelangten, hat sich durch die Ergebnisse der Ausgrabungen nicht stützen lassen.

Nach ersten erfolglosen Versuchen durch La Pérouse im Jahre 1786 wurden Anfang der 60er Jahre des vorigen Jahrhunderts Pferde und Rinder auf die Insel gebracht; 1868 kamen Schafe aus Tahiti hinzu.[14] Die auch heute noch mehr oder weniger frei weidenden Tiere sind in erster Linie für den tiefgreifenden Wandel der Pflanzenwelt in den letzten 100 Jahren verantwortlich. Thomson beschreibt eindrucksvoll die Folgen der Beweidung: »At various places throughout this land we found small clumps of Edwardsia, Broussonetia, and Hibiscus, but all were dead, having been

Abb. 8 Ruß-Seeschwalbe beim Füttern des Jungen

Abb. 9 Cypraea englerti, eine nach Pater Sebastian Englert benannte Kauri-Schnecke, die nur an der Küste der Osterinsel und von Sala y Gomez vorkommt

stripped of their bark by the flocks of sheep, which roam at will over the Island.«[15]

Die Schafzucht war früher von großer Bedeutung. Thomson schätzt die Anzahl der Schafe zur Zeit seines Aufenthaltes auf etwa 18 000.[16] Sie hat in den letzten Jahren jedoch sehr an Bedeutung verloren.

Die beiden Reptilien der Osterinsel, ein Gecko (*moko uruuru kahu*, *Lepidodactylus lugubris*) und ein Natteraugenskink (*moko uriuri*, *Ablepharus boutonii*), sind nach Heyerdahl von den polynesischen Besiedlern eingeschleppt worden.[17] Die beiden im indopazifischen Raum weit verbreiteten Arten könnten aber auch auf Treibholz von Meeresströmungen verfrachtet worden sein und die Osterinsel ohne Zutun des Menschen erreicht haben.

Auf der Osterinsel selbst leben heute nur vier vom Menschen eingeführte Landvogelarten: Hausspatz (*Passer domesticus*), Braunsteißdiuka (*Diuca diuca*), Chilesteißhuhn (*Nothoprocta perdicaria*) und Chimango, ein zu den Geierfalken gehörender Raubvogel (*Milvago chimango*), der 1928 eingeführt wurde, um die Rattenplage zu bekämpfen.[18] Im Jahre 1943 zum letzten Mal beobachtet wurde der 1885 ebenfalls eingeführte Langschwanz-Soldatenstärling (*Sturnella militaris*).[19]

Die folgenden 12 Seevogelarten finden sich heute, mit Ausnahme des Rotschwanz-Tropikvogels, nicht mehr auf der Osterinsel selbst, sondern auf vier kleinen und unbewohnten, vorgelagerten Inseln (Motu Nui, Motu Kaokao, Motu Iti, Motu Marotiri):[20]

kuma	Weihnachts-Sturmtaucher (*Puffinus nativitatis*)
kakapa	Kermadecsturmvogel (*Pterodroma neglecta*)
kakapa	Wappensturmvogel (*Pterodroma arminjoniana heraldica*)
makoche	Bindenfregattvogel (*Fregata minor*)
tavake	Rotschwanz-Tropikvogel (*Phaeton rubricauda*)
kena	Maskentölpel (*Sula dactylatra*)
manu tara	Rußseeschwalbe (*Sterna fuscata*)
manu tara	Brillenseeschwalbe (*Sterna lunata*)
tuao	Noddi (*Anous stolidus pileatus*)
tavi	Blaunoddi, Grauseeschwalbe (*Procelsterna cerulea skottsbergii*)
kia-kia	Feenseeschwalbe (*Gygis alba royana*)
ruru	Südlicher Riesensturmvogel (*Macronectes giganteus*)

Für den Vogelmannkult der Osterinsulaner waren die Eier der in den Tropen weitverbreiteten Rußseeschwalbe (*Sterna fuscata*) von zentraler Bedeutung. Für die ähnliche Brillenseeschwalbe (*Sterna lunata*) ist ein Brüten auf den vorgelagerten Inseln in neuerer Zeit nicht nachgewiesen. Beide Arten werden von den Osterinsulanern als *manu tara* bezeichnet.

Früher brütete auf den Inseln auch der Bindenfregattvogel (*Fregata minor*).

Im Mai konnte eine Anzahl von Reihern beobachtet werden, die in neuerer Zeit alljährlich zur Osterinsel kommen.[21] Es handelt sich wahrscheinlich um den Kuhreiher

Abb. 10 Blick auf den Rano Raraku

(*Bubulcus ibis*), dem auch mehrere tausend Kilometer Flugleistung zuzutrauen sind. Dieser Vogel ist häufig an feuchten Standorten zu finden und möglicherweise für die Verbreitung von Samen bzw. Früchten der Pflanzen dieser Standorte verantwortlich.

Der größte Teil der landlebenden Wirbellosen der Osterinsel ist zweifellos durch den Menschen eingeschleppt worden. Die Schadinsekten unter ihnen führen zu erheblichen Ernteausfällen.

Bemerkenswert hoch ist der Anteil endemischer Arten an der Meeresfauna. Er liegt nach Rehder bei Fischen, Korallen, Echinodermen und einigen Krustazeen-Gruppen bei 14–50%.[22]

Aus den Panzern von Meeresschildkröten gefertigte Schmuckstücke wurden in Gräbern und Höhlen gefunden. Die drei vorkommenden Arten werden heute nur noch selten beobachtet.

126 Fischarten sind aus den Gewässern der Osterinsel bekannt.[23] Neben einigen endemischen Arten sind vor allem im polynesischen Raum beheimatete Sippen vertreten.

Abb. 11 Blick von Nordosten in den Krater des Rano Kao

Fester Bestandteil des Speisezettels sind Langusten (*Palinurus pascuensis*). Als Folge der Einführung neuer Fangmethoden nahm die Ausbeute immer mehr zu; schließlich wurden Anfang der 70er Jahre 200–300 kg wöchentlich zum Festland exportiert. Dieser Export wurde 1974 verboten und eine mehrmonatige Schonzeit festgelegt.[24]

Die marine Molluskenfauna und ihre biogeographischen Beziehungen wurden von Rehder eingehend untersucht.[25] Unter den 115 Arten des Litorals ist der Anteil an Endemiten mit 42% (= 48 Arten) außerordentlich hoch. Besonders enge Beziehungen bestehen zu Hawai'i sowie zu den Pitcairn- und Kermadec-Inseln, Rapa und der Nordinsel von Neuseeland.

Erst 1965 wurde die nur an den Küsten der Osterinsel und von Sala y Gomez vorkommende Kaurischnecke *Cypraea englerti* wissenschaftlich beschrieben und nach Pater Sebastian Englert benannt. Von der früher sehr seltenen und begehrten Art gibt es heute zahlreiche Aufsammlungen. Sie lebt tagsüber in tieferem Wasser, findet sich nachts jedoch in den Gezeitentümpeln.

Flora

Wie die Fauna ist auch die Flora (Bestand der Pflanzenarten eines Gebietes) der Osterinsel vergleichsweise artenarm. Neben einigen Flechten-, Moos- und Farnarten kommen knapp 100 Blütenpflanzenarten wildwachsend, d. h. außerhalb der Kulturstandorte vor, wobei unter den Blütenpflanzen Süßgräser (*Poaceae*) und Korbblütler (*Asteraceae*) am stärksten vertreten sind.

Es lassen sich innerhalb des Artenbestandes zwei Gruppen unterscheiden: Den Arten, die ohne Zutun des Menschen auf die Insel gelangt sind (Idiochore), stehen solche gegenüber, die ihr Vorkommen auf der Osterinsel direkt oder indirekt der Tätigkeit des Menschen verdanken (Anthropochore).

Bei den Moosen, Flechten und Farnen eines Gebietes handelt es sich in der Regel um idiochore Arten. Eine Verbreitung der mikroskopisch kleinen Sporen über weite Strecken ist durch den Wind ohne weiteres möglich, ein Zutun des Menschen nicht erforderlich.

Anders als bei den niederen Pflanzen sind bei den Blütenpflanzen Bau- und Verbreitungsstrategien der Diasporen sehr vielfältig und der Mensch häufig direkt oder indirekt für die Samenverbreitung verantwortlich.

Idiochore

Unter den Laubmoosarten der Osterinsel besonders bemerkenswert sind Vertreter der Gattung *Campylopus*, die im Kratersee des *Rano Kao* Massenbestände bilden. *Campylopus turficola* bildet dort dicke, schwimmende Torfpolster, die zum Teil sogar begehbar sind.

Die Farnflora umfaßt vierzehn Arten[26], von denen vier endemisch sind. Eine auf der Osterinsel im Küstenbereich sehr häufige Pflanze ist der auch in Südamerika vorkommende robuste Farn *Asplenium obtusatum*. Nach Skottsberg ist dies auch eine der ganz wenigen auf Sala y Gomez vorkommenden Pflanzen.[27]

Eine ebenfalls in großer Individuenzahl vertretene Art ist die häufig zwischen Lavabrocken wachsende *Microlepia strigosa*. Die Art ist von Indien bis Japan und in Polynesien verbreitet.

Besonders zahlreich finden sich die Farne um die Kraterseen von *Rano Kao* und *Rano Aroi*. Sehr schön ausgebildet ist die Farnflora auch entlang des zum Teil mehrere Meter tief eingeschnittenen Bachlaufes, der vom Kratersee des *Rano Aroi* gespeist wird und nach Süden in Richtung *Vaitea* fließt. Hier findet sich auch der endemische Farn *Doodia paschalis*.

Der bemerkenswerte Fund von *Psilotum nudum* am *Rano Aroi*[28] konnte bisher von keinem weiteren Sammler bestätigt werden. Die Art ist in den Tropen und Subtropen weit verbreitet.

Unter den Blütenpflanzen ist der heute am natürlichen Standort ausgestorbene *toromiro* (*Sophora toromiro*) wohl die bekannteste Art der Osterinsel. Das harte, feste Holz dieses kleinen Baumes wurde von den Osterinsulanern in vielfältiger Weise genutzt, so z. B. für Schnitzereien, Keulen, Paddel und zum Bootsbau. Die Gattung *Sophora* gehört zur Familie der Schmetterlingsblütler (*Fabaceae*) und umfaßt etwa 40 Arten. Nach der Überlieferung wurde der *toromiro* zusammen mit anderen Nutzpflanzen von *Hotu Matua* auf die Osterinsel gebracht. Es handelt sich jedoch um eine auf der Osterinsel endemische Art, deren nächste Verwandte, *Sophora microphylla*, auf dem chilenischen Festland beheimatet ist. Das Vorkommen der Gattung *Sophora* auf der Osterinsel lange vor der menschlichen Besiedlung wurde an Hand von Pollenfunden nachgewiesen.[29] Da die Samen mehrerer *Sophora*-Arten auch nach vielen Monaten im Salzwasser noch keimfähig sind[30], ist auch für die Vorfahren des *toromiro* eine Verbreitung der Früchte mit Meeresströmungen wahrscheinlich.

Wie kaum bei einer anderen Art läßt sich die Ausrottung des *toromiro* in der Literatur verfolgen. Forster beobachtete die Art 1774 (er bezeichnet sie allerdings als Mimosa) an verschiedenen Stellen der Insel und beschrieb Bestände mit etwa 3 m hohen Pflanzen, deren Stämme an der Basis z. T. schenkeldick waren.[31] Wegen der Nutzung durch den Menschen, vor allem aber durch die frei weidenden Schafe, wurden die Vorkommen des *toromiro* schließlich bis auf einige wenige Exemplare an unzugänglichen Stellen an den Kraterwänden des *Rano Kao* reduziert. Dort fand Skottsberg im Jahre 1917 das einzige etwa 1,90 m hohe Exemplar auf der Insel.

Auf seiner Expedition 1955–1956 gelang es Heyerdahl, im *Rano Kao* Samen vom (letzten?) *toromiro* zu sammeln. Bereits 1962 war diese Pflanze nicht mehr auffindbar.

Die von Heyerdahl gesammelten Samen gelangten 1958 in den Botanischen Garten Göteborg und wurden dort erfolgreich kultiviert. Erste, im Jahre 1981 vorgenommene Versuche einer Rücksiedlung auf die Osterinsel scheiterten.[32] Im März 1988 wurden wiederum zwei Exemplare aus dem Botanischen Garten Göteborg auf der Osterinsel an geschützter Stelle ausgepflanzt. Wegen der zahlreichen, erst in neuerer Zeit auf die Insel gelangten Pflanzenschädlinge und aufgrund der Tatsache, daß es sich bei den ausgepflanzten Exemplaren um Nachkommen einer einzigen Mutterpflanze handelt, ist es fraglich, ob sich der *toromiro* auf der Osterinsel wieder einbürgern läßt.

Neben den Pflanzen in Göteborg existiert auch im Botanischen Garten von Viña del Mar eine mehrere Jahrzehnte alte Pflanze, die nach Behrendt und Schürmann aus Samen gezogen wurde, die der chilenische Botaniker Carlos Muñoz 1935 auf der Osterinsel sammelte.[33] Ebenfalls um *Sophora toromiro* handelt es sich bei einem etwa 1 m großen, im Botanischen Garten der Universität Bonn kultivierten Exemplar. Woher diese Pflanze stammt, ließ sich bisher nicht rekonstruieren.[34]

Besonders interessant ist der Nachweis einer bereits zur Zeit der europäischen Entdeckung ausgestorbenen Palme aus der weiteren Verwandtschaft der Kokospalme.[35] Pollenmerkmale und bei Ausgrabungen gefundene Fruchtreste weisen die chilenische Honigpalme (*Jubaea chilensis*) als nächstverwandte rezente Art aus. Sie ist in einem kleinen Gebiet Mittelchiles beheimatet und heute aufgrund der Ausbeutung ihrer Bestände durch den Menschen vom Aussterben bedroht. Zur Gewinnung des sog. Palmhonigs wurden die Palmen gefällt und der entblätterte Vegetationskegel angeschnitten. Das Endosperm der etwa aprikosengroßen Früchte ist eßbar und wird als Leckerbissen geschätzt.

Wie Funde von Fruchtresten in Höhlen vermuten lassen, war zumindest auch der Verzehr der Früchte der ausgestorbenen Palme für die Ureinwohner der Osterinsel von Bedeutung.

Eine Verwendung der Palmen für den Transport der *moai* ist, falls auch im Stammaufbau Gemeinsamkeiten mit der chilenischen Honigpalme bestehen, kaum vorstellbar. Der Stamm besteht bei letzterer Art aus einer nur wenige Millimeter dicken kompakten und harten Außenschicht, während der verbleibende und damit allergrößte Teil des Stammes aus einer faserigen Masse besteht, aus der keine mechanisch beanspruchbaren Hilfsmittel wie Hebel hergestellt werden können.

Das Aussterben der Palme auf der Osterinsel führen Dransfield et al. auf die Nutzung durch den Menschen und möglicherweise auch auf die Unterbindung der Samenvermehrung durch Nagetiere (Ratten) zurück.[36] An den bei Ausgrabungen gefundenen Fruchtteilen konnten Nagespuren entdeckt werden.

Zur Stützung der Annahme eines vorgeschichtlichen Kontaktes zwischen der Osterinsel und Südamerika führt Heyerdahl einige Pflanzen auf, die in Amerika verbreitet sind und mit Seefahrern aus dem nordwestlichen Südamerika (Peru) auf die Osterinsel gelangt sein sollen.[37]

Für das *totora*-Schilf (*Scirpus californicus*) und den am gleichen Standort wachsenden Knöterich (*Polygonum acuminatum*) weist Heiser auf die Möglichkeit der Einschleppung von Früchten durch Vögel hin.[38] Die Einwanderung des *totora*-Schilfes ohne Zutun des Menschen ist durch die Pollenuntersuchungen Flenleys nachgewiesen.[39]

Besonders zahlreich vertreten sind unter den Idiochoren die Süßgräser (*Poaceae*), deren Anwesenheit auf Verbreitung durch Vögel, eventuell auch auf Windverbreitung zurückgeführt werden kann. An der Küste gibt es Arten verschiedener Verwandtschaftskreise, deren Diasporen wahrscheinlich mit Meeresströmungen verfrachtet werden. Ein Vertreter dieser Gruppe ist das am Strand von *Tongariki* verbreitete Windengewächs *Ipomoea pes-caprae*, ein häufiger Besiedler tropischer und subtropischer Strände.

Die geringe Anzahl idiochorer Pflanzenarten sowie endemischer Sippen auf der Osterinsel ist nicht auf menschliche Beeinflussung, sondern wohl in erster Linie auf die isolierte geographische Lage zurückzuführen.

Dies zeigen neben den Pollenfunden auch Vergleiche mit anderen Inselfloren (z. B. Pitcairn, Juan Fernandez, St. Helena), bei denen sich trotz massiver Eingriffe doch eine Reihe endemischer Gattungen und Arten bis heute erhalten haben.[40]

Anthropochore

Nach ihrer Einwanderungszeit lassen sich unter den Anthropochoren der Osterinsel zwei Gruppen unterscheiden. Dies sind einmal die Pflanzen, die nach der Überlieferung von *Hotu Matua* und seinen Gefolgsleuten auf die Insel gebracht wurden, zum anderen die nach der Entdeckung durch die Europäer im Jahre 1722 eingeführten oder eingeschleppten Arten.

Vor der europäischen Entdeckung eingeführte Pflanzen

Informationen über die in vorgeschichtlicher Zeit eingeführten Pflanzen entstammen den Überlieferungen der Osterinsulaner. Weitere wichtige Hinweise liefern die Beschreibungen der ersten Europäer über die auf der Insel angebauten Nutzpflanzen.

Die folgenden Arten wurden wahrscheinlich bereits vor der europäischen Entdeckung auf die Osterinsel gebracht:

kumara (Süßkartoffel, *Ipomoea batatas*)

Die stärkereichen, annähernd spindelförmigen Wurzelknollen dieses Windengewächses waren das wichtigste Grundnahrungsmittel der Osterinsulaner und werden auch heute noch regelmäßig angebaut. Die jungen Sprosse werden auch als Gemüse verzehrt.

Abb. 12   Blühender toromiro-Zweig

Die Osterinsulaner kennen Bezeichnungen für mindestens fünfundzwanzig verschiedene Sorten, die sich vor allem in Gestalt, Farbe und Oberflächenstruktur der Knollen unterscheiden.[41]
Herkunft und Ausbreitungsgeschichte der Süßkartoffel sind vielfach diskutiert worden. Die Heimat dieser Pflanze, die sowohl im polynesischen Sprachraum als auch im nordwestlichen Südamerika (Peru, Kolumbien und Ecuador) als *kumara* (oder ähnlich lautend) bezeichnet wird, liegt in Südamerika. Von dort gelangte sie wahrscheinlich um 400–700 n. Chr. nach Polynesien (ob durch polynesische oder südamerikanische Seefahrer?) und von dort erst mit den polynesischen Besiedlern auf die Osterinsel. Das Zentrum der Formenvielfalt der Süßkartoffel in Polynesien (und wahrscheinlich auch das Ausbreitungszentrum in dieser Region) liegt im zentralen Ostpolynesien.[42]

taro (Taro, *Colocasia esculenta*)
Wird auch heute noch wegen der stärkereichen, knolligen Wurzelstöcke angebaut.

uhi (Yam, *Dioscorea* sp.)
Die stärkereichen Wurzelknollen waren früher wichtiger Bestandteil der Nahrung, haben heute jedoch ihre Bedeutung verloren.

maika (Banane, *Musa sapientium*)
Nach den Berichten der ersten Europäer wurden Bananen früher auf großen Flächen angebaut. Windschutz und bessere Wasserversorgung gewährleisteten Steinwälle oder die Kultur in sog. *manavai*, die durch Absenken oder Einsturz der Lavadecken von Höhlen entstanden sind.
In diesen Vertiefungen finden sich heute noch neben Bananen auch Süßkartoffeln, Taro und Papiermaulbeerbäume.
Die getrockneten, zerteilten Bananenblätter wurden zum Decken der Häuser, die Blattfasern als Bindematerial und zur Herstellung von Körben genutzt.

toa (Zuckerrohr, *Saccharum officinarum*)
Das zuckerhaltige Mark wurde gekaut oder der daraus gepreßte Saft getrunken. Forster berichtet: »Das Zuckerrohr . . . enthielt einen ungemein süßen Saft, den die Eingeborenen uns sehr oft angeboten, besonders, wenn wir zu trinken verlangten . . .«.[43] Die Herstellung alkoholischer Getränke aus dem Preßsaft war nach Knoche unbekannt.[44] Die Blätter dienten, wie auch die der Banane und des Grases *heriki hare* (*Paspalum forsterianum*, ev. auch *Axonopus paschalis*), zum Decken der Häuser.

ti (Keulenlilie, *Cordyline fruticosa*)
Der fleischige Wurzelstock enthält bis zu 20% Zucker und wird gekocht gegessen. Aus den Blättern wird der beim Tatauieren verwendete Farbstoff gewonnen.

mahute (Papiermaulbeerbaum, *Broussonetia papyrifera*)
Aus Bastfasern und Rinde wurden die *tapa*-Textilien hergestellt. Auch heute noch in größerer Anzahl auf der Insel zu finden, vor allem an den Kraterwänden des *Rano Kao* und in den *manavai*.

marikuru (Seifenbaum, *Sapindus saponaria*)
Die Früchte liefern ein Waschmittel. Die Pflanze ist heute bedeutungslos und nur noch in wenigen, offensichtlich recht alten Exemplaren auf der Insel vertreten.

makoi (*Thespesia populnea*)
Obwohl bereits Forster die Pflanze beschreibt: »Nicht weit von hier standen auch einige Büsche vom Hibiscus populneus Linnaei (= *T. populnea*, d. V.), der in allen Südsee-

Inseln angetroffen und von den Einwohnern zum Gelbfärben gebraucht wird«[45], konnten danach erst wieder von Métraux einige Exemplare an der unzugänglichen Steilküste von *Poike* beobachtet werden.[46] Möglicherweise gehört der Baum zu den Idiochoren, d. h. auf der Insel heimischen Arten, die später in Kultur genommen wurden. Aus dem harten Holz wurden Schnitzereien gefertigt. Die früher sehr seltene Art findet sich heute angepflanzt in *Hangaroa*.

hue (Flaschenkürbis, *Lagenaria siceraria*)
Aus den Früchten wurden Gefäße und Flaschen hergestellt (*hue* bedeutet auch Topf). Die Art ist seit einigen Jahrzehnten von der Insel verschwunden. Thomson fand sie jedoch noch in großer Zahl vor: »A wild gourd is common, and constituted the only water-jar and domestic utensil known to the natives«.[47]

Möglicherweise wurden von den frühen Besiedlern auch *pua* (Gelbwurzel, *Curcuma longa*), *kape* (*Alocasia macrorrhiza*) und *pia* (Tahiti-Pfeilwurz, *Tacca leontopetaloides*) eingeführt.[48] Diese Nutzpflanzen wurden in neuerer Zeit nicht mehr auf der Osterinsel beobachtet.

Die Einbringung durch den Menschen ist nicht für alle Arten mit Sicherheit anzunehmen, da in den Überlieferungen offensichtlich alle wichtigen Nutzpflanzen auf eine Einführung durch Hotu Matua zurückgeführt werden.

Der Legende nach gelangten auch *toromiro* (*Sophora toromiro*), *hau* (*Triumfetta semitriloba*) und *ngoaho* (*Caesalpinia bonduc*) auf diese Art zur Osterinsel. Flenley und King wiesen jedoch Pollen der Gattungen *Triumfetta* und *Sophora* aus der Zeit lange vor der menschlichen Besiedlung nach.[49] Pollen von *Caesalpinia bonduc* konnten nicht nachgewiesen werden, was bei insektenblütigen Pflanzen auch nicht unbedingt erwartet werden kann. Die Ansiedlung auf der Osterinsel ist hier möglicherweise mit Hilfe von Meeresströmungen erfolgt.

Aus den Rindenfasern des *hau* (*Triumfetta semitriloba*) fertigten die Osterinsulaner Seile, die nach Mulloy beim Transport der *moai* verwendet worden sein könnten.[50]

Nach der europäischen Entdeckung (1722) eingeführte oder eingeschleppte Pflanzen

Zu dieser Gruppe gehört bei weitem der größte Teil der heute auf der Osterinsel wachsenden Pflanzen. Während die Legenden nur über die bewußt eingeführten Arten berichten, kann bei den nach 1722 hinzugekommenen Pflanzen häufig auch die Art der Einwanderung, d.h. absichtlich eingeführt oder unbewußt eingeschleppt, rekonstruiert werden.

Abb. 13   Bestand der chilenischen Honigpalme unweit Viña del Mar (Kontinentalchile)

Abb. 14   Querschnitt durch den Stamm der chilenischen Honigpalme

Abb. 15 Manavai, durch Einsturz von Höhlendecken entstandene Bodenvertiefungen oder durch hohe Steinmauern eingegrenzte Gärten. Manavai bieten besonders günstige Bedingungen für die Nutzpflanzenkultur

Absichtlich eingeführt wurden eine Fülle von Nutzpflanzen, von denen allerdings nur noch wenige Bedeutung besitzen. Neben traditionellen Kulturpflanzen werden heute besonders Mais, Maniok, Bohnen, Erbsen, Tomaten, Salat und Kürbisse angebaut.
Wichtige Obstsorten sind neben Banane auch Ananas, Avocado, Apfelsinen, Zitronen, Cherimoya und Papaya.
Unter den auf die Insel gebrachten Nutzpflanzen ist die Guave (*Psidium guajava*) wegen ihrer Verbreitung auch außerhalb der Kulturstandorte besonders bemerkenswert. Der kleine Baum liefert sehr aromatische, Vitamin C-reiche Früchte. Diese werden offensichtlich auch von den frei weidenden Pferden gerne verzehrt, die für die rasche Ausbreitung der Art im Süden der Insel gesorgt haben. An den Hängen des *Rano Kao* ist eine große Zahl von strauchartig-niedrig wachsenden Guave-Pflanzen in das Grasland eingestreut.
Neben Taro, Süßkartoffel, Zuckerrohr und Banane kommt auch die Ananas in verwildertem Zustand an aufgelassenen Kulturflächen vor; die übrigen Arten gedeihen dagegen nur unter der Pflege des Menschen.
Nicht bewährt hat sich die Kultur der Ende des 19. Jahrhunderts eingeführten Kaffee- und Baumwollpflanzen sowie des Brotfruchtbaumes.
Insgesamt wurden bisher über 800 Hektar aufgeforstet (größtenteils von Corporación Nacional de Fomento, CORFO, und Corporación Nacional Forestal, CONAF), in erster Linie mit schnellwüchsigen Arten der Gattung *Eucalyptus* (insbesondere *Eucalyptus globulus*).
Der schon Ende des vorigen Jahrhunderts eingeführte Chinesische Holunder (*miro tahiti*, *Melia azedarach*) kommt in verschiedenen Teilen der Insel verwildert vor. Ebenfalls außerhalb der Kulturflächen scheint sich im Süden der Insel die strauchförmige *Dodonaea viscosa* zu behaupten. Dem Reisenden am stärksten in Erinnerung bleibt sicherlich die nur wenige Hektar große Anpflanzung von Kokospalmen (*Cocos nucifera*) am Strand von *Anakena*.
Zur Verbesserung der Weidequalität wurden einige Gräser eingeführt, die sich z. T. auch außerhalb der Versuchsflächen behaupten und sich auf der Insel ausbreiten. Erst vor wenigen Jahren wurde *Melinis repens* ssp. *repens* auf der Insel ausgesät. Dieses heute weltweit durch den Menschen verbreitete Gras scheint sich auch auf der Osterinsel stärker auszubreiten. Länger zurück liegt die Einführung von *Melinis minutiflora*, das auf der Osterinsel bereits Bedeutung als Weidegras erlangt hat. Dieses ursprünglich in Afrika beheimatete Gras bildet großflächige Reinbestände (z. B. am *Rano Raraku*), die die Luft mit dem süßlichen Duft des an Blättern und Blattscheiden abgesonderten klebrigen Öles erfüllen.
Ein weiterer Fall absichtlicher Einführung liegt bei *Lupinus arboreus* vor. Dieser Schmetterlingsblütler wurde erst 1975 auf der Insel angesiedelt, um durch Erosion gefährdete Böden zu stabilisieren. Die sehr aggressive Art gedeiht vor allem im Süden der Insel und zwar besonders an Wegrändern, bildet jedoch auch großflächige Reinbestände und scheint in rascher Ausbreitung begriffen zu sein.
Der größere Teil der Anthropochoren wurde ohne absichtliches Zutun des Menschen auf der Insel eingeschleppt. Besonders zahlreich in dieser Gruppe vertreten sind auch in Europa und Amerika verbreitete »Unkräuter«. Hierher gehören z. B. Wegerich-Arten (*Plantago major* und *Plantago lanceolata*), Wolfsmilch- (*Euphorbia hirta*, *Euphorbia serpens*) und Nachtschattengewächse (*Physalis viscosa*) sowie Kreuzblütler (*Coronopus didymus*).
Besonders artenreich vertreten sind Süßgräser (Poaceae: *Cynodon dactylon*, *Eleusine indica*, *Chloris gayana*, *Cen-*

chrus echinatus, Bothriochloa ischaemum) und Korbblütler (Asteraceae: *Bidens pilosa, Galinsoga parviflora, Taraxacum officinale*).

Fuentes listet insgesamt 135 Arten auf und stuft davon 55 als wildwachsend ein.[51] Skottsberg schätzt 30 Blütenpflanzen als unzweifelhaft oder wahrscheinlich indigen (= idiochor) ein[52], hält aber bei einigen von ihnen auch eine Einschleppung durch den Menschen für möglich.[53]

Nach den Artenlisten von Skottsberg[54], Etienne, Michea und Diaz[55], Etienne und Faundez[56] sowie eigenen Beobachtungen finden sich heute knapp 100 Blütenpflanzenarten wildwachsend auf der Osterinsel (die Grenze zu den Kulturpflanzen ist allerdings nicht scharf zu ziehen). Davon sind 21 Arten höchstwahrscheinlich idiochor, 66 Arten verdanken ihr Vorkommen auf der Osterinsel der Tätigkeit des Menschen. Bei 11 Arten ist die Zugehörigkeit zu Anthropochoren oder Idiochoren unklar oder ihr Vorkommen auf der Osterinsel überhaupt fraglich.

Die höchstwahrscheinlich anthropochoren und heute nicht mehr oder nur noch kultiviert vorkommenden Arten (z. B. *Cordyline fruticosa*) bleiben dabei ebenso unberücksichtigt wie der am natürlichen Standort ausgestorbene *toromiro*.

Die rasche Ausbreitung von erst in neuerer Zeit eingeführten Arten (z. B. *Bothriochloa ischaemum, Physalis viscosa, Lupinus arboreus*) macht deutlich, daß Flora und Vegetation der Osterinsel auch heute noch tiefgreifende Veränderungen erfahren.

Pflanzengeographische Beziehungen

Für die Frage der pflanzengeographischen Beziehungen der Flora der Osterinsel ist nur die Gruppe der Idiochoren relevant. Unter diesen überwiegen mit etwa zwei Drittel aller Arten die Sippen mit paläotropischer Verbreitung. Nur wenige Arten sind der neotropischen Flora zuzurechnen oder besitzen eine südhemisphärisch-circumpolare Gesamtverbreitung.[57] Die Nutzpflanzen, die von den ersten Siedlern mit auf die Osterinsel gebracht wurden, sind im polynesischen Kulturraum weit verbreitet und unterstreichen die polynesische Herkunft der Osterinsulaner.

Die Herkunft der eingeschleppten Pflanzen ist im wesentlichen ein Spiegel der vorherrschenden Handels- und Verkehrsbeziehungen. Während die Pflanzen, die im pazifischen Raum beheimatet sind, in den letzten Jahrzehnten kaum zugenommen haben, sind heute fast doppelt so viele Arten aus Amerika und Europa auf der Osterinsel zu finden wie zu Beginn dieses Jahrhunderts.[58]

Abb. 16 Bis zu 4 m hohes totora-Schilf (Scirpus californicus) und ein Knöterich (Polygonum acuminatum) im Kratersee des Rano Kao

Vegetation

In den Berichten der ersten europäischen Besucher wird bereits auf das Fehlen von Wald und auf die Eintönigkeit der Osterinsel-Vegetation hingewiesen. Es herrschte damals Grasland vor, unterbrochen von Büschen und bis etwa 3 m hohen Bäumen (wahrscheinlich *toromiro*). Diese Vegetation war jedoch bereits das Produkt einer mehrere Jahrhunderte währenden Besiedlung.

Da Klima und Bodenbeschaffenheit durchaus eine üppigere Pflanzendecke zulassen, kommt Skottsberg zu dem Schluß, daß es auf der Osterinsel früher wahrscheinlich Wälder gegeben hat, die sich aus *Sophora toromiro* und möglicherweise weiteren mittlerweile ausgestorbenen Holzpflanzen zusammensetzten.[59]

Entscheidende neue Erkenntnisse zur Vegetationsgeschichte der Osterinsel erbrachten die pollenkundlichen Untersuchungen von Flenley und King[60] sowie Dransfield et al.[61] Für diese Untersuchungen wurden mit Bohrungen Querschnitte durch die Torfschicht der Kraterseen entnommen und die darin enthaltenen Pollen untersucht. Die Datierung der Proben erfolgte mit der ^{14}C-Methode.

Neben den Pollen einer heute ausgestorbenen Palme konnten auch solche von Vertretern der Gattungen *Sophora*, *Triumfetta*, *Coprosma* sowie einer Gattung aus der Familie der Korbblütler (*Asteraceae*), wahrscheinlich mit baumförmigem Wuchs, für die Zeit lange vor der menschlichen Besiedlung nachgewiesen werden.

Flenley und King charakterisieren die Vegetation, die zumindest Teile der Osterinsel bedeckte, als Palmenwald mit *Sophora* und anderen Sträuchern.[62] Bezüglich der Physiognomie lassen sich vielleicht Vergleiche mit den Palmenbeständen von *Jubaea chilensis* (einer Art, die mit der ausgestorbenen Osterinsel-Palme eng verwandt ist) an ihren natürlichen Standorten in Mittelchile ziehen.

Bis heute weitgehend unverändert geblieben ist wahrscheinlich die Vegetation an den unzugänglichen Teilen der Felsküste. Dort dominieren der Farn *Asplenium obtusatum* und das Süßgras *Paspalum forsterianum*, stellenweise tritt noch das Nachtschattengewächs *Lycium sandvicense* hinzu.

Nimmt man für *totora*-Schilf (*Scirpus californicus*) und Knöterich (*Polygonum acuminatum*) eine Verbreitung durch Vögel an, so könnten bereits die ersten menschlichen Besiedler die Vegetation der drei Kraterseen so vorgefunden haben wie der heutige Besucher.

Grasland bedeckt auch heute noch den allergrößten Teil der Insel; die Artenzusammensetzung hat sich jedoch durch die zahlreichen Anthropochoren und die Beweidung stark verändert. In den niederen Lagen dominieren die Süßgräser *Sporobolus indicus*, *Paspalum scrobiculatum*, *Digitaria sanguinalis* und *Cynodon dactylon*, allesamt Arten mit weiter Verbreitung in den Tropen und Subtropen. Sehr häufig ist auch *Bothriochloa ischaemum*. Bestände dieses erst in neuerer Zeit eingeführten Grases sind an der hellgrünen Färbung leicht zu erkennen. Im Bereich der Wegränder und Kulturflächen treten eine Reihe von »Unkräutern« mit z. T. weltweiter Verbreitung in den Vordergrund (z. B. die Gräser *Eleusine indica*, *Cenchrus echinatus*, *Chloris gayana*, aber auch Vertreter anderer Familien wie *Taraxacum officinale*, *Physalis viscosa*, *Euphorbia hirta*, *Euphorbia serpens*, *Bidens pilosa*, *Sonchus oleraceus*). Im Südwesten der Insel bildet das bis mannshohe Gras *Sorghum halepense* großflächige Bestände.

In den höheren Lagen etwa ab 200 m und bei Niederschlägen von über 1650 mm[63] findet sich sehr zahlreich die endemische Art *Axonopus paschalis*. Das Gras wird vom Vieh kaum gefressen und bildet in der Gipfelregion des *Maunga Terevaka* große Bestände.

Eine Kartierung der Vegetation wurde von Etienne, Michea und Diaz auf der Basis von Luftaufnahmen durchgeführt.[64] Als Ergebnis der Aufforstung gibt es mittlerweile kleine Eukalyptuswälder in verschiedenen Teilen der Insel. Diese besitzen praktisch keinen Unterwuchs.

Die üppigste Vegetation findet sich heute an den inneren Kraterhängen des *Rano Kao*. Zahlreiche Nutzpflanzen wachsen hier noch als Überbleibsel ehemaliger Kulturen, z. B. Kaffee, Avocado, Papiermaulbeerbaum, Süßkartoffel und Banane. Im nordöstlichen Teil bildet *Melia azedarach* (*miro tahiti*) einen kleinen Wald, dessen Bäume z. T. beachtliche Stammdurchmesser aufweisen und von epiphytischen Flechten, Moosen und Farnen bedeckt sind. Darüber hinaus haben hier aber auch endemische Arten ihre letzten Vorkommen (gehabt). So wächst nur noch an diesem Standort zwischen den großen Lavabrocken das unscheinbare, endemische Gras *Danthonia paschalis*. Die letzten *toromiro*-Pflanzen wurden ebenfalls im *Rano Kao* beobachtet.

Neben besonders vorteilhaften klimatischen Bedingungen begünstigt vor allem die Unzugänglichkeit für Weidetiere den Pflanzenwuchs an den Kraterinnenwänden.

Bei neuerlichen Versuchen, den *toromiro* wieder auf der Osterinsel anzusiedeln, verspräche vielleicht die Anpflanzung einer größeren Zahl von Pflanzen im *Rano Kao* (möglichst Nachkommen aller drei bekannten Aufsammlungen) zusammen mit einer umfassenden Unterschutzstellung der Vegetation der Kraterwände Erfolg.

Anmerkungen

1. REHDER, H. A., *The marine Mollusks of Easter Island (Isla de Pascua) and Sala y Gomez*. Smiths Contr. Zoology 289, 1980, S. I–IV, 1–167
2. WALTER, H., HARNICKELL, E. und MÜLLER-DOMBOIS, D., *Klimadiagramm-Karten*. 36 S., 9 Karten, Stuttgart 1975
3. HEYERDAHL, T., in Heyerdahl, T. and Ferdon, E. N. (eds.): *Report of the Norwegian Archaeological expedition to Easter Island and East Pacific*. 1, 1961
4. CHUBB, L. J., *Geology of Galapagos, Cocos and Easter Islands*. Bernice P. Bishop Mus. Bull. 110, 1933, S. 1–44
5. BAKER, P. E., *Preliminary Account of Recent Geological Investigations on Easter Island*. Geol. Mag. 104, 1967, S. 116–122
6. ISAACSON, L. B. and HEINRICHS, D. F., *Paleomagnetism and Secular Variation of Easter Island Basalts*. J. Geophys. Res. 81 (8), 1976, S. 1476–1482
7. ISAACSON, L. B. and HEINRICHS, D. F., 1976 (s. o. Anm. 6)
8. BAKER, P. E., BUCKLEY, F. and HOLLAND, J. G., *Petrology and Geochemistry of Easter Island*. Contr. Mineral. and Petrol. 44, 1974, S. 85–100
9. ISAACSON, L. B. and HEINRICHS, D. F., 1976 (s. o. Anm. 6)
10. BANDY, M. C., *Geology and Petrology of Easter Island*. Geol. Soc. Amer. Bull. 48, 1937, S. 1589–1610
11. BAKER, P. E., 1967 (s. o. Anm. 5)
12. MÉTRAUX, A., *Ethnology of Easter Island*. Bernice P. Bishop Museum Bull. 160, 1940, S. 1–432
13. HEYERDAHL, T., 1961 (s. o. Anm. 3)
14. KNOCHE, W., *Die Osterinsel – Eine Zusammenfassung der chilenischen Osterinselexpedition des Jahres 1911*. Concepción 1925
15. THOMSON, W. J., *Te Pito Te Henua, or Easter Island*, Rep. Nat. Mus. 1888–1889, S. 447–552
16. THOMSON, W. J., 1889 (s. o. Anm. 15)
17. HEYERDAHL, T., 1961 (s. o. Anm. 3)
18. Corporación Nacional Forestal (CONAF), *Plan de Manejo Parque Nacional Rapa Nui*. Doc. Tec. de Trabajo 20, 1976, S. 1–73
19. Corporación Nacional Forestal (CONAF), 1976 (s. o. Anm. 18)
20. MILLIE, G. R. y JOHNSON, A. W., *Aves de la Isla de Pascua*. Notic. Mensual Mus. Nac. Hist. Nat. 164, 1970, S. 6–10
21. Mdl. Mitt. GERARDO VELASCO
22. REHDER, H. A., 1980 (s. o. Anm. 1)
23. Corporación Nacional Forestal (CONAF), 1976 (s. o. Anm. 18)
24. EBERHARD, B. y INOSTROZA, F., *Situación pesquera y recursos marinos renovables de Isla de Pascua*. Echeverra, G. y Arana, P. (eds.): Las Islas Oceanicas de Chile II, 1977, S. 363–392
25. REHDER, H. A., 1980 (s. o. Anm. 1)
26. SKOTTSBERG, C., *Easter Island – Composition, distribution and relationships of the Flora*. Skottsberg, C. (ed.) (1920–1956): The Natural History of Juan Fernandez and Easter Island I (Geography, Geology, Origin of Island Life), 1956, S. 406–427; CHRISTENSEN, C. and SKOTTSBERG, C., *The Ferns of Easter Island*. Skottsberg, C. (ed.) (1920–1953): The Natural History of Juan Fernandez and Easter Island II (Botany), 1951, S. 767–769
27. SKOTTSBERG, C., *The Phanerogams of Easter Island*. Skottsberg, C. (ed.) (1920–1953): The Natural History of Juan Fernandez and Easter Island II (Botany), 1922, S. 61–84
28. GUILLAUMIN, M. A., CAMUS A. et TARDIEU-BLOT, *Plantes Vasculaires Récoltées à l'Ile de Pâques par la Mission Franco-Belge*. Bull. Mus. Hist. Nat. 2. sér. 8 (6), 1936, S. 552–556
29. FLENLEY, J. R. and KING, S. M., *Late Quaternary pollen records from Easter Island*. Nature 307, 1984, S. 47–50
30. SYKES, W. R. and GODLEY, E. J., *Transoceanic Dispersal in Sophora and other genera*. Nature 218, 1968, S. 495–496
31. FORSTER, G., *Reise um die Welt*. 1. Teil. 1784 – Berlin; Neuauflage 1965
32. ALDEN, B., *Le Toromiro l'arbre des Pascuans fleurit toujours en Suède*. Nouveau regard sur l'Ile de Pâques, 1982, S. 119–126
33. BEHRENDT, G. und SCHÜRMANN, A., *Der geheimnisvolle Toromiro*. Kosmos 3/1988, S. 78–80
34. LOBIN, W. and BARTHLOTT, W., *Sophora toromiro (Caesalpiniaceae, Leguminosae)*, »The lost tree of Easter Island«, Botanic Gardens Conservation News 1988, 1 (3), S. 32–34
35. DRANSFIELD, J. R., KING, S. M., HARKNESS, D. D. and RAPU, S., *A recently extinct palm from Easter Island*. Nature 312, 1984, S. 750–752
 FLENLEY, J. R. and KING, S. M., 1984 (s. o. Anm. 29)
36. DRANSFIELD, J. R., KING, S. M., HARKNESS, D. D. and RAPU, S., 1984 (s. o. Anm. 35)
37. HEYERDAHL, T., 1961 (s. o. Anm. 3)
38. HEISER, C. B., *Totoras, Taxonomy, and Thor*. Plant Science Bull. 20 (2), 1974, S. 22–25
39. Persönl. Mitt. JOHN R. FLENLEY
40. VAN BALGOOY, M. M. J., *Plant Geography of the Pacific*. Blumea, Suppl. 6, 1971, S. 1–222
41. KNOCHE, W., *Über die Kulturpflanzen der Osterinsel*. Zeitschr. wiss. Verein Kultur- und Landeskunde Argentinien 1919 (3), S. 161–184
42. YEN, D. E., *The Sweet Potato and Oceania*. Bernice P. Bishop Museum Bull. 236, 1974, S. I–XVI, 1–389
43. FORSTER, G., 1784 (s. o. Anm. 31)
44. KNOCHE, W., 1919 (s. o. Anm. 41)
45. FORSTER, G., 1784 (s. o. Anm. 31)
46. MÉTRAUX, A., 1940 (s. o. Anm. 12)
47. THOMSON, W. J., 1889 (s. o. Anm. 15)
48. MÉTRAUX, A., 1940 (s. o. Anm. 12)
49. FLENLEY, J. R. and KING, S. M., 1984 (s. o. Anm. 29)
50. MULLOY, W., *A speculative Reconstruction of techniques of carving, transporting and erecting Easter Island statues*. Arch. phys. Anthrop. Oceania 5 (1), 1970, S. 1–23
51. FUENTES, F., *Reseña botanica sobre la Isla de Pascua*. Bol. Mus. Nac. Chile 5, 1913, S. 320–337
52. SKOTTSBERG, C., 1922 (s. o. Anm. 27)
53. SKOTTSBERG, C., 1956 (s. o. Anm. 26)
54. SKOTTSBERG, C., 1922.1956 (s. o. Anm. 27.26)
 SKOTTSBERG, C., *A supplement to the Pteridophytes and Phanerogams of Juan Fernandez and Easter Island*. Skottsberg, C. (ed.) (1920–1953): The Natural History of Juan Fernandez and Easter Island II (Botany), 1953, S. 763–792
55. ETIENNE, M., MICHEA, G. y DIAZ, E., *Flora, vegetación y*

potencial pastoral de Isla de Pascua. Bol. Tec. Fac. Ciencias Agrarias, Veterinarias y Forestales Univ. de Chile 47, 1982, S. 1–29, 2 Karten

[56] ETIENNE, M. y FAUNDEZ, L., *Gramíneas de Isla de Pascua.* Ciencias agrícolas Univ. de Chile 12, 1983, S. 1–58

[57] SKOTTSBERG, C., 1956 (s. o. Anm. 26)

[58] ETIENNE, M., MICHEA, G. y DIAZ, E., 1982 (s. o. Anm. 55)

[59] SKOTTSBERG, C., *The Vegetation of Easter Island.* Skottsberg, C. (ed.) (1920–1953): The Natural History of Juan Fernandez and Easter Island II (Botany), 1928, S. 487–502

[60] FLENLEY, J. R. and KING, S. M., 1984 (s. o. Anm. 29)

[61] DRANSFIELD, J. R., KING, S. M., HARKNESS, D. D. and RAPU, S., 1984 (s. o. Anm. 35)

[62] FLENLEY, J. R. and KING, S. M., 1984 (s. o. Anm. 29)

[63] ETIENNE, M. y FAUNDEZ, L., 1983 (s. o. Anm. 56)

[64] ETIENNE, M., MICHEA, G. y DIAZ, E., 1982 (s. o. Anm. 55)

Danksagung

Für Hinweise und Informationen sowie für die Überlassung von Diapositiven danke ich den Herren Dr. B. Alden, Prof. Dr. H. J. Conert, J. Garcia, K. Goth, M. Dietrich, Dr. F. Krupp, Dr. J. Mehl, Prof. Dr. S. Peters, Dr. R. Janssen, Dr. R. Zur Strassen, Dr. J. Steinbacher, J. Stüwe.

Besonderer Dank für ihre vielfältige Unterstützung, die wesentlich zum Gelingen der Feldarbeit auf der Osterinsel sowie der Ausstellung beigetragen hat, gebührt den Herren Carlos Trabold und Gerardo Velasco.

Lebensraum Ozeanien

Waldemar Stöhr

Im Jahre 1513 zog Vasco Nuñez de Balboa, ein ebenso wagemutiger wie skrupelloser Konquistador, auf der Suche nach neuen Schätzen in den Urwald des damals noch unbekannten Isthmus von Panama. Am 29. September stand er am Rande eines riesigen, sich nach Süden bis zum Horizont erstreckenden Gewässers. Balboa zieht seinen Degen, steigt bis zum Gürtel ins Wasser und nimmt das Meer samt allen Inseln und Küsten für den König von Spanien in Besitz. Die Szene ist von erhabener Komik. Da macht sich einer die Hosen naß, fuchtelt mit dem Degen und erhebt Anspruch auf fast die halbe Welt. Immerhin verdanken wir Balboa den Namen »Mar del Sur«, den wir mit dem Wort »Südsee« in unsere Sprache übernommen haben.

Wenige Jahre später überquerte Fernando Magellan auf der geplanten Weltumseglung mit seinen Schiffen als erster das Südmeer. Auf der langen, qualvollen Fahrt vom 28. November 1520 bis zum 16. März 1521 wurde er von keinen schweren Stürmen behelligt, und so gab er dem Gewässer den Namen »el mare pacifico«, das heißt, Pazifischer oder Stiller Ozean oder schlicht »Pazifik«. Die Größe dieses Ozeans wurde aber noch Jahrhunderte unterschätzt. Erst Ende des 18. Jahrhunderts wurden seine Ausmaße einigermaßen überschaubar. Damals prägte man den einzig zutreffenden Namen »Großer Ozean«, doch der hat sich nie recht durchsetzen können.

Südsee und Pazifik bezeichneten ursprünglich einmal dasselbe: Den großen Ozean zwischen Amerika auf der einen, Asien und Australien auf der anderen Seite, der mit seinen Randmeeren über 180 Millionen Quadratkilometer und damit mehr als ein Drittel der Erdoberfläche bedeckt. »Südsee« hat aber inzwischen einen Bedeutungswandel erfahren und meint nur noch den mittleren Teil des Pazifiks mit seinen tausend und abertausend Inseln, die weder zu Australien noch zu Asien oder Amerika gehören. Dem Begriff erwuchs aber mit »Ozeanien« eine Konkurrenz, die von Geographen und

Abb. 17 Vasco Nuñez Balboa nimmt das »Mar del Sur« oder Südmeer für Spanien in Besitz

Ethnologen bevorzugt wird. Südsee vermittelt uns heute den romantischen, Ozeanien den wissenschaftlichen Aspekt der Inselwelt.

Polynesien, Melanesien und Mikronesien

Dumont d'Urville, einer der letzten großen Entdecker, der die Welt zwischen 1822 und 1840 dreimal umsegelte, ordnete das Inselgewirr des Pazifiks auf einer Karte (1833) eines seiner Reisewerke in die drei Inselwelten Polynesien, Melanesien und Mikronesien. Diese Einteilung hat im wesentlichen bis heute ihre Gültigkeit.

»Polynesien« zeichnet mit seinen Grenzen im Zentral-Pazifik ein imaginäres Dreieck, dessen Endpunkte bei den Hawai'i-Inseln im Norden, der Osterinsel im Südosten und Neuseeland im Südwesten zu suchen sind. Tausend Inseln liegen verstreut in einer Wasserwüste, die für mehr als ganz

Afrika Platz hätte. Ihre Bewohner sind hellhäutige Menschen. Mit Polynesien vor allem verbinden sich unsere Träume und Wunschbilder vom Zauber der Südsee.

»Melanesien« mit dem großen Neuguinea bildet den Südwesten von Ozeanien. Seine meist großen, gebirgigen Inseln ziehen sich nordöstlich von Australien vom Äquator bis zum südlichen Wendekreis. Das tiefe Grün der üppigen Vegetation erscheint auf weite Entfernung fast schwarz. Dunkelbraun bis schwarz ist auch die Hautfarbe der Menschen. Den Namen »Schwarze Inselwelt« hätte man nicht besser wählen können.

»Mikronesien« schließlich mit Tausenden »kleinen Inseln« liegt im Nordwesten Ozeaniens. Es sind bis auf wenige Ausnahmen Koralleninseln mit schwierigen Lebensbedingungen. Die meist hellbraunen Mikronesier sind zwar den Polynesiern verwandt, bilden aber sprachlich und kulturell eine eigenständige Gruppe.

Fraglich ist die Stellung der Fidschi-Inseln. Dumont d'Urville schlug sie wohl wegen der dunklen Hautfarbe der Bewohner Melanesien zu. Historisch und kulturell gehören sie aber zu Polynesien. Erwähnt seien noch die »polynesischen Exklaven« in Melanesien und Mikronesien. Es handelt sich um kleine Inseln, die vor einigen Jahrhunderten von Polynesiern aus Samoa und den Ellice-Inseln besiedelt wurden. Auf einigen der abseits gelegenen Inseln hielten sich viele Erscheinungen der traditionellen Kultur weit besser und viel länger als in West-Polynesien.

Geographie der ozeanischen Inselwelten

Dumont d'Urville ließ sich bei der Einteilung Ozeaniens von den ethnischen Gegebenheiten leiten. Die drei Inselwelten entsprechen primär den Lebensräumen der Polynesier, Melanesier und Mikronesier. Seine Einteilung stimmt daher nur teilweise mit der naturräumlichen Gliederung des pazifischen Raumes überein.

Geologisch wird Ozeanien durch die für den Aufbau der Inseln wichtige »Andesit-Linie« geteilt. Ihren Verlauf kann man an den Tiefseegräben verfolgen. Sie zieht sich östlich von Neuseeland nach Norden, schwenkt zwischen den Tonga-Inseln und Samoa nach Nordwesten und quer durch

Abb. 18 Karte des Lebensraumes Ozeaniens mit Markierung der zwei größeren austronesischen Sprachgruppen

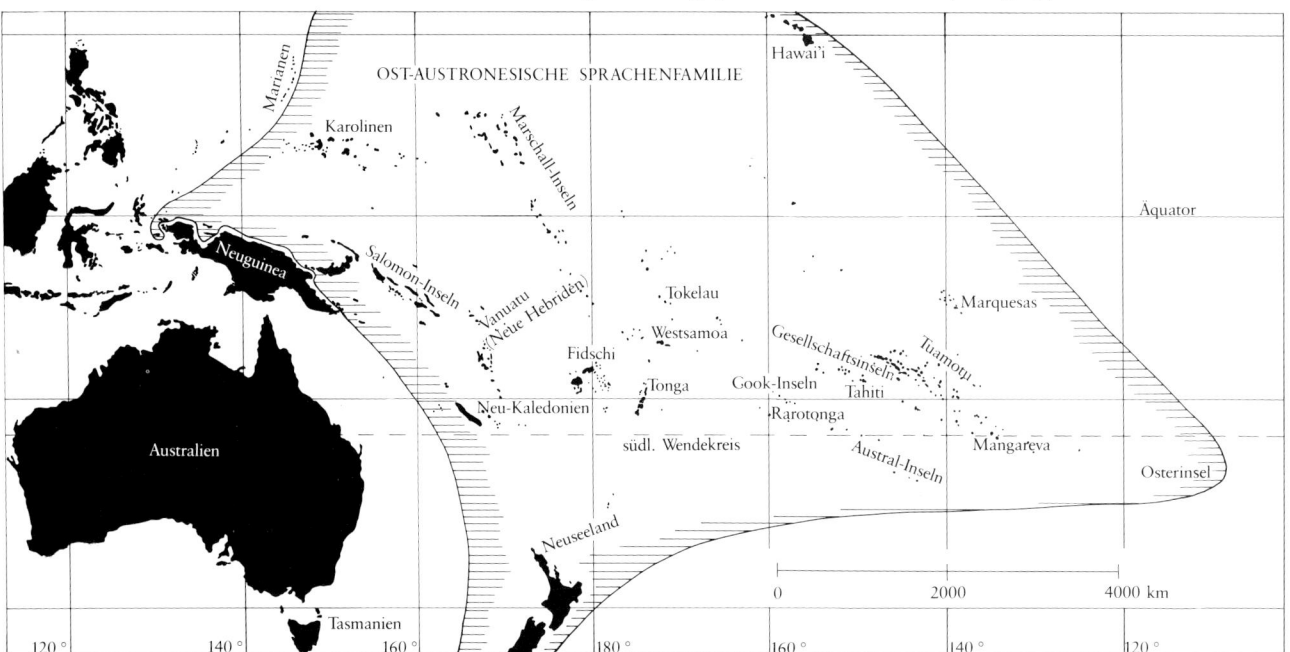

Mikronesien nach Japan. Westlich der Linie erstreckt sich über Neuseeland, Melanesien, Indonesien und die Philippinen, Japan und das Beringmeer (dann über Alaska, die Rocky Mountains und die Anden bis Feuerland) die breite »Andesit-Zone« mit ihrem oft heftigen Vulkanismus, mit starker Gebirgsbildung und vielen Erdbeben. Sie ist Randbereich der Kontinente, und so haben die dortigen Inseln mit vulkanischem, metamorphem und sedimentärem Gestein »kontinentalen« Charakter.

Ganz Melanesien liegt innerhalb der Andesit-Zone. Neuguinea, die zweitgrößte Insel der Erde und mit 771 900 km² fast ein kleiner Kontinent, bildet den Westen und zugleich das Zentrum der Inselwelt. Neuguinea hat viele Klimazonen, die vom tropischen Regenwald der meist sumpfigen Tiefländer bis hin zu schneebedeckten Berggipfeln reichen. Im Norden liegt der Bismarckarchipel mit den großen Inseln Neu-Britannien und Neu-Irland, im Osten finden sich die Salomonen samt den Santa-Cruz-Inseln, im Südosten der junge Staat Vanuatu (Neue Hebriden und Banks-Inseln) und die französische Insel Neu-Kaledonien. Typisch für Melanesien sind langgestreckte, von Kettengebirgen durchzogene Inseln. Alle befinden sich im Bereich der Tropen und sind sehr fruchtbar. Nur auf Neu-Kaledonien kann es zu bedrohlichen Trockenzeiten kommen. Die Fauna ist — abgesehen von der Vogelwelt — relativ arm an Arten. Größtes Landtier ist der Laufvogel Kasuar auf Neuguinea, und er und das verwilderte Hausschwein sind die einzig lohnende Jagdbeute. Melanesien ist mit rund 950 000 km² Landfläche dreifach größer als die beiden anderen Inselwelten zusammen. Sein größter Nachteil ist die weitverbreitete Malaria.

Polynesien hat mit Neuseeland eine große Landmasse, die mit ihren 268 676 km² etwas größer ist als die Bundesrepublik Deutschland. Die Doppelinsel erstreckt sich von den Subtropen bis tief in die gemäßigte Zone, und im Süden kann es schon sehr kalt werden. Die anderen Inseln Polynesiens (mit Ausnahme von Rapa, Pitcairn und der Osterinsel), die insgesamt nur 45 000 km² Land umfassen (samt den Fidschi-Inseln), also weniger als das Land Niedersachsen, liegen innerhalb der Tropen, haben aber wegen der Seewinde ein meist angenehmes Klima.

Neuseeland, die Fidschi- (18 274 km²) und Tonga-Inseln (699 km²) liegen innerhalb der Andesit-Zone, sind daher fruchtbar und bieten gute Lebensbedingungen. Der weitaus größte Teil der Fläche Polynesiens erstreckt sich aber östlich der Andesit-Linie im pazifischen Becken. Vorherrschendes Gestein ist ein bestimmter Basalt, der als Lava direkt vom Meeresboden emporstieg und auf der Insel Hawai'i noch

Abb. 19 *Zwei Maori (Neuseeland), die sich bei der Begegnung durch Herausstrecken der Zunge Abneigung und Feindschaft bezeigen (1769/70). Die herausgestreckte Zunge ist sowohl ein Zeichen der Abwehr als auch der Aggression. Stich nach Bildvorlagen von S. Parkinson (1773)*

emporsteigt. So erklärt sich, warum es in diesen Teilen Polynesiens keine langgestreckten Inseln wie in Melanesien gibt. Die »hohen« Vulkaninseln lagern sich rund, oval, drei- oder vieleckig um ihren oder um ihre Krater. Sie waren frühe Zentren polynesischer Kultur. Fast schon »paradiesische« Verhältnisse herrschen auf den Tahiti- oder Gesellschafts-Inseln (1647 km²), Zentrum und Herz Polynesiens, den Hawai'i-Inseln (16 701 km²) im Norden und der Samoa-Gruppe (3039 km²) im Westen, auch auf Rarotonga und anderen Inseln der Cook- und Austral-Gruppe (210 km² bzw. 174 km²). Schwieriger war es auf den zerklüfteten und in Tallandschaften geteilten Marquesas-Inseln (1274 km²) im Osten, aus gleichen Gründen auch auf Mangareva (ca. 20 km²) sowie wegen unzureichenden Niederschlags auf der Osterinsel (ca. 180 km²) ganz außen in der Ecke. Fauna und Flora sind in Polynesien noch weit artenärmer als in Melanesien. Menschen konnten die Inseln nur besiedeln, weil sie ihre Nutzpflanzen und Haustiere mitgebracht haben.

Auf den »niedrigen« Atollen, die ihre Existenz dem Wuchs der Korallenstöcke verdanken, sind die Lebensumstände wegen der spärlichen Vegetation und der stets kritischen Versorgung mit Süßwasser vergleichsweise hart. Ursprünglich waren es Saumriffe von Vulkaninseln, die aber wieder in den Meeresboden absanken. Da die Korallen weiterwuchsen, blieb das runde oder ovale Riff über dem Meeresspiegel. Die

Abb. 20 Tänzer einer Hula-Gruppe mit Rassel-Gamaschen, an denen rund tausend Hundeeckzähne befestigt sind (1816/17), Hawai'i-Inseln (Polynesien). Lithographie von L. Choris (1822)

Atolle umschließen eine Lagune mit geringer Wassertiefe und haben oft eine enorme Ausdehnung. Sie sind weit zahlreicher als die »hohen« Inseln. Insgesamt dürfte Polynesien über 150 Atolle haben. Allein der riesige Tuamotu-Archipel im Osten hat 78 Atolle, und deren 20 haben die Ellice-, die Tokelau- und Cook-Gruppe zusammen. Hinzu kommen fast zwei Dutzend unbewohnter Atolle in Höhe des Äquators und diejenigen, die innerhalb der »hohen« Inselgruppen liegen.

Zum Tuamotu-Archipel gehört mit Makatea noch eine Insel, die nicht ins bisherige Schema paßt: Sie ist zwar hoch, aber nicht vulkanischen Ursprungs. Makatea ist ein durch subterrane Vorgänge hoch über den Meeresspiegel gehobenes Atoll. Das Innere ist als frühere Lagune schalenförmig eingetieft und von dem früheren Riff umschlossen. Es gibt mehrere Inseln vom »Makatea-Typ« in Polynesien. Im allgemeinen lebt es sich auf solchen Inseln, die im Inneren oft Sumpfland haben, besser als auf den Atollen.

Mikronesien wird durch die Andesit-Linie geteilt. Zum Westen der Inselwelt, der in der Andesit-Zone liegt, gehören die Marianen mit Guam, Rota, Tinian, Saipan und elf kleineren Inseln mit teils noch aktiven Vulkanen. Auch die Palau- und Yap-Inseln, schon Teile des riesigen Karolinen-Archipels, liegen in der Andesit-Zone. Sie zeigen einen komplexen Aufbau aus korallogenem und metamorphem Gestein. Die Karolinen östlich der Andesit-Linie bestehen aus drei kleinen Inseln vulkanischen Ursprungs (Truk, Ponape und Kusaie) und über 20 Atollen. Das von einem riesigen Riff umgebene Truk ist Beispiel für eine absinkende Vulkaninsel, denn es schauen nur noch die Bergspitzen aus dem Wasser. Die Marshall-Inseln zählen 33 und die Gilbert-Inseln 16 Atolle. Mikronesien soll insgesamt 3423 km^2 Landfläche haben. Auf wie viele Inseln und Inselchen sich diese verteilt, ist nicht festzustellen. Die Angaben schwanken zwischen 1500 und 3000, und die letzte Zahl scheint der Wirklichkeit am nächsten zu kommen.

Rassen und Sprachen Ozeaniens

Schon die Entdecker des späten 18. Jahrhunderts erkannten, daß es in Ozeanien zwei grundverschieden erscheinende Menschengruppen gab, obwohl man sie damals noch nicht namentlich voneinander unterschied. Brachte man der einen, den hellhäutigen Polynesiern, eine geradezu schwärmerische Begeisterung entgegen, hatte man für die andere, die dunkelhäutigen Melanesier, die nicht gerade dem herkömmlichen Schönheitsideal entsprechen, allenfalls nüchternes Interesse. Manche Berichte über die Melanesier klingen fast gehässig. Man verübelte ihnen geradezu ihre Vorliebe für Nasenpflöcke und anderen grotesken Schmuck, für Narbenzier und Körperbemalung mit grellen Farben, vor allem natürlich ihre kriegerische Aggressivität, obwohl diese sicher nicht größer war als die mancher Polynesier. So wurden die dunkelhäutigen Melanesier zum Prototyp des »Wilden« gestempelt, während man die hellhäutigen Polynesier zu »Edlen Wilden« stilisierte.

Die dunkelhäutig-kraushaarigen Menschen, die »Melanesiden« also, haben die Priorität in Ozeanien. Ihre Vorfahren drangen, wie datierte Ausgrabungen zeigen, vor mindestens 30 000 Jahren nach Neuguinea vor. Damals während der letzten Eiszeit lag der Meeresspiegel weit tiefer als heute. Die Inseln Indonesiens waren durch den trockengefallenen »Sunda-Schelf« mit dem asiatischen Festland verbunden. Australien und Neuguinea bildeten durch den ebenfalls trockenen »Sahul-Schelf« eine kontinentale Einheit. Die Einwanderer konnten also fast »zu Fuß« aus Asien kommen. Die schmalen Meeresarme, die es noch zwischen Sunda- und Sahul-Schelf gab, waren gewiß mit Einbäumen und einfachen Flößen zu überwinden.

Offenbar gleichzeitig mit den frühen Bewohnern Neuguineas waren auch die Vorfahren der heutigen Ureinwohner Australiens eingewandert. Ob damals beide Gruppen von gleicher Rasse waren, kann die physische Anthropologie nicht mit Sicherheit sagen. Wenn dem so gewesen ist, dann haben sich die Melanesiden im Laufe der Jahrtausende in ihrer Isolation auf Neuguinea und wohl auch durch fremde Blutbeimischung zu einer eigenständigen, von den heutigen »Australiden« deutlich unterschiedenen Rasse entwickelt.

Die frühen Melanesiden waren Träger einer altsteinzeitlichen Kultur und lebten zunächst viele Jahrtausende als schweifende Wildbeuter (Jäger und Sammler). Schon sehr früh scheinen sie Teile der anderen melanesischen Inseln besetzt zu haben. In der Zeit vor 6000 bis 8000 Jahren deuten sich, vielleicht durch äußere Beeinflussung verursacht, Übergänge zur neolithischen Kultur sowie Anfänge von Bodenbau und Haustierhaltung an.

Abb. 21 Priester der Tahiti-Inseln (Polynesien) mit zylinderförmig hohem Kopfputz und einem den Adel bezeigenden Brustschmuck (1769). Stich der Bildvorlagen von S. Parkinson (1773)

Die Melanesiden heben sich als Rasse zwar deutlich von allen ihren Nachbarn ab, doch sind sie in sich nicht homogen, sondern in viele Typengruppen unterteilt. Sie müssen wohl immer in kleinen, völlig voneinander isolierten Gruppen gelebt haben. Sonst wäre die ethnische Zersplitterung in Melanesien nicht erklärbar. Mehr als 1000 Sprachen sind bei einer Bevölkerung von etwa drei Millionen Menschen bekannt und registriert. Etwa 800 bilden den Block der »Papua-Sprachen«. Das Wort »Papua« ist ein alter Name für die Menschen auf Neuguinea, der sich in der Staatsbezeichnung »Papua Niugini« erhalten hat. Hinter dem Begriff Papua-Sprachen verbergen sich unterschiedlichste Sprachen, die viele Sprachfamilien und diese wiederum fast ein Dutzend Sprachstämme bilden. Bleiben noch über 200 Sprachen, die früher ziemliches Kopfzerbrechen bereitet haben. Sie finden sich vereinzelt an einigen Küstenplätzen Neuguineas, vor allem aber auf den anderen melanesischen Inseln

Abb. 22 Krieger aus Neu-Kaledonien (Melanesien) mit einem zylinderförmigen Kopfputz, an dem eine Speerschleuder aus Schnur befestigt ist. Stich nach Bildvorlagen von W. Hodges (Cook 1777)

vom Bismarckarchipel bis Neu-Kaledonien. Sie bilden den »Melanesischen Zweig der Austronesischen Sprachen«. Dieser Sprachzweig geht, wie später noch erläutert werden wird, auf die Einwanderung hellhäutiger Menschen zurück. Gerade in dem Verbreitungsgebiet dieser Sprachen zeigen die Melanesiden eine besondere Vielfalt an Typengruppen.

Die Polynesier bilden trotz der riesigen Ausdehnung ihres Wohngebiets einen homogenen Menschenschlag, der einen gemeinsamen Ursprung haben muß. Sie sind mehr als mittelgroß, besitzen eine relativ helle, lichtbraune Haut, schlichtes oder welliges Haar und ein ausgewogenes Verhältnis zwischen Rumpfhöhe und Gliedmaßen. Mancher der Entdecker fühlte sich bei ihrem Anblick an Südeuropäer erinnert. Noch vor nicht langer Zeit wurde häufig die Ansicht vertreten, daß die »Polynesiden« als eigenständige Rasse den Europiden am nächsten verwandt seien. Ihre Herkunft wurde aus Indien vermutet. Neuere Untersuchungen haben aber überzeugend erwiesen, daß die nächsten Verwandten in Indonesien und auf den Philippinen zu suchen sind, das heißt, die Polynesier gehören rassisch zu den »Süd-Mongoliden«, jener großen Varietät der Menschheit, die von Süd-China und Hinterindien über Indonesien und die Philippinen bis in den Pazifik reicht.

Noch eindeutiger als die rassische Zugehörigkeit verweisen die Sprachen der Polynesier nach Westen. Sie bilden den »Polynesischen Zweig der Austronesischen Sprachen«. Polynesisch mit seinen kaum zwei Dutzend eigenständigen Idiomen ist nur ein kleiner Zweig der riesigen Sprachfamilie, die mit über 800 Sprachen von Madagaskar im Westen über Indonesien, die Philippinen und Taiwan in den Pazifik bis zur Osterinsel im Osten reicht. Polynesische Sprachen sind einander sehr ähnlich. Nur das Tongaische und Samoanische zeigen bemerkenswerte Abweichungen, ein Zeichen dafür, daß sie sich relativ früh von den anderen Sprachen abgesondert haben.

Die Polynesier sind also rassisch »Süd-Mongolide« und sprachlich »Austronesier«. Das gilt auch für die Mikronesier, obwohl in ihren Sprachen und auch in ihrem somatischen Erscheinungsbild Einflüsse aus Melanesien unverkennbar sind.

Die Herkunft der Polynesier und die Lapita-Kultur

»Hawaiki«, sagen die Maori auf Neuseeland, sei das Land ihres Ursprungs. Eine solche Region mit meist ähnlichem Namen kannten auch andere polynesische Gruppen. Das rätselhafte Land — auch Reich der Toten — soll irgendwo im Westen jenseits des Ozeans liegen. Die Traditionen um Hawaiki sind zu dunkel und vage, um sie mit einer konkreten Ortsbestimmung verbinden zu können.

Schon im frühen 19. Jahrhundert wurden Theorien über die Herkunft der Polynesier veröffentlicht. Manche waren recht phantasievoll: Man sah in den Polynesiern die Restbevölkerung eines versunkenen Kontinents oder gar die zehn verlorenen Stämme Israels. Die wissenschaftlich ernsthaften Theorien konnten sich bis zur Mitte unseres Jahrhunderts nur auf die Deutung rassischer, sprachlicher und kultureller Gegebenheiten stützen.

Prähistorische Ausgrabungen seit Beginn der fünfziger Jahre haben eine neue Situation geschaffen. Alle früheren Theorien sind im wahrsten Sinne überholt, und es wäre sinnlos, auf ihre Argumentation einzugehen. Die strittigen Hauptfragen waren folgende: Kamen die Vorfahren der Polynesier aus dem Westen, also irgendwoher aus Asien, oder kamen sie aus dem Osten, das heißt, waren die Vorfahren Indianer aus Amerika (eine These, die zuletzt von Thor Heyerdahl [1952] mit Emphase vertreten wurde)? Entstammen die Polynesier einer einzigen Einwanderergruppe oder mehreren, welche die Inselwelt zu verschiedenen Zeiten erreichten? Kamen die Polynesier bei Annahme einer asiatischen Herkunft über Mikronesien oder über Melanesien? Natürlich lassen die neueren Ausgrabungen noch viele Fragen offen, aber diese Hauptfragen sind geklärt: Die Polynesier gehen auf eine einzige Einwanderergruppe zurück, und diese kam aus dem Raum von Indonesien und den Philippinen und nahm ihren Weg über Melanesien.

Wie die prähistorischen Forschungen der letzten Jahrzehnte mit ihren modernen Datierungsmethoden ergeben haben, wurden als erste Inseln Polynesiens um 1400 v. Chr. die Tonga- und um 1100 v. Chr. die Samoa-Gruppe besiedelt. Kennzeichnend für das Fundinventar der frühen Zeit sind Scherben einer »zahnstich-verzierten« Keramik, die nach einem Fundort auf Neu-Kaledonien den Namen »Lapita« trägt. Da für Tonga und Samoa von den ältesten Funden bis in die historische Zeit eine Kontinuität nachweisbar ist, müssen die Träger der »Lapita-Kultur« die direkten Vorfahren der Polynesier und wie diese hellhäutige »Süd-Mongolide« und sprachlich »Austronesier« gewesen sein.

Die Träger der Lapita-Kultur stammen ohne Zweifel aus dem Malaiischen Archipel. Sie erschienen, wie datierte Funde zeigen, um 1600 v. Chr. oder schon früher im Norden Melanesiens. Sie waren ungemein mobil und erreichten nur wenig später die anderen melanesischen Inseln. Sie wagten von den Neuen Hebriden aus die Fahrt über das offene Meer und besiedelten um 1500 v. Chr. die Fidschi-Inseln und von dort um 1400 v. Chr. die Tonga-Inseln sowie schließlich um 1100 v. Chr. Samoa.

Die meisten Träger der Lapita-Kultur blieben offenbar in Melanesien und mischten sich mit den Alteingesessenen. Somatisch setzten sich die dunkelhäutigen Melanesiden durch, da die Hellhäutigen wegen höherer Malaria-Empfindlichkeit bald ausstarben. Sprachlich behauptete sich aber das Austronesische mit über 200 Idiomen — jeweils mit anderer Papua-Sprache als Substrat — als melanesischer Zweig dieser Sprachfamilie. Die Mischung muß sich schon früh angebahnt und vollzogen haben. Ihr Resultat sind die dunkelhäutigen, aber Austronesisch sprechenden Melanesier.

Auf den Fidschi-Inseln trat um 500 v. Chr. — offenbar durch die Zuwanderung austronesischer Melanesier — an die Stelle der Lapita-Keramik eine in Melanesien verbreitete Ware. Entsprechend dominiert im somatischen Erscheinungsbild der Bevölkerung der dunkelhäutige, kraushaarige Typus der Melanesiden. Jedoch steht sie den Polynesiern

Abb. 23 *Scherben der Lapita-Keramik, die von Missionar P. O. Meyer auf der kleinen Insel Watam vor der Gazelle-Halbinseln von Neu-Britannien gefunden und in der Zeitschrift »Anthropos« (1911) abgebildet wurden. Ihre Veröffentlichung fand aber damals kaum Beachtung*

näher als alle anderen Gruppen Austronesisch sprechender Melanesier. Auf den Tonga- und Samoa-Inseln verschwindet offenbar aus Mangel an geeigneten Rohstoffen die Keramik aus dem Fundinventar. Seither fehlt die Töpferware im Bestand der materiellen Kultur Polynesiens.

Kurz vor der Zeitenwende begann von Samoa aus der Vorstoß der Polynesier in den Zentral-Pazifik. Um 500 n. Chr. scheinen mit Ausnahme von Neuseeland alle wichtigen Inseln in Besitz genommen zu sein. Über Ablauf und Zeitpunkt mancher Aktion läßt sich nur mutmaßen. Weitere Ausgrabungen werden hier wohl Aufklärung schaffen. Die Polynesier müssen um die Zeitenwende schon im Besitz großer Doppelboote gewesen sein. Nur mit diesen hervorragenden Seefahrzeugen, die zugleich zahlreiche Menschen und die für die Fahrt notwendigen Vorräte aufnehmen konnten, war das Wagnis weiter Seereisen möglich. Die bislang ältesten Spuren einer Besiedlung finden sich auf den im Osten liegenden Marquesas-Inseln. Von dort muß die Besitznahme der anderen Inseln des zentralen Pazifiks erfolgt sein.

Die Polynesier vollbrachten mit der Besiedlung der pazifischen Inseln eine nautische Leistung, die selbst die Wikinger in den Schatten stellt. Wie war es ihnen überhaupt möglich, die unbekannten, weithin über den Ozean verstreuten Inseln zu finden? Über die navigatorischen Kenntnisse der Polynesier ist man nur unzureichend informiert. Im 18. Jahrhundert hatten sie ihre weiten Seereisen längst aufgegeben. Man kann nicht ausschließen, daß manche Fahrten aus irgendeiner Not heraus »auf gut Glück« ohne Hoffnung auf Rückkehr unternommen wurden. Da die alten Polynesier sicher keine Hasardeure waren, dürfte die geplante Expedition der Regelfall gewesen sein: Man stieß nur so weit in den Ozean vor, daß noch eine reelle Chance zur Heimfahrt blieb.

Die wirtschaftlichen und technischen Grundlagen

Die Ozeanier sind typische Pflanzer der Tropen, die viele Nutzpflanzen kannten. Wichtigstes Haustier war das Schwein. Die Jagd war aus Mangel an Jagdbeute ohne Belang. Dagegen hatte der Fischfang an den Küsten und auf den Atollen eine enorme Bedeutung.
Je nach der natürlichen Beschaffenheit einer Region steht die eine oder andere Nutzpflanze im Vordergrund. Knollenfrüchte liefern die Taro-Pflanze, die Sumpfland oder bewässerte Felder braucht und in Polynesien dominiert, und die Yams-Pflanze, die trockenen Boden braucht und mehr in Melanesien zu finden ist. In den weiten, sumpfigen Tiefländern Neuguineas bilden die reichen Bestände an Sagopalmen eine schier unerschöpfliche Nahrungsreserve. Das Mark der Stämme wird herausgeschlagen und die Sago-Stärke durch Wässern von holzigen Bestandteilen befreit. Von ähnlichem Rang ist der Brotfruchtbaum im zentralen Polynesien. Bei unzureichender Ernte drohte z. B. auf den Marquesas-Inseln sofort Hungersnot. Man versteht den mehligen Pulp der noch unreifen Brotfrucht in mit Steinen ausgelegten Gruben durch saure Gärung zu konservieren. Der gesäuerte Teig war der Hauptproviant auf Seereisen. Von der Kokospalme ist nahezu alles zu nutzen. Ohne sie ist das Leben auf Atollen unmöglich, zumal die Milch der noch grünen Nuß oft das knappe Trinkwasser ersetzen muß.
Fast alle Nutzpflanzen der Ozeanier stammen aus Südost-Asien. Nur die Süßkartoffel (Batate) scheint aus Südamerika zu kommen. Sie muß in Polynesien schon vor 1000 Jahren eingeführt und von Menschen verbreitet worden sein. Man braucht deshalb nicht an eine Invasion von Indianern zu denken. Vielleicht haben sich die Polynesier diese Pflanze selbst in Südamerika geholt. Die Süßkartoffel ist wichtig für Hawai'i, mehr noch für die Osterinsel und vor allem für das sich schon in die gemäßigte Zone hinziehende Neuseeland. Bei den Maori genossen die Götter der Süßkartoffel zwar nicht die höchste, aber doch die meiste Verehrung.
Genußmittel der Ozeanier sind Betel und Kawa. Ein Betelpriem besteht aus der Nuß der Areka-Palme, Blättern des Betelpfeffers und etwas gebranntem Kalk. Betelkauen ist typisch für Mikronesien und Melanesien (außer Neue Hebriden und Neu-Kaledonien). Der Kawatrank ist auf den

Abb. 24   Krieger der Maori (Neuseeland) mit einem in der Technik der Halbweberei gefertigten und mit Hundehaaren besetzten Umhang (1769/70). Stich nach Bildvorlagen von S. Parkinson (1773)

Neuen Hebriden und vor allem in Polynesien (außer Neuseeland und der Osterinsel) verbreitet. Er wird aus der zerkauten oder zerstoßenen, in kaltem Wasser ausgelaugten Wurzel des Kawa-Pfefferstrauchs gewonnen. Der Trank war allein den Männern vorbehalten und wurde gemeinschaftlich genossen. Das dabei befolgte Ritual bestätigte tagtäglich den Aufbau der örtlichen Gesellschaft. Weder Betel noch Kawa sind Narkotika, sie haben allenfalls eine leicht euphorisierende Wirkung.
Die Technik der Ozeanier war vor dem Kommen der Europäer jungsteinzeitlich. Metalle waren unbekannt. Wichtigste Werkzeuge waren Dechsel mit geschliffener Steinklinge, geschäftete Hai- oder Nagetierzähne, örtlich auch Obsidianklingen und häufig der Drillbohrer. Wichtig waren auch Schnüre aus Bastmaterial und Kokosnußfasern, z. B. für das Knüpfen von Netzen und für die Bindung des Hausgerüsts. Die Übernahme des Eisens war eine technische Revolution. Alles ging nun zehnfach schneller und leichter. Die Kunst-

werke wurden nun größer und oft bizarrer. Im Vergleich zeichnen sich die noch neolithischen Werke durch besondere Präzision und handwerkliche Perfektion aus.

Der Fachmann für bestimmte Fertigkeiten unterschied sich in Melanesien kaum von den anderen Dorfbewohnern. In Polynesien jedoch bildeten die Handwerker unter dem Namen »*tohunga*« einen angesehenen Stand. Auf Samoa waren sie in »Gilden« zusammengefaßt, je nachdem, ob sie sich auf den Bau von Häusern, großen oder kleinen Booten, auf die Fertigung von Keulen, Speeren, Angelhaken etc. oder auf das Tatauieren verstanden. *Tohunga* hießen auch die Priester als religiöse Spezialisten. Auch Handwerker und Künstler mußten, wenn das Werk gelingen sollte, bei der Arbeit zahlreiche Tabus beachten und sich auf magische Praktiken verstehen.

Sache der Frauen war die Herstellung und Musterung der »*tapa*« genannten Baststoffe. Sie bestehen aus der unter der Rinde liegenden Bastschicht des Papiermaulbeerbaums. Die schmalen Bahnen wurden durch Klopfen miteinander verfilzt und oft zu großen Stoffen verklebt. *Tapa* diente zur Kleidung, als Decke und vielfach zu kultischen Zwecken. Auch in Melanesien hatte man Baststoff, doch nahm man hier das gröbere Material eines Feigenbaums. In Mikronesien kannte man das Weben, feine Matten dienten als Kleidung, und die Maori auf Neuseeland kannten die Halbweberei und schufen sich in dieser Technik große, mantelartige Umhänge.

Der Handel hatte in Ozeanien nur geringe Effizienz, denn man lebte autark und konnte sich mit fast allem Notwendigen selbst versorgen. Dennoch gab es ausgedehnte und mit Eifer betriebene Handelsbeziehungen, die aber mehr der Pflege sozialer Kontakte und Bündnissysteme dienten, wie z.B. der »Kula-Handel« auf den Inseln östlich von Neuguinea. Ähnliche Funktionen erfüllte der rituelle Geschenkaustausch zwischen befreundeten Gruppen, und von ihm gingen nicht selten Impulse auf das Kunsthandwerk aus.

Ziel allen Wirtschaftens, das über die Bedürfnisse des Alltags hinausging, waren die großen Feste. Sie standen im Mittelpunkt des Lebens eines Ozeaniers. Man darbte förmlich in der festlosen Zeit, um dann die in Hülle und Fülle angesammelten Vorräte verprassen zu können. Nie wurde in Melanesien ein Schwein aus profanem Anlaß geschlachtet, doch die Feste waren Orgien in Schweinefleisch. Sicherlich geschah dies auch aus Prestigegründen, um den Nachbargruppen zu imponieren, doch im wesentlichen sollten damit Reichtum und Überfluß der Schöpfung demonstriert werden.

Abb. 25 *Hinrichtung wegen des Verbrechens einer Tabu-Verletzung (1818), Hawai'i-Inseln (Polynesien). Lithographie von J. Arago (1823)*

Gesellschaft und Religion

Verwandtschaft und Abstammung sind die Schlüssel zum Verständnis der melanesischen Kultur. Was das Leben eines Melanesiers entscheidend bestimmt, ist die Bindung an seinen Klan, das heißt, an eine Gruppe von Menschen, die sich durch gemeinsame Abstammung als verwandt und zusammengehörig betrachten. Die Struktur einer solchen Verwandtschaftsgruppe unterscheidet sich fast von Stamm zu Stamm, doch seine Aufgaben bleiben im wesentlichen gleich. Er führt die Jugendlichen in das Leben und die Gesellschaft ein, versorgt die Alten und Kranken, ist Kultgemeinschaft und Kampfverband (Blutrache) sowie Eigentümer des Landes. Ein Leben außerhalb des Klans war unter den gegebenen Bedingungen unmöglich.

Obwohl die Verwandtschaft innerhalb des Klans sehr weitläufig ist, betrachten sich doch die Männer und Frauen einer Generation als Brüder und Schwestern. Die Heirat im eigenen Klan war absolut verpönt und galt als Inzest. Die Ehefrauen mußten aus einem anderen Klan kommen, dessen Angehörige sie stets blieben. Das erklärt zum Teil die schlechte Stellung der Frau, die im Klan ihres Mannes zeitlebens eine Fremde blieb, der man mit Mißtrauen begegnete. Beim Verkehr von Mann und Frau begegnen sich auf mystische Weise die Kräfte zweier Klane, woraus sich die zahlreichen Sexualtabus erklären. Das Leben der Männer und Frauen verlief weitgehend in getrennten Bahnen. Der Mann verbrachte seine Zeit vorwiegend im Männerhaus bei seinen Klangenossen.

Abb. 26   Häuptling der Maori (Neuseeland) mit einer aus Linien- und Spiralmustern bestehenden Tatauierung, Schmuck aus Grünstein und einem Zierkamm aus Walknochen (1769/70). Stich nach Bildvorlagen von S. Parkinson (1773)

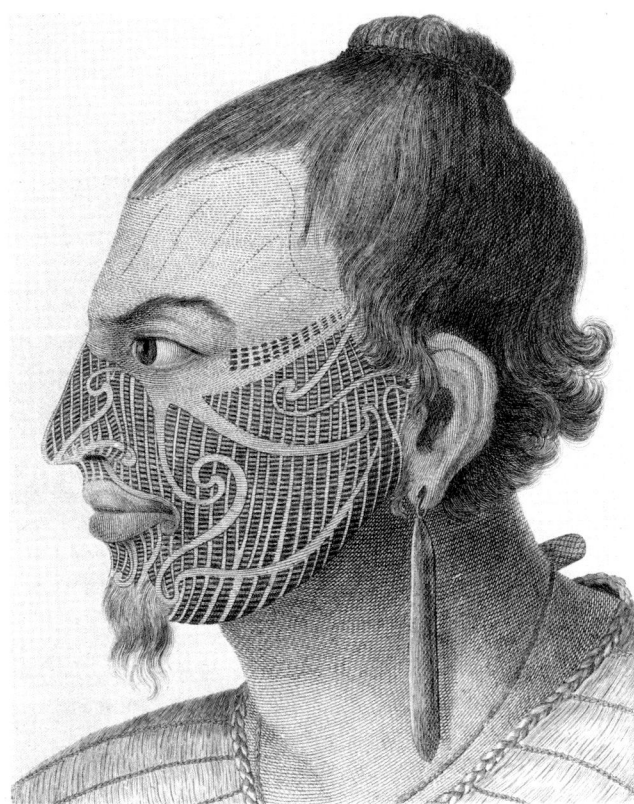

Abb. 27   Krieger der Maori (Neuseeland) mit feiner, fast das ganze Untergesicht bedeckenden Tatauierung. Das für die Maori typische Linien- und Spiralmuster erscheint gewissermaßen als Negativ (1769/70). Stich nach Bildvorlagen von S. Parkinson (1773)

Politische Einheit war das Dorf oder eine Gruppe benachbarter Weiler. Dörfliche Angelegenheiten wurden in der Absprache der einflußreichen Männer der im Dorfe lebenden und durch Heiratsbeziehungen verbundenen Klane geregelt. Nur auf den östlichen Inseln Melanesiens gab es ein erbliches Häuptlingstum. Der Stamm trat nur selten als politische Einheit in Erscheinung. In ihm hatten die Klane eine sie verbindende, übergeordnete Abstammung. Der Stamm war daher vor allem eine Kultgemeinschaft.

Auch das religiöse Leben wurde in Melanesien weitgehend vom Klan getragen. Er hatte seine geheimen Riten und magischen Machtmittel, die vor den Frauen und allen Fremden peinlich verborgen wurden. Im Mittelpunkt der Verehrung standen die Stammeltern, die den Klan als starkes Band zusammenhielten, und auch die mythischen Gründer des Stammes, die man mit anderen Klanen gemeinsam hatte. Durch die Ahnen wußte man sich, als seien diese Glieder einer langen Kette, mit den Wesen des Ursprungs und der Schöpfung verbunden. Die Ahnen greifen aber auch in das Leben ein, bringen Heil und Kindersegen, und sie können auch strafen, wenn man gegen ihr Erbe, gegen Gesittung und Tradition verstößt. Der Ahnenkult hat viele Formen. Wunsch und Wille, die Erinnerung an den verstorbenen Vorfahren substantiell zu bewahren, seinem Geist einen festen Ort zu weisen, der Medium für Opfer und Anrufung ist, machen den Ahnen zum wichtigsten Sujet melanesischer Kunst.

Großartigstes Phänomen melanesischer Religion war das Kultdrama, der Nachvollzug der Schöpfung mit Mimus, Tanz und Masken während großer Stammesfeste. In solchen Festen, deren Anlaß meist die Initiation der Knaben in die Männergesellschaft war, feierte sich der Stamm selbst in Ursprung und Dasein. Schattenseiten melanesischer Religion sind Kopfjagd und Kannibalismus, die aber oft im Mythos begründet sind. Für die Sorgen und Nöte des All-

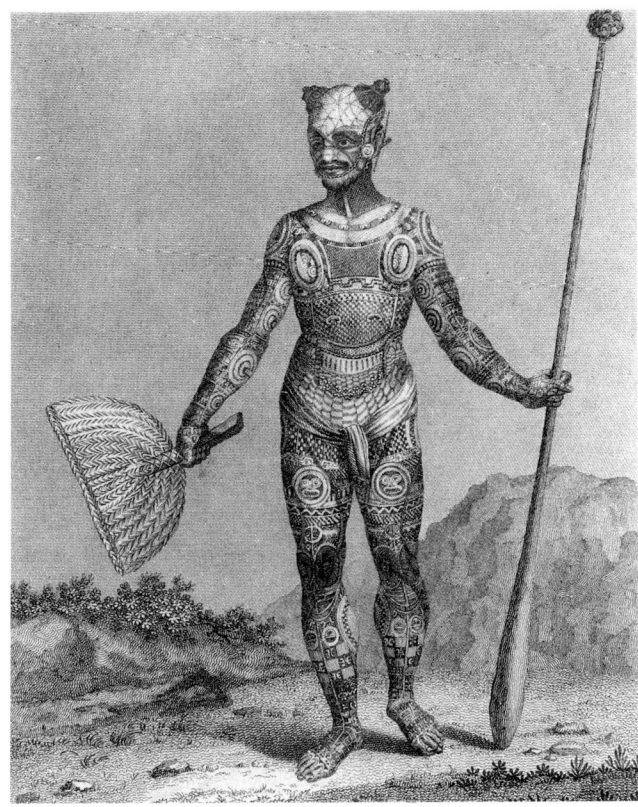

Abb. 28 Reich tatauierter Krieger mit der damals typischen, auf zwei seitliche Knoten reduzierten Haartracht (1804), Marquesas-Inseln (Polynesien). Stich aus dem Reisebericht von G. H. Langsdorff (1812)

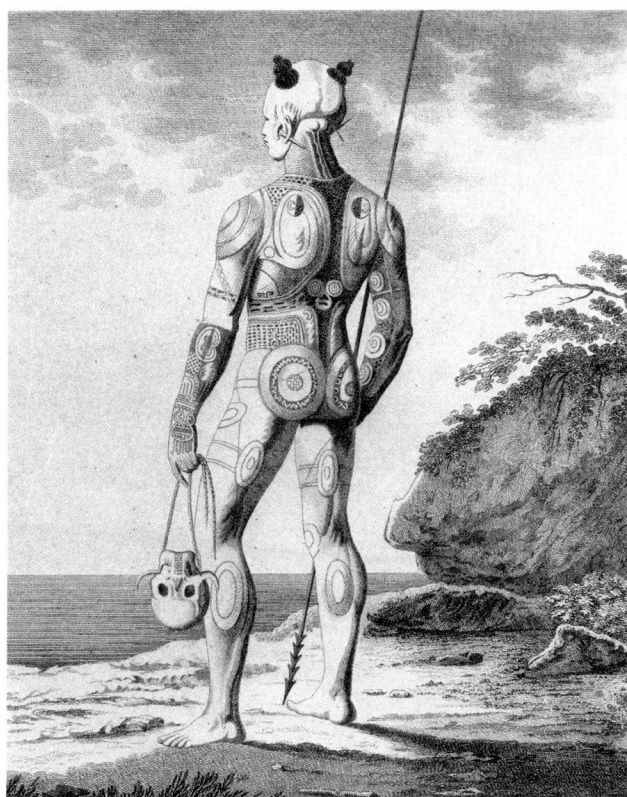

Abb. 29 Tatauierter Krieger mit der Kopftrophäe eines getöteten Feindes (1804), Marquesas-Inseln (Polynesien). Stich im Reisebericht von G. H. von Langsdorff (1812)

tags verfügte man über eine Fülle von Zauberhandlungen und magischen Praktiken. Sie überwucherten bei manchen Stämmen geradezu das religiöse Leben, und oft ist es dieser Bodensatz der alten Religion, der nach der Missionierung überdauert.

Kennzeichnend für die Gesellschaft der Polynesier war eine schroffe ständische Gliederung. Nur der Adel hatte eine Abstammung. Er besaß eine Genealogie, die bis in die Urzeit der Götter reichte. Ihm gegenüber stand das breite Volk in mehr oder minder starker Abhängigkeit. Der Unterschied zwischen den Kasten manifestierte sich sogar in der körperlichen Erscheinung. Die Adligen waren durchweg größer und immer wohlbeleibt und hatten, da sie körperliche Arbeit und die Sonne mieden, auch eine hellere Hautfarbe. Am schärfsten waren die Unterschiede auf den Tahiti- und Hawai'i-Inseln ausgeprägt. Die alte Stammesstruktur der Polynesier war dort längst verschwunden; es gab statt dessen eine lokale Organisation in mehrere von erblichen Dynastien beherrschte Kleinstaaten. Die Angehörigen des breiten Volks waren keine Stammesgenossen mehr, sondern nur noch Untertanen.

Entscheidend für die Entstehung des Adels ist das in Polynesien strikt befolgte Gesetz der Primogenitur: Nur der Erstgeborene erbt den vollen Status der Eltern. Auf Hawai'i unterschied man elf Adelsgrade. Den höchsten Rang hatten die als Götter verehrten Nachfahren einer fürstlichen Geschwisterehe. Die Herrscher der Kleinstaaten waren so »göttlich«, daß nur — wie bei den Pharaonen Ägyptens — die leibliche Schwester als Ehefrau ebenbürtig war. Auf den Marquesas-Inseln, der Osterinsel und Neuseeland, wo sich ein älteres Substrat polynesischer Kultur behauptet hatte, war zwar der Adel auch von hoher Macht und Ansehen, doch es gab noch die alte Stammesstruktur. Die Menschen standen in genealogischen Verbänden und wußten sich über ihre Häuptlinge und den Adel mit den Stammesahnen und den Göttern verbunden.

Die polynesische Götterlehre zeigt die ganze Spielbreite polytheistischer Vorstellungen. Die irdische Ordnung spiegelt sich in der himmlischen Hierarchie wider. Bei *Tane, Tu, Tangaroa* und *Rongo* und dem listenreichen Heros *Maui* denkt man unwillkürlich an die Gestalten des Olymps. Jeder der Götter ist mit einer Naturerscheinung verbunden, doch keiner ist eine bloße Naturgottheit. Die Götter erscheinen in den Mythen als handelnde, kämpfende und leidende Persönlichkeiten. Sie waren dem breiten Volk keine fernen Wesen, denn sie werden in Anrufungen und Sprichwörtern genannt, doch die minderen Götter fanden bei ihm quantitativ eine weit größere kultische Beachtung.

Die großen Götter waren faktisch in ganz Polynesien bekannt, doch sie hatten örtlich unterschiedlichen Rang und Bedeutung. In West- und Zentral-Polynesien dominierte *Tangaroa*, oft als der uranfängliche Schöpfergott verehrt, der durch seine Nachkommen die Welt regiert. Auf manchen Inseln gab es »Nationalgötter«. Den Gott *Makemake* kannte und verehrte man nur auf der Osterinsel. Auf den Tahiti-Inseln galt *Oro*, ein Sohn des *Tangaroa*, als Weltenherrscher.

Auf den Tahiti- und Hawai'i-Inseln vollzogen die ebenfalls dem Adel angehörenden Priester den offiziellen Kult der hohen Götter auf den großen Kultplätzen der herrschenden Dynastien. Die Angehörigen des breiten Volks traten nur als Statisten und Dienstleistende in Erscheinung. Für ihre Nöte und Sorgen gab es eine Vielzahl minderer Götter und Schutzgeister, von denen einige oft skurril wirkende Bildwerke erhalten geblieben sind. Auf den Marquesas-Inseln, der Osterinsel und Neuseeland war der Stamm noch eine Kultgemeinschaft, und das breite Volk war nicht in dieser Weise ausgeschlossen. In der Kunst dominiert hier das fast in stereotyper Art wiedergegebene Bildnis des Stammesahnen. Der Kult der Polynesier hatte seine dunklen Seiten. Auf den Tahiti- und Hawai'i-Inseln gab es Menschenopfer zu Ehren des Kriegsgottes. Kultischer Kannibalismus war noch in historischer Zeit auf manchen Inseln verbreitet und früher gewiß in ganz Polynesien üblich gewesen.

Gesellschaft und Religion der Polynesier lassen sich ohne die Phänomene *Mana* und *Tabu* nicht verstehen. »*Mana*« bezeichnet, so will es scheinen, eine aus der Schöpfung stammende Kraft, die alles Bedeutende durchdringt und so von dem »*noa*«, dem Allgemeinen, abhebt. *Mana* haben die Götter und ihre irdischen Manifestationen. Es eignet aber auch in unterschiedlichem Maße den Menschen, vor allem den Fürsten und Häuptlingen, den Adligen und Priestern, doch

Abb. 30 Adliger der Tonga-Inseln (Polynesien) mit einem aus einem Schiffsnagel gefertigten Dolch (1773). Stich nach Bildvorlagen von W. Hodges (Cook 1777)

auch den Kriegern, Seefahrern, Künstlern und Handwerkern. *Mana* besitzen Kultobjekte und Machtinsignien, aber auch bewährte Waffen und Werkzeuge und weiterhin beeindruckende Naturerscheinungen. Begriffe, die dem *mana* entsprechen oder zumindest nahekommen, finden sich in allen Kulturen. Was *mana* im Leben des Polynesiers so folgenschwer macht, ist sein enger Zusammenhang mit dem »*Tabu*«. Dieses meint verboten und gefährlich, für Unbefugte unberührbar und konsekriert. Es kann sich sowohl auf Heiliges als auch auf Unreines und Ekelhaftes beziehen. Viele Tabus hatten religiösen Charakter und lassen sich aus der Ehrfurcht vor der jenseitigen Welt erklären. Andere waren sozial bestimmt, und man kann sie als Regulativ gegen Unordnung und Sittenverfall betrachten. Die Verletzung eines Tabus wurde hart bestraft, oft mit dem Tode, und blieb diese unentdeckt, dann drohten dem Übeltäter Unheil und Krankheit. Tabus konnten aber auch willkürlich von den Fürsten, Häuptlingen, Adligen und Priestern gegen das breite Volk verhängt werden. Sie gründeten sich auf die durch das *mana* verliehene Macht. Je höher jemand im Range stand, je mehr *mana* er besaß, desto zahlreicher waren die Tabus, die das Volk ihm gegenüber zu beachten hatte, desto größer war seine Macht, Tabus zu verhängen. Auf den Tahiti- und Hawai'i-Inseln war die durch das Tabuierungsrecht den Herrschern verliehene Macht schrankenlos.

Die Folgen der Entdeckung

Die ersten Ozeanier, welche die fragwürdige Ehre hatten, von Europäern entdeckt zu werden, waren die Bewohner der Insel Guam (Mikronesien). Magellan traf am 6. März 1521 nach über dreimonatiger Fahrt in einer schon verzweifelten Situation auf diese Insel, von der er sich Nahrung und Trinkwasser erhoffte. Wegen lästiger Diebereien kam es zu einer völlig unverständlichen Strafaktion, die vielen Einheimischen das Leben kostete und alle Hoffnungen zunichte machte. Magellan mußte ohne jegliche Hilfe weitersegeln.

Die gleichen Erfahrungen wie die Mikronesier auf Guam machten die Melanesier 1568 auf den Salomonen und die Polynesier 1595 auf den Marquesas-Inseln. In beiden Fällen leitete Alvaro de Mendaña die Expeditionen. Man trifft in den Berichten auf ein Gemisch aus bigotter Frömmigkeit und Gewalttätigkeit. Bei dem nur zwei Wochen dauernden Aufenthalt auf den Marquesas-Inseln wurden über 200 Einheimische getötet. Die Reisenden des 16. und 17. Jahrhunderts von Magellan bis Roggeveen waren — mit Ausnahme von Tasman und Quiros — brutale Schlagetots, die in den Einheimischen nur Freiwild sahen. Man lernt aus ihren Berichten mehr über die Europäer dieser Zeit als über die Bewohner Ozeaniens.

Die wirklichen Entdeckungsreisen in die Südsee begannen erst ab 1765. Wer nicht weiß, was die Aufklärung in Europa bewirkte, der lese die Berichte eines Louis-Antoine de Bougainville, eines James Cook und seiner Begleiter und vergleiche sie mit denen ihrer Vorgänger. Dennoch waren die Fahrten dieser Entdecker verhängnisvoller als die vorhergehenden. Die Aufenthalte auf den Inseln dauerten nun länger, es kam zu Kontakten der Schiffsbesatzungen mit den Einheimischen, und es verbreiteten sich rasch die Syphilis und andere Krankheiten.

Ende des 18. Jahrhunderts begann der intensivere Kontakt der Einheimischen mit Europäern. Um 1800 kamen die ersten Walfänger, die bald zu Hunderten die pazifischen Gewässer heimsuchten. Sie tauschten häufig Feuerwaffen gegen Nahrung und Wasser, und aus mancher in ihren Folgen eher harmlosen Stammesfehde wurden Vernichtungskriege. Ab 1805 begann auf den Fidschi-Inseln das Abholzen der Sandelholzbäume, um 1815 auf den Marquesas-Inseln und 1825 auf den südlichen Neuen Hebriden mit schrecklichen, von skrupellosen Händlern ausgelösten Begleitumständen. Ein besonders finsteres Kapitel ist der »Labor Trade« seit 1860, eine euphemistische Bezeichnung für die schon Sklavenjagden gleichende Rekrutierung von Arbeitskräften für die Plantagen in Queensland und die Salpeterminen in Peru. Die turbulenten Vorgänge von der »Meuterei auf der Bounty« bis gegen Ende des 19. Jahrhunderts, als sich die europäischen Kolonialverwaltungen nahezu überall etabliert hatten und die schlimmsten Übergriffe verhinderten, bilden ein großes Reservoir an Filmsujets, brachten aber vielen Inseln die Zerstörung der alten Ordnung, wirtschaftliche Not und katastrophale Entvölkerung. Die Marquesas-Inseln, wo ein sehr robuster Typ des Polynesiers zu finden ist, hatten vor 1800 mehr als 50 000, vielleicht sogar 80 000 Menschen: Um 1840 gab es nur noch 20 000, um 1870 vielleicht noch 6000 und 1911 nicht einmal mehr 3000 Marquesaner.

Wohl die einzigen Europäer, die nicht als Ausbeuter in die Südsee kamen, waren die christlichen Missionare. 1797 erreichte ein Schiff mit 30 Mitarbeitern der »London Missionary Society« Tahiti. Kaum drei Jahrzehnte später waren fast alle Inseln des zentralen Polynesiens missioniert. Die katholische Mission begann 1834 auf Mangareva mit ihrer Arbeit. Die Missionare waren oft der einzige Schutz einer Inselbevölkerung, doch haben sie in ihrem oft blinden Bekehrungseifer, der sich gegen die alten Idole, gegen die hölzernen »Götzen« richtete, viel zur Zerstörung unersetzlichen Kulturgutes der Ozeanier beigetragen. Die Missionierung vollzog sich auf manchen Inseln so rasch und reibungslos, als habe die Bevölkerung nur darauf gewartet, das sie bedrückende Tabusystem abzuschütteln. Auf den Hawai'i-Inseln kam es sogar vor der Ankunft des ersten Missionars 1819 zu einer Art »Kulturrevolution« gegen die alte Ordnung und das Tabusystem, bei der die Kultplätze und leider auch die imponierenden Götterbilder zerstört wurden.

Die großen europäischen Kolonialmächte erhoben zwar Ansprüche auf diese oder jene Insel, zeigten aber wenig Neigung — außer auf Neuseeland — sich mit einer Verwaltung zu etablieren. Erst als 1884 das Deutsche Reich in der Südsee koloniale Ansprüche erhob und den Nordosten von Neuguinea und den Bismarckarchipel, später auch Samoa und den größten Teil Mikronesiens zu Schutzgebieten erklärte,

Abb. 31 Tanzszene, Tahiti (Polynesien). Auf dem Stich aus dem Bildatlas zur 3. Reise des Kapitäns James Cook (London 1784) erscheinen die mit Baststoff reich gekleideten Tänzerinnen und auch die Tänzer größer, hübscher und »niedlicher« als auf dem Originalbild von John Webber (1777). Abbildungen dieser Art trugen viel zur Südsee-Schwärmerei des späten 18. Jahrhunderts bei

schwere Verluste. Aber auch dort, wo die Menschen Melanesiens nicht unmittelbar vom Kriegsgeschehen betroffen wurden, kam es durch die Massen des Militärs, die Menge des gelagerten Kriegsmaterials und Proviants, die den Melanesiern den ganzen Reichtum des Westens vor Augen führte, zu sozialen Erschütterungen und Bewegungen, die unter dem Namen »Cargo-Kulte« zusammengefaßt werden. Inzwischen hat sich vieles gewandelt. Seit Beginn der fünfziger Jahre wurde Ozeanien größere Aufmerksamkeit geschenkt und den Verwaltungen auch weit mehr Mittel bewilligt. In den siebziger Jahren wurden die britischen, australischen und neuseeländischen Gebiete in die Unabhängigkeit entlassen. Es sind mit Tonga, Fidschi, den Solomon Islands, Papua Niuguini und Vanuatu neue Staaten entstanden. Jede dieser jungen Nationen hat schwere Probleme zu bewältigen. Ob Staaten wie Kiribati (Gilbert-Inseln) und Tuvalu (Ellice-Inseln), die nur aus Atollen bestehen, zu der wirtschaftlichen Kraft finden, die auch zur Unabhängigkeit gehört, bleibt abzuwarten. Neu-Kaledonien, auf dem die französischen Siedler schon überwiegen, und Französisch-Polynesien, dessen Bewohner sich schon weitgehend als Franzosen fühlen, dürften wohl französisch bleiben, es sei denn, Frankreich stärkt mit seinen Atombomben-Versuchen auf dem Mururoa-Atoll so sehr die oppositionellen Kräfte, daß auch hier ein Wandel eintritt. Auf Hawai'i wird den noch verbliebenen Polynesiern heute die soziale Achtung konzediert, die ihnen als Autochthonen zusteht. Im Zentrum dieser Bemühung steht das »Bernice Pauahi Bishop Museum«, dessen Mitarbeiter mit zahlreichen Studien einen großen Beitrag zur Kenntnis Polynesiens geleistet haben.

wurden auch die letzten Inselgruppen unter direkte Verwaltung gestellt. Schwere Übergriffe der Händler, aber auch Stammesfehden wurden nun unterbunden, doch die allgemeinen Verhältnisse verbesserten sich in den folgenden Jahrzehnten nur sehr allmählich. Das große Neuguinea und viele abseits gelegene Inseln Mikronesiens hatten unter den im 19. Jahrhundert herrschenden Verhältnissen nicht oder nur wenig zu leiden gehabt. Diese Gebiete wurden nun zu Hauptschauplätzen des Pazifik-Kriegs (1942–1945). Die Bevölkerung der besonders umstrittenen Regionen erlitt

Bibliographie

Arago, J., *Promenade autour du monde, pendant les années 1817, 1818, 1819 et 1820*, Paris 1822
Beaglehole, J. C., *The Exploration of the Pacific* (3rd ed.), London 1966
Bellwood, P., *Man's Conquest of the Pacific*, Auckland 1978
Bellwood, P., *The Polynesians. Prehistory of an Island People*, London 1987
Bougainville, L.-A. de, *Voyage autour du monde par la frégatte du Roi La Boudeuse et la flûte L'Etoile; en 1766, 1767, 1768 et 1769*, Paris 1771
Brookfield, H. C., *Melanesia*, London 1971
Buck, P. H. (Te Rangi Hiroa), *Vikings of the Sunrise*, New York 1938
Choris, L., *Voyage pittoresque autour du monde*, Paris 1822
Cook, J., *A Voyage towards the South Pole; and around the World*, 2 Bde., London 1777
Forster, G., *Reise um die Welt* (Werke in vier Bänden, Bd. 1), Frankfurt a. M. 1967
Frijs, H. R., *The Pacific Basin*, New York 1967
Goldman, I., *The Polynesian Society*, Chicago 1970
Handy, E. S. C., *Polynesian Religion*, B. P. Bishop Museum Bull. 9, Honolulu 1927
Heyerdahl, T., *American Indians in the Pacific*, London 1952
Langsdorff, G. H. von, *Bemerkungen auf einer Reise um die Welt*, 2 Bde., Leipzig 1812
Lehmann, R., *Mana*, Leipzig 1922
Parkinson, S., *Journal of a Voyage to the South Seas in His Majesty's Ship, the Endeavour*, London 1773
Pawley, A. K., *Austronesian Languages*, Encyclopaedia Britannica 15th ed. Macropaedia 2 p. 484–494, London 1974
Poignant, Roslyn, *Ozeanische Mythologie*, Wiesbaden o. J.
Sharp, C. A., *Ancient Voyages in Polynesia*, Auckland 1963
Yen, D. E., *The Sweet Potato and Oceania*, Honolulu 1974

Die Europäer entdecken die Osterinsel

Erika Vogler

Kapitän Edward Davis (1687)

Als im Jahre 1687 der Bukanier Kapitän Edward Davis mit seinem Schiff »Batchelor's Delight« seinen Schlupfwinkel, die damals unbewohnten Galapagosinseln, verließ, um südwärts, vorbei am Kap Hoorn, zu den Westindischen Inseln zu segeln, erblickte er eines Morgens eine kleine sandige Insel, die nach seinen Berechnungen unter 27° 20′ südlicher Breite und 600 Seemeilen von den Galapagosinseln entfernt liegen mußte. Etwa 12 Seemeilen westwärts lag ein Landstrich, der ihm wie eine Gebirgskette erschien, die sich über mehrere kleine Inseln erstreckte. Er glaubte damit die nördlichste Küstenspitze des sagenhaften Südlandes, der »Terra australis incognita«, gefunden zu haben. Kapitän Davis ahnte sicher nicht, daß dieses winzige Eiland inmitten des weiten Pazifischen Ozeans die Phantasie von Seefahrern bis in unsere Zeit beflügeln würde.

Kapitän Davis und seine Leute hatten diesen Landstrich nicht betreten, wohl um noch rechtzeitig vor den großen Stürmen Kap Hoorn zu umschiffen. Die Kunde von der Entdeckung dieses Landstriches, der in der Folgezeit in den Landkarten als »terra Davis« oder »Davis-Land« erschien, verbreiteten der Bukanierkapitän William Dampier sowie der Bootsmann auf der »Batchelor's Delight«, Lionel Wafer, in seinem Bericht über die »Merkwürdige Reise nach der Erdenge Darien, auch durch die Südsee und das mittägige Atlantische Meer«.[1]

Kapitän Jacob Roggeveen (1722)

Etwa 34 Jahre später, am 1. August 1721, begab sich der holländische Kapitän Jacob Roggeveen im Auftrag der Westindischen Handelskompanie mit drei Schiffen — der »Arend«, der »Thienhoven« und der »Afrikaansche Galei« — auf die Suche nach dem 1687 von Davis entdeckten Land, dem vermeintlichen nördlichen Teil des Südkontinents. Drei Berichte überliefern die Stationen dieser berühmten Reise: das Logbuch Kapitän Roggeveens selbst, das allerdings erst 1838 in Middelburg erschienen ist, der Bericht eines unbekannten Mitreisenden, 1728 in Dordrecht erschienen, und eine ausführliche Beschreibung der Reise von dem gebürtigen Mecklenburger Carl Friedrich Behrens, der als Soldat und, wie er selbst schreibt, als Kommandant der niederländischen Seesoldaten an der Expedition Jacob Roggeveens teilgenommen hatte. Wahrscheinlich erst nach seiner Rückkehr verfaßt, erschien dieser Bericht 1737 in Frankfurt am Main: »Reise durch die Südländer und um die Welt 1721/22« und 1738 in Leipzig mit dem Titel: »Der wohlversuchte Südländer«.

Diesen Berichten nach fuhren die drei Schiffe zunächst über Madeira zur brasilianischen Küste, an den Falklandinseln vorbei um das Kap Hoorn, rasteten auf der nichtspanischen Insel Mocha und erreichten am 24. Februar 1722 die Juan-Fernandez-Gruppe; von hier aus segelte Jacob Roggeveen westwärts, um das von Kapitän Davis entdeckte Land zu suchen. Als er am Ostermontag, dem 6. April 1722, auf eine Küste stieß, die, so glaubte er, in ihrer Ausdehnung von der von Davis beschriebenen abwich und die auch in größerer Entfernung vom amerikanischen Festland lag, als Davis angegeben hatte, nahm Roggeveen die Entdeckung dieser Insel für sich in Anspruch und nannte sie nach dem Tag ihrer Entdeckung »Paasch-Eiland« — Osterinsel. Dem Abenteurer und Seefahrer Carl Friedrich Behrens ist die erste Beschreibung dieser Insel und ihrer Bewohner zu verdanken, die, neben wertvollen Angaben über die Insel selbst, auch Berichte über Sitten und Gebräuche der Insulaner enthält und die für nachfolgende Entdeckungsfahrten von großem Informationswert sein sollte.

So beschreibt Behrens die Bewohner als »ziemlich groß und

stark«, von bräunlicher Körperfarbe und mit »angenehmen Gesichtszügen«. Sie seien tatauiert mit wunderlichen Figuren. In den bis auf die Schultern herabhängenden Ohrläppchen trügen sie meist weiße Klötze als Zierat.

Die Gesichter der Frauen sieht er mit leuchtendroter Farbe bestrichen. Ihren Körper hüllten sie in rote und weiße Decken (*tapa*), sie trügen auf dem Kopf einen kleinen Hut, aus Stroh oder Rohr geflochten, um sich vor den Sonnenstrahlen zu schützen. Verwundert bemerkt Behrens, daß sich die Frauen jederzeit vor den Fremden entkleiden und sie mit eindeutigen Gesten in ihre Hütten winken, die etwa sechzig Schuh lang und sechs bis acht Schuh breit seien, aus hölzernen Stangen hoch aufgerichtet und mit Palmblättern überdacht.

Zu diesen Häusern gehöre kein Hausrat, jedoch jene roten und weißen Decken, die ihnen nicht nur als Umhang dienten, sondern worauf sie auch schliefen.

Erstaunlich findet Behrens die »Götzenbilder«, die am Strand in großen Mengen aufgerichtet standen, wie Menschen mit langen Ohren, das Haupt mit einer Krone geziert und um sie herum »in zwanzig bis dreißig Schritt Breite weiße Steine gelegt«. Vor diesen steinernen Götzen legten die Eingeborenen Feuer, — wie er meinte — »zu opfern oder um zu beten«; am Morgen hatten sie sich »gegen den Aufgang der Sonne zu Boden« geworfen und einige »hundert Feuer« entzündet. Eingeborene, die sich wie Pfaffen benähmen, trügen eine Mütze aus schwarzen und weißen Federn auf ihrem kahlen Schädel.

Nicht ohne Absicht registriert Behrens, daß die Gegend bepflanzt und genau zu Äckern aufgeteilt sei; schön bearbeitet, trügen Felder und Bäume reiche Früchte, die er zu benennen weiß: die »indische Feige«, Pisang genannt, große Nüsse, Zuckerrohr, rote und weiße Wurzeln und »eine Menge Erdäpfel«, die fast wie Brot schmeckten (*batate*). Er sieht keine Tiere auf der Insel, außer Vögeln und Hühnern. Die Insel liege günstig für Schiffe, die auf Fahrt in der Südsee dort Nahrungsmittel holen könnten. Das ganze Land sei bestellt und in Zukunft könne man dort Korn säen und Weinberge anlegen, so seine merkantilen Überlegungen.[2]

Wenn auch die Zuverlässigkeit des Berichtes Carl Friedrich Behrens' von einigen Wissenschaftlern bezweifelt wird, da er aus der Erinnerung heraus erst nach der Reise verfaßt worden sei, ist Behrens doch der erste europäische Augenzeuge, der diese Insel mit ihrer fremdartigen Kultur gesehen und beschrieben hat.

◁ *Abb. 32 Die drei Schiffe Roggeveens: »Arend«, »Thienhoven« und »Afrikaansche Galei«. Reproduziert nach dem Original 1728*

Kapitän Don Felipe Gonzales (1770)

Wirtschaftliche und machtpolitische Interessen waren es, die den Vizekönig von Peru, Manuel de Amat, veranlaßten, mit zwei Schiffen die Davis-Insel suchen zu lassen, sie auszukundschaften, um sie der spanischen Krone zu unterstellen, da er befürchten mußte, Engländer oder Franzosen könnten, auf der Suche nach neuen Kolonien, den spanischen Eroberungswünschen zuvorkommen.

Unter dem Befehl des spanischen Kapitäns Don Felipe Gonzales verließen am 10. Oktober 1770 das Linienschiff »San Lorenzo« und die Fregatte »Santa Rosalia« den Hafen von Callao und begaben sich auf den Kurs, den Jacob Roggeveen 50 Jahre vorher beschrieben hatte. Am 15. November 1770 erreichte Gonzales mit seinen Schiffen die Osterinsel und nahm sie in Besitz, indem er auf drei Erhebungen im Ostteil der Insel jeweils ein Kreuz errichtete und ihr den Namen des spanischen Königs Karl III., »San Carlos«, verlieh. In einer feierlichen Zeremonie, an der die Osterinsulaner voller Interesse teilgenommen hatten, wurde eine Proklamation verlesen, die die Herrschaft der spanischen Krone legitimieren sollte. Mit geheimnisvollen schriftähnlichen Zeichen wurde diese Proklamation von einigen Osterinsulanern gewissermaßen bestätigt, Zeichen, die spätere Wissenschaftler auf die Spur einer eigenen Osterinselschrift führen sollten.

Kapitän Gonzales veranlaßte aber auch die Messung der Meerestiefen an verschiedenen Stellen vor der Küste der Insel, die in drei, von dem Offizier Aguëra gefertigte Karten eingezeichnet wurden. Auch die drei Kreuze, die die Besitznahme der Insel durch die spanische Krone dokumentieren sollten, sind in der Karte eingezeichnet. Das Logbuch, verfaßt von Kapitän Gonzales, beschreibt jedoch nicht nur das Zeremoniell der Proklamation, sondern enthält wertvolle Informationen über die Insel selbst. Auch er schildert die Bewohner als sanftmütig, scheu, aber freundlich zu den Besuchern. Vom Schiff aus waren sie ihnen wie europäische Soldaten erschienen, mit gelben und weißen Umhängen bekleidet.

Die Spanier staunten über die wohlproportionierten schlanken Körper der Osterinsulaner, die sie teilweise mit dunklen Linien, Pyramiden und Masken bemalt hätten. Obwohl die Spanier sich über die Diebereien der Bewohner sehr wunderten, die alles nahmen, was sie bekommen konnten, waren sie doch überzeugt, daß es leichtfallen würde, diese sanften Wilden zu bekehren.

Von großem wissenschaftlichen Wert ist auch eine Liste mit 95 Wörtern, die in engem Kontakt mit den Osterinsulanern zusammengestellt wurde.

Die Riesenstatuen hatten die Spanier vom Schiff aus zunächst für pyramidenförmige Sträucher gehalten. Sie seien jedoch aus Stein gehauen und so mächtig, daß sie wie große dicke Säulen wirkten, aus einem Block gehauen und so groß, daß es ihnen unverständlich schien, wie diese Statuenriesen aufgestellt worden sein könnten. Noch ein anderes Idol schildert das Logbuch: eine tragbare »effigie«, die mit Stroh oder trockenem Gras ausgestopft ist, mit langen dünnen Armen und Beinen, verzerrtem Gesicht und dicken schwarzen Haarfransen, die ihr über den Rücken hängen. An manchen Tagen trügen die Osterinsulaner diese Idole zu ihrem Versammlungsplatz, »Copeca« genannt.

Auch die Spanier bemerkten die seltsamen schiffsförmigen schmalen Hütten, sie beobachteten, daß unter den 900 bis 1000 Inselbewohnern nur wenige Frauen sind, daß es außer Hühnern und Ratten an Tieren nur noch Seeschwalben gebe, die in den steilen Küstenfelsen nisten.[3]

Wenn auch das Hauptaugenmerk der Spanier der Proklamation der Herrschaft des spanischen Königshauses galt, so enthält dieser Bericht doch aufschlußreiche Beobachtungen der fremdartigen Insel und ihrer Bewohner. Zusammen mit dem Zeichnen von exakten Karten und dem Ausloten der Meerestiefen vor der Insel entsprach er daneben auch seemännischen Gepflogenheiten. Er diente zugleich der Erweiterung des Wissens über unerforschte Gebiete und war für die Sicherheit der Seefahrer lebenswichtig.

Kapitän James Cook (1774)

Die 1660 in England gegründete Royal Society setzte sich zum Ziel, die seemännischen Erfahrungen durch gezielte praktische Maßnahmen zu erweitern. Sie forderte Reisende, ambitionierte Dilettanten und Wissenschaftler auf, auf ihren Reisen empirische Forschungen zu betreiben, zu experimentieren, sorgfältig zu beobachten und wahrheitsgemäß zu berichten. Neben der wissenschaftlichen Erkenntnis dienten diese Erfahrungen auch den politischen Interessen und der Ausweitung von Handelsbeziehungen, wobei die noch ausstehende Entdeckung des Südlandes, der »*terra australis incognita*«, gewinnverheißender Anreiz für diese politisch und wissenschaftlich ausgerichteten Expeditionen war.

1768 erhielt der kommandierende Kapitän der Royal Navy, James Cook, im Namen des Britischen Königs George III. den Auftrag, auf der von Kapitän William Wallis entdeckten Insel Tahiti den für den 3. Juni 1769 vorausberechneten Durchgang der Venus zwischen Sonne und Erde zu beobachten. In einem Geheimauftrag dieser ersten Reise sollte auch die Entdeckung neuer Stützpunkte und die Suche nach dem Südkontinent verfolgt werden.

Die bisher bestorganisierte Reise mit wissenschaftlicher Aufgabenstellung sollte jedoch die zweite Weltumseglung Kapitän Cooks werden.

Kapitän James Cook, der als der erfahrenste Seemann und bedeutendste Entdecker seiner Zeit galt, war als Sohn eines Landarbeiters bis zum Kapitän der Royal Navy aufgestiegen und hatte sich neben langjährigen praktischen Erfahrungen umfangreiche theoretische Kenntnisse in der Astronomie, der Mathematik und der Kartographie erworben. Als Expeditionsschiffe dienten ihm sehr stabile Kohletransporter, die ihm wegen ihrer Breite, ihres quadratischen Hecks mit hochaufragender Kajüte, aber vor allem wegen ihres geringen Tiefganges als besonders tauglich erschienen, und weil sie im »Verhältnis . . . (zu ihrer) Bemannung Lebensmittel und andere Vorräte wenigstens für drey jahrlang . . . in sich fassen . . .« und »zu Noth in den engsten und seichtesten Haven einlaufen . . .« konnten.[4]

Nur 12 Tage vor Beginn der Expedition wurde der Naturkundler Johann Reinhold Forster von der britischen Admiralität aufgefordert, an Stelle des zurückgetretenen Sir Joseph Banks an der Expedition teilzunehmen. Sein seltsamer Lebensweg hatte den Pastor aus Nassenhuben (in der Nähe von Danzig) als naturkundlichen Gelehrten zunächst in die Wolga-Region verschlagen, wo er im Auftrag der Zarin Katharina II. die Voraussetzungen für die Urbarmachung und Besiedelung der Landstriche am rechten Wolga-Ufer prüfen sollte. Nach Zerwürfnissen mit russischen Regierungsstellen hatte er sich zusammen mit seinem Sohn Georg nach England begeben, wo er nach mühevollen Anfängen schließlich Mitglied der Royal Society geworden war und eine Berufung als Naturhistoriker an die Akademie in Warrington erhalten hatte.

Zum Gehilfen und Reisebegleiter erwählte sich Johann Reinhold Forster seinen Sohn Georg, der, obwohl erst 17 Jahre alt, ein begabter Zeichner war und der sich bereits durch eigene geographische, historische und naturkundliche Studien ausgezeichnet hatte.[5]

Als Arzt, aber auch als Botaniker schloß sich der Schwede Anders Sparrmann der Expedition an. Die beiden Astronomen William Wales und William Bayly, versehen mit allen »nöthigen astronomischen und nautischen Instrumenten«, waren für die exakte Navigation verantwortlich. Ihr Interesse galt aber auch den Beobachtungen vielfältiger atmosphärischer Phänomene, die sie in einem gesonderten Bericht nach Beendigung der Reise veröffentlichen sollten.[6]

Eine neuartige dokumentarische Dimension erhielt die Expedition durch die Teilnahme des englischen Landschaftsmalers William Hodges, der auf Vermittlung von Lord Palmerston, einem Mitglied der Admiralität, für diese Expedition vorgeschlagen wurde: »to make drawings and paintings of such places in the Countries you may touch at in the course of the said voyage as may be proper to give a more perfect idea thereof than can be formed from written descriptions only« — lautete sein Auftrag.[7] Hodges war Schüler des Landschaftsmalers Richard Wilson. Topographische Ansichten von Wales, Yorkshire und den Midlands zeigten sein Interesse an der Landschaftsmalerei, und 1772 waren von ihm in der Jahresausstellung der »Society of Artists« zwei Rheinansichten und zwei Landschaften der Schweiz zu sehen. Während der Seereise sollte er an Bord der »Resolution« auf Wunsch Kapitän Cooks in der großen Kabine die jungen »midshipmen« in der Technik der Zeichnung von Küstenformationen unterrichten, wobei die Fensterreihe dieser Kabine den Blick auf vorbeiziehende Küstenstreifen erlaubte, die sie in dreifarbig lavierten Bleistiftzeichnungen festhalten sollten.[8]

Am 13. Juli 1772 verließen schließlich die Schiffe »Resolution« unter dem Kommando von Kapitän Cook und »Adventure« unter Kapitän Tobias Fourneaux den Hafen von Plymouth, um sich auf Befehl »Sr. königl. großbritannischen Majestät« in den Sommermonaten in Richtung Südpol zu begeben, um dort den Südkontinent auszukundschaften. In der kalten Jahreszeit sollte er wieder »nach den Wendezirkeln zurückkehren, um die Lage der ehemals entdeckten Inseln« neu zu berechnen und neu zu bestimmen, darüber auch die der von Roggeveen entdeckten Osterinsel.

Von Madeira kommend, vorbei am Kap der Guten Hoffnung, überquerte Kapitän Cook am 18. Januar 1773 als erster Seefahrer den südlichen Polarkreis, den er am 21. Dezember 1773 zum zweiten Mal passierte. Am 30. Januar 1774 erreichte er die südlichste Position und traf, wieder auf Nordkurs, am 11. März 1774 auf der Osterinsel ein. Nach 103 Tagen auf See hoffte die Besatzung, hier »einen guten Erfrischungs- und Handlungsplatz« zu finden. Über den Verlauf der dreitägigen Erkundung der Osterinsel ist der Bericht Georg Forsters aufschlußreich. Er wurde 1777 in englischer Sprache in London veröffentlicht: »A voyage round the world« und erschien 1780 in deutscher Bearbeitung in Berlin: »Dr. Johann Reinhold Forster's und seines Sohnes Georg Forster's Reise um die Welt«.[9]

Ursprünglich hatte die Admiralität Johann Reinhold Forster mit der Abfassung einer »philosophischen Geschichte der Reise, darzustellen nach allgemeinen menschenfreundlichen Grundsätzen« betraut. Auseinandersetzungen zwischen ihm und der Admiralität veranlaßten schließlich die Admiralität, die Aufgabe dem Sohn Georg zu übertragen, der sich verpflichtete, an seiner Stelle eine »philosophische Reisebeschreibung« zu verfassen. Er hatte selbst auf der Reise ein Tagebuch geführt, das er mit den umfangreichen Aufzeichnungen seines Vaters geschickt ergänzte. Geographische, ethnographische und naturkundliche Zusammenhänge ergeben sich in seiner Darstellung aus der Art der Fragestellung, die, obwohl neuartig, auf die Betrachtungsweise Johann Reinhold Forsters zurückgeht, die dieser in seinen »Observations made during a voyage round the world«, 1778 erschienen, festgelegt hatte.[10] Der Sohn Georg übernimmt diese komplexen Denkweisen, indem er Lebensverhältnisse, Lebensweise und Verhalten fremder Menschen immer in Zusammenhang mit ihren Lebensumständen, den klimatischen und landschaftlichen Bedingungen sieht. Seine Fragestellung ordnet die Beobachtungen und Fakten in ein philosophisch-naturwissenschaftlich geprägtes Weltbild ein. Für ihn sollten die Entdeckungen vornehmlich der wissenschaftlichen Erkenntnis dienen und nicht der Suche nach Reichtümern gelten.

Das Kapitel »Die Nachricht von Oster-Eyland und (dem) Aufenthalt daselbst« beginnt denn auch mit einer Beschreibung der geologischen Struktur und der Vegetation der Insel. Forster verweist auf »das verwüstete öde Aussehen des Landes« und den »unfruchtbar(en) harten Boden«, der steinig und »von der Sonne verbrannt« nur ca. 20 verschiedene Gattungen von Pflanzen hervorbringt. Wegen des armseligen Lebens seien die Männer mager mit harten und steifen Muskeln und die Frauen klein und zart gebaut. »Aus Noth« sind sie unbekleidet, »mehrentheils nackend«, nicht kriegerisch, denn ihre Zahl sei zu unbeträchtlich und ihre Armut zu allgemein, als daß etwa innere Unruhen unter ihnen entstehen könnten. Auch mit den »große(n) Statüen«, die umgeworfen waren«, setzt sich der Bericht auseinander, der in diesem Fall von Johann Reinhold Forster verfaßt ist. Die Herkunft der »riesenmäßigen Monumente« erscheint ihnen rätselhaft, da sie ihnen wie »Überbleibsel vormaliger besserer Zeiten« erschienen, zu deren Herstellung sie die jetzt lebenden Inselbewohner nicht für fähig hielten; außerdem fehle ihnen das Handwerkszeug für diese Arbeiten. Ihr einziger Lebenszweck bestehe darin, sich die notdürftigsten Erfordernisse zum Fortkommen in ihrem jämmerlichen Zustande zu schaffen; die Einwohner müßten »ehemals weit zahlreicher, wohlhabender und glücklicher gewesen seyn . . . eine allgemeine Kathastrophe«, sie vermuten einen Vulkanausbruch, aus dem sich auch das Vorkommen meist vulkanischer Ge-

Abb. 34 »Mann von der Osterinsel«, gestochen von Bartoluzzi nach William Hodges. Cook 1777

Abb. 35 »Frau von der Osterinsel«, gestochen von J. Caldwall nach William Hodges. Cook 1777

steinsarten, die wenigen Bäume, Pflanzen und Tiere auf der Insel und die geringe Einwohnerzahl (ca. 700, davon nur etwa 30 Frauen) erklären ließen. Immer wieder werden die Sprache, die Gesichtsbildung der Bewohner, ihre Art, sich mit *tapa* zu umhüllen, und die Tatauierungen mit auf anderen Südseeinseln bereits Gesehenem verglichen, die Aufzeichnungen Roggeveens vor Ort geprüft und berichtigt — etwa die Zubereitung von Kartoffeln, die Roggeveens Leute für eine »religiöse Ceremonie« gehalten hatten. Sie fragten die Insulaner nach ihren Statuenplätzen und folgerten, daß sie »Denkmäler ihrer Eriki's oder Könige seyn« (mußten). »Das gemauerte Piedestal«, von Forster wegen der kunstvollen Zu-

◁ Abb. 33 John François Rigaud »Johann Reinhold und Georg Forster auf der Weltreise beim Zeichnen eines Vogels«, Öl auf Leinwand, 1780. Reproduziert nach dem Original. Sammlung Peter Rheinberger, Liechtenstein

sammenfügung der großen Steinblöcke besonders bewundert, sei vermutlich als Begräbnisplatz anzusehen, an dem die Expedition nicht weit davon Menschen-Gebeine gefunden hatte. Allerdings ist ihnen »die Religion der Einwohner . . . ganz unbekannt geblieben, weil dergleichen abstrakte Ideen während eines so kurzen Aufenthalts . . . nicht leicht ausgeforscht werden konnten«. Ihr besonderes Interesse gilt den verschiedenen kleinen Menschen-Figuren aus Holz, »schön poliert . . . von dunkelbrauner Farbe«, ähnlich dem Holz des »Casuarina«-Baumes, den sie aber auf der Insel nicht fanden; ebenso erstaunte sie eine »geschnitzte Frauen-Hand, von gelbem Holz, ungefähr in der natürlichen Größe«, mit »aufwärtsgebogenen Fingern, wie sie die Tänzerinnen auf Tahiti zu halten pflegen«, mit sehr langen Nägeln, »von seltnen, wohlriechenden Holz gemacht«, das sie ebenfalls nicht auf der Insel fanden.
Sorgfältig werden auch die Behausungen, die Boote, die Sta-

Abb. 36 »Monumente von der Osterinsel«. Stich nach William Hodges von William Woollett (1777)

tuen, der Kopfputz der Männer und die Hüte der Frauen beschrieben und von Johann Reinhold Forster und William Hodges gezeichnet. Hodges' Zeichnungen wurden später als Kupferstiche dem Reisebericht von Kapitän Cook beigefügt, der in zwei Bänden 1777 in London erschien.[11]
Sofort nach Erscheinen des ersten Bandes der »Weltumseglung« Georg Forsters 1778 in Berlin, der mit einer Widmung für Friedrich den Großen versehen war, erhielt das Werk im »Teutschen Merkur« eine Würdigung durch Christoph Martin Wieland, der sich beeindruckt zeigte von der intellektuellen Verarbeitung des Materials. Georg Forster sei ein genauer Beobachter, der besser sehen könne, scharfsinniger zu vergleichen wisse und richtiger schließen könne als (der) gemeine Seefahrer.[12] Nachhaltig beeindruckt von Forsters Werk zeigt sich auch J. W. v. Goethe. Goethe traf 1779 mit Georg Forster in Kassel zusammen. Gemeinsam besuchten sie das Museum »Fridericianum« und Goethe vermerkte: »Der junge Forster . . . ist viel ausgefragt worden, wie's in der Südsee aussieht«.[13] 1780 geht es in einem Briefwechsel zwischen Forster und Goethe um den Verkauf einiger auf der Südseereise gemalter Vogelbilder, die Goethe an Herzog Ernst II. von Sachsen-Gotha-Altenburg vermittelte, wobei Goethe die »äußerste Präzision und Wahrheit, womit sie gearbeitet sind«, bewunderte.[14]
Vermutlich hatte Goethe auch Georg Forsters Arbeit über »Cook, den Entdecker« gelesen, denn als »eine Katastrophe eines großen Lebens« bezeichnete Goethe den Tod des »vergötterten Mannes«, dessen Biographie er an Charlotte von Stein geschickt hatte.[15]
Der Reichtum der Beobachtungen, sein wissenschaftlicher Weitblick und die kraftvolle lebendige Darstellung, mit der Georg Forster in seinen Reiseberichten die Einheit von Mensch und Natur beschrieb, beeindruckten auch den jungen Alexander von Humboldt. Mit Georg Forster hatte er 1790 eine Reise an den Niederrhein, nach Holland, Belgien, England und Frankreich unternommen. Humboldt zählte Georg Forster zu jenen Menschen, die ihn zu einem tieferen, aus dem Gemüt kommenden Naturverständnis angeregt hät-

ten. In seinem zwischen 1845 und 1862 erscheinenden Hauptwerk, dem »Kosmos, Entwurf einer physischen Weltbeschreibung«, rühmt Humboldt besonders die »Wahrheit«, die »Individualität und Anschaulichkeit« der »exotischen Naturbeschreibungen« Georg Forsters.[16] Seinem Freund Georg Forster legt Humboldt einen ersten Entwurf seiner »Ideen zu einer Geographie der Pflanzen nebst einem Naturgemälde der Tropenländer« zur Beurteilung vor. Im Jahre 1805 erschien der erste Band des kolossalen Humboldtschen Reisewerkes, kurz nach der Rückkehr von seiner berühmten Expedition 1799 bis 1804 nach Süd- und Mittelamerika. Besonders der Teil des Werkes, den Humboldt »Naturgemälde der Tropenländer« überschreibt, stellt einen Versuch dar, ganz im Forsterschen Sinn, den Zusammenhang zwischen Lebewesen und Naturerscheinungen und ihre Wirkungsweise aufeinander zu veranschaulichen. Dieser Traktat sollte sowohl für die wissenschaftliche Dokumentation auch ethnologischer Forschungsergebnisse als auch für die Entwicklung der Landschaftsmalerei im 19. Jahrhundert eine Rolle spielen. Auch Bilder des Landschaftsmalers William Hodges haben Humboldts Betrachtungsweise beeinflußt. Anläßlich seiner Englandreise mit Forster hatte Humboldt im Hause von Warren Hastings Bilder dieses Landschaftsmalers gesehen.[17]

Das Bildmaterial, das William Hodges während Cooks zweiter Weltumseglung angefertigt hatte, wurde von William Woollett, J. Caldwall und F. Bartolozzi gestochen und, wie bereits erwähnt, der Cookschen Reisebeschreibung »Voyage towards the South Pole« (1777) als Anschauungsmaterial beigefügt. Genau schildert Hodges in diesen Darstellungen das bis auf die langen, durchlöcherten Ohrläppchen fast europäische Aussehen der Bewohner der Osterinsel, das Federdiadem der Männer und den großen konischen Strohhut, den die Frauen als Schutz vor der Sonne tragen. Forster bemerkt dazu: »Herr Hodges zeichnete eine Frauensperson mit einem solchen Hute und eine Mannsperson mit einer von den vorbeschriebenen Kopftrachten (einen 2-Zoll dicken Ring von stark und künstlich geflochtenem Grase um den Kopf, der rund umher mit einer Menge schwarzer Federn vom Halse des Fregattenvogels besteckt war). Sie sind beyde ungemein charakteristisch ausgefallen und sehr gut in Kupfer gestochen worden«.[18]

Der Stich von Woollett nach einer Zeichnung von Hodges »The Monuments of Easter Island« veranschaulicht zunächst die Fakten: die Statuen, deren eine umgestürzt ist, und ein Menschen-Skelett, das auch Georg Forster in seinem Bericht an jener Stelle vermerkt, an der sie »Herrn Hodges Zeit« ließen, »um einige Monumente zu kopieren«.[19] Hodges interpretiert diese Monumente wie Forster als zu einem Begräbnisplatz gehörend, indem er das »Et in Arcadia Ego«-Motiv Poussins anklingen läßt, jedoch in der spezifisch englischen Tradition, die von Guercino, Richard Wilson (dem Lehrer W. Hodges') und dem Stecher der Illustrationen zu Cooks erster Weltumseglung, Giovanni Battista Cipriani, tradiert wird: im Sinne eines »memento mori« und wie es auch der englische König Georg III. in Zusammenhang mit einem Gemälde Sir Joshua Reynolds' verstanden hatte: »Selbst in Arcadien gibt es mich«, (den Tod).[20] Statt eines Hirtengrabes symbolisieren das Gerippe und die Statuen das Bewußtsein des Todes inmitten eines paradiesisch erscheinenden Zustandes, in dem der Insulaner wie ein arkadischer Hirte mit Früchtekorb und Hirtenstab in idealer Nacktheit und klassischem Kontrapost in die Landschaft tritt und sich in diesem Südseeparadies der Vergänglichkeit und der Kürze des Glückes bewußt wird. Der Topos vom »Südseeparadies«, bezogen zunächst auf Tahiti, geht auf die Berichte der Kapitäne Wallis und Bougainville zurück, die diese Insel »eines der gesündesten und anmutigsten Länder der Welt« nannten und ihr den Namen »le jardin d'Eden« und »La nouvelle Cythère« gaben.[21] Georg Forster hatte vor Antritt der eigenen Reise Bougainvilles Bericht »Voyage autour du monde« ins Englische übertragen und 1772 in London veröffentlicht.

In dem großen Ölbild von William Hodges, »The Monuments of Easter Island«, das sich heute im National Maritime Museum in London befindet, klingt der klassizistische Aspekt nur noch leise an. Dem Spiel des abendlichen Lichtes auf dem spröden und kargen Felsengrund, das schlaglichtartig auch die Riesenstatuen aufleuchten läßt, dem atmosphärischen Reiz des Wolkenhimmels und dem diffusen Schimmer der Meeresoberfläche wird hier große Aufmerksamkeit zugewandt. Vermutlich ist dieses erstaunliche Landschaftsbild, das fast schon die Tradition englischer Freilichtmalerei des 19. Jahrhunderts vorwegnimmt, in der großen Kabine der »Resolution« entstanden und ist wahrscheinlich ein Pendant zu dem gleich großen Gemälde »Province of Oparee (Pare) Tahiti«. Hodges stellt sich mit diesen, auf empirischen Naturbetrachtungen beruhenden Landschaftsdarstellungen ganz in Gegensatz zu der von der Royal Academy und der Autorität Reynolds als höchstes Ideal gepriesenen neoklassizistischen Ideallandschaft.[22]

Abb. 37 William Hodges »Monumente von der Osterinsel«, Öl auf Leinwand (1775–1776), 30½″ × 48″. National Maritime Museum, London

Abb. 38 Duché de Vancy »Osterinsulaner und Monumente von der Osterinsel«. Bleistiftzeichnung nach der Natur, 9. April 1786. Bibliothèque de la Marine, Paris. Reproduziert aus: Stephen-Chauvet »L'Ile de Pâques et ses Mystères«, Paris 1935

La Pérouse (1786)

Obwohl nur etwa 12 Jahre später entstanden, zeigt die Darstellung des französischen Zeichners Duché de Vancy, »Insulaires et Monuments de l'Ile de Pâques« den starken Einfluß des französischen Klassizismus auf die französischen Forscherzeichnungen am Ende des 18. Jahrhunderts. Elegante, barbusige Damen und höfisch gekleidete Herren lagern in einer heiteren idyllischen Landschaft, die als Osterinsel nur durch die charakteristischen Statuen gekennzeichnet ist; ein pastorales Natur-Capriccio, dessen Zweideutigkeit sich erst bei genauer Betrachtung erschließt: die Neigung der Osterinsulaner, alles zu stehlen, was sie bekommen können. Dieser Stich von Godefroy nach einer Zeichnung von Duché de Vancy ist abgebildet im »Atlas du voyage de la Pérouse«, 1797 in Paris erschienen. Es handelt sich hierbei um einen Abbildungsband zu den Beschreibungen der Erdumseglung des La Pérouse, »Voyage de la Pérouse autour du monde«, der diese im Auftrag des französischen Königs Ludwig XVI. als Kapitän der Schiffe »Boussole« und »Astrolabe« am 1. August 1785 von Brest aus angetreten hatte.[23]

Angeregt durch die Reiseberichte Kapitän Cooks ließ der französische König eine Zusammenfassung von Berichten über Südseereisen für die Erziehung des Dauphin erstellen. Auch veranlaßte der König die Ausrüstung einer der englischen ähnlichen französischen wissenschaftlichen Expedition, wie Cook sie durchgeführt hatte.[24] Den Kommandanten der »Boussole«, Kapitän Jean François Galaup de La Pérouse, stattete der König mit besonderen Instruktionen aus, die neben der Reiseroute, dem Anfertigen von Karten, dem Verzeichnen von Buchten und Ankerplätzen, Sandbänken und Klippen die besonderen Aufgaben der Wissenschaftler betrafen, wobei das spezielle Augenmerk auf die objektive Beobachtung der Eingeborenen »der verschiedenen Inseln dieses Oceans« gelegt werden sollte. »Überall, wo er eine zeitlang vor Anker liegt, soll er die Denkart, den Charakter, die Sitten und Gebräuche, das Temperament, die Sprache, die Lebensart und die Anzahl der Einwohner so genau wie möglich (zu) erforschen (suchen).« Die Wissenschaftler sollten Sammlungen von »merkwürdigen Naturalien« anlegen, ebenso »Verzeichnisse von Kleidungsstücken, Waffen, Zierrathen, Gerätschaften, Werkzeugen und musikalischen Instrumenten«.[25]

Besondere Anweisungen des Königs betrafen die die Expedition begleitenden Künstler: den Landschafts- und Figurenzeichner Duché de Vancy und Guillaume Prevost mit seinem Neffen, verantwortlich für naturgeschichtliche und botanische Sammlungen und Zeichnungen. Die Künstler sollten »jede Ansicht und Gegend abzeichnen, die auf die eine oder andere Art interessant ist«, Bildnisse der verschiedensten Eingeborenen in ihrer charakteristischen Kleidung, ihre Zeremonien, Häuser und Schiffe, »ferner jedes merkwürdige Produkt, das die Erde oder das Meer hervorbringt«; sie sollten mit ihren Zeichnungen dazu beitragen, die »Beschreibungen, welche bereits andere Schriftsteller davon geliefert haben, zu erläutern und verständlicher zu machen«.

Für den Besuch der Osterinsel erteilte der König besondere Instruktionen: La Pérouse sollte von »Christmas-Sund kommend« in 108° West L. bis zu 27°5′ S. Breite segeln, um in dieser Höhe die Osterinsel zu suchen; dort solle er vor Anker gehen und neben den bereits genannten Beobachtungen zusätzlich untersuchen, »ob dort die Einwohner sich merklich vermindern, wie man nach den Beobachtungen und der Meinung des Capitains Cook nicht ohne Grund vermuten dürfte.«[26]

Im April 1786 ankerten die Fregatten »Boussole« und »Astrolabe« in der Cook's-Bay vor der Osterinsel, dem »einzigen Ankerplatz, wo man gegen die Ost- und Südostwinde ... gehörig gedeckt ist«. Die Landung erfolgte mit einer Art kriegerischem Pomp, um sich bei den Eingeborenen »in Respect zu setzen«, die, unbewaffnet und nackt, teils tatauiert und mit gelben oder weißen Umhängen versehen, mit Geschrei und ›freudiger Miene‹ den Fremden entgegen kamen. Auch La Pérouse beginnt wie Georg Forster mit einer naturkundlichen Beschreibung der Insel, ihrer Vegetation, ihres Klimas, der Wasserverhältnisse. Die Franzosen bemerkten bei den Insulanern »mehr Grazie und Schönheit ...« als alle, die »sie nachher anzutreffen Gelegenheit hatten«, sie finden auf dieser Insel weder die Riesen Roggeveens noch die mageren Menschen, wie sie Forster gesehen hatte. Auch seien die Insulaner bei weitem nicht so unglücklich, wie sie es Kapitän Cook und Forster zu sein schienen. Im Auftrag des französischen Königs überbrachte La Pérouse den Insulanern Schafe, Ziegen und Schweine. Zur Besatzung der Fregatte »Boussole« gehörte auch ein Gärtner, der vermutlich die mitgebrachten Samenkulturen fachgerecht in die Erde brachte: »Pomeranzen und Citronen-Kerne, Baumwollsamen, Mais« und außerdem noch eine Menge anderer »Sämereien, die samt und sonders in dem Boden gedeyen konnten«. Im Landesinneren pflanzten die Franzosen Kohl, Karotten, Kürbisse und setzten Rüben.

In bezug auf die Statuen korrigierte La Pérouse den Bericht Cooks. So seien die Zeichnungen, die Hodges von den Statuen gemacht habe, ihrem Anschein nach sehr unvollkommen, die Büsten, die sie plump gearbeitet fanden, könnten ihrer Meinung nach allerdings von der jetzt lebenden Generation verfertigt worden sein; man sähe es ihnen an, daß dieses Volk in der Bildhauerkunst noch keine großen Fortschritte gemacht habe. Eine »steinerne Erhöhung«, vielleicht jene, die Duché de Vancy auf seiner Zeichnung »Insulaires et Monuments de l'Ile de Pâques« wiedergibt, bewundert La Pérouse und gesteht, daß ihm dieses Monument von den Talenten, welche dieses Volk in älteren Zeiten für die Bauerei besaß, eine sehr hohe Meinung beigebracht habe. »Man ersieht«, fährt er in seinem Bericht fort, »daß dieses Volk nie einen Begriff von irgend einer Art Mörtel hatte, statt dessen aber die Steine nach allen Regeln der Kunst zerspalten und aneinander fügen« konnte.

Indigniert zeigte sich La Pérouse über die sittlichen und moralischen Qualitäten der Osterinsulaner. Er mißtraute ihnen, denn er sah sich und seine Soldaten der »Raubgierde dieser Insulaner« ausgesetzt. Während die »Weiber« ihnen »ihre Liebkosungen aufdrängen«, werden ihnen »die Hüte von den Köpfen und die Schnupftücher aus den Taschen gestohlen«. Obwohl sie eigentlich nicht Wilde seien, da sie einen sehr starken Fortschritt in der Zivilisation gemacht hätten, hält La Pérouse sie »in Ansehung ihres sittlichen Charakters für so verdorben, als sie es nach Verhältnis ihrer Lage und Umstände nur immer sein können«. Für ihn ist die »Art und

Weise, wie sie sich bei diesen Diebstählen benahmen«, das eigentlich Unsittliche. Die kühnsten Gauner Europas verhielten sich nicht so heuchlerisch wie die Einwohner dieser Insel, deren Sanftmut und Schmeichelei nichts weiter als Verstellung sei.[27] Dieser Bericht scheint wie ein Kommentar zu Duché de Vancys Zeichnung zu sein, in der die Insulaner nicht als Primitive dargestellt sind, sondern als elegante, friedvolle und sanftmütige Erscheinungen, die jedoch heuchlerisch die arglosen Seeleute bestehlen. In einem Brief aus Macao im Januar 1787 an den französischen Marineminister übersandte La Pérouse diese Zeichnung Duché de Vancys und bestätigt ihr »la plus grande vérité«; auch enthalte diese Zeichnung eine wahrhaftigere Wiedergabe der Monumente als die Stiche von M. Hodges (»son dessin de l'Ile de Pâques donne une idée bien plus vraie des monuments que la gravure de M. Hodges«).[28]

La Pérouse beurteilte die Osterinsulaner mit einem ihm eigenen Pragmatismus. Als er seinen Fuß auf die Osterinsel setzte, tat er es bewaffnet, lachte über die Unverschämtheit der Diebe, verteilte Geschenke und bestrafte sie nicht. Als Akt der Bestrafung segelte er über Nacht davon: »Ich bildete mir ein, daß ... wenn sie in der Morgendämmerung sahen, daß unsere Schiffe fort sind, werden sie unsere schnelle Abreise mit unserem Mißvergnügen über ihre Diebereien in Verbindung bringen und daß dieser Gedanke bessere Menschen aus ihnen machen würde«.[29]

Vier Jahre lang segelte La Pérouse durch den Pazifik. Ende 1788 wollte er wieder auf der Insel »de France« sein, wie er in einem offiziellen Schreiben der Admiralität mitteilte. Dann endete jeglicher Kontakt mit ihm. Erst Mitte 1790 wurden von Marineminister Fleurien Rettungsaktionen eingeleitet, 1791 erklärte er die Expedition offiziell als verloren und forderte die Marine auf, ihre Berichte mit dem 31. Dezember 1788 abzuschließen. Am 4. Mai 1791 beschloß dann die Nationalversammlung die Herausgabe eines offiziellen Berichtes über La Pérouses Reise, die der Toulouser Abgeordnete der Generalversammlung, Armeegeneral Baron Milet de Mureau zusammenstellte. Dieser Bericht erschien 1797 in drei Bänden.

Erst 1826 wurde es zur Gewißheit, daß die Schiffe von La Pérouse bei Vanikoro, einer Insel der Santa-Cruz-Gruppe, zerschellt sind. Einige Besatzungsmitglieder sollen von den Insulanern ermordet worden sein; ihre Köpfe wurden einer Gottheit im Tempel dargebracht. Einige Seeleute hätten versucht, aus dem zweiten Schiffswrack einen Zweimaster zu bauen, und seien mit diesem Notschiff davongesegelt. Man hat nie wieder etwas von ihnen gehört. Mit den Wissenschaftlern, den prominenten Offizieren, den Künstlern und dem Kapitän La Pérouse und seiner Mannschaft sind die Pflanzenkollektionen, die Mineraliensammlungen, Zeichnungen und Skizzen sowie Notizen, Tagebücher und private Aufzeichnungen für immer verlorengegangen. Erhalten blieben nur die Berichte, Briefe und Tagebücher sowie einige Blätter von Duché de Vancy, die man während der Exkursion in die Heimat gesandt hatte.[30]

Otto von Kotzebue (1816)

Das tragische Ende der französischen Expedition des La Pérouse inspirierte den deutschen Schriftsteller August von Kotzebue zu einem Schauspiel in zwei Akten: »La Pérouse«, das 1817 in Leipzig uraufgeführt wurde. In russischem Staatsdienst, verbrachte August von Kotzebue viele Jahre in Estland und als Direktor des Deutschen Theaters in Petersburg. Sein Sohn Otto von Kotzebue unternahm als Kommandant auf dem russischen Kriegsschiff »Rurik« im Auftrag des russischen Reichskanzlers Graf Romanzow von 1815 bis 1818 eine Expedition in die Südsee und um den Seeweg durch die Beringstraße um Nordamerika herum nach Europa zu erkunden. Mit an Bord waren als Schiffsarzt der Naturforscher Johann Friedrich Eschscholtz, der Naturforscher Martin Wormskild, der deutsch-russische Zeichner und Lithograph Ludwig (Louis) Choris und der Arzt, Botaniker und Schriftsteller Adelbert von Chamisso. Literarische und dokumentarische Bedeutung erlangte diese Weltumseglung durch die Veröffentlichung Adelbert von Chamissos, dessen Briefe an seinen Freund Eduard Hitzig 1818 in August von Kotzebues »Wochenblatt« veröffentlicht wurden: »Vertraute Briefe aus verschiedenen Weltteilen geschrieben«. Ein kurzes »Mémoire« über die Forschungsergebnisse schickte Chamisso an den Grafen Romanzow, das 1818 als »Lettre à Monsieur le Comte de Romanzow«, im »Journal des Voyages, Découvertes et navigations modernes ...« erschienen ist. 1821 publizierte der Expeditionsleiter Otto von Kotzebue seine »Entdeckungsreise ...«, deren dritter Band eine Reihe von fachwissenschaftlichen Aufsätzen Adelbert von Chamissos unter dem Titel: »Bemerkungen und Ansichten« enthält, u. a. auch einen Bericht über den kurzen Besuch auf der Osterinsel. Der erste Band der Gesamtausgabe der Werke Chamissos erschien 1836. Sie enthielt unter dem Titel »Reise um die Welt« eine Überarbeitung dieser Aufsätze, ergänzt mit Tagebuchnotizen.[31]

Der Bericht Otto von Kotzebues, die Osterinsel betreffend, beginnt mit der Feststellung, daß das Verhalten der Insulaner den Europäern gegenüber sich seit Cook und La Pérouse verändert habe. Ihr freundliches Verhalten sei einem ängstlichen Mißtrauen gewichen, das von Kotzebue mit »mannigfaltigen Gewalttätigkeiten« erklärt, welche sich mehrere Abenteurerschiffe gegen sie erlaubt hätten. Amerikanische Seehundfänger hatten gewaltsam 12 Männer und 10 Frauen in blutigem Kampf auf ihrem Schiff »Nancy« entführt. Die tapferen Männer hätten sich ins Meer gestürzt und es schien »nicht unmöglich, trotz der Entfernung von drei Tagreisen ihr Vaterland zu erreichen«. Auf jeden Fall »zogen sie den Tod in den Wellen einem qualvollen Leben in der Gefangenschaft vor.« Es folgten weitere Versuche, Menschen der Osterinsel zu rauben. Aber die Insulaner verhielten sich so feindselig, daß die Schiffe die Insel nicht anlaufen konnten. Adelbert von Chamisso kommentiert diesen Bericht 1836 mit der Bemerkung, daß er gegen die Benennung »Wilde« in ihrer Anwendung auf die Südseeinsulaner protestierte, da der Maßstab der Zivilisation, die »Übergesittung« — so Chamisso —, auf diese Völker nicht anzuwenden sei. Sie lebten unter anderen Bedingungen »unter diesem sonnigen Himmel ohne Gestern und Morgen«, dem »Momente . . . und dem Genusse«. Und an anderer Stelle bemerkt Chamisso, daß die Roheit der Matrosen und die Habgier der Kapitäne den Traum von den seligen Inseln zerstört habe. Sein Bericht (1836) vermerkt für den 8. März 1816: »hier beginnt die Entdeckungsreise der ›Rurik‹. Wir fuhren . . . aus der Bucht von Awatscha (Kamtschatka) und hatten während drei Monaten und elf Tagen nur einmal die Anker auf kurze Momente vor der Oster-Insel fallen lassen . . . (und) mit den Bewohnern der Oster-Insel . . . flüchtig verkehrt«. Erwartungsvoll notiert Chamisso bei der Ankunft auf dieser Insel: »Der 28. März 1816 war der Tag der Freude: die erste Bekanntschaft zu stiften mit Menschen dieses reizvollen Stammes und die erste schöne Verheißung der Reise sich erfüllen zu sehen! Als mit breiter, schön begrünter Kuppe die Oster-Insel sich aus dem Meer erhob, die verschiedenfarbigen Feldeinteilungen an den Abhängen von ihrem Kulturzustande zeugten, Rauch von den Hügeln stieg; als näher kommend wir am Strande der Cook's-Bai die Menschen sich versammeln sahen; als zwei Boote — mehr schienen sie nicht zu besitzen — vom Strande stießen und uns entgegen kamen . . .«.[32]

Genau diesen Moment der Annäherung an die Insel scheint Louis Choris in seiner Illustration »Oster-Insel« festgehalten zu haben. Dieser Stich wurde nach Beendigung der Reise im zweiten Band seiner Reiseskizzen, 1826 in Paris veröffentlicht, »Vues et paysages des Régions équinoxiales, recueillis dans un voyage autour du monde«. Das mit handkolorierten Stichen ausgestattete Werk ist Alexander von Humboldt

Abb. 39 Louis Choris »Bewohner der Osterinsel«. Lithographie, handkoloriert, in »Voyage Pittoresque autour du monde«, Paris 1822. Reproduziert aus dem Original

gewidmet und im Vorwort notiert Louis Choris: »Cette entreprise m'a été inspirée par la lecture de l'immortal ouvrage de M. le baron de Humboldt, les Tableaux de la Nature«. Aber nicht nur A. v. Humboldts »Naturgemälde der Tropenländer«, das 1805 in französischer Sprache in Paris erschienen war, hatte Louis Choris bewogen, seine Zeichnungen als gesonderten Band zu veröffentlichen. A. v. Humboldt hatte selbst einen ähnlichen Bildband seiner Südamerika-Reise in Paris 1810 bis 1813 herausgegeben: »Atlas pittoresque du voyage. Vues des Cordillères et monuments des peuples indigènes de l'Amérique«. 69 gestochene große »Naturszenen« erhalten ihre wissenschaftliche Aussagefähigkeit durch die Darstellung der Physiognomie der betreffenden Landschaft, ihrer Vegetation, ihrer geologischen Struktur, ihrer klimatischen Bedingungen und verlieren doch nicht ihren ästhetischen Anspruch.[33] Es ist anzunehmen, daß Louis Choris auch dieses Werk Humboldts kannte, denn in ähnlicher Weise wie dieser ist er in seiner Osterinsel-Darstellung um eine auf die Geographie bezogene Naturwahrheit bemüht.

In einem zweiten Folioband »Voyage pittoresque autour du monde«, bereits 1822 in Paris erschienen, bildet Louis Choris ein Menschenpaar von der Osterinsel ab, Inselbewohner, wie Chamisso sie schildert: mit schönen Gesichtszügen, von angenehmer und ausdrucksvoller Physiognomie, von wohlgebildetem schlanken Körperbau, mit »blaulig breitlingten« Tatauierungen, die den Lauf der Muskeln kunstreich begleiten, und dem »Bastzeug«, weiße und gelbe Mäntel, an dem »kein Mangel zu sein scheint«. Choris stellt sein Menschenpaar vor eine üppige Palme, den Humboldtschen Leitbaum für die Darstellung tropischer Landschaften.

Ganz im Humboldtschen Sinn bewegen sich auch A. v. Chamissos Beobachtungen zur Sprache der Osterinsulaner, indem er versucht, der bereits von Gonzales und Forster beobachteten Sprachverwandtschaft innerhalb des pazifischen Raumes sprachphilosophische und grammatikalische Beobachtungen hinzuzufügen. Er bemerkt »die Übereinstimmung der Zahlwörter in allen Mundarten von Madagascar bis zur Oster-Insel« und meint, das »kann strenge genommen, nur gemeinschaftliche Berührung, nicht gleiche Abstammung, beweisen. Man findet in allen Mundarten, außer den gleichen Zahlwörtern, eine beträchtliche Anzahl gemeinschaftlicher Wurzeln, die meist die nächsten, einfachsten Dinge und Begriffe bezeichnen, und die von einem Urstamm ererbt, nicht aber von einem fremden Volk erlernt scheinen«. Diese Wurzeln könne man in den Vokabularien von Madagaskar wie in denen der Inseln des großen Ozeans nachweisen.[34]

Chamisso vergleicht seine eigenen Beobachtungen mit den ihm wohlvertrauten Berichten von Cook und La Pérouse und bemerkt, daß sich der Gesundheitszustand der Osterinsulaner verbessert haben müsse. Die bei La Pérouse geschilderten Pflanzen und Haustiere, die der französische König Ludwig XVI. auf die Insel hatte bringen lassen, findet Chamisso nicht, wohl aber die bei Cook aufgezählten Produkte, wie Bananen, Zuckerrohr, Batate und sehr kleine Hühner. Einige der »colossalen Bildsäulen« glaubt Chamisso an der SO-Küste mit dem Fernrohr gesehen zu haben, während er an der Westküste die von vielen Seefahrern beschriebenen Statuen vergebens suchte.[35]

Kapitän F. W. Beechey (1825)

Ein weiterer Bericht einer europäischen Expedition auf die Osterinsel datiert erst wieder von 1825. Am 16. November dieses Jahres näherte sich die englische »Blossom« mit Kapitän F. W. Beechey von Norden der Insel. Nach anfänglichem freundlichem Entgegenkommen der Eingeborenen müssen sich die Seeleute unter feindseligen Steinwürfen und Keulenschlägen wieder auf ihr Schiff zurückziehen. In dem Bericht, den Kapitän Beechey über den kurzen Kontakt mit den Osterinsulanern verfaßte, fällt die begeisterte Schilderung der Schönheit dieser Menschen auf, die er sehr ähnlich den Neuseeländern findet. »Es ist ein schönes Volk, besonders die Frauen, mit ovalem regelmäßigem Gesicht, hoher glatter Stirn, prächtigen weißen Zähnen und schwarzen, kleinen, etwas tiefliegenden Augen.« Ihren Körperbau findet er regelmäßig und er bewundert die Kraft und Gewandtheit der nicht sehr muskulösen Glieder.

Etwa 1500 Insulaner lebten auf dieser Insel, vermutet Beechey, die im übrigen bereits sehr gut von Roggeveen, Cook, La Pérouse und Kotzebue beschrieben worden seien.

Kapitän Beechey stellt die große Zahl der Statuen in Frage, die frühere Besucher der Insel erwähnen.

Cook hatte noch zwei Statuen in der Nähe seines Landeplatzes im Westen gesehen. Wo Kotzebue noch eine Plattform vorfand, sah Beechey nur noch Gesteinstrümmer. Beechey hält es daher für möglich, daß sich die religiösen Vorstellungen der Osterinsulaner geändert haben; auch könne die ursprüngliche Bevölkerungsgruppe durch Einwanderer abgelöst worden sein.[36]

Bald darauf trat in der ethnischen Entwicklung der Bevölkerung tatsächlich eine tiefgreifende Zäsur ein. In den Jahren 1859 bis 1861 wurden fast 1500 Insulaner gewaltsam als Zwangsarbeiter auf die Guano-Inseln nach Peru verschleppt, wo die meisten von ihnen bereits nach kurzer Zeit verstorben sind.

Der französische Bischof von Tahiti sowie die englische und französische Regierung intervenierten. Fünfzehn Überlebende konnten auf die Osterinsel zurückgebracht werden, doch sie verbreiteten Pocken und Tuberkulose, Krankheiten, die die Bevölkerung noch einmal dezimierten. 1863 entsandte der Bischof von Tahiti den belgischen Laienbruder Eyraud vom Orden Sacrés-Cœurs de Picpus, der sechs der entführten Eingeborenen auf die Osterinsel zurückbrachte. Bis 1871 leiteten vier Missionare zwei Missionsstationen.

1869 hatten der französische Geschäftsmann Dutroux-Bornier und der englische Kaufmann John Brander, von Tahiti kommend, Teile der Insel unter ihre Kontrolle gebracht. Sie versammelten in Mataveri eine Gruppe von Eingeborenen um sich, die mit den Missionaren einen offenen Kampf begannen. In dessen Verlauf wurden die beiden Missionsstationen zerstört. Die Missionare Théodule und Roussel verließen daraufhin mit etwa zweihundert Gläubigen die Insel und übersiedelten nach Mangareva.[37]

Schiffsarzt J. L. Palmer (1868)

Noch während der Zeit der Missionierung ankerte das englische Linienschiff »Topaze«, von Peru kommend, sieben Tage vor der Osterinsel. Dem Schiffsarzt J. L. Palmer ist ein ausführlicher Bericht zu verdanken, der, mit Zeichnungen ergänzt, Beobachtungen enthält, die erstmals auch Zusammenhänge zwischen dem archäologischen Fundmaterial und kultischen Handlungen erkennen lassen. Seine Informanten während des siebentägigen Aufenthaltes auf der Insel waren der Franzose Dutroux-Bornier sowie die Missionare Roussel, Théodule und Gaspar, deren Kirche und Schule nahe der Cook's-Bay Palmer aufgesucht hatte. Die etwa 900 Einwohner seien, dank der Arbeit der Patres, meist Christen. In welchem Maße die Christianisierung eine Verdrängung der ursprünglichen religiösen Handlungen der Osterinsulaner bewirkt hat, geht aus dem Bericht Palmers nicht hervor. Mehrmals äußert Palmer die Vermutung, daß innerhalb kultischer Handlungen auch Menschenopfer stattgefunden hatten. Die von Palmer erstmals ausführlich beschriebenen Steinhäuser auf dem *Rano Kao*-Kraterrand seien als Kultstätte anzusehen. Unter dem gepflasterten Eingang dieser Häuser — so berichtet Palmer — befand sich ein Hohlraum in Form einer in den Boden gelassenen Steinkiste, in dem die Menschenopfer vorgekocht und warm gehalten wurden, um im Zeremoniell verspeist zu werden. Menschenopfer vermutet er auch in der Nähe der von ihm beschriebenen Statuenplattformen, wo, jeweils etwas abseits, zylindrische Säulen aus rotem Tuff auf einer Steinplatte ständen, in deren sattelförmiger Vertiefung Totenköpfe lagen. Auf der Plattform selbst lagen unzählige verbrannte Knochen verstreut; nach Aussagen der Insulaner wurden hier Brandopfer dargebracht.

Erstmals beschreibt Palmer etwa vier Fuß hohe Steinplatten an Wänden und Decken einiger Steinhäuser auf dem *Rano Kao*-Kraterrand, bemalt mit geometrischen Mustern: Vögeln mit pinguinartigem Körper, tukanköpfig, mit Händen und Füßen. Obwohl er auch Schiffe mit Takelagen, Pferde und Schafe zu erkennen meint, hält er diese in Rot, Weiß und Schwarz ausgeführten Zeichnungen für sehr alt! Aus einem dieser Häuser entfernten die Engländer eine etwa 8 Fuß große Basaltstatue, die von den Einwohnern *Hoahaka-nana-ia* genannt wurde und die sich heute im Britischen Museum in London befindet. Nach Palmers Beschreibung stand sie, den Rücken dem Meer zugewandt, bis etwa zum Nabel in den Boden gegraben, in einem von den Insulanern *Taurenga* genannten Haus. Rücken und Kopf waren kunstvoll mit *Rapa*, Vögeln, Vogelmännern, Vulven und Petroglyphen verziert und in Rot und Weiß bemalt. Die Bemalung sei jedoch beim Transport verlorengegangen.

Eine detailreiche Zeichnung Palmers zeigt den inneren südöstlichen Kraterrand des *Rano Raraku*. Hier fand Palmer unzählige Büsten, die aus dem Tuffgestein in mühsamer Arbeit mit harten Steinbeilen herausgehauen wurden. Nach Palmer wurden diese Werkzeuge *fingi-fingi* genannt.

Die von Palmer beschriebenen Köpfe und Büsten am Kraterrand findet er bis zu 20 Fuß hoch, teilweise unvollendet, bis zur Hüfte im Boden steckend; ihre Köpfe seien abgeflacht für die roten Tuffstein-Kronen, die sie erst erhielten, wenn sie auf der Statuenplattform ständen. Die Augenhöhlen aller Büsten glaubte Palmer mit Obsidian ausgelegt, was sicher von apotropäischer Wirkung war. Die Zeichnung Palmers, abgebildet in »The Illustrated London News« vom 20. 3. 1869, gibt einen realistischen Eindruck der topographischen Situation wieder. Obwohl Palmer die Osterinsel »Island of dead« nennt, angesichts der Tristesse dieser Landschaft ohne Bäume, Blumen, Tiere und Menschen, geht es ihm in dieser Zeichnung mehr um dokumentarische Genauigkeit als um stimmungsvolle Interpretation. Um dokumentarische Genauigkeit bemüht sich Palmer auch in seinen Berichten, wo er immer wieder auf Schilderungen Roggeveens, Cooks und La Pérouses zurückgreift und sie mit der tatsächlichen Situation auf der Insel vergleicht. In fünf Publikationen veröffentlichte Palmer diese Eindrücke.[38]

Kapitän Gana (1870)

1870 ankerte die chilenische Korvette »O'Higgins«, von Valparaiso kommend, vor der Osterinsel. Im Auftrag der chilenischen Regierung befand sie sich auf einer Instruktionsfahrt für chilenische Marinekadetten. Kapitän Gana und der Schiffsarzt Bate veröffentlichten einen ausführlichen Bericht, der sich besonders mit den Sitten und Gebräuchen der Osterinsulaner befaßte und der erstmals das *Mataveri*-Fest der Insulaner in kultischem Zusammenhang sieht. Dem Museum in Santiago übergab Kapitän Gana zwei »Tolomiro-Holztafeln«, die mit prachtvollen Hieroglyphen beschrieben sind. Eine dritte Tafel habe sich der Bischof von Tahiti erbeten, um sie nach Frankreich zu schicken, so Kapitän Gana. Die Osterinsel sei die einzige Insel Polynesiens, auf der man so kostbare Dokumente gefunden habe, deren »Schrift« die jetzigen Bewohner nicht mehr entziffern könnten. Kapitän Gana berichtet, daß das »Tolomiro-Holz« das Holz des einzigen Baumes auf der Insel sei. Es sei sehr hart und von sehr feinem, gleichmäßigem Korn und ohne Jahresringe.

Abb. 40   Pierre Loti »Die Hütte des Häuptlings«, nach einer Zeichnung in »Illustrierte Zeitschrift für Völkerkunde«, 1873. Reproduziert aus: Stephen-Chauvet »L'Ile de Pâques et ses Mystères«, Paris 1935

Vice-Admiral F. de Lapelin (1872)

Die französische Übersetzung dieses von Kapitän Gana in Spanisch abgefaßten Berichtes besorgte Vice-Admiral F. de Lapelin, der 1872 mit der französischen Korvette »La Flore« in der Bucht von *Hangaroa* vor Anker ging.[39] Mit an Bord befanden sich der Schiffsarzt Aze und der Seekadett Julien Viaud, der als Schriftsteller von Novellen, Romanen und phantastischen Reisebeschreibungen später unter dem Pseudonym Pierre Loti bekannt wurde. Pierre Loti erkundete während kurzer Landausflüge die Osterinsel und verfaßte darüber einen Bericht. Diese tagebuchartigen Aufzeichnungen sind subjektiv empfundene Impressionen, Beobachtungen von Menschen und Natur und vermitteln eher eine melancholische Grundstimmung als exakte wissenschaftliche Beobachtungen. Als exzellenter Zeichner illustriert Loti diesen Bericht — 1873 in der »Illustrierten Zeitschrift für Völkerkunde« veröffentlicht — mit Zeichnungen von hohem dokumentarischen Wert. Loti beginnt seine Schilderung mit seiner Ankunft auf der Insel, wo er, von einem Boot abgesetzt, mit den Eingeborenen alleine bleibt, »meist traurig aussehende Menschen«, die ihn mit großer Neugierde betrachteten und ihm kleine Idole schenkten, dabei sangen und nach melancholischen Melodien tanzten. Ein Häuptling führte ihn an eine »Baulichkeit, die an einen Felsen gelehnt war«. Sie besaß einen kleinen Eingang, »gehütet . . . von zwei kleinen Idolen aus Stein«. »Wie eine Katze ins Loch schlüpft«, begab er sich in die Hütte des Häuptlings (4 m lang, 2 m breit, 1 1/2 m hoch, mit ovalem Grundriß), in der »sieben Personen hausten . . ., außerdem zahlreiche Hühner, mehrere Kaninchen und sieben Katzen«. An den Innenwänden der Hütte sieht er kleinere hölzerne Idole, Lanzen mit Steinspitzen, Federschmuck und dgl. herabhängen. Die steinernen Bildwerke vor der Binsenhütte

Abb. 41 Pierre Loti »Die Osterinsel, 7. Januar 1872, gegen fünf Uhr nachmittags«. Aquarell, gewidmet Sarah Bernhardt. Reproduziert aus: Stephen-Chauvet »L'Ile de Pâques et ses Mystères«, Paris 1935

und die Zeremonialkeule in den Händen des federgekrönten Häuptlings auf einer Zeichnung Pierre Lotis dokumentieren, daß bereits zwei Jahre nach der Vertreibung der Missionare von der Insel heidnische Symbole wieder auftauchten, nachdem 1870 die Missionare dem Bischof von Tahiti versichert hatten, daß es keine heidnische Kunst mehr auf der Osterinsel gäbe.

Mit großer topographischer Genauigkeit zeichnete Loti auch die kolossalen Steinhäupter, die am Abhang des Kraters *Rano Raraku* »lange, geisterhafte Schatten werfen«, und er notiert, die Zeichnung kommentierend, in sein Tagebuch: »sie stehen ohne Ordnung gruppiert und schauen mit ihren großen Profilen und spitzen Nasen nach Norden aus . . . Kolossalköpfe, die aus der Erde hervorwachsen und den Himmel anstarren . . . mit unzufrieden(em) und moquant(em) Gesichtsausdruck«.[40]

Einen »rêve pétrifié« — steinernen Traum — nennt Pierre Loti die Osterinsel. Diese Grundstimmung voller Sentimentalität vermittelt auch ein Aquarell — nicht in seinem Bericht abgebildet —, das Pierre Loti der Schauspielerin Sarah Bernhardt gewidmet hatte und das mit der Legende versehen ist: »L'Ile de Pâques, 7. Janvier 1872, vers 5 heures du matin: Gens du pays me regardant arriver«. Fast erdrückt von gestürzten Statuen mit glotzenden Augenhöhlen, kauern oder liegen nackt und verletzlich die Eingeborenen umgeben von Totenköpfen auf einer steinernen Plattform. Ein tatauierter Häuptling hat die Zeremonialkeule niedergelegt und blickt, wie die anderen, apathisch und melancholisch in die Ferne. Es ist eine von Pierre Lotis phantastischen Zeichnungen, die, wie das »Götterfest auf der Osterinsel«, dokumentarische Aussage mit stimmungsvoller Erzählweise verbinden.

Loti erwähnt in seinem Tagebuch über seinen Besuch auf der Osterinsel kein heidnisches Opferfest, das während seines Aufenthaltes stattgefunden haben könnte und das der Darstellung auf dieser Zeichnung entspräche. Möglicherweise war Loti aber der Bericht Kapitän Ganas von den Opferfesten in *Mataveri* bekannt, den sein Kapitän F. de Lapelin aus dem Spanischen übersetzt hatte und der ihn zu dieser Darstellung, wo nackte Körper ihre orgiastischen Tänze im Schein des Opferfeuers vollführen, inspiriert haben könnte.

Der eigentliche Anlaß für den Besuch der Osterinsel war, nach Aussage Lotis: »eine jener alten Steinbildsäulen« für das Museum des Louvre mitzunehmen. Nach vergeblichen Versuchen, die schwere Statue mit Hilfe von Matrosen und Eingeborenen zum Schiff zu transportieren, begnügten sich die Franzosen mit einem kolossalen Kopf, den sie mit einer Säge vom Rumpf trennten und der sich heute im Musée de l'Homme in Paris befindet.[41]

Kapitän Adolphe Pinart (1877)

Auch der französische Kapitän Adolphe Pinart, der am Ostertag 1877 mit seinem Schiff »Le Seignely« die Osterinsel anlief, sammelte Forschungsmaterial für das Pariser Museum. Sein aufschlußreicher Bericht von 1878, veröffentlicht im Bulletin de la Soc. de Géographie, über die Osterinsel ist illustriert mit Stichen nach Zeichnungen von A. de Bar, die sich auf A. Pinarts Skizzen bezogen. So beschreibt und illu-

Abb. 42   Pierre Loti »Götzenfest auf der Osterinsel«, 1872. Zuerst veröffentlicht in Harper's Weekly am 26. April 1873. Reproduziert aus: Heyerdahl, Thor »Die Kunst der Osterinsel«, Wien 1975

striert er den Lagerplatz der Expedition in der Nähe von *Hutu iti*, nahe dem Krater *Rano Raraku*, wo die Ausarbeitung der Statuen aus dem Gestein der Kraterwände verschiedene Bearbeitungszustände zeigt. Während drei Statuenköpfe fertiggestellt vom Felsen abgerückt ins Tal blicken, sind weitere Köpfe noch mit dem Felsen verbunden; eine halbfertige Statue liegt ausgestreckt am Boden vor einer höhlenartigen Vertiefung in der Kraterwand, wo Pinart und seine Leute ein Feuer entzündeten, um hier zu kampieren.[42] Diese Studie A. Pinarts kannte sicher Max Ernst, der die Statuenköpfe des oben beschriebenen Stiches in seinem Collagenroman »Une Semaine de Bonté« von 1934 als »Masken« in triviale Bildzusammenhänge einfügt, um mit diesen monströsen Köpfen das »präzis Physiognomische auszumerzen«[43] und so durch Assoziation eine verfremdete, andere Realitätsebene zu finden.

Diese Darstellung A. Pinarts, die eine geheimnisvolle Landschaft zeigt, deren fremdartiger Reiz durch die in fahles Licht getauchten, in den Felsen gehauenen kolossalen Köpfe noch gesteigert wird, bildete den Endpunkt einer Entwicklung, in der das Illustrationsmaterial für die Reiseberichte nicht nur von dokumentarischem Wert war, sondern durch seine subjektive Aussage die Einbildungskraft des Betrachters stimuliert werden sollte.

ethnologische und anthropologische Material in einer Art »Katalog« zusammenstellen.⁴⁴

Zahlmeister W. Thomson, der 1886 an Bord des amerikanischen Schiffes »Mohican« die Osterinsel besuchte, fügte seinem ausführlichen Bericht Photographien bei und legte damit den Grund zu einer exakten wissenschaftlichen Dokumentation.

Die Ära der Entdecker wird damit von dem Zeitalter der Wissenschaftler abgelöst. Für die forschenden Seefahrer war die Wissenschaft nur ein Teil ihrer Aufgabe; Abenteuerlust und Entdeckerfreude fanden ihren Niederschlag in den Berichten von fremden Ländern und dem mitgebrachten Bildmaterial. Empirische Forschung und wissenschaftliche Genauigkeit prägen von nun an die Forschungsberichte, in denen für fabulierende und stimmungsvolle Darstellungen kein Raum mehr bleibt.

Die Auseinandersetzung europäischer Künstler mit der Kunst der Osterinsel

Die die Expeditionen begleitenden Maler und Zeichner hatten im 17. und 18. Jahrhundert der europäischen Landschaftsmalerei entscheidende Impulse verliehen. Ihre Dokumentationen ferner unbekannter Landschaften, fremder Menschen und ihrer Sitten und Gebräuche beflügelten nicht nur die Phantasie der europäischen Künstler, sondern öffneten ihnen den Blick für die charakteristischen Merkmale einer Landschaft. Ende des 19. Jahrhunderts und zu Beginn des 20. Jahrhunderts waren es jedoch Wissenschaftler, deren exakte Forschungsberichte, wissenschaftliche Publikationen und aus fernen Ländern mitgebrachte Objekte die europäische Kunst in der ersten Hälfte des 20. Jahrhunderts entscheidend beeinflußten.

Ein wachsendes Interesse an der Kunst fremdartiger Kulturen, besonders an der Stammeskunst afrikanischer und ozeanischer Völker, zeigte die Eröffnung des Musée d'Ethnographie du Trocadéro in Paris 1882.

1889 erweckte eine Ausstellung auf dem Marsfeld in Paris Aufsehen, wo u. a. ozeanische Objekte, darunter Sammlungsstücke von Paul Gauguin, Pierre Loti und Sarah Bernhardt gezeigt wurden, die, noch ganz dem 19. Jahrhundert verhaftet, in romantisierender Weise in eine Art Kulissenlandschaft eingefügt waren, die die ursprüngliche Umgebung widerspiegeln sollte.

In dieser Zeit wurden auch in England und Deutschland ozeanische Kultgegenstände und Objekte aus allen Regionen des Pazifiks von öffentlichen Institutionen und privaten Sammlern erworben. Auch Künstler selbst begannen zwischen 1906 und 1919 afrikanische und ozeanische Objekte zu sammeln, wobei sie zunächst nicht unterschieden zwischen afrikanischer und ozeanischer Kunst. Sie verstanden unter »art nègre« die Stammeskunst der »Primitiven« (als Terminus erstmals verwendet im »Nouveau Larousse illustré«, publ. 1897 und 1904)⁴⁵, deren magische Ausstrahlung sie als Quellen von Vitalität empfanden und deren Zeichenhaftigkeit und Reduktion auf Expressivität ihren eigenen Vorstellungen von Kunst als Instrument der Kritik gegen festgefügte ästhetische Diktate entsprach. In Deutschland waren es die Expressionisten, vor allem Nolde und Pechstein, die sogar selbst an einer Südsee-Expedition teilgenommen hatten (1913–1914).

Auch die Fauves und Kubisten in Paris beschäftigten sich mit »art nègre« und ozeanischer Kunst, unter ihnen besonders Picasso, für den in der sehr frühen »période nègre« 1907/08 die Kunst der Primitiven in erster Linie als formales Prinzip eine Art Initialzündung bewirkte. Dadaisten und besonders die sich aus der Pariser Dadaistengruppe um 1919 entwickelnden Surrealisten erlagen der Faszination der Magie in der Kunst der Naturvölker. Die mystische Rätselhaftigkeit im Kontext mit Kult und Religion, die sich besonders in der von ihnen bewunderten ozeanischen Stammeskunst zeigte, wurde gerade den Surrealisten eine Quelle der Inspiration, wobei sie der Kunst der Osterinsel eine besondere Rolle zuwiesen und sie als »modernes Athen in Oceanien« ansahen (André Breton).⁴⁶

Die surrealistischen Literaten, Dichter und bildenden Künstler revoltierten damit gegen ästhetische Doktrinen einer Gesellschaftsordnung, deren politische Haltung sie zutiefst verachteten. Voller Abscheu reflektierte diese Künstlergruppe mit anarchischen, nihilistischen und betont phantastischen Tendenzen in Traktaten und provokanten Aktionen auf den Greuel der Schlachtfelder des Ersten Weltkrieges und zugleich gegen eine bürgerliche Kunstauffassung und gegen das System, das sie vertrat, wobei die Stammeskunst gleichsam ein »Vehicel« war. Diese Aktionen bezogen sich auf alle Lebensbereiche und sollten eine Welt- und Bewußtseinsänderung bewirken. Ihre andere Wirklichkeit, jener Überrealismus, sollte sich unter Ausschaltung von Vernunft und allen ästhetischen und ethischen Dogmen aus dem Unterbewußtsein formulieren und durch Assoziation, das absichtsfreie Spiel der Gedanken, durch Versenken in Traumvisionen und durch Ausschalten aller psychischen und intellektuellen Mechanismen erreicht werden. Neben eben jener Stammes-

Abb. 43 »Lager am Kraterhang des Rano Raraku«, nach einer Skizze von M. A. Pinart, 1878. Reproduziert aus: Stephen-Chauvet »L'Ile de Pâques et ses Mystères«, Paris 1935

Kapitänleutnant Geiseler (1882); Zahlmeister W. Thomson (1886)

Den Beginn einer neuen Entwicklung zeigt die Exkursion des deutschen Kriegsschiffes »Hyäne«, das 1882 auf der Reise von Valparaiso nach Samoa für fünf Tage vor der Osterinsel ankerte. Der Kommandant des Schiffes, Kapitänleutnant Geiseler, betrat die Insel auf ausdrücklichen Befehl der kaiserlichen Admiralität. Der Direktor der ethnologischen Abteilung der königlichen Museen in Berlin, Professor Bastian, erwartete von Geiseler ethnographische Erkundungen auf der Osterinsel. Besondere Aufmerksamkeit sollte der Erforschung der »noch vorhandenen Reste einer früheren Kultur« gelten sowie den »Steinstatuen« und den »eigenthümlichen Bildtafeln«.

Wissenschaftliche Untersuchungen sollten nicht nur Aufschluß geben über die Lebensweise, die Sitten und Gebräuche, die Sprache und Schrift, über Religion und Familienleben, sondern sie sollten auch exakt gezeichnete Abbildungen von Gegenständen und beobachteten Objekten als Bildmaterial enthalten. Anschaulich sollte der Lageplan der Steinhäuser auf dem Rand des Kraters *Rano Kao* dargestellt werden, ein Begräbnishaus eines Häuptlings, die Skizze eines Hausfundamentes und eine aufrechtstehende Statue. Diese Zeichnungen sollten ohne schmückendes Beiwerk die wissenschaftliche Aussage des Berichtes unterstreichen und das

kunst der »Primitiven«, deren formale Prinzipien sie übernahmen und deren magische Ausstrahlung für sie Inspirationsquelle war, bedienten sie sich auch der Psychoanalyse Freuds, der Werke von Kindern und Schizophrenen, der archaischen Kunst und der Kunst des präkolumbischen Amerika sowie der phantastischen Literatur des späten 19. Jahrhunderts und der traumhaft absurden und halluzinatorischen Poesie Lautréamonts, Baudelaires und Rimbauds. Zu den Theoretikern der Surrealisten gehörten u. a. neben Guillaume Apollinaire die Dichter André Breton und Paul Eluard sowie die Mitherausgeber der Zeitschrift »Littérature« — Louis Aragon und Philippe Soupault. Die bildenden Künstler Marcel Duchamp, André Masson, Arp, Miró, de Chirico und vor allem Picasso und Max Ernst waren in der Gründungsphase um 1921 ihre wichtigsten Vertreter.

André Breton verfaßte 1924 sein »Manifest des Surrealismus«. 1925 fand die erste surrealistische Gruppenausstellung statt, und die erste surrealistische Galerie etablierte sich 1926 in Paris; 1928 erschien das zweite Manifest von Breton: »Der Surrealismus und die Malerei«, in dem er betonte, daß die surrealistische Malerei bereits ihre vollkommene Entfaltung gefunden habe in den Collagen von Max Ernst und ihrem für surrealistische Kunst grundlegenden Prinzip der Kombinatorik. Im Jahre 1929 schloß sich auch der Bildhauer Giacometti der Surrealistengruppe an.

Vorausgegangen waren für die Dadaisten- und Surrealistengruppe bedeutsame Ausstellungen in Paris.

So eröffnete 1917 Paul Guillaume seine Galerie mit einer Ausstellung von »Sculptures nègres«. Der Katalog erschien mit einem Vorwort von Apollinaire, in dem er auf Verbindungen von ozeanischer Kunst und der neolithischen Kunst Europas hinweist. Dieser Text erschien auch in dem »Album nègre« zu einer Ausstellung in der Galerie Devambez in Paris, die unter 147 Objekten zwei Statuen von der Osterinsel vermerkte.

In den 20er Jahren begannen auch die Surrealisten ozeanische Kunst zu sammeln. So hatte Max Ernst noch während des Krieges Tapas erworben; er sammelte u. a. auch Vogelmann-Skulpturen. Breton, Eluard und Apollinaire begannen sich für ozeanische Kunst zu interessieren und sammelten Objekte. Der Ethnologe und Sammler Stephen-Chauvet, der 1935 das erste zusammenfassende Werk über die Osterinsel herausgeben sollte — »L'Ile de Pâques et ses Mystères« —, war auch der Mitverfasser des Kataloges zur Ausstellung »Art indigène, des colonies françaises«, die 1923 im Musée des Arts Décoratifs stattfand. Unter den Leihgebern befand sich neben Fénéon und Guillaume auch Picasso. Nur ozeanische Exponate zeigte die »Galerie Surréaliste« im März 1926, unter ihnen auch Objekte von der Osterinsel, »the region whose art the Surrealists admired most and collected with special enthusiasm«.[47]

Die März/April-Ausgabe 1929 von »Cahiers d'art«, ediert von Zervos, widmete sich allein der ozeanischen Kunst. Neben einem Vorwort von Tristan Tzara und Christian Zervos, die einen engen Zusammenhang zwischen der visionären Imagination ozeanischer Kunst und moderner Kunst sehen, werden die Artikel mit regionalen Bezügen von Fachleuten geschrieben, so u. a. über die Osterinsel von Monseigneur Jaussen, dem Bischof von Tahiti. »Cahiers d'art« enthielt zahlreiche Abbildungen, die Max Ernst und Giacometti inspirierten.

In dem Verzeichnis privater Sammler erschienen die Namen von Breton, Eluard, Tzara, Fénéon und Pierre Loeb, ein Kunsthändler mit engen Kontakten zu den Surrealisten, der aus seiner Privatsammlung Picasso eine Hand von der Osterinsel schenkte.

Eine Sonderausgabe der belgischen Zeitschrift »Variétés«, die 1929 erschienen war, beschäftigte sich ausschließlich mit dem Phänomen Surrealismus. Sie enthielt einen grundsätzlichen Artikel von Eluard und eine Weltkarte, die als »Nabel der Welt« den Pazifischen Ozean zeigte und die Bedeutung der einzelnen Regionen für die Surrealisten darstellte. Die winzige Osterinsel erscheint hier in Übergröße als Mittelpunkt dieser Karte.

Im Jahre 1935 fand in dem neu organisierten »Musée d'Ethnographie du Trocadéro« eine Ausstellung mit Objekten der Osterinsel statt, die 1936 in Brüssel wiederholt wurde und die die Ergebnisse einer französisch-belgischen Expedition zeigte, die von den Ethnologen A. Métraux und Lavachery geleitet worden war. Stephen-Chauvets grundlegendes Werk über die geheimnisvolle Osterinsel, das 1935 mit zahlreichen Abbildungen in Paris erschienen war, ist sicher in diesem Umfeld entstanden.

Zu Beginn der 30er Jahre ist auch der Zeitpunkt anzusetzen, zu dem die Auseinandersetzung der Surrealisten mit der ganz spezifischen Ausprägung ozeanischer Stammeskunst — der Kunst der Osterinsel — beginnt.

So ist es vor allem Max Ernst, in dessen Werk anthropomorphe Vögel mit Armen und Beinen formal an den Vogelmann-Kult der Osterinsel erinnern. Darstellungen von Vogelmännern sind ihm sicher bekannt gewesen. Das Britische Museum in London besaß Petroglyphen mit diesen Darstellungen seit 1914; so eine Petroglyphe mit dem Bild des vogelköpfigen Gottes *Makemake*, publiziert bei Scoresby Routledge, »The Mystery of Easter Island«, London 1919, eine Ausgabe, die Max Ernst sicher auch in Paris zugänglich war.

◁ Abb. 44 Max Ernst »Nach uns die Mutterschaft«, 1927. Öl auf Leinwand, 141,6 x 114,9 cm. Kunstsammlung Nordrhein-Westfalen, Düsseldorf

Abb. 45 Max Ernst »Natur im Morgenlicht«, 1936. Öl auf Leinwand, 23,8 x 34,9 cm. Städelsches Kunstinstitut, Frankfurt am Main

Bereits um 1925 fertigte Max Ernst eine Serie eiförmiger Bildkompositionen, in die runde lineare, stilisierte Vögel und anthropomorphe Vogelfiguren eingefügt waren, deren Prinzipien in einer weiteren Serie um 1929: »The Interior of Sight: The Egg« wieder aufgenommen wurden. Anthropomorphe Vögel mit Armen und Beinen, die ebenfalls das Motiv der Vogelmann-Petroglyphen variieren, erscheinen in großem Format in dem Ölbild: »After Us, Motherhood« (Nach uns die Mutterschaft) von 1927. In dieser Zeit oft leitmotivisch verwandt, findet es sich als phantastisches, vogelköpfiges Mischwesen auch auf dem kleinen Bild von 1936: »Natur im Morgenlicht«. 1934 bearbeitete Max Ernst zusammen mit Giacometti Flußsteine aus Granit in Maloja in der Schweiz. Einige dieser ovalen Steine skulptierte er mit abstrakten Vögeln, die an stilisierte Vogelmann-Darstellungen erinnern.

Giacometti schuf um 1931 das »Disagreeable Object«, das in seiner »phallischen« Ausformung an die Darstellung eines hölzernen Osterinsel-Fisches erinnert. Giacometti zeichnete diese Objekte nach Illustrationen in Katalogen, besonders nach Abbildungen ozeanischer Stammeskunst in den »Cahiers d'art« von 1929.

Auch der Collageroman »Une Semaine de bonté« entstand um 1934. Max Ernst hatte diesen Collageroman im Sommer 1933 während einer Italienreise begonnen, der 1934 in fünf Lieferungen in Paris erschienen ist. In »Semaine de bonté« ist jedem Wochentag ein bestimmtes Element zugeordnet, so der Urschlamm, das Wasser, das Feuer und das

Abb. 46 Max Ernst, Collage aus »Une Semaine de bonté«, 1934, 5. Buch: »Dunkelheit«, Beispiel: Osterinsel. Reproduziert aus: Une Semaine de bonté, A surrealistic novel in collage, New York 1976

Blut, die Dunkelheit und das Licht, wobei jedes Element durch ein oder mehrere Beispiele beschrieben ist. Für den Donnerstag wählte Max Ernst »die Dunkelheit« mit zwei Beispielen: »Le rire du Coq« (Das Lachen des Hahnes) und »L'Ile de Pâques« (Die Osterinsel). Die Darstellung der Osterinsel zeigt, »daß die Triebe, von denen die Menschen der ›zivilisierten‹ Welt beherrscht werden, dieselben sind, die auch das Handeln der ›Primitiven‹ bestimmen, die in der Gestalt eines Menschen, mit dem Kopf eines der geheimnisvollen Idole der Osterinsel vorgestellt werden«.[48]

Mit großer technischer Perfektion erstellt Max Ernst diese Bildmontagen und erweckt damit den Anschein von Einheitlichkeit, obwohl jeglicher kausale Zusammenhang oder logische Handlungsablauf fehlt. Die Vorlagen entstammen illustrierten populären Romanen des 19. Jahrhunderts, die er mit Abbildungen aus technischen oder naturwissenschaftlichen Zeitschriften verknüpft. Die Osterinselköpfe entnahm er der Publikation Pinarts, die sich in seiner großen Bibliothek mit ethnologischen Veröffentlichungen befunden haben könnte.

Rätselhaft und verwirrend zugleich nennt Bauer diese Bildfolgen, auch »Sehgedichte« mit gleichzeitig mythologischen, literarischen und politischen Anspielungen, die eine »Enzyklopädie der Grausamkeiten« seien, ein Bild der Zeit zwischen den Kriegen verkörperten, das sich den großen Zyklen über die menschliche Grausamkeit von Jacques Callot, Hogarth und Goya anschließe.[49]

André Massons »Dawn at Monserrat« entstand 1935. Eine sintflutartige Landschaft scheint sich in wilder, elementarer Bewegung zu befinden. Sterne wirbeln spiralförmig über den Himmel, während die Erde wie eine Urlandschaft aufgebrochen ist. Statuarisch in diese Landschaft gefügt sind die gigantischen Köpfe der Osterinsel, Kult und Mythos als stetige Kraft der Menschheitsgeschichte in einer sich selbst zerstörenden Welt verkörpernd.

Zwischen 1927 und 1937 hatte auch Picasso engen Kontakt mit den Surrealisten. Seit 1930 beschäftigte er sich mit verschiedenen »objets trouvés«, dreidimensionalen Darstellungen, zusammengesetzt aus naturgeschichtlichen und mathematischen Objekten. Als er von dem Kunsthändler Pierre Loeb eine hölzerne Hand von der Osterinsel erhielt, die er bewundert hatte, ergänzte er damit eine Schneiderpuppe und modellierte einen Kopf und den linken Arm. Werner Spies sieht in diesem Werk Picassos, »Woman in a Long Dress«, von 1943 eine Antwort auf die »Mannequins«, die die Surrealisten auf der Exposition Internationale du Surréalisme in der »Galerie Beaux-Arts« 1938 vorgeführt hatten.[50] Picassos Schlüsselerlebnis mit Objekten ozeanischer Stammeskunst schildert seine damalige Lebensgefährtin Françoise Gilot. So sei Picasso im Musée Trocadéro beeindruckt gewesen von den Masken und anderen Gegenständen, die er als Vermittler sah zwischen den Menschen und den bösen Mächten, die gebannt waren, indem ihnen Form und Gestalt verliehen wurde. In ihrer magischen Ausstrahlung sah er auch für sich selbst einen Weg, eigenen Schrecken und Sehnsüchten Gestalt zu geben.[51]

Erst 1964 entsteht Max Ernsts »Maximiliana ou l'exercice illégal d'astronomie«, ein Werk mit 24 Farbradierungen sowie 17 Reproduktionen nach Schrifttafeln (in Geheimschrift, mit eingefügten Collagen).

Geschildert wird die Lebensgeschichte des Poeten, Lithographen und Astronomen Ernest Wilhelm Leberecht Tempel, der den Planeten »Maximiliana« entdeckt hatte, ein weit entfernter Planet zwischen Mars und Jupiter. Tempels Entdeckung wird von deutschen Astronomen von Amts wegen in »Kybele« umbenannt. Max Ernst faszinierte die tragische Figur Tempels, dessen Lithographien der Nebelfelder und Milchstraßen er mit unlesbaren Schriftzeichen konfrontiert, wobei Einzelzeichen die Illusion eines lesbaren Textes vorspiegeln. Wie Rudimente aus kleinteiligen Strukturen fügt sich die »Geheimschrift« in die Bildkompositionen, erinnert an die von den Surrealisten assoziativ angewandte »écriture automatique« und erscheint wie ein ferner Reflex auf die geheimnisvollen Schriftzeichen der Osterinselkultur.

Im Jahre 1967 entsteht André Beaudins monumentaler Bronzekopf Paul Eluards. Seine Größe, die tiefen Augenhöhlen sowie der leicht nach oben gebogene lange Nasenrücken erinnern an formale Prinzipien der monumentalen Osterinselköpfe. Die Übernahme dieses Formtypus gerade für einen Kopf Eluards ist eine Anspielung auf seine Vorliebe und Bewunderung für die Stammeskunst dieser Insel. Waldberg, der Biograph von Max Ernst, bemerkte beziehungsreich, daß Eluard und Breton für einen Kopf der Osterinsel die romanische Kunst, die Kathedralen, die Loire-Schlösser und Versailles hingegeben hätten.[52]

Abb. 47 Max Ernst, aus »Maximiliana oú l'exercice illégal de l'astronomie«, 1964. Reproduziert aus: P. Schamoni, Max Ernst, Maximiliana, München 1974

Anmerkungen

[1] (Anon.) um 1770: *Geschichte der Südländer.* Entdeckungsreisen in Australien und Oceanien, zweyter Theil o. O. o. J. BURNEY, JAMES, F. R. S., *A Chronological History of the Voyages and Discoveries in the South Sea or Pacific Ocean.* To the Year 1723, including History of the Buccaneers of America, Vol. IV, London 1816, Repr. Amsterdam 1967

[2] PLISCHKE, HANS (Hrsg.), BEHRENS, CARL FRIEDRICH, *Der wohlversuchte Südländer.* Reise um die Welt 1721/22, Leipzig 1925

[3] GONZALES, DON P. DE HAEDO and MONTE, ANTONIO DE, *Voyage to Easter Island 1770–1771* (Précédé d'un extrait de la relation de bord officielle de Roggeveen sur sa découverte et visite à l'Ile de Pâques, en 1772). B. C. Corney Hakluyt Society, London 1908

[4] SMITH, BERNARD, *European Vision and the South Pacific.* New Haven and London, 1985

[5] STEINER, GERHARD (Hrsg.), *Dr. Johann Reinhold Forster's und seines Sohnes Georg Forster's Reise um die Welt,* auf Kosten der Großbritannischen Regierung zur Erweiterung der Naturkenntnis unternommen und während den Jahren 1772 bis 1775 in dem von Capitain J. Cook commandirten Schiffe »The Resolution« ausgeführt. Berlin 1780, Nachdruck Frankfurt am Main 1967

[6] STEINER, GERHARD (Hrsg.), 1780 u. 1967 (s. o. Anm. 5)

[7] SMITH, BERNARD, *William Hodges and English PLEIN-AIR Painting.* Art History, Vol. 6, No. 2, 1983

[8] SMITH, BERNARD, 1983 (s. o. Anm. 7)

[9] STEINER, GERHARD (Hrsg.), 1780 u. 1967 (s. o. Anm. 5)

[10] STEINER, GERHARD (Hrsg.), 1780 u. 1967 (s. o. Anm. 5)

[11] STEINER, GERHARD (Hrsg.), 1780 u. 1967 (s. o. Anm. 5)

[12] STEINER, GERHARD (Hrsg.), 1780 u. 1967 (s. o. Anm. 5)

[13] RASMUSSEN, DETLEF, *Goethe und Forster.* Studien zum gegenständlichen Dichten, Bonn 1985

[14] RASMUSSEN, DETLEF, 1985 (s. o. Anm. 13)

[15] RASMUSSEN, DETLEF, 1985 (s. o. Anm. 13)

[16] MUTHMANN, FRIEDRICH, *Alexander von Humboldt und sein Naturbild im Spiegel der Goethezeit,* Zürich, Stuttgart 1955

[17] SMITH, BERNARD, 1985 (s. o. Anm. 4)

[18] STEINER, GERHARD (Hrsg.), 1780 u. 1967 (s. o. Anm. 5)

[19] STEINER, GERHARD (Hrsg.), 1780 u. 1967 (s. o. Anm. 5)

[20] PANOFSKY, ERWIN, *Sinn und Deutung in der bildenden Kunst* (Meaning in the Visual Arts), Köln 1975

[21] VOLK, WINFRIED, *Die Entdeckung Tahitis und das Wunschbild der seligen Insel in der deutschen Literatur,* Heidelberg 1934

[22] SMITH, BERNARD, 1985 (s. o. Anm. 4)

[23] LA PÉROUSE, J. FRANÇOIS GALAUP, COMTE DE, *Voyage of La Pérouse around the world* (ed. M. A. Milet-Mureau; and trans. from the French), London 1798

[24] DUNMORE, JOHN, *Pacific Explorer, The Life of Jean François de La Pérouse 1741–1788,* Palmerson North, New Zealand 1985

[25] MILET-MUREAU (Hrsg.), FORSTER, J. R., SPRENGEL, C. L. (Übers.), *La Perousen's Entdeckungsreisen in den Jahren 1785, 1786 und 1788,* Berlin 1799

[26] MILET-MUREAU (Hrsg.) usw. (s. o. Anm. 25)

[27] MILET-MUREAU (Hrsg.) usw. (s. o. Anm. 25)

[28] DELIGNIÈRES, EMILE, *Note sur Gaspard Duché de Vancy.* Réunion des Sociétés Savantes des Beaux-Arts des Départements, Paris 1910

[29] DUNMORE, JOHN, 1985 (s. o. Anm. 24)

[30] DUNMORE, JOHN, 1985 (s. o. Anm. 24)

[31] MINGAU, RUDOLF (Hrsg.), *Adelbert von Chamisso. Reise um die Welt.* Frankfurt a. M. 1979

[32] MINGAU, RUDOLF (Hrsg.), 1979 (s. o. Anm. 31)

[33] MUTHMANN, FRIEDRICH, 1955 (s. o. Anm. 16)

[34] KOTZEBUE, OTTO VON, *Entdeckungs-Reise in die Südsee und nach der Bering-Straße.* Zur Erforschung einer nördlichen Durchfahrt. Unternommen in den Jahren 1815, 1816, 1817 und 1818 mit »Bemerkungen und Ansichten« von Adelbert von Chamisso, Weimar 1821

[35] KOTZEBUE, OTTO VON, 1821 (s. o. Anm. 34)

[36] BEECHEY, F. W., *Narrative of a voyage to the Pacific and Behring's Street,* London 1831, 2 Bde.

[37] ESEN-BAUR, HEIDE-MARGARET, *Untersuchungen über den Vogelmann-Kult auf der Osterinsel,* Wiesbaden 1983

[38] PALMER, J. L., *Observations on the inhabitants and the antiquities of Easter Island.* Journal of the Ethnological Society of London 1868; *Easter Island.* The Illustrated London News 1869; *A visit to Easter Island or Rapa Nui.* Proceedings of the Royal Geographic Society of London 1870; *A visit to Easter Island, or Rapa Nui, in 1868.* Journal of the Royal Geographic Society of London 14, 1870; *Davis or Easter Island.* Lit. and Phil. Soc. of Liverpool (Proceedings) 29, 1875

[39] LAPELIN, F. DE, *L'Ile de Pâques.* Revue Maritime et Coloniale, Vol. 35, 1872

[40] LOTI, PIERRE, *Expedition der Fregatte »La Flore« nach der Osterinsel 1872.* Illustrierte Zeitschrift für Länder- und Völkerkunde, Band XXIII, No. 0 und No. 6, 1873

[41] LOTI, PIERRE, 1873 (s. o. Anm. 40)

[42] PINART, A. L., *L'Ile de Pâques,* Bull. de la Soc. de Géographie, Sept. 1878

[43] SPIES, WERNER, *Max Ernst, 1950–1970.* Die Rückkehr der Schönen Gärtnerin, Köln 1988; *Max Ernst, die Welt der Collagen,* Köln 1988

[44] GEISELER, Kapitänleutnant, *Die Osterinsel. Eine Stätte prähistorischer Kultur in der Südsee,* Berlin 1883

[45] RUBIN, WILLIAM, *Primitivism in the 20th Century art.* Affinity of the Tribal and the Modern; The Museum of Modern Art, New York 1985, 2 Bde.

[46] RUBIN, WILLIAM, 1985 (s. o. Anm. 45)

[47] RUBIN, WILLIAM, 1985 (s. o. Anm. 45)

[48] BAUER, GERD, *Max Ernst's Collagenroman 'Une Semaine de Bonté',* in: Wallraf-Richartz-Jahrbuch Band 39, Köln 1977

[49] BAUER, GERD, 1977 (s. o. Anm. 48)

[50] SPIES, WERNER, *Picasso. Das plastische Werk.* Werkverzeichnis der Skulpturen in Zusammenarbeit mit Christine Piot, Stuttgart 1983

[51] GILOT, FRANÇOISE und LAKE, CARLTON, *Leben mit Picasso,* München 1980

[52] WALDBERG, PATRICK, *Max Ernst,* Paris 1958

Zitierte Forscherberichte und weiterführende Literatur

ADES, DAWN, *Dada und Surrealismus.* München, Zürich 1975
(Anon.) *Découvertes dans La Mer du Sud.* Novelles de M. de La Peyrouse, Paris 1795
BEHRENS, CARL-FRIEDRICH, *Reise durch die Südländer und um die Welt 1721/22,* Frankfurt a. M. 1737
BEHRENS, CARL-FRIEDRICH, *Der wohlversuchte Südländer, das ist: ausführliche Reisebeschreibung um die Welt,* Leipzig 1738
BEHRENS, CARL-FRIEDRICH, *Histoire de l'Expédition des Trois Vaisseaux,* La Haye 1739
CHAMISSO, ADELBERT VON, *»Tagebuch« der Reise um die Welt mit der Romannzoffischen Entdeckungs-Expedition in den Jahren 1815–18 auf der Brigg »Rurik«,* Leipzig 1836
CHOFFEL-BERTOU, D., *Les illustrations dans les livres de voyage au XIX siècle et leur véracite.* Gaz. d. Beaux-Arts 111,3, 1988
CHORIS, LOUIS, *Voyage pittoresque autour du monde,* avec des portraits de sauvages d'Amérique, d'Asie, d'Afrique et des îles du Grand Océan; . . . peintre, Paris 1822
CHORIS, LOUIS, *Vues et paysages des Régions équinoxiales Recueillis dans un voyage autour du monde,* Paris 1826
COOK, JAMES, *A Voyage towards the South Pole and Round the World,* performed in His Majesty's ships the Resolution and Adventure, in the years 1772, 1773, 1774 and 1775. London, W. Straham and T. Cadell, 1777, 2 Bde.
ERNST, MAX, *Une Semaine de Bonté,* Paris 1934
FORSTER, GEORG, *A Voyage round the world in His Britannic Majesty's Sloop, Resolution,* commanded by Captain James Cook, during the years 1772, 3, 4 and 5, London 1777, 2 Bde.
FORSTER, JOH. REINHOLD, *Observations made during a Voyage round the World . . .* London 1778
FORSTER, JOH. REINHOLD, *Beobachtungen der Cook'schen Weltumsegelung 1772–75,* Gedanken eines deutschen Teilnehmers. Unveränderter Nachdruck der 1783 erschienenen »Bemerkungen über Gegenstände der physischen Erdbeschreibung, Naturgeschichte und sittlichen Philosophy auf seiner Reise um die Welt gesammelt«. Ed. von Hanno Beck, Brockhaus Antiquarium 1, Stuttgart 1981
FORSTER, JOH. REINHOLD, *The Resolution Journal of Johann Reinhold Forster 1772–1775* (ed. M. E. Moare), Hakluyt Society, London 1981, 4 Bde.
GIEDION-WELCKER, CAROLA, *Schriften 1926–1971.* Stationen zu einem Zeitbild, Köln 1973
JOPPIEN, RÜDIGER and SMITH, BERNARD, *The Art of Cook's Voyages.* The voyage of the Resolution and Adventure 1772–1775, Melbourne, Oxford University Press in association with the Australian Academy of Humanities 1985
LA PÉROUSE, J. FRANÇOIS GALAUP, COMTE DE, *L'Atlas du Voyage de la Pérouse,* Paris 1797
LOTI, PIERRE, *A l'Ile de Pâques,* Cahiers Pierre Loti, Association internationale des amis de Pierre Loti, H. J., Paris 1960, 29.3
PINART, A. L., *David or Easter Island,* London 1876
PINART, A. L., *Voyage à l'Ile de Pâques (Océan-Pacifique),* Le Tour du Monde 12. oct. 1878
ROGGEVEEN, JACOB, *Dagverhaal der Ontdekings Reis van Mr. Jacob Roggeveen* met de Schepen Den Arend, Thienhoven en de Afrikaansche Galei, in de jaren 1721 en 1722, o. J.
(Anon.) *Tweejaarige Reyze rondom de wereld met drie schepen,* Dordrecht 1728
SCHAMONI, PETER, *Max Ernst, Maximiliana.* Die widerrechtliche Ausübung der Astronomie, München 1974
STEPHEN-CHAUVET, DR., *L'Ile de Pâques et ses Mystères.* La première étude réunissant tous les documents connus sur cette île mystérieuse, Paris 1935
THOMSON, W. J., *Te pito te Henua, or Easter Island.* Annual Report of the Board of Regents of the Smithsonian Institution, 1888–1889, Washington 1891
VEIT, WALTER, *Capitain James Cook; Image and Impact. South Seas Discoveries and the World of Letters,* Melbourne 1972, 2 Bde.
WAFER, LIONEL, *Lionel Wafers merkwürdige Reisen* nach der Erdenge Darien, auch durch die Südsee und das mittägige Atlantische Meer: nebst einer Reise Davis nach dem spanischen Goldmeer, Halle 1759

Missionsgeschichte der Osterinsel

Matthias Buschkühl

Die Missionsgeschichte beginnt mit dem 2. Januar 1864. An diesem Tage betritt Bruder Eugen Eyraud SSCC (1820–1868)[1] von der Picpus-Kongregation, zusammen mit vier aus peruanischer Sklaverei befreiten Osterinsulanern, die Insel. Die letzten 125 Jahre sind geprägt durch die mit oft mehrjährigen Unterbrechungen ausgeübte Tätigkeit der Picpus-Missionare SSCC, das Wirken eines von den Picpus-Missionaren in Tahiti ausgebildeten, in einer weitgehend priesterlosen Zeit von 1888 bis 1927 tätigen Katechisten, des Osterinsulaners Nicolás Pakarati, und die sich anschließende missionarische Arbeit der aus der Bayerischen Kapuzinerprovinz stammenden Kapuzinerpatres, insbesondere des Paters Sebastian Englert OFMCap (1888–1969), der die seelsorgerische Tätigkeit von 1937 mit kurzen Unterbrechungen bis zu seinem Tode ausübte.[2]

Die missionarischen Erfolge und Fehlschläge haben ihre Ursache auch in wirtschaftlichen und politischen Einflüssen, die von außen auf die Osterinsel wirkten. Veränderte wirtschaftliche Besitzverhältnisse beendeten erstmals 1871 jegliche Missionstätigkeit. Der politischen Inbesitznahme der Osterinsel durch Chile im Jahre 1888 folgte ihre Ausgliederung aus dem Apostolischen Vikariat Tahiti und die Unterstellung unter den Erzbischof von Santiago de Chile.[3] Seit 1936 ist die Osterinsel aus der Erzdiözese Santiago de Chile ausgegliedert und dem von bayerischen Kapuzinern versorgten Apostolischen Vikariat Araukanien angeschlossen.[4]

Missionsarbeit heißt, getreu dem Worte Jesu hinauszugehen in die Welt und alle Völker zu lehren: »Taufet sie auf den Namen des Vaters und des Sohnes und des Heiligen Geistes und lehret sie alles halten, was ich euch geboten habe.« (Matthäus, 28, 19-20). Die Missionare sehen sich auch heute in der Forderung, die Papst Leo XIII. in seiner Missionsenzyklika vom 3. Dezember 1880 an alle Gläubigen richtete: »Euch ermahnen wir auf das eindringlichste, die apostolischen Missionen zugleich mit uns einmütig, eifrig und aus allen Kräften zu unterstützen. Es handelt sich ja um das Heil der Seelen, dessentwillen unser Erlöser sein Leben dahingegeben.«[5]

Um 1860 suchten peruanische Sklavenhändler auf ihren Beutezügen die Osterinsel heim und verschleppten den Großteil der Bevölkerung, wohl über 1000 Personen, als Sklaven.[6] Dies veranlaßte den Apostolischen Vikar von Tahiti, Bischof Etienne Jaussen SSCC (1815–1891)[7], der sich auch mit der Entzifferung der Schrifttafeln der Osterinsel befaßt hat, eine Intervention der französischen bei der peruanischen Regierung zu bewirken. Inselbewohner, die die Sklaverei überlebt hatten, konnten auf die Osterinsel zurückkehren. Sie brachten jedoch die Pocken mit, denen ein Großteil der verbliebenen Bevölkerung zum Opfer fiel. Bischof Jaussen erlaubte deshalb nur Bruder Eugen Eyraud, auf die Insel zu gehen.

Bischof Jaussen und Bruder Eyraud waren Mitglieder einer 1805 in Frankreich zur Ausübung des Predigtamtes und katholischer Mission gestifteten Kongregation, der Gesellschaft von den hl. Herzen Jesu und Mariä und der steten Anbetung des hl. Altarssakramentes (SSCC). Sie wird nach dem früher in der Picpus-Straße in Paris gelegenen Haupthaus (heute in Rom) auch Picpus-Kongregation genannt. Ihr wurde 1833 das Apostolische Vikariat Ostozeanien, das die Osterinsel umfaßt, für ihre Missionstätigkeit anvertraut.[8]

Als Bruder Eyraud am 2. Januar 1864 mit seiner Begleitung an Land ging, stellte er mit Entsetzen fest, daß die Inselbewohner, statt die Rückkehr ihrer Landsleute zu feiern, über deren kleine Habseligkeiten herfielen.[9] Nur mit Mühe vermochte er die mitgebrachten Pfähle und Bretter, aus denen er sich später eine Hütte baute, den Händen der Eingeborenen zu entwinden, ebenso seine Kleidung und den für seine Arbeit unentbehrlichen, in Tahitisch verfaßten Katechismus.¹⁰ Sein Leben schilderte er wie folgt: »Meine Wohnung war der Sammelplatz aller Neugierigen, d. h. aller Einwohner. Ich war der ›Papa‹, der Fremde, den man kennenlernen, arbeiten sehen und vor allem ausnützen wollte. Tarometi (der Häuptling) betrachtete mich als sein Eigentum; deshalb reichte er mir auch täglich eine Portion gekochter Kartoffeln. So konnte ich mich den ganzen Tag dem Unterricht der Eingeborenen widmen. Dreimal des Tages rief die Glocke zum Gebete; man versammelte sich; ich sprach die Gebete Wort für Wort vor, und die Anwesenden wiederholten sie. Dann folgte die Schule, wo die Gebete dem Gedächtnis eingeprägt, der Katechismus, wo zugleich Leseunterricht erteilt wurde. . . . Nach neun Monaten (wußten) einige Kanaken-Knaben und -Mädchen die vorzüglichen Gebete und die Hauptgeheimnisse unseres Glaubens. Einige konnten sogar etwas lesen. Um sie soweit zu bringen, mußte ich aber auch jeden Augenblick des Tages mich diesen großen und kleinen Kindern zur Verfügung stellen. Man pocht an die Tür; gehe ich gleich hinaus, nun gut, dann beginnt die Schule auf dem Grase vor der Hütte; zögere ich etwas, so klopfen sie nicht nur an die Tür, sondern an alle Wände, dann setzen sie sich in einer kleinen Entfernung nieder und fangen an, meine Wohnung zuerst mit kleinen, dann mit größeren Steinen zu bombardieren. Wohl oder übel, da heißt es gute Miene zum bösen Spiel machen. So trete ich mit meinem Katechismus heraus und sage: ›Wohlan, tretet näher, wir wollen die Gebete lernen.‹ ›Nein‹, sagen die Schüler, ›komm du zu uns her!‹ Der Gescheitere gibt nach. Ich kauere mich zu ihnen ins Gras und lasse sie die Fragen und Antworten des Katechismus wiederholen. Nach einiger Zeit kommen neue Schüler; andere, die sich langweilen, stehen auf und gehen fort; bald haben es alle satt, und der Lehrer steht wieder allein und mag sich mit sich selbst beschäftigen; aber nicht lange, und es klopft wieder an die Türe des Papa, und die müßigen Kanaken, denen es nur um Unterhaltung zu tun ist, rufen: ›Lehre uns beten!‹«¹¹ Bruder Eyraud wäre einem Aufstand, der gegen den Häuptling Tarometi ausbrach, beinahe zum Opfer gefallen; doch kam am 11. Oktober 1864 ein französisches Schiff, mit dem er nach Tahiti gelangen konnte. Bei seinen Oberen bemühte er sich nachhaltig darum, die Eröffnung der eigentlichen Mission zu erwirken.¹²

Erst im Frühjahr 1866 verwirklichten die Picpus-Missionare diesen Plan. Pater Hippolyte Roussel (1824–1898)¹³ und Bruder Eugen Eyraud landeten am 25. März in Begleitung von drei christlichen Gambier-Insulanern auf der Osterinsel. Pater Hippolyt Roussel, der später ein Wörterbuch der Sprache der Osterinsel, *Rapanui*,¹⁴ und auch einen Katechismus in *Rapanui* verfaßte,¹⁵ hatte bisher auf den Gambier-Inseln gewirkt und konnte sich in deren, dem Rapanui verwandter Sprache mit den Osterinsulanern gut unterhalten. Bruder Eyraud errichtete drei geräumige Hütten, von denen eine als Kapelle diente und wohl 100 Personen fassen konnte. Tag und Nacht umringten Eingeborene in großer Zahl die Hütten, nicht nur aus Neugier, sondern auch aus Plünderungssucht, so daß die Missionare alles fest verschließen mußten und Pater Hippolyt Roussel am hellichten Tage sein Brevier bei geschlossener Tür und Lampenlicht beten mußte.¹⁶

Am 6. November landeten als Verstärkung Pater Kaspar Zumbohlen und Bruder Theodul Escolan mit bedeutenden Vorräten und Haustieren. Die Missionare arbeiteten nun mit vereinten Kräften an der Missionierung der Osterinsulaner und zugleich an der Besserung ihres materiellen Loses. Um die unter den Osterinsulanern grassierende ansteckende Krankheit zu besiegen, drängten sie die Eingeborenen, sich statt ihrer engen Hütten geräumigere zu bauen, und richteten auch ein Hospital zur Isolierung der Kranken ein. Bruder Eyraud, der sich bei der Krankenpflege angesteckt hatte, durfte noch erleben, daß am 14. August 1868, am Vorabend des kirchlichen Festes Mariä Himmelfahrt, über 800 Eingeborene getauft wurden. Fünf Tage später verstarb er.¹⁷

Der hoffnungsvolle Beginn der Missionsarbeit wurde durch die Besitzgier zweier Europäer zunichte. Dutroux-Bornier, der Kapitän des Schiffes, das Pater Zumbohlen und Bruder Escolan auf die Insel gebracht hatte, suchte Insulaner als Sklavenarbeiter für seinen englischen Geschäftspartner, den Plantagenbesitzer Brander auf Tahiti. Auch kaufte er den Insulanern mit Tricks und Drohungen das Land ab. Die Missionare weigerten sich, die »Kaufkontrakte« mit ihrer Unterschrift zu legitimieren. Dutroux-Bornier, der selbst auf Pater Roussel schoß, ließ im Juli 1870 das Dorf der Einwohner einschließlich der Missionsstation durch seine Leute einäschern, und als die Hütten wiederaufgebaut waren, diese erneut zerstören. Der Hilferuf der Missionare bei Bischof Jaussen veranlaßte diesen zur Intervention bei Brander, der im Februar 1871 auf der Insel eintraf. Brander, der die Stewart Plantations auf Tahiti und den Marquesasinseln mit ähnlichen Mitteln erwerben ließ, hieß gut, daß Dutroux-Bornier das Insselland in seinem Namen weitgehend aufgekauft hatte, und nahm den größten Teil der Insulaner als »freiwillige Arbeiter« für seine Plantagen mit nach Tahiti. Zugleich verließen die Missionare die Osterinsel. Nur wenig über 100 Einwohner blieben auf ihr zurück. Sie dienten Dutroux-Bornier, der 1877 von einem Eingeborenen in Notwehr getötet wurde.

Auf der Hin- und Rückreise von Tahiti nach Valparaiso konnten sich 1885 und 1886 Picpus-Missionare jeweils nur für wenige Tage auf der Insel aufhalten. 1887/88 übernahm Pater Albert Montiton SSCC für einige Monate die Mission. Bischof Verdier SSCC, Nachfolger von Bischof Jaussen, der Pater Montiton nach Tahiti abholte, erteilte das Sakrament der Firmung an fast alle Bewohner, insgesamt 187 Personen.

Von Tahiti aus wurde ein dort lebender und zum Katechisten ausgebildeter Osterinsulaner, Nicolás Pakarati, auf die Insel entsandt. Bis zu seinem Tode am 12. Oktober 1927 betreute er die priesterlose Gemeinde. Besuche von Priestern waren in dieser Zeit selten und oft nur kurz.[18]

1888 wurde die Osterinsel von Chile in Besitz genommen, das die »Rechte« des Sohnes Branders erworben hatte. Chile verpachtete fast die ganze Insel an eine englische Gesellschaft, die die Insel als Farm für schottische Schafe nutzte und die Insulaner als rechtlose Arbeitssklaven ausbeutete. 1945 übernahm ein Privatmann und 1955 eine eigene Gesellschaft der chilenischen Marine die Bewirtschaftung der Schafsfarm.[19]

Durch päpstliche Dekrete wurde die Osterinsel aus dem Apostolischen Vikariat Tahiti ausgegliedert und dem Erzbischof von Santiago de Chile unterstellt.[20] Dieser vertraute 1911 die Osterinsel seinem Weihbischof und Militärbischof Rafael Edwards (1878–1938) an. 1911 und 1913 ging bei der Insel das chilenische Kriegsschiff »Baquedano« vor Anker und der jeweilige Marinekaplan versah für wenige Tage den priesterlichen Dienst. Im Juni 1916 unternahm Militärbischof Edwards selbst einen Pastoralbesuch auf der Osterinsel. Nach seiner Rückkehr nach Chile intervenierte er bei der chilenischen Regierung für die Rechte der Eingeborenen und gegen die Willkür der britischen Firma.[21]

Es folgte im Juni 1917 ein zweiter Pastoralbesuch von Militärbischof Edwards, diesmal begleitet von den Kapuzinern Pater Bienvenido de Estella (1877–1939) und Bruder Modesto de Adios. Pater Bienvenido kehrte im April 1918 zusammen mit dem Kapuzinerpater Domingo de Beire auf die Osterinsel zurück. Sie blieben dort acht Monate. Neben ihrer Seelsorgearbeit nahmen sie sich des Schulunterrichts an und unterstützten die Inselbewohner bei der Anlage von Wegen und in der Landwirtschaft. Pater Bienvenidos Interesse galt auch dem Legendenschatz und der Sprache der Insulaner.[22]

1920 übte der Dominikanerpater Nicolás Correa für acht Monate die Seelsorge auf der Osterinsel aus. 1921 und 1923 hielten sich wieder die Militärkapläne der »Baquedano«, jeweils für einige Tage, auf der Osterinsel auf. Die priesterlose Zeit endete, als ein Projekt der Universität von Chile zur Erforschung der Osterinsel als sprachwissenschaftliches Expeditionsmitglied den Kapuzinerpater Sebastian Englert (1888–1969) Ende November 1935 auf die Insel brachte. Pater Sebastian Englert widmete sich nicht nur der Erforschung der Sprache der Osterinsel, sondern auch der Seelsorge der Bewohner. Auf briefliche Bitten des Militärbischofs Edwards blieb er länger als geplant auf der Osterinsel und kehrte erst nach 14 Monaten im Januar 1937 nach Chile zurück.

Um die seelsorgerische Betreuung der Osterinsel sicherzustellen, führte Militärbischof Edwards 1936 Verhandlungen mit dem Apostolischen Vikar von Araukanien, Bischof Guido Beck OFMCap, die zum Ergebnis hatten, daß die Osterinsel dem von Bayerischen Kapuzinern versorgten Apostolischen Vikariat Araukanien angegliedert wurde.[23] Pater Sebastian Englert kehrte am 10. Dezember 1937 auf die Osterinsel zurück. Mit kurzen Unterbrechungen übte er dort die Seelsorge bis zu seinem Tod am 8. Januar 1969 aus. Das »Auf« und »Ab« der seelsorgerischen Arbeit, der ständige Kampf gegen die drei Laster: ungeordnete Ehen, Diebstahl und Spielteufel, wird deutlich in der von ihm verfaßten Pfarrchronik der Osterinsel, von der sich, da das Original heute verschollen ist, nur eine Kurzfassung erhalten hat. Pater Sebastian bemühte sich um aktive liturgische Mitfeier der Insulaner bei der Heiligen Messe. Auf ihre Gesangesfreude bauend, lehrte er sie die lateinischen Gesänge der Messe und andere religiöse Gesänge. Die Predigt hielt er in der Sprache der Insulaner, dem *Rapanui*. Besonders pflegte er die Marien- und Herz-Jesu-Verehrung. Sein Versuch, eine katholische Aktion zur Intensivierung des religiösen Lebens zu gründen, hatte wenig Erfolg. Dies und auch der Versuch, die Kirchensteuer auf der Osterinsel zu etablieren, führten dazu, daß Pater Melchior Schwarzmüller OFMCap vom Dezember 1939 bis November 1940 vorübergehend Pater Englert ablöste.

Besondere Fürsorge wendete Pater Sebastian Englert den Leprakranken zu, in deren Station er regelmäßig die Heilige Messe feierte. Auch war er unnachgiebig gegenüber dem Militärgouverneur der Insel, Dr. Alvaro Tejeda. Er bewirkte die Herausgabe von Sachspenden für die Lepra-

Abb. 48 Verleihung des Bundesverdienstkreuzes an Pater Sebastian Englert. Hangaroa 1964. Die Urkunde wurde von Pater Innozenz Daumoser im Beisein des Kommandanten der »Pinto« und eines Präses aus Santiago verlesen

kranken, die jener unterschlagen wollte. 1938 brachte Bischof Beck, als er zu einem einwöchigen Pastoralbesuch auf die Insel kam, Boroa-Schwestern mit, die — in der Regel für drei Jahre auf der Insel — die Leprakranken betreuen. Eine weitere Aufgabe der Schwestern ist der Schulunterricht, bei der außerordentlichen Lebhaftigkeit der Osterinsulaner keine leichte Aufgabe. Auch müssen zunächst Eltern dazu bewogen werden, ihre Kinder regelmäßig in die Schule zu schicken.

Bischof Beck stattete der Osterinsel einen zweiten Pastoralbesuch im Februar 1952 ab. Bischof Wilhelm Hartl OFMCap (1904–1977), der im März 1958 Nachfolger von Bischof Beck geworden war, konnte am 28. September 1958 die neue Pfarrkirche von Hangaroa auf der Osterinsel weihen, für die Thor Heyerdahl 3000 Dollar gestiftet hatte. Pater Sebastian Englert hatte ihn seinerseits bei seinen Forschungen unterstützt.[24] Im Januar 1962 kam Bischof Hartl zu einem zweiten Pastoralbesuch auf die Osterinsel. Sein Nachfolger und jetziger Bischof, Sixtus Karl Parmoser OFMCap, war zuletzt im Februar 1988 auf der Osterinsel.

Pater Sebastian Englert, dessen Lebenswerk in einer Ausstellung vom Dezember 1988 bis März 1989 in der Universitätsbibliothek Eichstätt besonders gewürdigt wurde, hat sich in 30 Veröffentlichungen mit der Sprache, Grammatik, Geschichte und Kultur der Osterinsel befaßt. Sein 1938 veröffentlichtes Wörterbuch der Sprache der Osterinsel erschien 1978 in Santiago de Chile mit seiner 1948 veröffentlichten Grammatik des *Rapanui* zusammengefaßt in 2. Auflage: »Idioma Rapanui«. Sein 1948 erstmals veröffentlichtes Werk »La Tierra de Hotu Matua. Historia, Etnología y Lengua de la Isla de Pascua« erschien 1988 in Santiago de Chile bereits in 4. Auflage. Erwähnt werden muß auch, daß er den Legendenschatz der Osterinsel für die Nachwelt erhielt. Eine erste Sammlung erschien 1939: »Tradiciones de la Isla de Pascua«; eine umfassende Sammlung posthum 1980: »Leyendas de la Isla de Pascua«. Pater Sebastian Englert machte sich auch um die Erhaltung der Altertümer der Osterinsel verdient, die er im Auftrag der chilenischen Regierung inventarisierte und für die er Geldquellen zu erschließen suchte. Bei einer Vortragsreise in den USA starb er am 8. Januar 1969 in New Orleans. Sein Nachfolger als Pfarrer der Missionspfarrei »Santa Cruz« in Hangaroa auf der Osterinsel war bis 1975 Pater Melchior Schwarzmüller, der schon einmal, 1940, dort Pfarrer gewesen war. Seit 1985 ist wieder ein bayerischer Kapuziner, Professor Pater Ludwig Bertrand Riedl, Pfarrer der Osterinsel.

Anmerkungen

1 EYRAUD, JEAN, *Notice sur le Frère Joseph-Eugène Eyraud SSCC, premier catéchiste de l'Ile de Pâques,* Annales de la Congrégation des Sacrés Cœurs 6 (1880) S. 804–816
EDWARDS, RAFAEL, *El Apóstol de la Isla de Pascua José Eugenio Eyraud SSCC,* Santiago: Impr. Chile 1918

2 BUSCHKÜHL, MATTHIAS, *Missionsgeschichte der Osterinsel, Pater Sebastian Englert OFMCap (1888–1969) zum 100. Geburtstag,* Eichstätt 1988 = Schriften der Universitätsbibliothek Eichstätt, Bd. 13

3 Leo XIII., Acta IX, Rom 1890, S. 35–38

4 ENGLERT, SEBASTIAN, *Primer siglo cristiano de la Isla de Pascua 1864–1964,* Villarrica, Gratitud Nacional 1964, S. 80–87

5 BUSCHKÜHL, MATTHIAS, a.a.O. (s.o. Anm. 2), S. 17

6 Vgl. Missions catholiques 22 (1891), S. 598 f.; Die katholischen Missionen 20 (1892), S. 116 f.; Annales des Sacrés Cœurs 7 (1900), S. 142–147

7 JAUSSEN, TH., *L'Ile de Pâques. Histoire, Ecriture, Répertoire des signes des Tablettes ou Bois d'hibiscus intelligents.* Ouvrage posthume, rédigé par le R. P. Ildefonse Alazard SSCC, Bulletin de Géographie (1893) n. 2, auch als Sonderdruck: Paris 1893; MS: *Les Tablettes de l'Ile de Pâques,* Arch. Mutterhaus SSCC Rom (mit Foto der 1914 in Löwen verbrannten Tafel »La Vermoulure«)

8 NEHER, P., *Picpus-Gesellschaft,* Kirchenlexikon IX, Freiburg 1895, 2102–5; DERS., *Oceanien,* ebda 648–658, hier 651 ff.

9 *Die Mission auf der Osterinsel,* Die katholischen Missionen 7 (1881) S. 7–11, S. 56–59; die diesem Artikel zugrunde gelegten Briefe abgedruckt in *Missions de l'Océanie,* Annales Prop. Foi 38 (1866) S. 44–71; S. 124–145; 39 (1867) S. 250–259; Missions catholiques 1 (1868) S. 178 f.; 2 (1869) S. 39, 44; ROUSSEL, H., *Ile de Pâques,* Annales des Sacrés-Cœurs (1926) S. 355–60, 423–30, 462–66, 495–99; auch als Buch: ROUSSEL, H., *Ile de Pâques ou Rapanui,* Braine-le-Comte/Belgien 1926

10 JAUSSEN, T., *Ui Katorika,* Tahiti: Dubuisson 1851

11 *Die Mission auf der Osterinsel,* a.a.O. (s.o. Anm. 9), S. 10

12 a.a.O. (s.o. Anm. 9), S. 11

13 *Le R. P. Hippolyte Roussel, Apôtre de l'Ile de Pâques,* Annales des Sacrés-Cœurs 5 (1898), S. 269–274

14 ROUSSEL, H., *Vocabulaire de la langue de l'Ile de Pâques ou Rapanui,* Muséon (Löwen) (1908), S. 159–254, ed. I. Alazard, auch als Buch; span. Übers. von F. Jaffuel: ROUSSEL, H., *Vocabulario de la lengua de la Isla de Pascua o Rapanui,* Santiago: Impr. San José 1917

15 ROUSSEL, H., *Catéchisme Rapanui,* Arch. Mission de Tahiti 1880

16 *Die Mission auf der Osterinsel,* a.a.O. (s.o. Anm. 9), S. 56

17 a.a.O. (s.o. Anm. 9), S. 57

18 a.a.O. (s.o. Anm. 9), S. 57 ff.

19 BUSCHKÜHL, MATTHIAS, a.a.O. (s.o. Anm. 2), S. 94, Anm. 7; vgl. DOMINGO DE BEIRE, *Die Insel der Geheimnisse.* Seraphisches Weltapostolat des hl. Franz von Assisi (Altötting) 3 (1927), S. 193–198, hier S. 196 ff.

20 Leo XIII., Acta IX, Rom 1890, S. 35–38

21 DOMINGO DE BEIRE, a.a.O. (s.o. Anm. 19)

22 EDWARDS, RAFAEL, *La Isla de Pascua. Consideraciones expuestas acerca de ella por mons. Rafael Edwards, obispo y vicario castrense que la visitó en julio de 1916 y junio 1917,* Santiago: Impr. San José 1918; BIENVENIDO DE ESTELLA, *Los misterios de la Isla de Pascua,* Santiago: Impr. Cervantes 1920; KLINGER, H., *Eroberer ohne Land. Von wagemutigen Missionaren in aller Welt,* 3. ed., Freiburg 1956, S. 110; ENGLERT, S., *Primer siglo cristiano* (s.o. Anm. 4), S. 79 f.

23 ENGLERT, S., *Primer siglo cristiano* (s.o. Anm. 4), S. 80–87, abgedruckt bei BUSCHKÜHL, MATTHIAS, a.a.O. (s.o. Anm. 2), S. 35 ff.

24 Vgl. die Würdigung P. Sebastian Englerts durch Thor Heyerdahl, abgedruckt bei BUSCHKÜHL, MATTHIAS, a.a.O. (s.o. Anm. 2), S. 145 ff.; HEYERDAHL, THOR, *Aku-Aku. Das Geheimnis der Osterinsel,* Berlin 1957, S. 47

Megalithische Steinplastiken und monumentale Architektur

HEIDE-MARGARET ESEN-BAUR

Der weltweite Ruhm der Osterinsel gründet zweifellos in der großen Anzahl ihrer Kolossalfiguren, die schon die ersten europäischen Besucher in großes Erstaunen versetzten (s. auch den Beitrag von E. Vogler). Der Ruhm der Osterinsel hat heute zwar eine breitere Basis, wie die Beiträge von G. Lee, F. Forment und insbesondere von T. Barthel und J. Guiart zeigen. Die Kolossalfiguren sind jedoch weiterhin der Magnet, der die Besucher zur Osterinsel zieht. Sie stehen auch heute häufig im Mittelpunkt wissenschaftlicher Arbeiten, weil man es für möglich hält, daß gerade aus solchen

Abb. 49 Erste Begegnung zwischen Europäern und den Bewohnern der Osterinsel im Jahre 1722. Im Hintergrund der Abbildung ist eine Gruppe Insulaner damit beschäftigt, eine Kolossalfigur zu transportieren. Im Vordergrund gehen mit Lanzen bewaffnete Insulaner gegen die Holländer vor, die mit Gewehren auf sie schießen

Abb. 51 Die Figuren der Plattform Naunau in Anakena. Die bis zu ihrer Wiederaufrichtung im Jahre 1978 vom feinen weißen Sand begrabenen Büsten und Fassadensteine sind verhältnismäßig gut erhalten. Viele Details, etwa Hände, Ohren, Haarschöpfe, petroglyphische Verzierungen, die an den zumeist stark verwitterten Figuren an anderen Fundorten heute kaum noch zu erkennen sind, sind bei dieser Anlage noch eindeutig bestimmbar

◁ Abb. 50 Viele der Figuren am äußeren Abhang des Kraters Rano Kao sind tief im Erdreich eingegraben

Abb. 52 Eine der sieben Figuren von Ahu Naunau in Anakena ▷ mit breiter, fast vogelartiger Körperform. Die eingelegten Augen sind Nachbildungen des im Jahre 1978 gefundenen Originals

Arbeiten Einsichten und Ergebnisse hervorgehen, die Aufschluß über die immer noch strittige Besiedlungsfrage bringen.

Über die megalithischen Büsten (*moai*) und die damit einhergehende monumentale Architektur in Form von offenen Tempelanlagen (*ahu*) liegen vielerlei typologische und statistische Erkenntnisse vor. Die Frage nach ihrer zeitlichen Einordnung ist jedoch noch offen. Über die Funktion dieser Monumente ist sicherlich auch noch nicht das letzte Wort geschrieben, wie die Arbeit von Van Tilburg zeigt.[1] Und schließlich ist die Transportfrage weiterhin ungelöst.

Nur etwa 60% der Inseloberfläche sind im Zuge einer systematischen Bestandsaufnahme bis heute archäologisch erfaßt worden. Somit ist die genaue Anzahl der Figuren und der Plattformen noch nicht exakt ermittelt. Es ist jedoch realistisch, anzunehmen, daß etwa 1000 Figuren ganz unterschiedlicher Größe und ca. 250 Plattformen, die ebenfalls in ihrer Ausdehnung und formalen Beschaffenheit voneinander abweichen, geschaffen worden sind. Die weit überwiegende Anzahl der *moai*, etwa 95%, wurde aus dem Tuff des erloschenen Kraters *Rano Raraku* geschlagen. Die restlichen Figuren bestehen aus roter Gesteinsschlacke oder aus Basalt.

Der Krater Rano Raraku

Der *Rano Raraku*, von den alten Osterinsulanern umfunktioniert zu einer riesigen Bildhauerwerkstatt unter offenem Himmel, liegt im Osten dieser mit Vulkankegeln übersäten und mit wenig mehr als mit Gras bestandenen windigen Insel. Mit den 395 registrierten *moai*[2], die am inneren und äußeren südöstlichen Abhang des *Rano Raraku* völlig ungeordnet stehen und liegen, ist dieser Krater eine der eindrucksvollsten archäologischen Stätten unserer Welt. Am *Rano Raraku* steht der Besucher ganz im Banne dieser stummen, spöttisch in die Ferne blickenden Steinriesen. Ihre stille Monumentalität erschlägt hier gleichsam die Zeit. Welche tragende Idee mag hinter der hier sichtbaren großen, über Jahrhunderte andauernden Anstrengung stehen?

Beschreibung der klassischen Kolossalfiguren

Beim ersten Anblick scheinen die Figuren dem Besucher unbeholfen, vor allem aber archaisch zu sein. Dieser Eindruck wird durch ihre starke Verwitterung weiter unterstrichen. Die mehr oder weniger stark von Flechten und Moosen befallenen Figuren sind an der Oberfläche teilweise zerstört,

hinzu kommen einige mutwillig zugefügte Beschädigungen. Sobald aber der Besucher den Blick vom Allgemeinen weg und auf die Einzelheiten hin richtet, schwindet der Eindruck der Unbeholfenheit, denn es zeigt sich, daß die Steinmetzen die Oberfläche dieser Riesenfiguren nicht nur sehr sorgfältig behandelt, sondern sie darüber hinaus mit vielen fein ausgeführten und unerwarteten Details ausgestattet haben.

Der übergroße Kopf — in vielen Fällen erreicht er ein Drittel, gelegentlich die Hälfte der Gesamtlänge — ist im Gegensatz zu dem langen zylinderförmigen Körper vollplastisch ausgestaltet. Die lange, breite Nase mit konkavem Schwung und überraschend fein gearbeiteten Nasenlöchern beherrscht das Gesicht. Eine stark überhängende und nicht unterbrochene Augenbrauenpartie bildet eine niedrige Stirn. Der Kopf ist nicht gewölbt, sondern kommt zu einem horizontalen Abschluß. Augenhöhlen fehlen. Die fest zusammengepreßten, dünnen Lippen im Zusammenspiel mit dem vorgeschobenen scharfkantigen und breiten Kinn verleihen der Figur einen trotzigen Ausdruck. Mit besonderer Sorgfalt sind die langen Ohren gearbeitet. In einigen Fällen ist auch der für die Osterinsel typische Ohrschmuck, runde Ohrpflöcke, dargestellt. Hinterkopf sowie Hals und Schultern sind sehr feinfühlig modelliert, allerdings nur bei den Figuren, die nach ihrer Herauslösung aus dem Gestein des Kraterrandes und ihrer vorübergehenden Aufrichtung am Fuße des Abhanges des Kraterrandes weiterbearbeitet wurden. Nur angedeutet sind die am Körper eng anliegenden Arme. Leicht gebeugt, enden sie in schmalen Händen mit feinen langen Fingern. Im Relief gearbeitet, ruhen sie auf dem gewölbten Unterleib, ohne sich jedoch zu berühren. Die Daumen sind in einem unnatürlichen Schwung nach oben gerichtet, so wie wir es auch bei einigen Holzfiguren antreffen. Zwischen den Händen ist der Knoten des Lendenschurzes, gelegentlich das männliche Glied in Hochrelief gearbeitet. Die Figur endet mit einer breiten Basis unterhalb der Genitalzone. Der Nabel ist als erhabene, runde Scheibe, die Brust durch einfache Spiralmuster dargestellt. Auf dem Rücken, in Höhe der Taille, befinden sich verschiedene Motive: horizontal verlaufende Linien sowie M- oder Y-artige Symbole und auch Kreise. Sie haben ihre Entsprechungen bei den hölzernen Figuren (s. auch den Beitrag von F. Forment).

Außerhalb des *Rano Raraku* sind diese Motive nur noch bei gut erhaltenen Figuren anzutreffen, unter anderem bei den *moai* der Plattform *Naunau* in *Anakena*. Diese bis zu ihrer

Abb. 53 Eine der relativ großen, elegant wirkenden Figuren am äußeren Abhang des Rano Raraku

Wiederaufrichtung im Jahre 1978 von feinem weißem Sand begrabenen Büsten sind in einem sehr guten Erhaltungszustand. Vom Gesamteindruck her dürfte es sich bei den Kolossalfiguren um phallische Bildnisse handeln.

Am *Rano Raraku* mißt die größte, allerdings unfertige Figur etwa 21 Meter. Sie wurde, wie alle Figuren, mit einfachen, aus Basalt gefertigten Steinbeilen (*toki*) in mühevoller Arbeit aus dem Fels geschlagen. Eine weitere, noch mit dem Berg verbundene Figur ist gut 15 Meter lang. Fertige, aus dem Berg vollständig herausgelöste Figuren, die tief im Erdreich stecken, sind häufig mehr als zehn Meter lang. Zahlreiche Figuren bis zu zehn Meter Länge sind über viele Kilometer hinweg von der Bildhauerwerkstatt zu den für sie vorgesehenen Plattformen transportiert worden. Eine dieser Figuren namens *Paro* hat bis zur Mitte des letzten Jahrhunderts auf der Plattform *Te Pito Kura* gestanden. Als eine der letzten wurde sie umgestürzt. Auf den alten Transportstraßen liegen Dutzende von Figuren, die zwischen sechs und acht Meter lang sind. Die Durchschnittslänge der Figuren, die früher einmal auf den Plattformen entlang der Küste gestanden haben, beträgt allerdings »nur« vier Meter.

Transport der Kolossalfiguren

Mit der oben erwähnten Figur *Paro* ist der Beweis erbracht, daß die alten Osterinsulaner eine Technik entwickelt hatten, mit der sie eine annähernd 80 Tonnen schwere Figur unbeschadet über viele Kilometer hügeligen Terrains hinweg transportieren konnten. Möglicherweise aber waren sie mit einer Figur dieser Größe an die Grenzen ihrer technischen Möglichkeiten gestoßen.

Der amerikanische Wissenschaftler Mulloy, der jahrzehntelang die archäologischen Arbeiten auf der Osterinsel geleitet hat, hat ein hölzernes Instrumentarium berechnet[3], mit dem der Transport der Figur *Paro* hätte durchgeführt werden können. Ein Baumbewuchs zur Zeit der Transporte der Figuren mit der nötigen Holzdichte, -länge und -dicke ist jedoch bisher nicht nachgewiesen worden. Auch die vor einigen Jahren durch Flenley und King[4] veröffentlichten Pollenanalysen liefern hierfür keine Beweise.

In einem im Jahre 1728[5] entstandenen Stich wird eine recht glaubwürdige und zudem technisch unkomplizierte Transportmöglichkeit der *moai* dargestellt. Soweit bekannt, ist

Abb. 54   Die Figur der Plattform Ko Te Riku (bei Hangaroa). Der zylinderförmige Kopfschmuck (pukao) ist eine moderne Kopie

◁ *Abb. 55 Torso einer Figur auf dem Kraterrand des Rano Raraku*

◁ *Abb. 56 Eine zerfallene Tempelanlage mit gestürzten moai an der Südostküste*

Abb. 57 Figur im Transport von dem Bildhauerberg Rano Raraku zu ihrem Standort – in diesem Falle zu einer Plattform entlang der Nordostküste

diese frühe Abbildung, die sehr wohl auf Erläuterungen von Osterinsulanern aus dem Jahre 1722 fußen könnte, im Zusammenhang mit der Transportfrage der *moai* noch nicht ausgewertet worden.

Im Hintergrund des Bildes (siehe Abb. 49) erkennen wir neun Osterinsulaner, die damit beschäftigt sind, eine große Steinfigur, die allerdings nicht ganz naturgetreu dargestellt ist, zu bewegen. Sie steht aufrecht auf einem flachen Stein. Ein Mann kauert am Boden, so als ob er etwas kontrolliere. Ein anderer kniet neben ihm und gestikuliert. Vermutlich sind unter den flachen Stein Balken gelegt, über die dieser mit der daraufstehenden Figur gerollt werden soll. Mit dieser Methode ist es möglich, auch sehr große Gewichte mit relativ wenig Aufwand zu bewegen, da sich das Gewicht über die Balken verteilt. Für diese Transportmethode sind zudem weder sehr wuchtige noch sehr viele Balken vonnöten. So scheint es, daß es sich hierbei auch um eine Transportmethode handelt, die den herrschenden Umweltverhältnissen bestens angepaßt war. Darüber hinaus ist es interessant, daß auch aufgrund von Überlieferungen die *moai* aufrecht zu den Plattformen gelangt sein sollen.

Klassifizierung der Kolossalfiguren und ihre relative Datierung

Die *moai* sind verschiedentlich nach morphologischen Gesichtspunkten klassifiziert worden. Van Tilburg[6] unterscheidet sieben Haupttypen, Heyerdahl[7] nur vier. Es ist jedoch völlig ausreichend – abgesehen von einer Gruppe abweichender Figuren sowie einer Gruppe heterogener Figuren

Abb. 58 Die kniende Figur namens Tuturi von 3,67 Meter Länge wurde von der Heyerdahl-Expedition im Jahre 1956 freigelegt

sich hier die Figur von der Plattform *Ko Te Riku* (bei *Hangaroa*) anführen. Zur dritten Kategorie schließlich gehören die kleineren, breiteren Figuren, wie etwa die der Plattform *Naunau*. Diese drei Haupttypen lassen sich nur mühevoll in eine chronologische Abfolge einfügen, wie Van Tilburg gezeigt hat.[8] Allerdings ist zu beobachten, daß die Figuren im Laufe der Zeit immer größer werden.[9]

Die kniende Figur namens *Tuturi* von 3,67 Meter Länge, die zur Kategorie der abweichenden Kolossalfiguren zu rechnen ist und erst in den 50er Jahren von der Heyerdahl-Expedition freigelegt wurde, ist zeitlich schwer einzuordnen. Van Tilburg deutet sie als den Versuch eines Steinmetzen, mit der strengen, formalen Darstellungsweise zu brechen.[10] Heyerdahl hingegen ordnet sie zeitlich vor die »klassischen« Figuren ein.[11]

Die heterogenen Figuren und Köpfe aus roter Gesteinsschlacke gelten allgemein als älter als die klassischen Figuren.

Offene Tempelanlagen (*ahu*)

Die stark stilisierten, aus *Rano Raraku*-Tuff gefertigten *moai* wurden dergestalt gearbeitet, daß sie auf Plattformen stehen konnten. Die *ahu* befinden sich, von einigen Ausnahmen abgesehen, entlang der Küste, d. h. in den bevorzugten Siedlungsgebieten. Grundsätzlich handelt es sich hierbei um flache, abgestufte Plattformen, deren seeseitige Mauer steil und stufenlos abfällt. Lediglich auf der Landseite befinden sich Stufen. Doch anstelle der Stufen erstreckt sich hier häufig eine Rampe. Ausgefüllt ist die Plattform mit losen Steinen und Erdreich. In der Plattform wie auch in ihrer Nähe befinden sich Gräber, damit weist sich diese Anlage auch als Begräbnisstätte aus. Dies findet seine Bestätigung auch in den ersten Berichten der europäischen Besucher. Der rechteckige Grundriß ist gelegentlich flügelartig erweitert. Die Steinsetzungen auf der Landseite sind in einigen Fällen so ausgerichtet, daß die Anlage den Eindruck eines Bootes vermittelt. Unmittelbar vor, gelegentlich auch entlang der Rückseite der Plattform, die der jeweiligen Sippe gehört, verläuft ein aus mehreren Reihen großer runder Kieselsteine verlegtes Pflaster. Davor liegt ein großer offener Platz. Auf der der Plattform gegenüberliegenden Seite beginnt die Siedlung der Sippe. Zunächst stehen dort die mit großem Aufwand gebauten Häuser (*hare paenga*) der Anführer und Priester, dahinter die Behausungen der einfachen Bevölkerung, sowie Erdöfen (*umu*), Hühnerhäuser (*hare moa*) und Gartenanlagen und Felder, u. a. auch die mit Mauern geschützten Gärten (*manavai*).

aus roter Gesteinsschlacke —, die nach strengen formalen Kriterien gefertigten Kolossalfiguren in drei Haupttypen zu gliedern:

Eine Kategorie bilden die relativ großen, elegant wirkenden Figuren des *Rano Raraku*, die sämtlich keine Augenhöhlen aufweisen. Zu der zweiten Kategorie gehören die auch schlank gehaltenen, aber etwas kleineren Figuren, die einst auf den Plattformen standen und spätestens nach ihrer Aufrichtung Augenhöhlen erhalten hatten. Als Beispiel ließe

Frühe Plattformen trugen keine Standbilder. Mit ihnen assoziiert sind allerdings kleinere atypische Steinfiguren und Köpfe. Möglicherweise standen diese entweder auf dem offenen Platz oder an anderer Stelle in der Nähe der Plattform. Viele dieser frühen Figuren sind aus roter Gesteinsschlacke gefertigt. Die Besonderheit der frühen Plattformen ist zweifellos die sorgfältig zusammengefügte mörtellose seewärtige Fassade, wie wir sie in Vollendung in *Vinapu* I antreffen.

Das *hare paenga*-Haus

Eine besondere Hausform von der Osterinsel ist das sogenannte *hare paenga*-Haus. Es ist assoziiert mit früh datierten Plattformen. Es wurde bis in die Mitte des letzten Jahrhunderts hinein genutzt.

Aus Basalt gefertigte Fundamentsteine wurden in Form eines langgestreckten Ovals angeordnet. Die einzelnen Steine sind zwischen 0,5 und 2,5 Meter lang und 20 bis 30 cm breit und stecken bis zu 50 cm im Erdreich. In der über den Boden hervorragenden horizontalen Fläche sind in unregelmäßigen Abständen Löcher (2,5 bis 5 cm Durchmesser, 5 bis 8 cm Tiefe) gebohrt. In diese Löcher wurden Äste und Zweige gesteckt, die oben miteinander verbunden wurden. Mit einem innen verlaufenden First, der häufig abgestützt werden mußte, wurde dieses Gerüst zusätzlich gesichert. Das Dach bestand aus Gras und Schilf. Bei großen Häusern befanden sich etwa in der Mitte der Längsseiten, jedoch ein wenig versetzt, zwei Eingänge, in kleineren Häusern war nur ein Eingang vorgesehen. Zu beiden Seiten des Eingangs standen kleinere Steinfiguren oder aber senkrechte Steinpfosten, die mit Einkerbungen versehen waren. Ebenfalls vor den Eingängen steckten hölzerne Eidechsenfiguren (*moko*) in der Erde, zur Abwehr der bösen Geister. Weiterhin hingen vor den Eingängen Netze, die Hühner und Ratten daran hindern sollten, in das Haus einzudringen. Häuser bis zu 100 Meter Länge wurden gebaut. In der Regel waren die Häuser jedoch zwischen zehn und fünfzehn Meter lang. Sie wurden ausschließlich als Schlafhäuser genutzt. Vor dem Haus erstreckte sich ein gepflasterter Vorplatz.

Fundamentsteine dieser Häuser sind gelegentlich in anderen Bauwerken wiederverwendet worden: Beim Umbau der Plattformen, bei der Konstruktion der *Orongo*-Häuser, beim Bau von Erdöfen (*umu*), beim Bau von Wasserstellen nahe der Küste, und in jüngster Zeit beim Bau der Kaimauer des kleinen Hafens an der Cook Bay. In der Nähe der Plattform *Ko Te Riku* kann der Besucher eine gute Rekonstruktion eines solchen Hauses heute besichtigen.

Abb. 59 *Hausfundamentsteine aus Basalt wurden in Form eines langgestreckten Ovals angeordnet. Diese Fundstätte befindet sich nahe der Anlage Tepeu*

Das Inventar dieser Häuser bestand aus geflochtenen Matten, Schlafsteinen und Kalebassen, in denen Federn, Muscheln und allerlei Kleinigkeiten, aber auch Trinkwasser aufbewahrt wurden. Hölzerne, in Rindenbaststoff (*tapa*) gewickelte Figuren hingen von der Decke.

Die frühen heterogenen Steinfiguren, die feine Steinarchitektur der Fassadenmauern der *ahu* und die geschickt und sauber gearbeiteten Steinfundamente der *hare paenga*-Häuser bezeugen eine rege und hochentwickelte Steinmetztätigkeit

weg erhaltene Konvention der Kolossalfiguren, ihre Mächtigkeit und große Anzahl lassen vermuten, daß mehr als das ausgeprägte starke Prestigedenken der Polynesier dahinterstand, möglicherweise eine inselweite Ideologie als tragende Idee. Aufschluß darüber läßt sich unter anderem auch über die Analyse der Kulturentwicklung auf der Osterinsel gewinnen.

Kulturentwicklung auf der Osterinsel

Die Kulturentwicklung auf der Osterinsel ist in der Vergangenheit ganz unterschiedlich, sowohl im Rahmen einer Mono- wie auch einer Multibesiedlungsthese gedeutet worden.

Métraux vertrat die Auffassung, daß die Besiedler der Osterinsel aus Ostpolynesien zu einem Zeitpunkt aufgebrochen seien, bevor sich dort spezielle Kulturen entwickelt hatten. Métraux vermutete, daß diese Siedler etwa zeitgleich mit den Besiedlern Neuseelands (Maori) Ostpolynesien verlassen hatten. (Nach damaligem Wissensstand, genealogisch ermittelt, erfolgte diese Immigration im 14. Jahrhundert n. Chr.) Danach haben sich die Siedler ungestört, d. h. also in Isolation, weiterentwickelt. Aus dieser Entwicklung, die zu einer bemerkenswerten Kulturblüte führte, zieht Métraux die Lehre, daß Kulturen keinen externen Stimulus benötigen, um sich zu einer gewissen Perfektion hin zu entwickeln.[14]

Durch Radiokarbon-Bestimmungen gestützt, gelang es Heyerdahl,[15] eine größere geschichtliche Tiefe der Osterinsel-Kultur nachzuweisen, die den von Métraux vermuteten Zeitraum um weit mehr als 500 Jahre verlängerte. Angesichts eines in der archäologischen Abfolge beobachteten Wandels postulierte Heyerdahl nun eine Multibesiedlungstheorie: Danach waren die ersten Siedler aus Südamerika zur Osterinsel gelangt. Eine Siedlergruppe aus Polynesien erreichte die Osterinsel einige Jahrhunderte später.

Barthel setzte sich mit diese These bald nach ihrem Erscheinen kritisch auseinander.[16] Der These einer Mehrfachbesiedlung widersprach Barthel grundsätzlich nicht, da ihm Anhaltspunkte für eine frühzeitige Besiedlung (Substratum) ebenfalls um 500 n. Chr. vorwiegend aus linguistischen Untersuchungen[17] vorlagen. Doch diese weisen nicht nach Osten (Südamerika), sondern nach Westen (Polynesien) und standen somit im Widerspruch zu Heyerdahls These. Darüber hinaus bemerkte Barthel, wie nach ihm Golson[18], daß der Wandel zur Mittleren Periode ohne zeitlich gesicherte archäologische Sequenzen postuliert worden war,

und fügte hinzu, daß die Interpretationen der Expeditionsarchäologen darunter leiden, daß Ergebnisse anderer Forschungsgebiete (Legenden- und Mythenanalyse, Linguistik und *Rongorongo*-Forschung) nicht genügend berücksichtigt wurden.

Mulloy[19], der als Mitglied der Norwegischen Expedition die Multibesiedlungsthese Heyerdahls zunächst mitgetragen hatte, verließ später diesen Standpunkt und postulierte, wie Métraux vor ihm, eine Monobesiedlungsthese: Die Kultur der Osterinsel sei aus einem bescheidenen protopolynesischen Erbe hervorgegangen. Sie habe sich in völliger Isolation zu einer hochstehenden, blühenden Kultur entfaltet. Mulloy nennt es eine spektakuläre Kulturentfaltung, denn er glaubt sich hier vor das Problem gestellt, daß die Kulturentwicklung auf der Osterinsel eine Verletzung des Prinzips kultureller Entwicklung sei, das besagt, daß eine kleine, völlig auf sich gestellte Gruppe zu einer solchen Entwicklung nicht fähig sei: »Most available examples throughout the world lead students to expect the simplest of cultural achievements under the conditions of physical isolation. Such isolation is almost always productive of stagnation and retardation in the complexity of cultural adaptation. It is, however, one of the most significant facts about Easter Island that this basic principle of cultural development is not illustrated here, and the reason for the spectacular apparent violation of it is a matter of genuine theoretical significance.«

Und schließlich interpretiert Van Tilburg die Kulturentwicklung auf der Osterinsel, wie verschiedene andere Kollegen auch[20,21], im Rahmen einer sich phaseologisch in Isolation entwickelnden Gesellschaft, die aus einem frühen protopolynesischen Erbe um ca. 400 n. Chr. hervorgeht.[22]

Diese Aufzählung macht deutlich, daß eine Reihe von archäologisch arbeitenden Wissenschaftlern heute die Kulturentwicklung auf der Osterinsel im Rahmen einer Monobesiedlungstheorie interpretieren.

Bei kritischer Analyse dieser Arbeiten fällt auf, daß auch darin wie zuvor im Falle der Archäologen der Norwegischen Expedition die Ergebnisse relevanter Forschungsansätze kaum Berücksichtigung finden. Dies mag seine Ursache darin haben, daß gerade in Ozeanien Archäologen mit

Abb. 64   Figur im Rano Raraku ▷

Abb. 65   Die sieben Figuren der Anlage Akivi wurden im Jahre 1960 wieder aufgerichtet ▷▷

Frühe Plattformen trugen keine Standbilder. Mit ihnen assoziiert sind allerdings kleinere atypische Steinfiguren und Köpfe. Möglicherweise standen diese entweder auf dem offenen Platz oder an anderer Stelle in der Nähe der Plattform. Viele dieser frühen Figuren sind aus roter Gesteinsschlacke gefertigt. Die Besonderheit der frühen Plattformen ist zweifellos die sorgfältig zusammengefügte mörtellose seewärtige Fassade, wie wir sie in Vollendung in *Vinapu* I antreffen.

Das *hare paenga*-Haus

Eine besondere Hausform von der Osterinsel ist das sogenannte *hare paenga*-Haus. Es ist assoziiert mit früh datierten Plattformen. Es wurde bis in die Mitte des letzten Jahrhunderts hinein genutzt.

Aus Basalt gefertigte Fundamentsteine wurden in Form eines langgestreckten Ovals angeordnet. Die einzelnen Steine sind zwischen 0,5 und 2,5 Meter lang und 20 bis 30 cm breit und stecken bis zu 50 cm im Erdreich. In der über den Boden hervorragenden horizontalen Fläche sind in unregelmäßigen Abständen Löcher (2,5 bis 5 cm Durchmesser, 5 bis 8 cm Tiefe) gebohrt. In diese Löcher wurden Äste und Zweige gesteckt, die oben miteinander verbunden wurden. Mit einem innen verlaufenden First, der häufig abgestützt werden mußte, wurde dieses Gerüst zusätzlich gesichert. Das Dach bestand aus Gras und Schilf. Bei großen Häusern befanden sich etwa in der Mitte der Längsseiten, jedoch ein wenig versetzt, zwei Eingänge, in kleineren Häusern war nur ein Eingang vorgesehen. Zu beiden Seiten des Eingangs standen kleinere Steinfiguren oder aber senkrechte Steinpfosten, die mit Einkerbungen versehen waren. Ebenfalls vor den Eingängen steckten hölzerne Eidechsenfiguren (*moko*) in der Erde, zur Abwehr der bösen Geister. Weiterhin hingen vor den Eingängen Netze, die Hühner und Ratten daran hindern sollten, in das Haus einzudringen. Häuser bis zu 100 Meter Länge wurden gebaut. In der Regel waren die Häuser jedoch zwischen zehn und fünfzehn Meter lang. Sie wurden ausschließlich als Schlafhäuser genutzt. Vor dem Haus erstreckte sich ein gepflasterter Vorplatz.

Fundamentsteine dieser Häuser sind gelegentlich in anderen Bauwerken wiederverwendet worden: Beim Umbau der Plattformen, bei der Konstruktion der *Orongo*-Häuser, beim Bau von Erdöfen (*umu*), beim Bau von Wasserstellen nahe der Küste, und in jüngster Zeit beim Bau der Kaimauer des kleinen Hafens an der Cook Bay. In der Nähe der Plattform *Ko Te Riku* kann der Besucher eine gute Rekonstruktion eines solchen Hauses heute besichtigen.

Abb. 59 Hausfundamentsteine aus Basalt wurden in Form eines langgestreckten Ovals angeordnet. Diese Fundstätte befindet sich nahe der Anlage Tepeu

Das Inventar dieser Häuser bestand aus geflochtenen Matten, Schlafsteinen und Kalebassen, in denen Federn, Muscheln und allerlei Kleinigkeiten, aber auch Trinkwasser aufbewahrt wurden. Hölzerne, in Rindenbaststoff (*tapa*) gewickelte Figuren hingen von der Decke.

Die frühen heterogenen Steinfiguren, die feine Steinarchitektur der Fassadenmauern der *ahu* und die geschickt und sauber gearbeiteten Steinfundamente der *hare paenga*-Häuser bezeugen eine rege und hochentwickelte Steinmetztätigkeit

Abb. 60 und 61   Rekonstruktion der Anlage Vinapu I am Ende der Mittleren Periode (nach Mulloy 1961)

der frühen Osterinselbewohner, wenngleich erst mit der Produktion der homogenen Kolossalfiguren und mit dem für ihre Errichtung notwendigen Umbau bzw. Neubau von Plattformen die große Zeit der Steinverarbeitung einsetzte.

Abb. 62   Teilansicht der seewärtigen Fassade der Anlage Vinapu I

Bildnisplattformen der Mittleren Periode

Den archäologischen Berichten der Norwegischen Expedition[12] zufolge begann der Umgestaltungsprozeß der Plattformen und damit die Mittlere Periode etwa um 1100 n. Chr. Diese Zeitstellung wird jedoch nicht bestätigt durch die bis heute vorliegenden Ergebnisse vom *Rano Raraku*. Diese liegen mehrere Jahrhunderte später. Auch die Datierungen verschiedener Bildnisplattformen wie *Akivi, Vinapu, Tepeu* sowie die *Orongo*-Datierungen liegen wesentlich später. Zum jetzigen Zeitpunkt ist es daher sehr unsicher, die homogenen Kolossalfiguren so früh einzuordnen. Es ist wahrscheinlicher, daß ihre Produktion erst einige hundert Jahre später, etwa um 1350 n. Chr., beginnt.

Diese Datierung würde durch Stevensons Ergebnisse indirekt eine Bestätigung finden.[13] Stevenson konnte für die Südküste einen starken Bevölkerungszuwachs zwischen 1300 und 1500 n. Chr. feststellen. Erst nach 1700 n. Chr. nahm die Bevölkerungszahl wieder ab. Auf den Plattformen entlang dieser Küste standen in großer Anzahl *moai*. Nach Van Tilburg hatten die Plattformen *Tongariki* 30, *Akahanga* 17, *Vaihu* 11 und *Vinapu* I und II insgesamt 16 *moai*. Die aufwendigen Arbeitsleistungen, die mit dem Neubau bzw. Umbau von Plattformen und der Produktion, dem Transport und der Aufrichtung der Kolossalfiguren zu leisten waren, werden eher in der Zeit mit hoher Bevölkerungszahl erbracht worden sein als in der davorliegenden Zeit.

Pukao

Mit den Kolossalfiguren verbunden finden wir häufig Zylinder aus roter Gesteinsschlacke (*pukao*). Sie wurden aus dem Gestein des kleinen Kraters *Puna Pau* (in der Nähe von *Hangaroa*) gefertigt. *Pukao* sind nicht zu jeder Bildnisplattform gelangt, zum Beispiel nicht nach *Akivi* und auch nicht zu den Figuren des *Rano Raraku*. Sie sind aber in *Anakena, Te Pito Kura, Tongariki, Akahanga, Vaihu, Vinapu, Ko Te Riku* und *Tepeu* auch heute noch zu finden.

Diese Zylinder, die den *moai* aufgesetzt wurden, hatten an der Unterseite eine Vertiefung, die es ermöglicht, sie der Figur so auf den Kopf zu setzen, daß sie weit über das Gesicht hinausstehen. Die Zylinder weisen unterschiedliche Formen auf: Einmal sind sie kreisrund, wie ein Rad. Gelegentlich befindet sich auf ihnen ein aus demselben Material gefertigter pfostenartiger Aufsatz, der in eine Vertiefung gesteckt wurde. Möglicherweise soll hiermit das zu einem Knoten auf dem Kopf gebündelte Haar dargestellt werden. Eine dritte Form ist ein sich nach oben hin verjüngender Zylinder. Diese drei Formen sind sämtlich auf der Plattform *Naunau* anzutreffen. Über die Bedeutung dieser Zylinder wird auch heute noch gerätselt. Es wäre möglich, daß es sich hierbei nicht um Haarschöpfe handelt, sondern um einen aus *tapa* gewundenen Turban. Ein solcher Turban dürfte angesichts der Spärlichkeit von Baststoff auf der Osterinsel als ein sehr wertvolles Kleidungsstück gegolten haben. Es ist denkbar, daß ein Turban nur wichtigen Personen vorbehalten war oder daß er nur anläßlich bestimmter Gelegenheiten angelegt wurde und somit auch als ein Rangzeichen anzusehen wäre. Wir können in jedem Fall davon ausgehen, daß ein *pukao* die Würde und Autorität der Figuren steigerte wie auch den ästhetischen Eindruck der Gesamtanlage. Bei vielen Bildnisplattformen finden auch rote Verblendsteine Verwendung, die der Anlage ein noch prächtigeres Aussehen verleihen.

Funktion der Bildnisplattformen

Die Bildnisplattform war im täglichen Leben der in unmittelbarer Nähe angesiedelten Sippe mit Sicherheit der Mittelpunkt kultischen Geschehens. Eine grundsätzliche religiöse Bedeutung ist ihr wohl nicht zuzuerkennen. Dafür war es eine der Öffentlichkeit zu leicht zugängliche Anlage. Die Verehrung der hohen Götter beanspruchte einen anderen heiligen Ort, der den hohen Priestern, dem Inselfürsten (*ariki mau*) und anderen auserwählten Vertretern des Volkes vorbehalten war. Die an der Plattform vollzogenen Handlungen zelebrierten, wage ich zu sagen, die »Zeit«alter des menschlichen Daseins, in erster Linie aber den Tod.

Hier wurden die Gebeine der Toten auf hölzernen oder aber auch auf steinernen Vorrichtungen, in *tapa* und Matten gewickelt, zunächst zur Austrocknung aufgebahrt, begleitet von uns nicht überlieferten Riten. Die spätere Bestattung erfolgte durch Verbrennen oder aber in geheimen Familienhöhlen.

Andere Tote mögen auf das Meer hinausgerudert und dort versenkt worden sein. Nur einige wenige aus dem Kreis verdienter Häuptlinge und Priester konnten in den Grabkammern der Plattform beigesetzt werden. Dem einen oder anderen von ihnen wurde zum Gedenken ein *moai* errichtet. Diese verehrten und im Laufe der Zeit vergöttlichten Ahnen blickten, mit dem Rücken zum Meer gewandt, auf den belebten Platz und auf die sich dahinter anschließenden Häuser und Felder der Sippe. Sie waren Mittler zwischen den Lebenden und den Göttern.

Im größeren polynesischen Kontext betrachtet, ist es möglich, die Bildnisplattformen auch als Symbol für die Kraft der sie besitzenden Sippe zu verstehen, die sich im Wettstreben mit ihren Nachbarn auf den verschiedensten Gebieten manifestiert. Doch die starke und über Generationen hin-

Abb. 63   Pukao aus roter Gesteinsschlacke in Anakena

weg erhaltene Konvention der Kolossalfiguren, ihre Mächtigkeit und große Anzahl lassen vermuten, daß mehr als das ausgeprägte starke Prestigedenken der Polynesier dahinterstand, möglicherweise eine inselweite Ideologie als tragende Idee. Aufschluß darüber läßt sich unter anderem auch über die Analyse der Kulturentwicklung auf der Osterinsel gewinnen.

Kulturentwicklung auf der Osterinsel

Die Kulturentwicklung auf der Osterinsel ist in der Vergangenheit ganz unterschiedlich, sowohl im Rahmen einer Mono- wie auch einer Multibesiedlungsthese gedeutet worden.
Métraux vertrat die Auffassung, daß die Besiedler der Osterinsel aus Ostpolynesien zu einem Zeitpunkt aufgebrochen seien, bevor sich dort spezielle Kulturen entwickelt hatten. Métraux vermutete, daß diese Siedler etwa zeitgleich mit den Besiedlern Neuseelands (Maori) Ostpolynesien verlassen hatten. (Nach damaligem Wissensstand, genealogisch ermittelt, erfolgte diese Immigration im 14. Jahrhundert n. Chr.) Danach haben sich die Siedler ungestört, d. h. also in Isolation, weiterentwickelt. Aus dieser Entwicklung, die zu einer bemerkenswerten Kulturblüte führte, zieht Métraux die Lehre, daß Kulturen keinen externen Stimulus benötigen, um sich zu einer gewissen Perfektion hin zu entwickeln.[14]
Durch Radiokarbon-Bestimmungen gestützt, gelang es Heyerdahl,[15] eine größere geschichtliche Tiefe der Osterinsel-Kultur nachzuweisen, die den von Métraux vermuteten Zeitraum um weit mehr als 500 Jahre verlängerte. Angesichts eines in der archäologischen Abfolge beobachteten Wandels postulierte Heyerdahl nun eine Multibesiedlungstheorie: Danach waren die ersten Siedler aus Südamerika zur Osterinsel gelangt. Eine Siedlergruppe aus Polynesien erreichte die Osterinsel einige Jahrhunderte später.
Barthel setzte sich mit diese These bald nach ihrem Erscheinen kritisch auseinander.[16] Der These einer Mehrfachbesiedlung widersprach Barthel grundsätzlich nicht, da ihm Anhaltspunkte für eine frühzeitige Besiedlung (Substratum) ebenfalls um 500 n. Chr. vorwiegend aus linguistischen Untersuchungen[17] vorlagen. Doch diese weisen nicht nach Osten (Südamerika), sondern nach Westen (Polynesien) und standen somit im Widerspruch zu Heyerdahls These. Darüber hinaus bemerkte Barthel, wie nach ihm Golson[18], daß der Wandel zur Mittleren Periode ohne zeitlich gesicherte archäologische Sequenzen postuliert worden war,

und fügte hinzu, daß die Interpretationen der Expeditionsarchäologen darunter leiden, daß Ergebnisse anderer Forschungsgebiete (Legenden- und Mythenanalyse, Linguistik und *Rongorongo*-Forschung) nicht genügend berücksichtigt wurden.
Mulloy[19], der als Mitglied der Norwegischen Expedition die Multibesiedlungsthese Heyerdahls zunächst mitgetragen hatte, verließ später diesen Standpunkt und postulierte, wie Métraux vor ihm, eine Monobesiedlungsthese: Die Kultur der Osterinsel sei aus einem bescheidenen protopolynesischen Erbe hervorgegangen. Sie habe sich in völliger Isolation zu einer hochstehenden, blühenden Kultur entfaltet. Mulloy nennt es eine spektakuläre Kulturentfaltung, denn er glaubt sich hier vor das Problem gestellt, daß die Kulturentwicklung auf der Osterinsel eine Verletzung des Prinzips kultureller Entwicklung sei, das besagt, daß eine kleine, völlig auf sich gestellte Gruppe zu einer solchen Entwicklung nicht fähig sei: »Most available examples throughout the world lead students to expect the simplest of cultural achievements under the conditions of physical isolation. Such isolation is almost always productive of stagnation and retardation in the complexity of cultural adaptation. It is, however, one of the most significant facts about Easter Island that this basic principle of cultural development is not illustrated here, and the reason for the spectacular apparent violation of it is a matter of genuine theoretical significance.«
Und schließlich interpretiert Van Tilburg die Kulturentwicklung auf der Osterinsel, wie verschiedene andere Kollegen auch[20,21], im Rahmen einer sich phaseologisch in Isolation entwickelnden Gesellschaft, die aus einem frühen protopolynesischen Erbe um ca. 400 n. Chr. hervorgeht.[22]
Diese Aufzählung macht deutlich, daß eine Reihe von archäologisch arbeitenden Wissenschaftlern heute die Kulturentwicklung auf der Osterinsel im Rahmen einer Monobesiedlungstheorie interpretieren.
Bei kritischer Analyse dieser Arbeiten fällt auf, daß auch darin wie zuvor im Falle der Archäologen der Norwegischen Expedition die Ergebnisse relevanter Forschungsansätze kaum Berücksichtigung finden. Dies mag seine Ursache darin haben, daß gerade in Ozeanien Archäologen mit

Abb. 64   Figur im Rano Raraku

Abb. 65   Die sieben Figuren der Anlage Akivi wurden im Jahre 1960 wieder aufgerichtet

großer Skepsis die Rolle mündlicher Überlieferungen als historische Quelle betrachten. In diesem Zusammenhang sei an die sehr heftig geführte und lang anhaltende Kontroverse zwischen Piddington[23] und Roberton[24] hingewiesen. Angesichts der Scheinblüte, die die Genealogien-Forschung in Ozeanien einst getrieben hatte, war diese Entwicklung grundsätzlich auch sehr zu begrüßen. Ihr muß aber in dem Augenblick entschieden begegnet werden, wo sie so weit geht, daß sie mündliche Überlieferungen, die gerade in Ozeanien eine so wichtige Rolle spielten und die sehr wichtigen Genealogien mit einschließen, im Bestreben, vorgeschichtliche Sachverhalte zu erarbeiten, gänzlich ausschaltet. Ein solches Vorgehen würde am eigentlichen Problem vorbeizielen.

Die Interpretation der Kulturentfaltung auf der Osterinsel kann nicht die Ergebnisse der kritischen Legenden-, Mythenund *Rongorongo*-Forschung außer acht lassen. Die einheimischen Überlieferungen lassen keinen Zweifel an »Vorbevölkerungen« altpolynesischer Art.[25]

So hat beispielsweise die kritische Überprüfung der uns überlieferten Genealogien[26,27] gezeigt, daß die *ariki*-Abfolge von *Hotu Matua* in den Genealogien keineswegs geradlinig verläuft, wie verschiedene Kollegen[28] ungeprüft voraussetzen. In den einzelnen Listen, so konnte nachgewiesen werden, sind Namen, die nicht in die Sequenz gehören, eingefügt worden, womit die Listen künstlich verlängert wurden. Dieser Analyse zufolge sind zwanzig bis dreiundzwanzig Herrschergenerationen seit der Ankunft des *Hotu Matua* zu vertreten, gerechnet vom letzten, historisch belegten *ariki*, der um 1850 lebte. Die Ankunft des *Hotu Matua* dürfte danach zwischen 1400 und 1500 n. Chr. anzusetzen sein.

Die *Rongorongo*-Forschung, die notwendigerweise eng an die Linguistik und auch an die Legenden- und Mythen-Forschung gebunden ist, bestärkt ebenfalls die Auffassung, daß eine neue Siedlergruppe zur Osterinsel gelangte, und daß der legendäre König *Hotu Matua* Anführer dieser Siedlergruppe gewesen ist. Anhand verschiedener Schriftzeichen — es handelt sich u. a. um Zeichen für Pflanzen, die auf der Osterinsel nicht wuchsen, sowie um ostpolynesische Götternamen und Namen ostpolynesischer Inseln — ist mit einer Herkunft der Schrift und der sie mit sich führenden Siedler aus Zentralpolynesien zu rechnen (s. auch den Beitrag von T. Barthel). Angesichts des unsicher datierten Übergangs zur Mittleren Periode und unter Berücksichtigung der Ergebnisse anderer Forschungsrichtungen, die zudem durch die Untersuchung des Vogelmann-Kultes[29] weitere Bestätigung finden, ist es erforderlich, die Kulturentfaltung auf der Osterinsel im Rahmen einer Zweifachbesiedlungsthese zu deuten.

Rekonstruktion

Im 5. Jahrhundert gelangte eine aus Ostpolynesien (wahrscheinlich von den Marquesas) stammende große Siedlergruppe zur Osterinsel, die sich bis etwa zum 14. Jahrhundert n. Chr. in Isolation entwickelte und in der Steinmetzkunst große Leistungen vollbrachte. Angeführt durch *Hotu Matua* gelangte um 1350 n. Chr. eine zweite, wahrscheinlich mehrere hundert Menschen umfassende Gruppe, wiederum aus Ostpolynesien (möglicher Ausgangspunkt waren die Austral-Inseln, die unter dem Einfluß Ra'iateas standen), zur Osterinsel. Mit den frühen Siedlern lebten diese neuen Siedler zunächst friedlich zusammen. Die starke Tradition der Steinverarbeitung, die in der Mutterkultur der Neuankömmlinge ebenfalls von Bedeutung gewesen sein mag, stieß mit der Ideologie der Zweitsiedler, die im Vogelmann-Kult ihre Ausgestaltung hatte, zusammen. Es kam zunächst zu einer Fusion, vielleicht zu einer Synthese. Die Arbeit an den klassischen Kolossalfiguren wurde nun inselweit durchgeführt. Im Laufe der Zeit führte diese Aktivität, die sich anfänglich mit Sicherheit im esoterischen Bereich vollzog, zu einem Konkurrenzkampf zwischen den ursprünglichen und den späteren Siedlern. Die über lange Zeit einvernehmlich miteinander lebenden Gruppen zerfielen in zwei Gruppierungen. Die gemeinsam entwickelte kulturelle Blüte, die kaum zweihundert Jahre andauerte, ging verloren. Es folgte eine Zeit erbittert geführter Kämpfe. Eine große Schlacht um 1680, in der die ältere der beiden Bevölkerungsgruppen [die Urbevölkerung] fast vollständig ausgerottet wurde, beendete die einstige Kulturblüte schon vor der Entdeckung durch die Europäer.

◁◁ *Abb. 66   Verwittertes Gesicht einer Figur in Tongariki*

◁◁ *Abb. 67   Eingeritzt auf dem Bauch der Figur Nr. 263 am Rano Raraku ist ein Schiff mit europäischer Beseglung und einem Anker in Form einer Schildkröte. Die Petroglyphe wurde von der Norwegischen Expedition im Jahre 1956 freigelegt*

◁ *Abb. 68   Figuren innerhalb des Kraters Rano Raraku*

Überblick

Ausgehend von dem beobachteten Wandel in der megalithischen Steinplastik und der monumentalen Architektur und unter Berücksichtigung der Ergebnisse der Genealogien-, Mythen-, Legenden- und *Rongorongo*-Forschung, wurde der Versuch unternommen, die Kulturenentfaltung auf der Osterinsel zu skizzieren. Für das tragische Ende jener blühenden Kultur, die wir dem Besucher in dieser Ausstellung darzustellen versuchen, scheinen weniger ökologische Ursachen verantwortlich gewesen zu sein[30], sondern es wird verstanden als die Spätfolge eines äußeren Kulturkontaktes.

Der Gang vom friedlichen Zusammenleben unterschiedlicher Siedler zum Wettkampf um begrenzte Ressourcen und ein zunehmendes Statusdenken entfalteten sich. Der Zeitrahmen für diesen sich beschleunigenden Ablauf bleibt noch zu präzisieren (Zweitsiedler im 14. Jahrhundert n. Chr. oder später?). Künftige interdisziplinäre Forschungen werden das zu klären haben.

Anmerkungen

[1] VAN TILBURG, JO ANNE, *Power and symbol: The stylistic analysis of Easter Island monolithic sculpture.* Dissertation, University of California, Los Angeles 1986

[2] CRISTINO, CLAUDIO et al., *Atlas Arqueológico de Isla de Pascua*, Santiago 1981

[3] MULLOY, WILLIAM, *A speculative reconstruction of techniques of carving, transporting and erecting Easter Island statues*; in: Archaeology and Physical Anthropology in Oceania, Sydney 1970, Band V, No. 1, S. 1–23

[4] FLENLEY, JOHN and KING, S. M., *Late quaternary pollen records from Easter Island*; in: Nature, Band 307, Nr. 5946, London 1984, S. 47–50

[5] ANONYMUS, *Tweejaarige Reyze rondom de wereld, Ter nader Ontdekkingen van de Onbekende Zuydlanden.* Joannes van Braam, Boekverkooper, Dordrecht 1728

[6] VAN TILBURG, JO ANNE, 1986 (s. o. Anm. 1), S. 52 f.

[7] HEYERDAHL, THOR, *Kunst der Osterinsel,* Wien 1975

[8] VAN TILBURG, JO ANNE, 1986 (s. o. Anm. 1), S. 290

[9] SMITH, CARLYLE, *A temporal sequence derived from certain ahu*; in: Archaeology of Easter Island, Hrsg. T. Heyerdahl and E. Ferdon, Chicago 1961, S. 215

[10] VAN TILBURG, JO ANNE, 1986 (s. o. Anm. 1), S. 295

[11] HEYERDAHL, THOR, 1975 (s. o. Anm. 7), Taf. 3

[12] HEYERDAHL, THOR and FERDON, EDWIN (Hrsg.), *Archaeology of Easter Island,* Chicago 1961

[13] STEVENSON, C. M., *Corporate descent group structure in Easter Island prehistory.* Dissertation, Pennsylvania State University Philadelphia 1984, S. 153 f.

[14] MÉTRAUX, ALFRED, *Ethnology of Easter Island*; in: Bernice P. Bishop Museum Bulletin 160, Honolulu 1940, S. 419

[15] HEYERDAHL, T. and FERDON, E. (Hrsg.), 1961 (s. o. Anm. 12)

[16] BARTHEL, THOMAS S., Rezension *Archaeology of Easter Island.* Hrsg. T. Heyerdahl and Edwin Ferdon (1961); in: American Anthropologist, Band 65, 1963, S. 421–425

[17] ELBERT, S., *Internal relationships of Polynesian languages and dialects*; in: Southwestern Journal of Anthropology, Band 9, 1953

[18] GOLSON, I., *Thor Heyerdahl and the prehistory of Easter Island*; in: Oceania, Band 36, 1965

[19] MULLOY, WILLIAM, *Investigation and restoration of the ceremonial center of Orongo, Easter Island*; in: Bulletin IV, Easter Island Committee, International Fund for Monuments Inc., New York 1975

[20] LEE, GEORGIA, *Easter Island rock art: Ideological symbols and socio-political change.* Dissertation, University of California, Los Angeles 1984

[21] KIRCH, PATRICK, *The evolution of Polynesian chiefdoms*, Cambridge 1984

[22] VAN TILBURG, JO ANNE, 1986 (s. o. Anm. 1)

[23] PIDDINGTON, R., *A note on the validity and significance of Polynesian traditions*; in: Journal of the Polynesian Society, Auckland, Band 65, 1956, S. 200 f.

[24] ROBERTON, J. B. W., *Genealogies as a basis for Maori chronology*; in: Journal of the Polynesian Society, Band 65, Auckland 1956, S. 45 f.

[25] BARTHEL, THOMAS S., *Das Achte Land,* München 1974, S. 19

[26] BARTHEL, THOMAS S., *Häuptlingsgenealogien von der Osterinsel*; in: Tribus, Band 8, Stuttgart 1959

[27] BARTHEL, THOMAS S., *Zwei weitere Häuptlingsgenealogien von der Osterinsel*; in: Tribus, Band 10, Stuttgart 1961, S. 131 ff.

[28] VAN TILBURG, JO ANNE, 1986 (s. o. Anm. 1)

[29] ESEN-BAUR, HEIDE-M., *Untersuchungen über den Vogelmann-Kult auf der Osterinsel*, Wiesbaden 1983

[30] MCCOY, PATRICK C., *Easter Island settlement patterns in the late prehistoric and protohistoric periods.* Dissertation, Washington, State University 1973

Die Felsbilder-Kunst auf Rapa Nui

GEORGIA LEE

Frühe Steinschnitzereien (Petroglyphen) und Malereien an Felsen und Höhlenwänden finden sich weltweit, denn es war eine der ersten religiösen Handlungen des Menschen, Zeichen in der Landschaft zu setzen und dadurch zur Welt, in der er lebte, eine Beziehung herzustellen. Diese frühen Bilder entstanden nicht zufällig oder ohne tieferen Sinn: sie waren wesentlich für denjenigen, der sie schuf, und bildeten ein heiliges Element mit ideologischer Bedeutung in der gesamten Kultur. Felsbilder-Kunst kann so als Teil eines früheren Kommunikationssystems angesehen werden, durch das Mythen, Rituale, Zeremonien, Kosmographie, sozialer Status oder Macht stärkere Beachtung fanden.

Eine außergewöhnliche Sammlung von Steinschnitzereien findet sich auf *Rapa Nui*. Sie sind besonders zahlreich in der Nähe religiöser Zentren an der Küste. Im Innern der Insel hat man nur wenige gefunden, was auf die geologischen Verhältnisse zurückzuführen sein könnte. In den meisten Küstenregionen gibt es große flache Lavafelder (*papa*), die eine hervorragende Basis für Steinschnitzarbeiten bilden. Malereien finden sich in Felshöhlen, wenn auch in geringerer Zahl. Dies mag mit den klimatischen Bedingungen zusammenhängen, die die Erhaltung von Petroglyphen begünstigen.

Im Vergleich zu den berühmten *moai* (große Steinfiguren) wurden die Petroglyphen in der Vergangenheit weniger intensiv erforscht. Sie sind oft stark erodiert und daher nicht leicht zu erkennen; viele von ihnen finden sich in nur selten besuchten Teilen der Insel.

Als 1981 ein großangelegtes Projekt zur Erfassung der Felsbilderkunst der Osterinsel in Angriff genommen wurde[1], entdeckte man viele neue Fundorte mit Petroglyphen und begann, ihre Bedeutung für die archäologische Geschichte der Insel mehr als bisher zu würdigen. Bis heute sind 4300 Petroglyphen erfaßt, was ungefähr 85% der geschätzten Gesamtzahl ausmacht.

Die berühmten *Orongo*-Petroglyphen sind relativ gut bekannt. Gefährlich nahe an den Rand dreihundert Meter hoher Klippen gesetzt, findet sich dort eine bemerkenswerte Sammlung von Petroglyphen, von denen die meisten einen »Vogelmann« — eine Kombination von Mensch und Fregattvogel — darstellen. Das Motiv des Vogelmannes war um etwa 1500 n. Chr. sowohl ein religiöses Symbol als auch das Symbol der Machtübernahme durch die Kriegerklasse (*matatoa*). Nach Meinung vieler Wissenschaftler war dieser Machtwechsel das Ergebnis von ökologischen Belastungen und Bevölkerungsdruck. Als der traditionelle König (*ariki mau*) und die im polynesischen Glauben verankerte Ahnenverehrung den durch Katastrophen hervorgerufenen Veränderungen nicht mehr gewachsen waren, ergriffen die *matatoa* die Macht.

Die Teilnehmer am Vogelmann-Ritual mußten versuchen, auf der kleinen Insel *Motu Nui* ein Ei der schwarzen Seeschwalbe (*Sterna hirundo*) zu finden. Ursprünglich hatte dieses Frühlingsfest wahrscheinlich metaphysische und religiöse Bedeutung und hing mit der Wiedergeburt und Erneuerung der Natur zusammen. In den Händen der Kriegerklasse wurde es zu einem Instrument der Beherrschung der Insel. *Matatoa* der herrschenden Stämme oder ihre *hopu* (Vasallen) wetteiferten um den Status des Vogelmannes: sie stiegen die steilen Klippen unterhalb von *Orongo* hinunter und schwammen zur Insel *Motu Nui*, wo sie die Ankunft der Vögel erwarteten. Der erste, der ein Ei fand, legte es in ein Schilfkörbchen, band sich dieses um den Hals und schwamm zurück. Er oder sein »Sponsor« wurde dann für die Dauer eines Jahres zum Vogelmann erklärt. So berühmt geworden, bestimmte dieser eine Reihe von Personen, die zum Gedeihen seiner »Regierung« geopfert werden mußten. Es heißt, daß die Auswahl der Opfer immer wieder neue Kriege entfachte.

Der Vogelmann lebte während seiner einjährigen Regie-

Abb. 69 Wettkämpfer (hopu) schwammen nach Motu Nui, wo sie die Ankunft der Vögel erwarteten, die die Insel zum Brüten aufsuchten. Felsmalerei in einer Höhle auf Motu Nui

Abb. 70 Darstellungen der Rauchseeschwalbe in der Höhle Anakai-tangata. Legenden berichten von kannibalistischen Festen in dieser Höhle

Abb. 71 Vogelmann-Petroglyphen in Orongo, gelegen auf dem ▷ *schroff abfallenden schmalen Kraterrand des Rano Kao. An diesem heiligen Ort sind Hunderte von Vogelmann-Figuren in den Stein geschnitzt. Die drei Inseln Motu Nui, Motu Iti und Motu Kaokao sind im Hintergrund zu sehen*

rungszeit in völliger Abgeschiedenheit. In den ersten fünf Monaten wusch er sich nicht und ließ sein Haar wachsen. Seine Mahlzeiten wurden getrennt zubereitet. Seine Frau durfte das Haus nicht betreten. Am Jahresende trat ein neuer Vogelmann an seine Stelle. Der alte Vogelmann kehrte in sein Alltagsleben zurück, blieb aber ein Heiliger, dem nach seinem Ableben ein besonderes Trauerritual gewährt wurde.

Dieser ungewöhnliche Kult hat einige Ähnlichkeit mit einer Vogel-Zeremonie auf Samoa, bei der während eines großen Frühlingsfestes Tauben gefangen werden. Dieses Ritual ist mit dem Vogelmann-Kult auf der Osterinsel verglichen worden. Vielleicht liegt beiden Festen die gleiche Idee zugrunde.

Die Felsbilderkunst von *Orongo* unterscheidet sich wesentlich von der in anderen Teilen der Insel, und zwar sowohl hinsichtlich der Formgebung als auch der Qualität der Schnitzkunst. Die meisten Vogelmann-Darstellungen sind

Abb. 76 Petroglyphen in der Nähe von Tongariki in »bas relief« gearbeitet, Makemake-Gesichter, Vogelmänner und Thunfische darstellend

Abb. 77 Vulven (komari) sind in der Felsschnitz-Kunst häufig anzutreffen. Sie scheinen Zeugnis von einem spät entstandenen Fruchtbarkeitskult zu geben

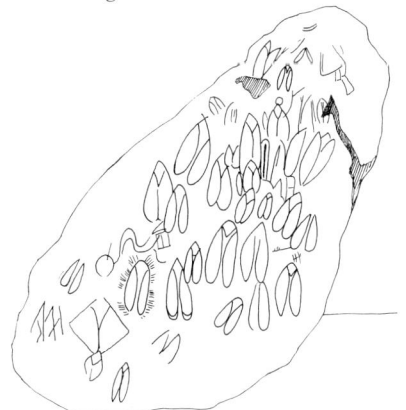

Steinschnitzereien von *Rapa Nui* selten. Dies steht im Gegensatz zu den Petroglyphen auf Hawai'i und den Marquesasinseln, wo anthropomorphe Figuren zu den am häufigsten verwendeten Motiven gehören. Auf *Rapa Nui* finden wir statt dessen zahlreiche Darstellungen von Menschengesichtern und einige Beispiele geschnitzter Hände und Füße. Vulva-Darstellungen (*komari*) gibt es aber in Hülle und Fülle. Sie bilden den Hauptanteil des pascuensischen Formenkanons. Geschnitzte Vulvae lassen auf einen Fruchtbarkeitskult schließen, der wahrscheinlich relativ spät als Reaktion auf ökologische Belastungen der Insel entstand.

An vielen *ahu, moai* und *pukao* (Haarknoten) wurden Petroglyphen nachträglich angefügt. Die meisten waren aus rötlichem vulkanischem Stein (*scoria*). Die Farbe Rot hatte in ganz Polynesien eine große ideologische Bedeutung, und rote Gesteinsschlacke wurde auf *Rapa Nui* sehr häufig für Haarknoten und die Verzierung von *ahu* verwendet. Petroglyphen entstanden an Skulpturen und ihren Haarknoten, nachdem sie in Stammeskämpfen umgestürzt worden waren. Die Hinzufügung dieser Petroglyphen stellte damit eine späte rituelle Handlung dar und sollte wahrscheinlich die Unterwerfung eines der kriegführenden Stämme dokumentieren.

Von allen Inseln mit Petroglyphen-Kunst im östlichen Teil Polynesiens sind hinsichtlich der Anzahl von Fundstellen und Petroglyphen nur die Hawai'i-Inseln mit *Rapa Nui* vergleichbar. Von den Gesellschaftsinseln wurde der Fund einiger Petroglyphen berichtet, und derzeitige Untersuchungen auf den Marquesas haben ebenfalls zur Entdeckung von Fundstellen geführt. In Neuseeland gibt es sowohl Felsmalereien als auch Petroglyphen, allerdings in geringer Zahl. Vergleicht man die hier anzutreffenden Motive, so ist festzustellen, daß die Petroglyphen-Kunst auf den Marquesas der auf *Rapa Nui* am nächsten kommt, wenn auch einige wenige Vogelmann-ähnliche Figuren auf Hawai'i bekanntgeworden sind.

Verglichen mit dem restlichen Polynesien ist die Petroglyphen-Kunst von *Rapa Nui* vielfältiger und mit größerer Sorgfalt ausgeführt. Die hohe künstlerische Qualität und technische Vollkommenheit sowie das große Format einiger Darstellungen (bis zu 12 Meter lang) unterscheiden sie von allen anderen. Trotzdem ist sie eine rein polynesische Kunst und enthält keinerlei fremde Elemente.

Die Schaffung von Petroglyphen und Felsmalereien war für die frühgeschichtlichen Völker eine bedeutungsvolle Handlung, die von Gesängen, Gebeten, Weissagungen, Körperbemalung, Reinigung und Tanz begleitet wurde. Mit ihr versuchte der Mensch auf seine Weise, sich den großen unbe-

hung der *Rongorongo*-Schrift auf Kontakte mit der westlichen Welt zurück, da die Entwicklung der Schrift vor dem Jahr 1770 archäologisch nicht bezeugt ist. Wir wissen jedoch heute, daß zwischen der Steinschnitzkunst und den Zeichen auf den Schrifttafeln viele Ähnlichkeiten bestehen.

Zahlreiche maritime Formen und Motive fanden Eingang in die Felsbilder-Kunst, ein Hinweis auf die Lage der Insel inmitten des Pazifiks und auf die artenarme Inselfauna. Phantastische Seeungeheuer verbinden oftmals Merkmale des Menschen mit denen eines Fisches und viele von ihnen sind Gegenstand kunstvoll ausgeschmückter Legenden. Darstellungen von Tintenfisch, Haifisch und Schildkröte mögen Metaphern gewesen sein, denn sie galten in ganz Polynesien als sakrale Wesen und spielten in Riten und Mythen eine wichtige Rolle. *Tangaroa* erschien in Gestalt eines Haifischs, und ein »Himmels-Hai« wohnte auf der Milchstraße. Angelhaken könnten ein Hinweis auf Sternbilder (Skorpion) oder auf den Riesen-Angelhaken sein, mit dem *Maui* die Inseln aus der Tiefe des Meeres heraufzog.

Angesichts des profunden Wissens um die Gestirne in Polynesien ist es nicht verwunderlich, daß in der Felsbilder-Kunst auch Sternbilder eine Rolle spielen.

Die Verteilung der Motive auf dieser kleinen Insel ist erstaunlich. Man würde erwarten, daß sie gleichmäßig ist, findet aber in bestimmten Gegenden — offenbar in Übereinstimmung mit dem entsprechenden Stammesgebiet — eine Anhäufung von Petroglyph-Motiven. Angelhaken fehlen vollständig in weiten Teilen der Insel, und dies in Gebieten, die sich hervorragend zum Fischen eigneten und auch heute noch dafür berühmt sind. An der Nordküste, in der Nähe von *Ahu Ra'ai*, gibt es Petroglyphen, die große Kanus darstellen. Zweifellos symbolisieren sie sozialen Rang und Gesellschaftsklasse, sind aber auch in Verbindung zu bringen mit Reisen, dem Kulturheros *Hotu Matua* sowie — in weiterem Sinn — dem herrschenden Stamm der Insel. An einer anderen Stelle der Nordküste trifft man auf ein Motiv, das sich sonst nirgends findet. Es ähnelt dem Schwanz eines Thunfisches oder einer Art Hut mit aufwärts gebogenen Enden, wie er in der Frühzeit getragen wurde.

An den einzelnen Fundorten der Insel trifft man auf Petroglyphen sehr unterschiedlicher Größe und Qualität der Schnitzarbeit. In *Hanga Oteo* an der Nordküste sind die Felsbilder von geringer künstlerischer Qualität, verglichen mit einigen hervorragenden Petroglyphen-Feldern in *Tongariki* oder den eleganten Motiven in *Anakena*. Vermutlich sind diese Qualitätsunterschiede durch unterschiedlichen sozialen Rang und rituellen Verwendungszweck zu erklären.

Die Darstellung vollständiger Menschenfiguren ist bei den

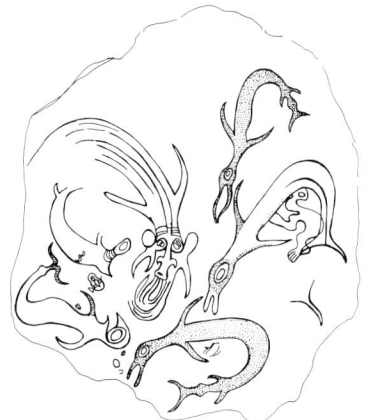

Abb. 73 Sehr elegant gezeichnete Meerestiere bedecken einen Felsbrocken im Krater Rano Kao. Eines dieser Wesen besitzt einen menschlichen Kopf mit langem, wallendem Bart. Hinzu kommt ein Makemake-Gesicht sowie eine Vogelmann-Figur

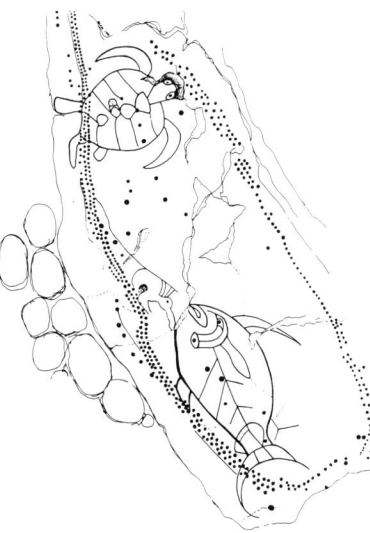

Abb. 74 Auf ein flaches Lavafeld in der Nähe von Tongariki sind Thunfisch und Schildkröte, umgeben von einer großen Anzahl von kleinen runden Vertiefungen, eingeschnitzt. Möglicherweise handelt es sich hierbei um ein Merk- oder Zählsystem

Abb. 75 Vogelmann-Petroglyphe in »bas relief« in Orongo

Abb. 72 Vogelmann-Figuren in »bas relief« auf dem gewachsenen Fels in Orongo. Petroglyphen in dieser Technik sind in Polynesien selten und vermutlich eine späte Entwicklung, wahrscheinlich nach 1550 n. Chr.

in »bas-relief« ausgeführt, bei dem die Figur erhaben aus dem anstehenden Fels hervortritt. Die Petroglyphen zeigen ein so hohes Maß an Kunstfertigkeit und Gleichmäßigkeit, daß sie vermutlich von einer Gruppe erfahrener Künstler geschnitzt worden sind. Diese unter dem Namen »tufunga« bekannten Meisterschnitzer genossen hohes Ansehen. Möglicherweise symbolisierten die Vogelmann-Petroglyphen die Gewinner des jährlich stattfindenden Rituals. Auf jeden Fall sind Vogelmann-Petroglyphen außerhalb des Orongo-Gebietes sehr selten.

An anderen Fundstellen der Insel könnten sich die Petroglyphen auf kulturelle Aspekte beziehen, die mit dem Sozialgefüge, Stammeszuordnungen, Ritualen, Mythen oder dem Kosmos zusammenhängen. Außer dem berühmten Vogelmann-Motiv könnte man andere Steinschnitzmotive als Gebete oder Opfergaben zur Erreichung eines bestimmten Zweckes ansehen, so wie dies durch magische Praktiken geschah. Viele Darstellungen sind den Figuren auf den *Rongorongo*-Schrifttafeln ähnlich. Ob diese die Vorläufer der geheimnisvollen »Sprechtafeln« waren, ist unklar, jedoch könnten diese Petroglyphen tatsächlich die verhältnismäßig frühe Entstehung der *Rongorongo*-Tafeln belegen. Sowohl Barthel[2] als auch Esen-Baur[3] stimmen dieser Auffassung zu. Anderen Meinungen zufolge geht die Entste-

Abb. 78 Auf der seewärtigen Fassadenmauer von Ahu Naunau in Anakena ist diese schöne petroglyphische Verzierung, zwei stilisierte Vögel darstellend, anzutreffen

kannten Geheimnissen, den Göttern im Himmel und den Katastrophen auf Erden gegenüber zu behaupten.

Die Petroglyphen von *Rapa Nui* sprechen zu uns von der Vergangenheit, bieten Einblick in alte mythologische Glaubensinhalte und Legenden, beleuchten Veränderungen im soziopolitischen System, spiegeln sozialen Rang und Machtverteilung, Opferhandlungen, Träume und Gebete wider. Dank des hohen Maßes an Kunstfertigkeit, des großen Formats und des einmaligen Motivkanons gibt es für die Petroglyphen-Kunst von *Rapa Nui* im gesamten polynesischen Raum keine Parallelen. Zusammen mit den kolossalen Skulpturen (*moai*) setzt sie den alten Osterinsulanern, die auf dieser weltabgeschiedenen Insel eine bemerkenswerte Gesellschaftsstruktur geschaffen haben, ein Denkmal.

Anmerkungen

[1] Das Projekt der Erfassung von Felsbilderkunst wurde für die Dauer von sechs Jahren von Dr. Georgia Lee im Rahmen des University Research Expeditions Program der University of California in Berkeley geleitet, mit freundlicher Genehmigung des Consejo de Monumentos, Chile, und mit Unterstützung des Instituto de Estudios, Osterinsel, und von Don Sergio Rapu, Gobernador Provincial.

[2] BARTHEL, TH., *Grundlagen zur Entzifferung der Osterinselschrift*, Hamburg 1958.

[3] ESEN-BAUR, H.-M., *Untersuchungen über den Vogelmann-Kult auf der Osterinsel*, Wiesbaden 1983.

Das Vogelmotiv in der traditionellen Holzskulptur der Osterinsel

Francina Forment

Die traditionelle Holzskulptur hat in den letzten Jahren im Vergleich zu anderen Gebieten der alten Kultur der Osterinsel nur relativ geringes Interesse erweckt. Da Feldforschungen nichts Neues erbrachten, schien man davon überzeugt zu sein, daß zu diesem Thema alles gesagt und geschrieben worden sei. Seit dem letzten Viertel des 19. Jahrhunderts beschränkt sich die Produktion auf diesem Gebiet im wesentlichen auf Handelsartikel sowie Gegenstände für den Tourismus und den Gottesdienst. Selbst wenn auch heute noch bestimmte ikonographische Motive ihre Wurzeln in der Vergangenheit haben, so kennen die Osterinsulaner ihre tiefere Bedeutung nicht mehr, oder wenn sie erneut davon Kenntnis erhalten, so geschieht dies außerhalb des traditionellen Zusammenhangs. Für das Studium der alten Skulpturen aus Holz ist der Forscher auf Museen und andere Institutionen angewiesen, wohin die Objekte durch frühe Besucher, Missionare und Wissenschaftler westlicher Länder gebracht worden sind.

Die traditionelle Holzskulptur läßt sich in zwei Hauptgruppen einteilen. Zur ersten gehören alle Objekte, deren allgemeine Form durch das lebendige Vorbild bestimmt wird. Hierbei handelt es sich um rundplastisch ausgearbeitete Figuren, bei denen die anthropomorphen Arbeiten überwiegen.

Die *moai kavakava* (*kavakava* = Rippen) stellen einen alten ausgemergelten Mann mit gekrümmtem Rücken dar. Den Überlieferungen zufolge schuf der Kulturheros *Tuu-ko-ihu* den ersten *moai kavakava*, um *akuaku* (Geister) darzustellen, denen er auf einer Wanderung begegnet war. Danach gibt es *akuaku*, die dem Menschen bei Nacht in Gestalt des *moai kavakava* erscheinen. Zur gleichen Zeit schuf *Tuu-ko-ihu* auch die ersten *moai paapaa*, um die weiblichen Geister darzustellen. Bei einigen dieser Figuren fällt der besonders flache Körper auf (*papa* heißt unter anderem »flach«). Zur gleichen Kategorie müssen gezählt werden: die anthropomorphen *moai tangata* (*tangata* bedeutet »Mann, Person«), die einen stehenden Mann mit normal ausgebildetem Körper darstellen, die *moai tangata manu* (*manu* bedeutet »Vogel«) oder Vogel-Mann-Figuren (Kat. Nr. 20), die *moai tangata moko* (*moko* bedeutet »Eidechse«) oder Eidechsen-Mann-Figuren (Kat. Nr. 22) sowie die vollständig zoomorphen Figuren. Letztere sind sehr unterschiedlich gestaltet, aber nicht sehr zahlreich. Wir finden Schildkröte, Meeresmolluske, Ratte, Seeaal. . . . Schließlich sollen hier noch die Figuren erwähnt werden, die Teile des menschlichen oder tierischen Körpers darstellen: Köpfe von Menschen, Schildkröten, Fischen und Vögeln sowie Hände und Füße.

Die zweite Gruppe enthält Objekte, deren allgemeine Form durch den Verwendungszweck bestimmt ist. Die Zeremonialruder *ao* und *rapa* besitzen ein doppeltes Blatt, das als stark stilisierter menschlicher Rumpf (unteres Blatt) mit einem Gesicht (oberes Blatt) gedeutet werden kann. Die *rei miro* sind Brustplatten oder Pektorale. In einigen Fällen sind sie vollständig zoomorph (Hahn, Walfisch), häufig sind jedoch lediglich die Enden figural geschnitzt, und zwar mit Menschen oder Vogelköpfen sowie mit Muscheln. Der dicke Teil der Keulen (*ua* und *paoa*) stellt zwei menschliche Gesichter Rückseite an Rückseite (Janusköpfigkeit) dar. Einige keulenförmig ausgebildete Eidechsen-Mann- und Ratten-Figuren können ebenfalls zu dieser Gruppe gezählt werden. Die *tahonga* sind schwer einzuordnen. Abgesehen davon, daß sie wie die meisten anderen Figuren mit einer Öse versehen sind und manchmal über der Schulter oder um den Hals getragen wurden, wissen wir über ihre Bedeutung im Kult nur sehr wenig. Sämtliche uns bekannten *tahonga* sind rund, oft phytomorph — wie Kalebasse oder Kokosnuß. Der runde Teil, in dem die Öse ausgespart wurde, ist häufig rundplastisch gestaltet mit einem oder zwei Vogelköpfen. In zwei Fällen ist ein *tahonga* durch eine Schnur mit einer anderen Figur verbunden und scheint als eine Art von Gegengewicht zu dienen.[1] In einer Zeichnung eines Vogel-Kindes[2] hängen zwei *tahonga* über den Rücken des Kindes, womit möglicherweise ein Hinweis auf die Funktion dieses Gegenstandes vorliegt. Ein einziger *tahonga* ist ganz und gar als Vogel ausgebildet.

Ikonographisch sind alle diese Objekte in der einen oder anderen Weise miteinander verbunden. Der Eidechsen-Mann findet sich als figürliche Vollplastik und als Relief, vor allem auf dem Kopf der *moai kavakava*; der Tintenfisch ist rundplastisch ausgearbeitet, tritt aber auch als Kopfrelief (bei den *moai kavakava* und *paapaa*) und als Schnabelrelief (bei den Eidechsen-Mann-Figuren) auf; die Figur der Schildkröte gibt es als Vollplastik, aber auch eingekerbt auf einem *tahonga* (Kat. Nr. 34); Hähne sind eingekerbt auf dem Kopf einer Eidechsen-Mann-Figur und erscheinen als *rei miro* (Kat. Nr. 30), während Köpfe von Hähnen an den Spitzen einiger *rei miro* dargestellt sind.

Weitere Vogelfiguren befinden sich als Relief auf dem Kopf einer Reihe von *moai kavakava*, *moai paapaa* und *moai tangata*, eingekerbt auf dem Scheitel einiger *tahonga* oder sind als Vollplastik ausgeführt. Doppelte Köpfe oder Gesichter findet man auf Keulen, den Rudern *ao* und *rapa*, den *rei miro*, den *moai tangata* und auf einem doppelköpfigen *moai kavakava*, der sich im Musée d'Histoire Naturelle et Ethnographie in La Rochelle befindet. Das Vulva-Motiv (*komari*) erscheint manchmal ohne anatomischen Zusammenhang als Teil eines Typs von Kopfrelief sowie auf dem Unterkiefer von Eidechsen-Mann-Figuren (Kat.Nr. 22) und auf dem Körper eines Vogels. Auf einer Anzahl von Frauen-Figuren ist die Vulva ungewöhnlich groß, manchmal sogar doppelt dargestellt.

Im unteren Rückenbereich einer großen Zahl von anthropomorphen, aber auch auf hybriden Figuren finden wir eine ikonographische Komposition, die in ihrer vollständigsten Ausführung aus folgenden Elementen besteht: einem Kreis und darunter einer im allgemeinen in der Mitte unterbrochenen Querlinie sowie zwei ein »V« bildenden Diagonalen. Dieses Motiv ist demjenigen sehr verwandt, das gelegentlich an den Kolossal-Steinskulpturen anzutreffen ist. Bei diesen — wenn sie gut erhalten sind — setzt sich das Motiv aus einem Kreis, darunter einer oder mehreren Querlinien sowie aus einer vertikalen Linie zusammen, die sich nach oben in zwei Arme teilt, die ihrerseits eingeknickt sind. In einigen wenigen Fällen haben die Steinfiguren an den Schenkeln Kreise oder Spiralen. Was die großen Steinskulpturen betrifft, so wird die Figur hinsichtlich der Ikonographie als eine Darstellung des Schurzes aus Rindenbaststoff identifiziert. Über die Bekleidung des Unterleibes berichten die ersten europäischen Besucher, daß es sich hierbei um einen aus Menschenhaaren geflochtenen Gürtel handelt, an dem als Schurz ein Stück Rindenbaststoff befestigt ist.

Die Schwierigkeit, das Motiv an den Holzskulpturen zu deuten, liegt darin begründet, daß bestimmte Elemente in die Anatomie integriert sind: die unterbrochene Mittellinie und die beiden darunter liegenden Arme müssen in manchen Fällen als Darstellung des Hüftbeins gedeutet werden. Im Vergleich dazu kann man jedoch erkennen, daß die verschiedenen Kombinationen von Elementen, die wir als Varianten aufgeführt haben, alle von der Art der rückseitigen Befestigung des Schurzes herrühren. Die Art, wie ein Schurz aus Rindenbaststoff um einen *moai tangata* herumgelegt ist, ist in diesem Zusammenhang von Bedeutung. Die von Eyraud gegebene Beschreibung der Befestigung eines Stücks Rindenbaststoff an dem Gürtel aus Menschenhaar entspricht genau der rückseitigen Befestigung bei der *moai tangata*-Figur.[3] In beiden Fällen sind die rückwärtigen Schurzteile nach hinten geklappt. Eyraud gibt dazu noch an, daß die Männer die Enden herunterhängen ließen, während die Frauen sie befestigten.

Variante 1 (entspricht Typ 1 und 2 bei Van Tilburg[4] für die Steinfiguren): Die rückseitige Befestigung ist die gleiche wie bei dem Schurz an der oben erwähnten *moai tangata*-Figur: die Enden der Schurzteile sind versteckt.

Bei Variante 2 sind die beiden rückwärtigen Teile zur Seite gezogen, ihre Enden sind unter dem Gürtel versteckt. Beispiel an einer *moai paapaa*; bei vielen *moai kavakava* laufen die beiden rückwärtigen Teile von der Grundfläche aus auseinander, was darauf zurückzuführen ist, daß bei diesen ausgemergelten Figuren die Furche zwischen den Gesäßhälften fehlt.

Bei Variante 3 vereinigen sich die beiden rückwärtigen Teile in der Furche der Gesäßhälften, die Enden fallen fächerförmig herunter.

Bei Variante 4 (entspricht den Typen 3, 4, 5 und 6 bei Van Tilburg[5]) sind die Rückenteile nach oben gezogen, ihre Enden hängen schräg nach unten und nach den Seiten. Das breite Band in der Taille der Riesenstatuen scheint einen Gürtel aus Rindenbaststoff darzustellen. Es ist aber auch möglich, daß die vielen Linien nicht die Falten des Rindenbaststoffes wiedergeben sollen, sondern vielmehr die mehrfache Wicklung des Gürtels aus Menschenhaaren.

Die Deutung des Kreises bleibt problematisch. Vor allem bei dem *moai kavakava* ist dieses Nebenmotiv oft in einiger Entfernung von den anderen Elementen angebracht oder fehlt vollständig. Demgegenüber ist dieses Nebenmotiv bei den Vogel- und Eidechsen-Mann-Statuetten direkt mit den an-

 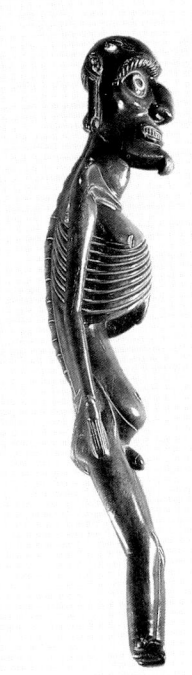

Abb. 79 und 80   Moai kavakava aus der Sammlung Guy Ladrière, Paris. Höhe: 46 cm

deren Nebenmotiven verbunden. Wir haben nicht feststellen können, auf welche tatsächliche Gegebenheit sich der Kreis bezieht. Wahrscheinlich wird damit eine Schlaufe oder ein Knoten des Gürtels aus Menschenhaar dargestellt.[6] Auf einer höheren Bedeutungsebene muß der Kreis als Ansatz eines Vogelschwanzes interpretiert werden. Die Schurz-Rückenteile in Fächerform bei den hybriden Darstellungen ähneln sehr stark diesem Vogelschwanz. Der Vogelschwanz auf verschiedenen Kopfreliefs sieht übrigens ebenso aus. Es scheint jedoch nicht legitim, in allgemeiner und undifferenzierter Form das Rückenmotiv der Holzstatuetten als Bestandteil der Vogelsymbolik zu interpretieren. Lediglich bei den hybriden Darstellungen ist der Bezug auf den Vogel eindeutig. Bei den anderen Darstellungen muß man das Beispiel der Steinskulptur heranziehen, an der die rückwärtigen Schurzteile als Vogelschwanz gedeutet werden könnten. Die anderen Varianten müssen dann als von diesem Vogelschwanz abgeleitet betrachtet werden. Hier ergibt sich jedoch folgendes Problem: Kann man auf die Steinfiguren übertragen, was man bei den rückwärtigen Schurzteilen der hybri-

den und zoomorphen Holzskulpturen als Vogelschwanz interpretiert? Dies würde bedeuten, daß der Bildgehalt jahrhundertelang unverändert geblieben ist. Auf der ersten Interpretationsebene, d. h. auf der Ebene der Ikonographie, ist die Motivkomposition nicht eindeutig zu identifizieren. Es könnte sowohl als Schurz als auch als ein anatomisches Element (hier Darmbein) aufgefaßt werden.

Wenige Vogelfiguren, die sowohl vollplastisch als auch im Relief auf dem Schädel vieler Figuren erscheinen, können einer bestimmten Familie oder Art zugerechnet werden. Bei dem Studium der Vogelmann-Figuren, in der Kunst der Felsritzzeichnungen und bei den Schriftzeichen werden die Vogel- oder Vogelmann-Figuren mit langem Schnabel, mit gekrümmter Spitze oft als Fregattvogel identifiziert. Eine andere Eigenart der Figur des Vogelmannes auf Stein ist der runde und stark hervortretende Kropf, der mit dem aufgeblähten Hals der Fregattvogelmännchen während der Balz zu vergleichen wäre. Bei den Holzschnitzereien findet sich dieser stark ausgebildete Kropf nicht nur an den Vogelmann-Figuren, sondern auch bei den völlig anthropomorphen

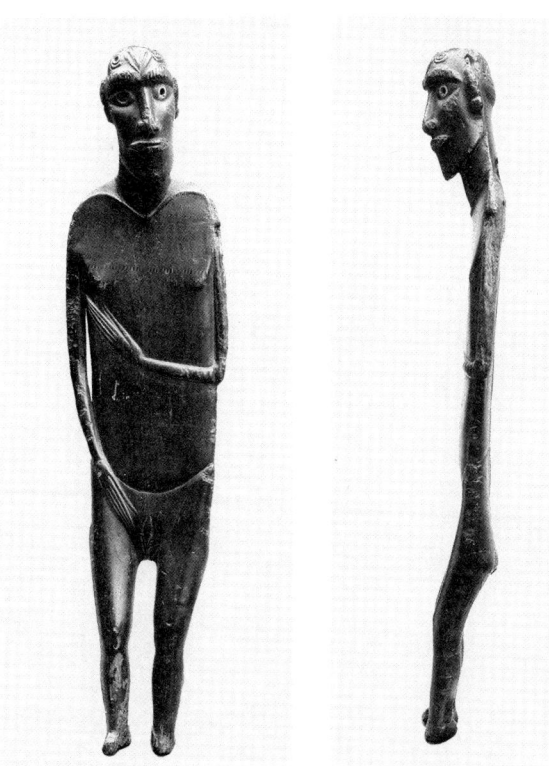

Abb. 81 und 82   Moai paapaa aus der Sammlung René Vander Straete, Brüssel. Höhe: 54,7 cm

Abb. 83 und 84   Moai tangata aus dem Museo Missionario Etnologico, Vatikan. Höhe: 32,4 cm

moai kavakava. Andererseits ist er bei den Vögel darstellenden Kopfreliefs weniger stark ausgeprägt oder fehlt vollständig. Bei einer Reihe von Figuren ist außerdem der lange Schnabel mit gebogener Spitze mit einem fächerförmigen Schwanz kombiniert. Diese Schwanzform trifft allerdings für den Fregattvogel, der einen gegabelten Schwanz hat, nicht zu. Bei den Figuren des Vogelmannes und auch bei zwei Kopfreliefs bemerken wir an den Rändern des großen Schnabels eine Reihe von Strichen oder Zähnen. Auch diese sind kein Merkmal des Fregattvogels. Einen Schnabel mit fein gezähneltem Rand haben dagegen die Vögel der Familie der Sulidae.

Die schwierige ikonographische Deutung der Vogelfigur erlaubt die Schlußfolgerung, daß Untersuchungen hinsichtlich der figürlichen Darstellung nicht darin bestehen können, die genauen Charakteristika der Vogelarten herauszufinden, sondern man sollte einfach das Vorhandensein des »Vogels« als solchen hervorheben.

Mit der Darstellung der Vögel verbinden sich viele tiefgehende Betrachtungen und Vorstellungskonzepte. In erster Linie betreffen sie das Streben des Menschen, seinem von der Schwerkraft bestimmten Dasein zu entfliehen. Die Seevögel sind außerdem durch verschiedene kosmische Elemente miteinander verbunden (Luft, Meer, Erde). Im polynesischen Kontext finden wir einen Vogel, der die Seele des Verstorbenen in das jenseitige Leben trägt.[7] Die Abgeschiedenheit der Osterinsel kann dieses Bedürfnis, die Grenzen zu überschreiten, nur noch verstärkt haben. Indem sich der Mensch im übertragenen Sinn dem Vogel zugesellt, versucht er, sich einige seiner Eigenschaften anzueignen. Genau so wichtig ist der komplementäre Gedanke, daß sich der Vogel »vermenschlicht« und in die Lage versetzt wird, wie ein Mensch zu handeln. Hinsichtlich der Verbindung »Mensch — Vogel« besitzen wir folgende Legende: der Gott *Makemake* — als Menschenantlitz in den Felsen geritzt — sieht, wie sich sein Gesicht zusammen mit einem Vogel im Wasser spiegelt.[8] In einer anderen Legende wachsen einem Knaben Federn und Flügel. Durch die Verwandlung in einen großen Vogel kann er die eigene Insel verlassen und zur Osterinsel fliegen.[9] Aufgrund der ersteren Legende und der Tatsache,

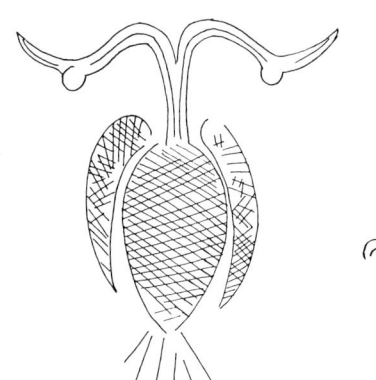   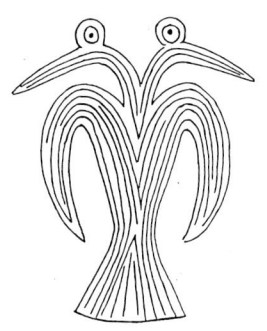

Abb. 85 Kopfglyphe: moai kavakava aus der Sammlung Vandenabeele, Brüssel

Abb. 86 Kopfglyphe: moai paapaa aus der Sammlung René Vander Straete, Brüssel

Abb. 87 Kopfglyphe: moai kavakava. British Museum, London, Inv. Nr. E. P. 20

Abb. 88 Kopfglyphe: moai tangata. Museo Missionario Etnologico, Vatikan

daß die Vogelmann-Feste in *Orongo* unter dem Schutz von *Makemake* standen, werden die Darstellungen des Vogelmannes auf dem *Orongo*-Felsen im allgemeinen mit diesem Gott in Verbindung gebracht. Die Darstellung des Vogelmannes in den Holzplastiken ausschließlich mit dem Vogelmann-Kult auf *Orongo* erklären, hieße aber die Frage zu eng fassen. Sowohl der während des Festes gewählte Vogelmann als auch die hölzernen Vogelmann-Darstellungen sind zu verstehen als Darstellung des übernatürlichen Vogel-Mensch-Wesens.

Aus dem Folgenden läßt sich schließen, daß in den Vögeln Geister — manchmal auch unheilbringende — wohnen. Zahlreiche Darstellungen von Vögeln und Vogel-Männern zeigen das Tier mit erhobenem Kopf und aufgerissenem Schnabel. Dies deutet darauf hin, daß der Vogel einen Schrei ausstößt. Besonders deutlich kommt dies bei den Hähnen zum Ausdruck. Ein *rei miro* in Form eines Hahns trägt übrigens die Inschrift »*moa tangi*«, »krähender Hahn«.[10] In der polynesischen Geschichte werden die Schreie der Vögel und anderer Tiere mit den Stimmen der Geister in Verbindung gebracht. Wenn auf Hawai'i ein königliches Ritual durch Vogelrufe, Krähen des Hahns oder Hundegebell unterbrochen wurde, sah man darin ein böses Omen. In der Tat äußerten sich die Geister oder Halbgötter in den Stimmen der Tiere, und manchmal zur Unzeit, wie dieses Beispiel zeigt.[11]

In einer Legende der Osterinsel bedeutet der Abflug der Seeschwalben, daß der König *Hotu Matua* am Leben bleibt. Hätten sich die Vögel auf den Herrscher gestürzt, so wäre dies die Vorhersage seines Todes gewesen. In der Legende wollte ein Gegner des Königs diesen mit einer spitzen Waffe töten.[12] Der Sturzflug der Vögel (*vevero*) stellt die magische Handlung dar, die diesem Verbrechen entspricht, wobei der Schnabel des Vogels als Mordwerkzeug interpretiert werden muß (*verovero* = picken).

Im Gegensatz zu den Petroglyphen ist die Vielfalt der Vogel- und Vogelmann-Figuren in der Ikonographie der Holzskulpturen bemerkenswert. Es ist wahrscheinlich, daß das Motiv der Verdoppelung, das uns auf den Köpfen vieler Holzskulpturen begegnet, nicht nur durch die inhaltliche Aussage des traditionellen ikonographischen Kanons bestimmt, sondern daß es auch als ein rein dekoratives Element aufgefaßt wurde. Ein Hinweis auf Vögel bei der »Balz« scheint hier nicht angezeigt, da ja die Köpfe ebensogut voneinander abgekehrt sein können. Trotzdem muß der unnatürliche Charakter der Darstellungen betont werden. Diese Besonderheit kann auch an der Kombination von Fregattvogel-Schnabel und fächerförmigem Schwanz einer Reihe von Vogelfiguren aufgezeigt werden. Darstellungen, die auf den ersten Blick natürlich erscheinen, lassen sich auf verschiedene Weise deuten. So kann eine in einen *tahonga* eingekerbte Figur eine Eidechse sein, genausogut aber auch ein Eidechsen-Mann mit zwei Vogelköpfen. Bestimmte Körperteile können als Rippen, Flügel, als Schwanz oder Hände gedeutet werden.[13] Die Feststellung, daß die Figuren nicht exakt definiert werden können, und daß sich der Übergang von einer Figur auf die andere ohne Schwierigkeiten vollzieht, ist wichtig für den Bedeutungsinhalt der Figur. Dies heißt, daß die

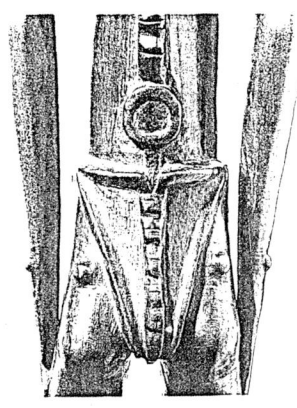

Abb. 89 Rückenansicht (Ausschnitt) einer moai kavakava-Figur. Musées Royaux d'Art et d'Histoire, Brüssel, Inv. Nr. ET 48.63

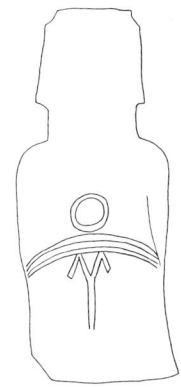

Abb. 90 Rückenansicht einer Kolossalfigur – Hoahaka-nana-ia – im British Museum, London

Wechselwirkung der verschiedenen Motive betont werden muß. Diese Wechselwirkung kann man als direkt bezeichnen, wenn die Motive zur selben Darstellung gehören, wie dies oben beschrieben wurde, und als indirekt, wenn sie räumlich verteilt und Bestandteil verschiedener Darstellungen sind.

Die Verbindung von »Vogel« und »Vulva« ist bei der Holzskulptur weniger häufig anzutreffen als bei den Petroglyphen. Die Figuren des Vogels und der Vulva scheinen zeitgleich zu sein, wie man es an der Vogel-Figur feststellen kann, die völlig mit Vulven bedeckt ist.[14] Diese Kombination der zwei Motive begegnet uns daher auch an einem Objekt, das mit den Schriftzeichen verwandten Einritzungen wahrscheinlich erst nachträglich versehen wurde. Bemerkenswert ist das *rei miro* von Sydney (s. Kat. Nr. 25). Auf diesem *rei miro* sind zwei Vogeldarstellungen sichtbar, die offensichtlich nicht dem pascuensischen ikonographischen Kanon zuzurechnen sind. Bei der zentral angebrachten Figur handelt es sich nicht um eine der oben beschriebenen traditionellen Vogeldarstellungen, sondern ganz offensichtlich um den Adler aus dem Wappen des französischen Kaiserreiches, der eine Krone trägt mit einer Fahne im Hintergrund. Links daneben erscheint er ein zweites Mal, schräggestellt und ohne Krone. Dieses Motiv erschien an Ringkragen und Brustplatten, die nur Offiziere als Zeichen ihrer Autorität trugen. Sie waren Bestandteil der Marineuniformen im 2. Kaiserreich (1852–1870). Vulva-Darstellungen sind auf diesem *rei miro* ebenfalls anzutreffen. Hinzufügung des Vulva-Motivs auf Darstellungen von Vögeln und Vogelmännern zeigt nach Esen-Baur[15] die Verbindung der Fruchtbarkeits-Symbolik mit dem Begriff des Vogelmannes. Die Assoziation von Vulva-Motiv und dem Begriff »Erde« — Erde als ausdrucksstärkstes Symbol für »Fruchtbarkeit« — spricht ebenfalls für diese These. Die Verwandtschaft der Begriffe »Erde« und »Fruchtbarkeit« läßt sich auch auf sprachlichem Gebiet nachweisen. Ein Synonym für *henua*, Erde, ist *kainga*. Dieses Wort bezeichnet die Gebärmutter, während die vollständige Bezeichnung für Plazenta, *pu henua*, wortwörtlich mit »Erdöffnung« übersetzt wird.[16] Flache, mit einer Vulva-Figur versehene Steine dienen dazu, die Fruchtbarkeit von Hühnereiern zu steigern, sie markieren aber auch die Grenze bei der Landverteilung.[17] Bei den Schriftzeichen kann man feststellen, daß das Zeichen, das der Vulva-Figur am nächsten kommt (Nr. 51 aus Barthel[18]), die »Erde« bezeichnet (Nr. 50 aus Barthel). Die Verwandtschaft von Vulva und Erde läßt sich schließlich noch anhand eines spanischen Dokumentes aus dem Jahr 1770 nachweisen, mit dem die Osterinsulaner den Spaniern ihre Insel überließen.[19] Unter den Zeichen, die drei Häuptlinge unter den Vertrag setzten, gibt es einige, die als Vulva-Motive angesehen werden können. Es ist sicher kein Zufall, daß diese Zeichen auf einem Dokument erscheinen, das die Frage des Besitzes von Grund und Boden regelte.

Die Assoziation von »Vulva« und »Fruchtbarkeit« zeigt sich auch an der Haltung der Arme und Hände stehender weiblicher Figuren. Diese Haltung — eine Hand deutet auf die Vulva, die andere und ein Arm liegen auf dem Bauch — findet sich auch bei den Maori in Neuseeland wieder, und zwar als Symbol der Empfängnis.[20] Mit dem Vulva-Motiv verbindet sich auch eine sexuelle Symbolik. Das weibliche Geschlechtsorgan übt auf übernatürliche Wesen eine Anziehungskraft aus. Die bösartigen *akuaku* können auf magische Weise von der Vulva verschlungen werden.[21] Auch hier besteht wieder eine sehr enge Verbindung zur Erde: die

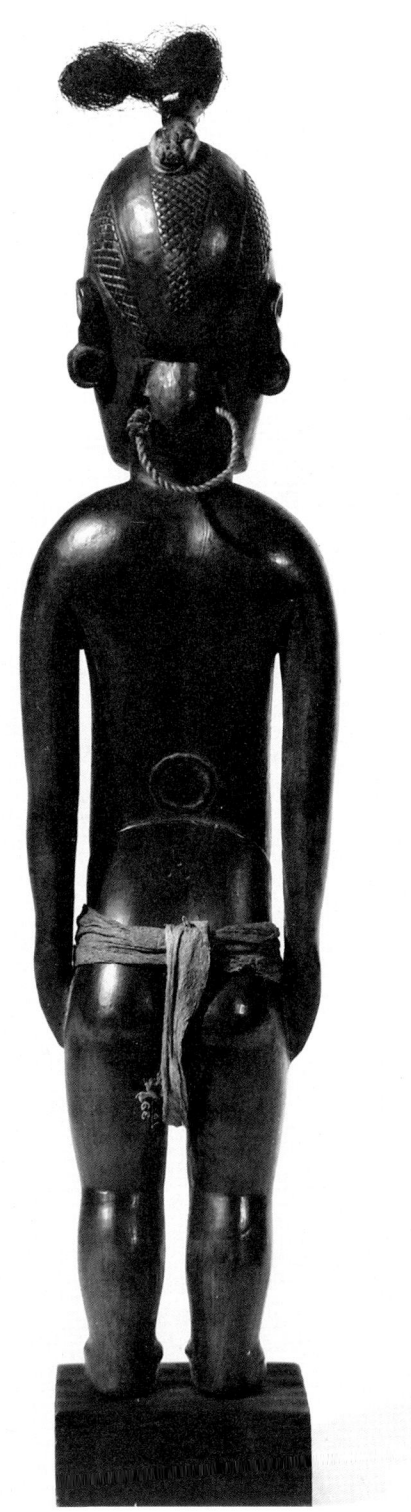

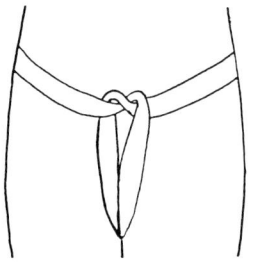

vorn   Variante 1   hinten

Abb. 92 Skizze der Befestigung des Lendenschurzes der moai tangata-Figur

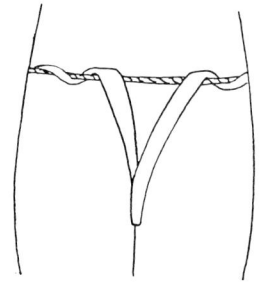 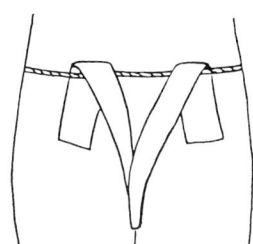

Variante 2   Variante 3

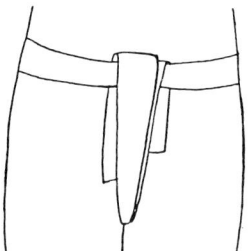

Variante 4

Abb. 93 Skizze weiterer Varianten der rückwärtigen Befestigung des Lendenschurzes

◀ Abb. 91 Rückenansicht einer moai tangata-Figur mit einem aus tapa gefertigten Lendenschurz. Musée de l'Homme, Paris, Inv. Nr. 87.31.66

122

bösen Geister wohnen in den Felsspalten, wo nach der Legende auch die Kinder geboren werden.[22]
An den Holzschnitzereien finden sich die Vulva-Motive oft zusammen mit Eidechsen- oder Eidechsen-Mann-Figuren. Das Eindringen einer Eidechse in die Vulva ist an einer Petroglyphe dargestellt.[23] Im allgemeinen werden die Eidechsen als bösartige Wesen angesehen. So können sie zum Beispiel in die Körperöffnungen eindringen, um Krankheiten zu verursachen oder den Tod zu bringen.[24] Auch der Tintenfisch auf dem Schnabel von Eidechsen-Mann-Figuren muß zur Vulva in Beziehung gesetzt werden. Allein schon ihr Name, *heke*, weist darauf hin. *Heke* bedeutet vor allem »schänden«. Man kann es sicher nicht als Zufall ansehen, daß alle diese Figuren (Vogel, Tintenfisch, Vulva und Eidechse) entweder an derselben Stelle oder nahe beieinander auftreten (vgl. hinsichtlich der Verbindung »Vogel – Vulva« die Tatauierungsmotive an einer *tapa*-Figur).

Die Darstellungen der traditionellen Holzskulptur der Osterinsel sind das Ergebnis einer Auseinandersetzung oder Verschmelzung einer Vielzahl von Bildern, deren älteste, wie das Rückenmotiv, wir heute nicht mehr ganz verstehen. Die große Zahl »un-natürlicher« Darstellungen, wie die hybriden Figuren des Vogel-Mannes, des Vogels mit zwei Köpfen, zwei Rümpfen oder gemeinsamen Flügeln, und die Möglichkeit unterschiedlicher Interpretation bei einigen dieser Darstellungen zeigen in erster Linie die außerordentliche Kreativität der Osterinsulaner auf allen Gebieten, ganz besonders aber bei den aus Holz geschnitzten Figuren. Die Motive stammen jedoch aus den traditionellen Zusammenhängen und finden sich auch in anderen künstlerischen Arbeiten (Steinskulpturen, Schrift, Tatauierung, Legenden).

Die inhaltliche Kohärenz der Arbeiten ergibt sich aus dem Gegensatz von Leben (Fruchtbarkeit) und Tod (Zerstörung, Krankheiten). Diese doppelte Symbolik spiegelt den dualistischen Charakter (schützen – bedrohen) der *akuaku* wider, die in den Figuren dargestellt werden. In einer Zeit — 18. Jahrhundert bis Mitte des 19. Jahrhunderts —, in der die hier besprochenen hölzernen Figuren mit großer Wahrscheinlichkeit gefertigt wurden und die durch Stammeskämpfe, Hungersnot und Kannibalismus gekennzeichnet war, rief man die übernatürlichen Kräfte an, um zu überleben. Dazu gehörte die Steigerung der Fruchtbarkeit, aber auch das Abwenden von Unheil und die Vernichtung des Feindes. Es liegt nahe, daß solche oder ähnliche Figuren mit der hier versuchsweise gedeuteten Ikonographie auch schon vor dem 18. Jahrhundert das Denken der Osterinsulaner mitbestimmten. Die Schnitzwerke und ihre Symbolik dürften somit nicht nur ein spätes Phänomen sein.

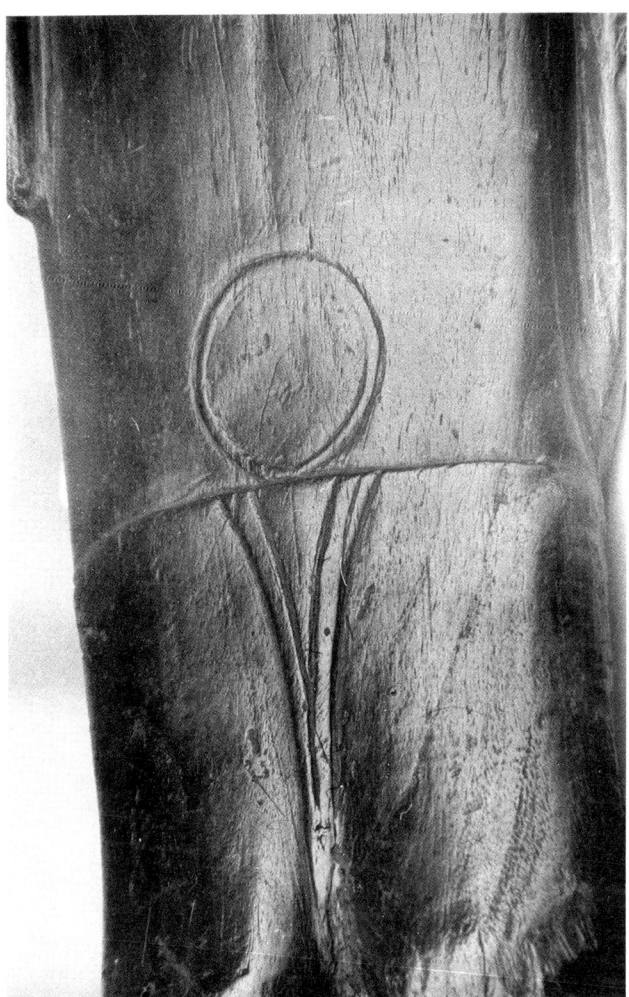

Abb. 94   Rückenansicht (Ausschnitt) der moai paapaa-Figur aus der Sammlung René Vander Straete, Brüssel

Abb. 95   Tatauiermuster auf Hals und Brust einer Figurine aus Rindenbaststoff. Ulster Museum, Belfast

Anmerkungen

[1] Heyerdahl, T., *The Art of Easter Island,* London 1976, Taf. 52a, 105b
[2] Routledge, K. S., *The Mystery of Easter Island. The Story of an Expedition.* Sifton, Praed & Co., London. Orig. ed. 1919, 1920, Abb. 114
[3] Eyraud, E., »Lettre du F. Eugène Eyraud, au T. R. P. Supérieur général« et »Lettre du F. Eugène Eyraud de la Congr. des Sacrés-Cœurs de Jésus et de Marie, au T. R. P. Supérieur général de la même Congr. à Paris«. *Annales de la Propagation de la Foi,* 38, Lyon 1866, S. 52–71, 124–138, hier S. 56
[4] Van Tilburg, J., *Power and Symbol: The Stylistic Analysis of Easter Island Monolithic Sculpture.* Ph. D. dissertation, University of California, Los Angeles 1986, S. 155
[5] Van Tilburg, J., 1986 (s. o. Anm. 4)
[6] Lavachery, H., *Les Pétroglyphes de l'Ile de Pâques,* Antwerpen 1939, S. 36
[7] Best, E., *Maori Religion and Mythology, Being an Account of the Cosmogony, Anthropogeny, Religious Beliefs and Rites, Magic and Folk Lore of the Maori Folk of New Zealand,* 1. A. R. Shearer, Wellington, N. Z., orig. ed. 1924, 1976, S. 205
[8] Felbermayer, F., *Sagen und Überlieferungen der Osterinsel,* Nürnberg 1971, S. 27
[9] Knoche, W., *Märchen und Mythen von der Osterinsel,* MS, Kon. Musea voor Kunst en Geschiedenis, Brussel-Musées Royaux d'Art et d'Historie, Bruxelles 1911
[10] Heyerdahl, T., 1976 (s. o. Anm. 1), Taf. 50a
[11] Valeri, V., *Kingship and Sacrifice. Ritual and Society in Ancient Hawaii,* Chicago, London 1985, S. 290
[12] Barthel, T., *Das Achte Land. Die Entdeckung und Besiedlung der Osterinsel,* München 1974, S. 211, 227, 228
[13] Heyerdahl, T., 1976 (s. o. Anm. 1), Taf. 135, 137, 138
[14] Heyerdahl, T., 1976 (s. o. Anm. 1), Taf. 123a
[15] Esen-Baur, H.-M., *Untersuchungen über den Vogelmann-Kult auf der Osterinsel.* Arbeiten aus dem Seminar für Völkerkunde der Johann-Wolfgang-Goethe-Universität Frankfurt am Main, 14, Wiesbaden 1983, S. 319
[16] Englert, S., *Idioma Rapanui, Gramática y diccionario del antiguo idioma de la Isla de Pascua.* Ediciones de la Universidad de Chile, ed. orig. Santiago 1948, 1978
[17] Navarro, A. O., »Ronas de la isla de Pascua«. *Estudios antropologicos y arqueologicos.* Ed. Universitaria, Santiago, Chile, 1979, S. 214
[18] Barthel, T., *Grundlagen zur Entzifferung der Osterinselschrift,* Hamburg 1958
[19] Blanco, F. M., *Manuscritos y documentos españoles para la historia de la isla de Pascua. La expedición del Capitán D. Felipe Gonzales de Haedo a la isla de David.* Biblioteca CENOPU, 15, Madrid 1986, S. 194
[20] Simmons, D., *Whakairo. Maori Tribal Art.* Auckland. Melbourne, Oxford, New York 1985, S. 44
[21] Lee, G., *Easter Island Rock Art. Idiological Symbols as Evidence of Socio-Political Change.* Ph. D. dissertation, University of California, Los Angeles 1986, S. 166
[22] Williamson, R. W., *Religious and Cosmic Beliefs of Central Polynesia,* vol. 1, Cambridge 1933, S. 79
[23] Lee, G., 1986 (s. o. Anm. 21), S. 53
[24] Oldman, W. O., *The Oldman Collection of Polynesian Artifacts.* Memoirs of the Polynesian Society, 15, New Plymouth N. Z. 1943, S. 51

Bibliographie

Englert, S., *La tierra de Hotu Matua.* Universidad de Chile, Santiago. Ed. orig. 1948, 1974

Fuentes, J., *Diccionario y gramática de la lengua de la Isla de Pascua/Dictionary and grammar of the Eastern Island language,* Santiago, Chile, 1960

Heyerdahl, T., »Surface Artifacts«. *Reports of the Norwegian Archaeological Expedition to Easter Island and the East Pacific,* 1. Monographs of the School of American Research, 24, Santa Fe 1961, S. 397–489

Métraux, A., *Ethnology of Easter Island.* B. P. Bishop Museum Bulletin, 160, Honolulu 1940

ders., *Easter Island. A Stone Age Civilisation of the Pacific,* London 1957

Eingekerbte Vergangenheit

Die Zukunft der *Rongorongo*-Studien

THOMAS BARTHEL

In die Vergangenheit Polynesiens führen in der Regel zwei Zugangswege. Die Archäologie hat in unserem Jahrhundert enorme Fortschritte gemacht, um materielle Überreste zeitlich wie inhaltlich zu bestimmen. Andererseits reicht das traditionelle Erinnerungsvermögen kundiger Polynesier über Genealogien und mündliche Traditionen bis mehrere Jahrhunderte vor Ankunft der Europäer zurück. Solche ungeschriebenen Gesänge und Rezitationen bilden einen reichen Schatz des Erinnerten, eingebettet in strikte Regeln der Dichtkunst und angelegt auf mannigfaltigen Bedeutungsebenen. Die Meister solcher Traditionen gaben ihr Wissen an ausgesuchte Schüler mündlich weiter, unter sorgfältiger Einhaltung der Wortwörtlichkeit und treuer Bewahrung von kunstvollen Kompositionsregeln. Zwar gab es hier und da mnemotechnische Hilfsmittel, also einfache Gedächtnisstützen; aber von einer »Verschriftlichung« konnte anscheinend noch keine Rede sein. Das hätte auch nicht zum Bild neolithischer Stammeskulturen gepaßt, ist die Erfindung der Schrift doch ein definierendes Merkmal früherer Hochkulturen oder allenfalls eine spätere Übernahme aus Nachbarkulturen.

Um so verblüffender war die Entdeckung, daß auf der Osterinsel, also an der äußersten Peripherie Ostpolynesiens, hölzerne Tafeln mit Reihen kunstvoll eingekerbter und standardisierter Zeichen als Basis oder begleitende Voraussetzung für Gesänge dienten, die von kundigen Spezialisten vorgetragen wurden. Die Zeichenfolgen auf den »sprechenden Hölzern« der Osterinsel waren offensichtlich lehrbar und im Lernerfolg kontrollierbar. Meister und Schüler bildeten einen Tradierungszusammenhang besonderer Art, mit Wettbewerbskontrollen bei Festen. Das tragische Ende der Osterinselkultur vor 120 Jahren verursachte ein jähes Abreißen solcher »schriftkundlicher« Erscheinungen; denn nur bescheidene Reste einer »hölzernen Literatur« sind uns erhalten geblieben. Nur ganz trümmerhaft ist im Gedächtnis von Überlebenden ein Minimalwissen über Typus und Funktion transportiert worden.

Von einer systematischen Erforschung solcher »eingekerbter Zeichenfolgen« durch die Wissenschaft ist erst seit Mitte unseres Jahrhunderts die Rede. *Rongorongo*-Studien stellen gegenwärtig ein kompliziertes Spezialgebiet der Osterinselforschung dar, voller Kontroversen und grundsätzlicher Erkenntnisschwierigkeiten. Wenn die besten Kenner der Osterinselkultur, Alfred Métraux und Sebastian Englert, sich tief pessimistisch zeigten und mit der prinzipiellen Unlösbarkeit von *Rongorongo*-Notationen rechneten, so waren sie geleitet von ihrer Einschätzung des Zeichensystems und der darin kodierten Information. Die überlieferte mnemotechnische Funktion und Gebundenheit an standardisierte Gesänge rückten die Zeichenfolgen plausibel genug in jenen Bestand an bloßen Gedächtnisstützen, die in Ozeanien vielgestaltig bekannt sind. Für den berühmten Schriftforscher Gelb handelte es sich überhaupt nicht um ein Schriftsystem;[1] seine Einschätzung wirkte lange hemmend nach. Gegen Ende seines Lebens formulierte Pater Englert zwei Haupteinwände. Sie betrafen den Zeichencharakter (Ideogramme; keine Lautwerte, mithin keine phonetische Schreibmöglichkeit) und die sprachlichen Merkmale der zugehörigen Gesänge (altertümliches *Rapanui*, poetischer Stil, verschlüsselt durch esoterische Wendungen). Die Meister des *Rongorongo*-Systems hätten tragischerweise all ihr Wissen mit ins Grab genommen; ihr einstiges Vorwissen aber sei auch unerläßlich und unersetzbar zum Verständnis der eingekerbten Zeichenfolgen gewesen.[2]

Die *Rongorongo*-Studien der letzten Jahrzehnte haben mich aber zu anderen Einsichten geführt. Ich vertrete die Auffassung, daß die Grapheme nicht nur ideographisch genutzt wurden, sondern Lautwerte transportierten (in der Regel zweisilbige Morpheme, mitunter Nutzung von Wörtern des Typus Konsonant-Vokal für Silbenwerte). Der umfangreiche

Abb. 96   Unterschriften einiger ariki auf dem spanischen Vertrag aus dem Jahre 1770

Gebrauch von Wortspielen gleich- und ähnlichlautender Worte (Rebus-Verfahren) nutzte wohlbekannte Eigenschaften polynesischer Idiome. Der Grad der Lautannäherung ist heute an genügend Beispielen zu bestimmen. Was die altertümliche Sprache angeht, so kann sie teilweise durch den Vergleich mit archaischen Termini aus anderen Inselkulturen (wie Tuamotu, Rangivavae, Maori) rekonstruiert werden. Die poetologische Komparatistik innerhalb Polynesiens eröffnet manchen Zugang zum Verständnis dessen, was eine entzifferte Zeichenfolge auf *Rongorongo*-Denkmälern eigentlich »meint«.

Gewisse Erkenntnisschranken gelten aber weiterhin. Der Bestand des »Corpus Inscriptionum Paschalis Insulae« umfaßt ja nur einen zufälligen Bruchteil dessen, was es noch bei Ankunft der Missionare in den Wohnstätten der Osterinsulaner gab. Verwegene Hoffnungen träumen von dem Aufspüren geheimer Höhlen, in denen hölzerne Schriftdenkmäler, wohlverpackt und durch trockene Lagerung gesichert, auf den modernen Entdecker warten. Man kann auch die stille Hoffnung nähren, daß unentdeckte Nachlässe von Reisenden in der Vergangenheit *Rongorongo*-Tafeln umschließen möchten. Bescheiden wir uns einstweilen mit der maximalen Auswertung dessen, was eben verfügbar ist.

Die Zeichenfolgen mußten für die exakte Einhaltung traditioneller Gesänge sorgen, für die Authentizität des Vortrags, für die geistige und soziale Wirksamkeit der behandelten Themen. Daß es durchaus noch andere Aufgabenbereiche für spezialisierte Notationen gab, ist der einst so reichhaltigen Terminologie zu entnehmen. Materielle Unterlagen hierfür sind aber zu spärlich und unsicher, um dort einen Einstieg zu gewinnen.

Die klassischen *Rongorongo*-Texte sind nach ihrer inneren Abfolge kunstvoll komponiert und müssen in solchen seriellen Informationen das Verbindliche übermittelt haben. Für Gesänge, die dem Gedächtnis anvertraut und überprüft werden konnten, reicht das Verzeichnen von bloßen Stichwörtern bzw. die Nutzung einer minimalen Syntax (Aktion/ Aktionsträger/Objekt oder Ort). Das System mußte aber vor allem geeignet sein, bedeutsame Namen direkt oder indirekt hinlänglich zu vermitteln. Anzahl der graphischen Elemente und Regelhaftigkeit ihrer Vergesellung gehen offensichtlich weit hinaus über die Notwendigkeit bloßer Merkstützen. Die mnemotechnische Funktion bleibt unbestritten; aber die Leistungsfähigkeit und Aussagekraft des Zeicheninventars liefert den qualitativen Unterschied, also jenen Sprung auf eine höhere Informationsebene und einen Grad von Versprachlichung, die es dem heutigen Forscher überhaupt nur gestattet, erste Verständnismöglichkeiten zu gewinnen.

Die »Grundlagen zur Entzifferung der Osterinselschrift«[3] liefern ein Inventar aller *Rongorongo*-Schriftdenkmäler, der dort verwendeten Zeichenformen und -vergesellungen. Der Inschriftenbestand hat sich inzwischen nur geringfügig vermehrt. Bessere Kenntnis von Schreibervarianten hat einige Allographeme deutlich werden lassen. Die numerische Behandlung von bildhaften Zeichen erwies sich als nützlich für die Diskussion. Allerdings enthält der seinerzeitige Vorkommensnachweis noch einige Fehler (schätzungsweise in der Größenordnung von drei Prozent), und vor allen Dingen war es damals verfrüht, von Hand eine Konkordanz herzustellen. Mit Hilfe eines Computer-Programmes wäre es heute leicht möglich, dieses noch fehlende Werkzeug für den Entzifferer zu produzieren. Man könnte dann mit einem Blick eine Übersicht zu Zeichenvergesellungen und -parallelen gewinnen und jeden Deutungsansatz sofort umfassend kontrollieren.

Jenes Bearbeitungsstadium war verbunden mit systematischen Versuchen, diversen Schriftelementen sprachliche Äquivalenzen beizuordnen. Dabei boten sich naturalistische Merkmale — identifizierbare Ikone aus Umwelt und Kultur — ebenso an wie symbolische Bewertungen. Die suspekten »*Metoro*-Gesänge« lieferten manchen Hinweis zum Formenverständnis, gelegentlich auch Einblicke in nichtnaturalistische Schriftzeichen, wie Himmel (*rangi*) oder Erde (*henua*). Im Gang der Untersuchungen nahm der Anteil solcher hypothetischer Verknüpfungen ab. Die *Metoro*-Gesänge sind in der Tat kein »Stein von Rosette«; sie bleiben

Abb. 97 Tomenika's ta'u-Schrift — entdeckt von K. Routledge im Jahre 1911. Im 19. Jahrhundert wurde diese Schrift nach Art von Annalen für weltliche Zwecke benutzt

aber weiterhin von heuristischem Wert und dürfen auch von künftigen Forschungen nicht vernachlässigt werden.
Die von mir vorgeschlagenen Lesungsmöglichkeiten, dargeboten nach Lebensbereichen, waren — das muß deutlich betont werden — von unterschiedlicher Treffsicherheit. Hochwahrscheinliche und in Kontextlesungen verankerte Erkenntnisse standen dort neben versuchsweisen und riskanten Zuordnungen. Solche »Gemengelage« bedarf einer sorgfältigen und minutiösen Kritik. Weder pauschale Zustimmung noch Verurteilung sind da hilfreich. Daß es bisher nur zu Einzelfällen produktiver Kritik gekommen ist, bleibt zu bedauern. Sicherlich spielt dabei eine Rolle, daß Deutsch innerhalb der internationalen Ozeanistik keine Wissenschaftssprache mehr ist. Die Forschungszentren im pazifischen Raum bedienen sich des Englischen, allenfalls des Französischen. Sollten die revidierten »Grundlagen« zumindest als weiterführendes Werkzeug künftiger Rongorongo-Studien von Nutzen sein, müßte eine Übersetzung in die genannten Sprachen vorgenommen werden.
In einem Handbuchartikel[4] wurde der Erkenntnisstand über die Schriften der Osterinsel in komprimierter Form vorgeführt. Heute, zwanzig Jahre später, würde ich neunzig Prozent davon unverändert beibehalten. Zum Teil mag dies auf gültigen Einsichten beruhen. Zum anderen aber ist die Diskussion viel zu vereinzelt und mit viel zu wenig Gesprächspartnern fortgesetzt worden. Die Wahrheit liegt in konkreten Details, und die Rongorongo-Studien verlangen ein ungewöhnliches Maß an Spezialkenntnissen. Vielleicht wären Forschergruppen, mit ständiger Diskussionskontrolle und Aufgabenteilung, künftig unerläßlich. Das Zeitalter der Einzelkämpfer, in der Gelehrtentradition des 19. Jahrhunderts, dürfte auch hier seinem Ende entgegengehen. Die Klärung der »Gemengelage« also, das Abwägen zwischen Treffern und Sackgassen, muß in einem Kampf konkurrierender Linien angestrebt werden. Produktive Kritik und selbständige Weiterverarbeitung leisteten Viktor Krupa[5] und Jean Bianco[6]. Für die Bereiche des Mondkalenders und für Gestirnsnamen konnten diese beiden Kollegen eine Konsolidierung und Perspektivenöffnung erreichen.
Es ist wohl kein Zufall, daß gerade der »wissenschaftliche« Traditionsbestand auf Rongorongo-Tafeln sich dem analytischen Zugriff der mit Kalender und Astronomie vertrauten Forscher weiter geöffnet hat. Wo nämlich eine quasi-naturwissenschaftliche Struktur in die polynesischen Überlieferungen eingebaut erscheint, ist die Kontrolle von Deutungsansätzen besonders günstig. In gleiche Richtung bewegte sich mein Versuch, Zeitsequenzen für Stationen der Sonne und für Stadien der Schwangerschaft aus dekadischen Textstrukturen zu erschließen.[7] Kalenderwissen enthält »objektive« Komponenten, unabhängig von einer mythisch-poeti-

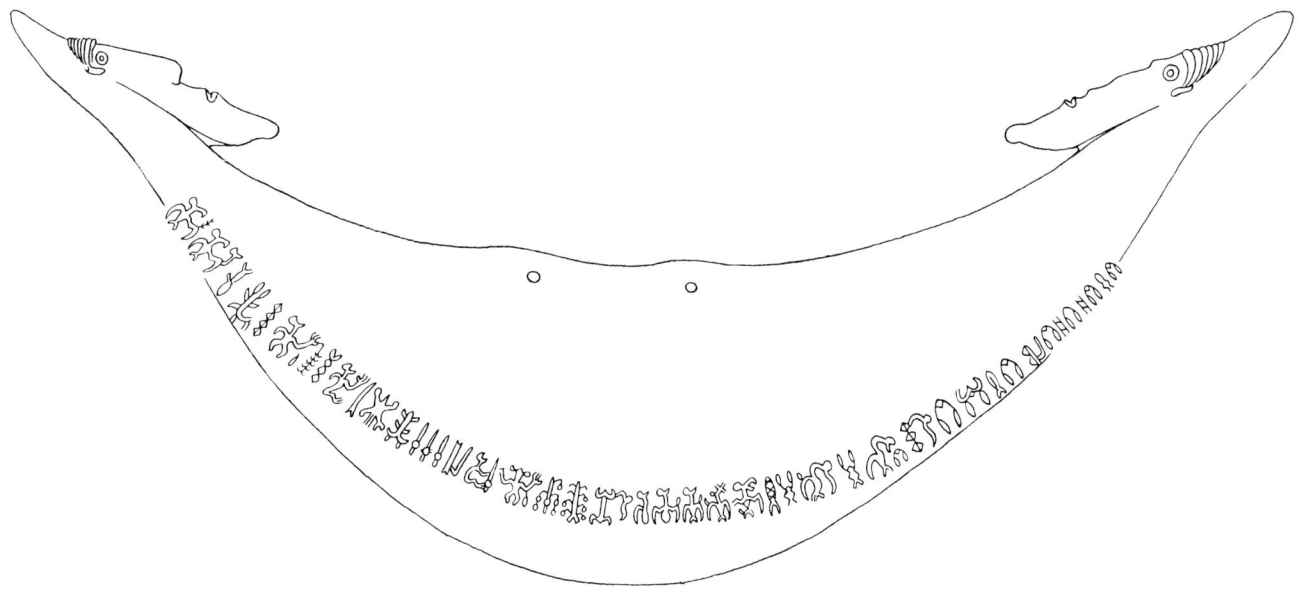

Abb. 98   Objekt L: Großes Londoner rei miro ist 53 cm lang und besitzt eine Zeile mit etwa 50 Schriftzeichen

schen Einkleidung. In unserem Verständnis von lunaren, solaren und stellaren Aussagen der *Rongorongo*-Tafeln wird der Informationsgehalt einiger Passagen in der Größenordnung zwischen zwanzig und fünfzig Zeichen deutlich. Solche stabilen Verankerungen müssen künftig genutzt werden, um Nachbarpassagen funktional zu befragen. Welche Anlässe waren kalenderrelevant? Welche Feste waren an Mondphasen oder Jahreszeiten gebunden? Die kulturelle Matrix des Kalenderwissens verdient weiterhin größte Aufmerksamkeit.

Andere Ordnungsprinzipien sind ebenfalls »serieller« Natur. Damit sind Abläufe in der Zeit gemeint für die Folgen von Generationen, also Genealogien. An ihnen hatte sich schon vor einiger Zeit eine Diskussion entwickelt,[8] die keineswegs als abgeschlossen gelten darf. Die lang währende russische Tradition einer intensiven Beschäftigung mit der Osterinselschrift[9] ist in ihren Methoden und Ergebnissen abzuwägen. Noch nicht überprüft sind Anreihungen von Ortsnamen auf der Osterinsel, deren Reichtum an Toponymia befragt werden sollte. Zeitliche wie räumliche Abfolgen müssen aber auch über die Grenzen der Osterinsel hinaus untersucht werden. Man wird dabei nicht nur kurze Zeichenfolgen, sondern das spezifische Inventar ganzer Schrifttafeln zu durchmustern haben. Die Berücksichtigung verwandter Schreiberversionen, wie sie in der sogenannten »Großen Tradition« auf uns gekommen sind, sollte dabei hilfreich sein.

War die Vorlage von Entzifferungsergebnissen zunächst darauf abgestellt, die Resultate in ihrem positiven und neuartigen Gehalt zu betonen und gewissermaßen advokatisch zu verfechten, gilt es nun mehr und mehr, kritische Alternativen aufzuspüren und den Wert von Gegenthesen zu erproben. War es vor 30 Jahren verständlich, wenn ein junger Gelehrter demonstrieren wollte, daß er recht hatte, gilt heute, gegen Ende eines Gelehrtenlebens — das übrigens sechs verschiedenen frühen Schriftsystemen gewidmet war —, die selbstkritische Überprüfung, ob und wieweit er denn recht gehabt haben könnte. Die *Rongorongo*-Studien müssen durch eine Phase des Umbaus weiter vorangetrieben werden.

Abb. 99   Ausschnitt aus dem Santiago-Stab, der Segmentierungen von Zeichenfolgen aufweist

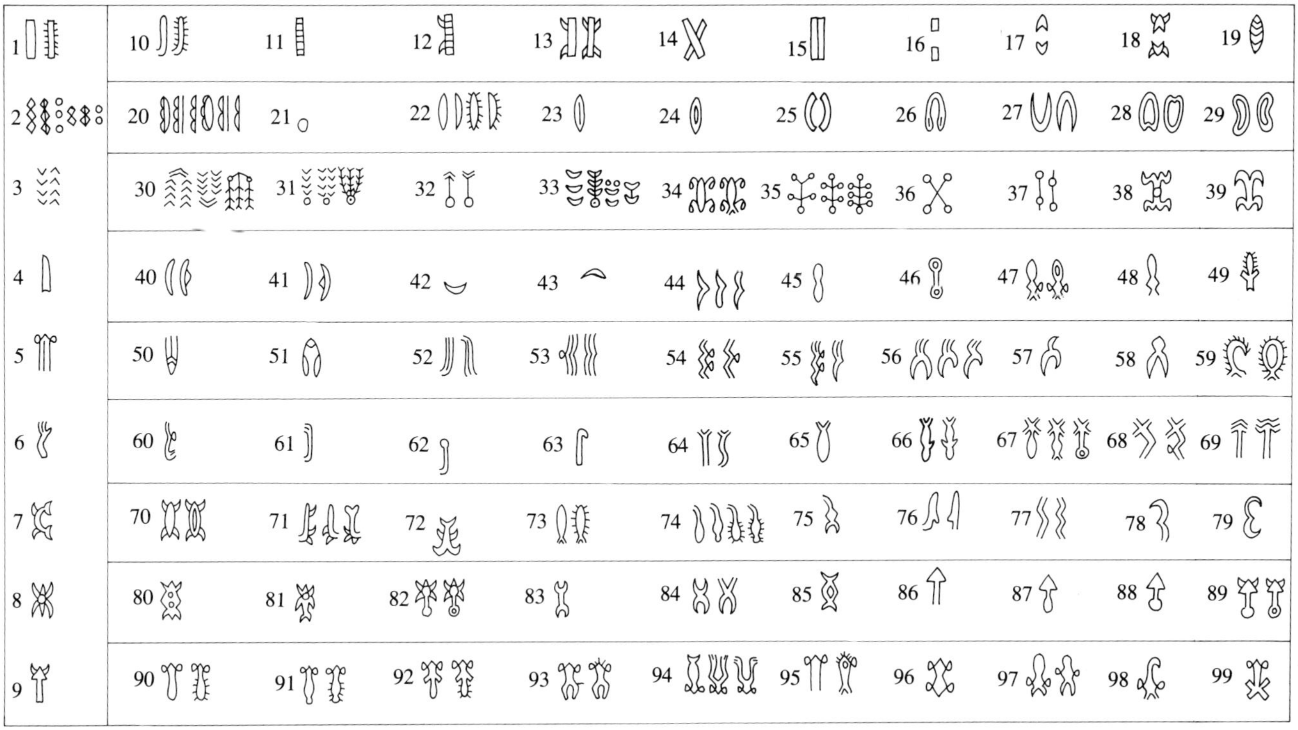

Abb. 100 Formentafel für die Zeichenabfolge 1–99. Der Zeichenbestand der Rongorongo-Schrift ist in dieser Art auf Formentafeln geordnet

Mindestens zwei Wege bieten sich an: Für das Aufspüren von Schwachstellen und illusionären Sackgassen müssen die bisherigen Vorschläge in ihrer jeweiligen Genese von Fall zu Fall überprüft werden. Wie gut sind die Ausgangspositionen für frühere Lesungsversuche gewesen, waren sie wirklich zwingend, war die Kette der Folgerungen stimmig und haltbar? Die Rekonstruktion der vermuteten Lösungsstammbäume ist ein schmerzhaftes, aber notwendiges Geschäft. Hilfreich hierzu sind die seither verbesserten Quellenverhältnisse über die mündlichen Überlieferungen, über den Charakter polynesischer Kompositionsprinzipien, über die dichterischen Mittel solcher Gesänge. Dies gilt sowohl für die Osterinsel selbst als auch für vergleichbare Kulturbereiche auf anderen ostpolynesischen Inseln. Das Eliminieren von Fehlern und Selbsttäuschungen ist eine Aufräumungsarbeit. Für den Neuaufbau sind neue und haltbarere Komponenten zu suchen.

Durchmustert man die Geschichte der Entzifferungen, so sind es Namen, die die Rolle von Kronzeugen spielten, um erste »Einbrüche« in stumme Zeichenfolgen zu erreichen.

Namen von verehrungswürdigen Personen, die durch andere Traditionsstränge überliefert und vor dem Vergessenwerden bewahrt wurden, und Namen von erinnerungsträchtigen Orten, oft von Legitimationscharakter für Status und Rechtsansprüche, bieten sich als lohnende Angriffspunkte an. Ihre richtige Lösung ist unumkehrbar. Auf solche »Einbruchstellen« gestützt, können Lösungsstammbäume von Dauerhaftigkeit wachsen. Richtige Namenslesungen liefern überdies gültige Einblicke in den Charakter des benutzten Schriftsystems, definieren die Relation zwischen Botschaft und Signal. Sie sind also von schrifttheoretischem Wert und können auf ihre Verallgemeinerbarkeit geprüft werden.

In einer Forschungssituation, in der *Rongorongo*-Studien anscheinend nahezu verstummt sind, dürfen Forderungen zum Umbau nicht als pathetischer Appell an die nächsten Generationen vorgetragen werden, sondern man muß sie durch eigene Bemühungen legitimieren. Jüngste Untersuchungen in Tübingen lassen zwei fruchtbare Perspektiven erkennen. Sie gelten Orten auf der Osterinsel und polynesischen Inseln westlich der Osterinsel. Ansatzpunkte waren mündliche

#	Zeichen	Lesung	#	Zeichen	Lesung
1		"Stab" (toko; kohau; turu? tira?)	11		papa [markierter Stab]
2		uri [schwarz]	12		papa ivi
3		maro (> maru) [Federgürtel]	13		ivi [Knochen]
4		ahu (≈ mara'e?) [Steinsetzung]	14		peka? [Verbotszeichen]
5		tea (< hau tea) [weiß]	15		tokorua ["zwei Stäbe" = Zwillinge]
6		rima [Hand] Tätigkeiten (avai; rutu)	16		hati [zerbrechen]
7		rei [Schmuckanhänger]	17		koti [zerschneiden]
8		ra'a [Sonne] ahi [Feuer]	18		vai koti
9		rangi [Himmel]	19		mama ["Napfschnecke" – Enttabuierung?]
10		haka]verbales Präfix "machen"]	20		mata [Auge, Gesicht, u.s.w.]

Abb. 101 Einige Entzifferungsbeispiele

Überlieferungen (mitunter wortwörtlich fixiert in einheimischen Notizbüchern), deren geographische Namen in der Regel aus zwei Wörtern zusammengesetzt waren und damit vom Schriftforscher als zweigliedrige Textaussage erwogen werden konnten.

Der einzigartige »Stab von Santiago« weist Segmentierungen von Zeichenfolgen auf, was sonst niemals der Fall ist, und verrät eine deutliche Präferenz für Zeichen mit der Thematik Abstammung und Fruchtbarkeit. Kein anderes Rongorongo-Zeugnis wäre vom bisher erkannten Inhalt her so gut geeignet, interne Verwandtschaftssysteme und zugehörige Denkmuster der Osterinsulaner zu rekonstruieren. Für einen polynesienkundigen Sozialanthropologen liegt hier sicherlich ein reizvolles Forschungsgebiet. Befragt man die mündlichen Überlieferungsversionen über die Hotu Matua-Einwanderer, die mit zwei Booten den Sandstrand von Anakena, die spätere Residenz des Inselherrschers, anliefen, so fällt die Vergesellung von tradierten Geburtsetappen mit der Bestimmung des Landungsortes auf. Physiologische wie soziale Abstammung finden hier ihren Ausgangspunkt für alle späteren Nachkömmlinge von Rang. Adlige Fruchtbarkeit auf einem »Nullpunkt« der erinnerten Inselgeschichte wird räumlich eingerahmt durch die flankierenden Orte Hiro Moko und Hanga-o-Hiro.[10] Für den Entzifferer auf der Suche nach »Einbruchstellen« kann eine solche Information relevant werden. Zum einen geht es um die Nutzung eines wiederkehrenden Wortes (Hiro) in zweigliedrigen Ortsnamen, jeweils umgestellt und in Vergesellung mit unterschiedlichen anderen Komponenten. Zum anderen liefert Moko, »Eidechse«, ein leicht erkennbares Ikon, das in der Osterinselschrift als RR 760 bezeugt ist. Die Überprüfung aller Vorkommen von RR 760 wird produktiv auf I 12, wo das RR 55a dem Zeichen für »Eidechse« vorangeht. Dieses bisher nicht gedeutete Graphem ist formenkundlich verwandt mit dem Zeichen für »Flechtband« (RR 54, hatu, auch genutzt als Wortspiel für »Herr« oder »Stein«), aber nicht dessen Allographem; denn beide Zeichen kommen in völlig unterschiedlichen Kombinationen vor. Die versuchsweise Anfangslesung von RR 55a als hiro(?) galt es nun weiter zu erproben. Für die Osterinsulaner war Hiro ein Gott des Regens, dessen Tränen mit Regentropfen verglichen wurden. Zwei inschriftliche Kontexte zu RR 55a wurden daraufhin produktiv, einmal durch das Zeichen »Regen«, einmal durch das Zeichen »Weinen«.

Die Einwanderungstradition hatte Hiro gewissermaßen definierend für den Landeplatz im Anschluß an eine lange Seereise genannt; da lag es nahe, die außerinsuläre Rolle von Hiro mitzubedenken. Auf verschiedenen polynesischen Inseln galt Hiro als der große Seefahrer schlechthin. Eine möglicherweise historische Gestalt Hiro war besonders verknüpft mit den Inseln unter dem Winde und dort mit einer kulturellen Hochblüte von beträchtlicher Ausstrahlungskraft verbunden. Mit freudiger Überraschung stellte ich fest, daß die vermutete Hiro-Lesung auf der »kleinen Santiagotafel« zeilenbenachbart zu den früher entzifferten Inselnamen Huahine und Rangitea anzutreffen war, also in einem Textbereich, der die »richtigen« geographischen Aussagen über »den« Hiro lieferte. Die weitere Erläuterung sprach dort von einem »Gesang für die männliche Nachkommenschaft« und

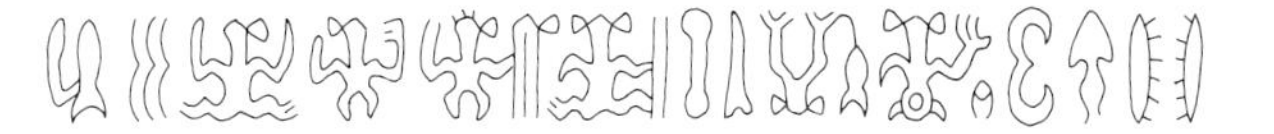

10.700·53·255 · 211 · 205.5·240.1 · 46·4·94c.7 · 286·21t·79·88·22f·22f

Abb. 102   Textbeleg für Folklore. Ein Ausschnitt aus der Tafel »Tahua«

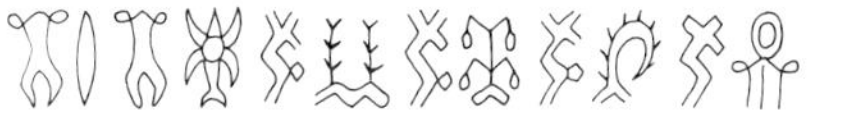

93 22 93 81 68 30b 68 34 68 59f 68 V21:5

Abb. 103   Textbeleg für Folklore. Ein Ausschnitt aus der »Großen Santiagotafel«

haka-ika ua	Verärgert ist der Regen (d.h., es herrscht Dürre)
onge hanau	Das Volk leidet Mangel
haka-kai tangata	Der Mann beschafft Nahrung (d.h., er baut viel an)
haka-tea tangata	Der Mann zeigt, was er hat (nämlich seine Ernte)
turu hanau	Er unterstützt das Volk
pu ahu amo-hi	Das Felsenloch am Ahu Omohi
honu mau kupenga	Wo die Schildkröte im Netz gefangen wurde
viri ao taparua	Damit wechselt die Herrschaft zur anderen Seite
ea vaka	Am Horizont erscheint ein Boot
ea raa	Dort, wo die Sonne aufgeht
ara kumara	Auf dem Wege der Süßkartoffel
ara kuru	Der Weg der Brotfrucht (ist der Westen)
ara kau	Der Weg der kalten Winde (ist der Süden)
ara ... tea raro	Der Weg ... leewärts (ist der Norden)

knüpfte wiederum eine Querbeziehung zum Ausgangspunkt des Entzifferungsansatzes auf dem Santiago-Stab. War nun dort die *Hiro*-Vermutung weiter zu festigen in einem zweiten prognostizierbaren Ortsnamen einer »Bucht des *Hiro*«? Fast unmittelbar nach den Zeichen für den ersten Lösungsansatz begegnete RR 55a (*hiro?*) vergesellt mit einem vorangehenden Graphem RR 26, dessen Konturen bildhaft einer »Bucht« gleichen. Die weitere Bearbeitung lehrte, daß RR 26 mit seinem Lautwert *hangai* (»nähren, stillen«) das Wortspiel *hanga-i* liefern konnte und die Gesamtkonstruktion *Hanga-i-Hiro* als zweiter geographischer Hinweis diente.

Mein Deutungsbeginn lag also in der Lokalinterpretation, in der Verknüpfung einer mündlichen Tradition über ein herausragendes Ereignis der Vergangenheit mit »passenden« *Rongorongo*-Zeichen. Die Spur wies nach Übersee und nahm damit einen überregionalen Charakter an. Hier tauchte zudem ein Argument auf, das Gewicht erlangen konnte für die Frage nach Einwanderungsweg und Einwanderungszeit der schriftkundigen Immigranten unter *Hotu Matua*.

Der vermutete Ausgangspunkt der schriftkundigen Einwanderer im Bereich der Inseln unter dem Winde ist wesentlich weiter von der Osterinsel entfernt als die südamerikanische Westküste. Günstige Windverhältnisse zu gewissen Jahreszeiten und insuläre Zwischenstationen erleichterten den polynesischen Seefahrern aber ihren Ausgriff nach Osten. Wenn wir den einstigen Namen von Pitcairn Island richtig verstehen (*Kai-rangi*), enthalten *Rongorongo*-Texte Hinweise auf den nächsten Nachbarn zur Osterinsel, also über eine Distanz von 2000 km. Steinfiguren und Petroglyphen auf Pitcairn Island liefern die ergänzende archäologische Evidenz. Es bleibt aber noch eine weitere Lücke von mehr als 2000 km zu erkunden für die mögliche Wanderroute. Segelte man im Norden über die Marquesasinseln, passierte man die zahlreichen Atolle des Tuamotu-Archipels oder wählte man die Südroute über die Austral-Inseln?

Die Schriftforschung konnte bislang nur mittelbare Aussagen darüber machen mit Hilfe ganz anderer Quellen. Mit der Auswertung unveröffentlichter ethnohistorischer Befunde für Ra'ivavae (von Frank Stimson vor 50 Jahren aufgespürt) wurde unser Blick auf eine traditionsreiche Kultur in den Austral-Inseln gelenkt, die anscheinend ebenfalls einmal »schriftkundig« gewesen zu sein schien. Dortige Überlieferungen sprachen von rechteckigen Holztafeln (*taparakau*), in die Reihen von Zeichen (*hoho*) eingekerbt waren. Solche Zeichen galten den großen Göttern und den Vogelmännern und waren strikt *tabu*. Historische Ereignisse, religiöse Themen und Fruchtbarkeitskulte wurden mit Hilfe der Zeichen auf den *taparakau* von geschulten Priestern rezitiert. Das klingt fast wie eine Beschreibung des *Rongorongo*-Typus! Fügt man hinzu, daß hochspezielle Benennungen auf beiden Inseln übereinstimmen, rückt Ra'ivavae in die Westperspektive der Osterinselforschung.

Bei einer gezielten Durchmusterung von *Rongorongo*-Texten stellte sich heraus, daß Namen von den Austral-Inseln tatsächlich registriert worden waren. Mehrfach und vielfältig sind passende Hinweise; gesichert für Rangi(va)vae und Rurutu, versuchsweise für Rimatara, Tupu(aki) und Rapa(iti).

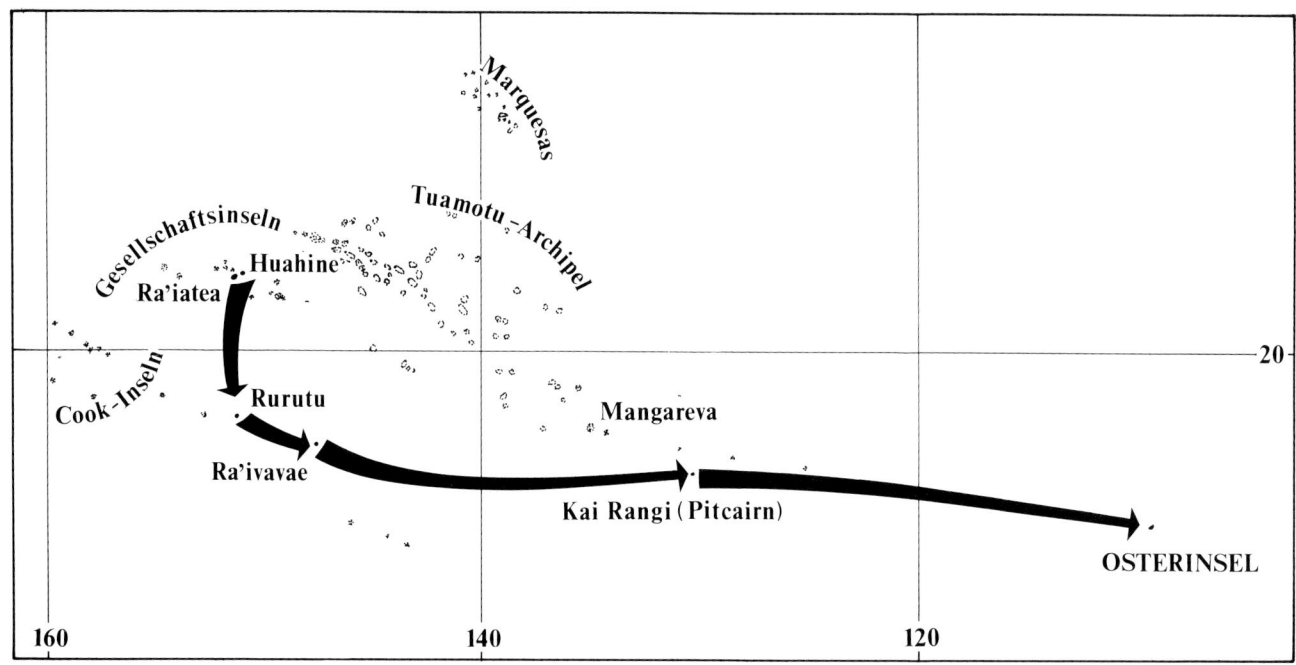

Abb. 104   *Die Südroute der Hotu Matua-Einwanderer*

Das Bigramm RR V9-60 (*rangi-vaʿe*) auf der Tafel »Tahua« begegnet uns in einem Textzusammenhang von Göttern, Adligen und Kostbarkeiten. Die gleiche Tafel enthält ein Maximum von Hinweisen auf Raʿiatea und dessen kulturelle Attribute. Der Einzelbeleg des neuen Inselnamens stimmte optimistisch, durfte aber noch nicht als beweiskräftiges »missing link« (Austral-Inseln als Zwischenetappe) gelten. Anders stand es mit der Entzifferung von RR 376 als Rurutu. Nicht weniger als sechs Schriftdenkmäler verweisen auf diese Insel — was deshalb so interessant ist, weil Rurutu für zentralpolynesische Seefahrer die erste Station auf einer Segelfahrt nach Süden bildete. James Cook ging es seinerzeit auf seiner Reise nicht anders.

Für den Schriftforscher ist solche Lesung auch theoretisch interessant, handelt es sich doch um die Aussagekraft eines Graphems, dessen Teilelemente (»Subgrapheme«) je für sich lauttragend sind. Der Inselname war zu gewinnen aus den Komponenten »Buckliger« (*ru*) und »agierende Hand«, wie sie in anderen Kombinationen für das »Rezitieren« (*rutu*) von Schrifttafeln und das »Schlagen« (*rutu*) von Perkussionsinstrumenten verwendet wurde. Die Entzifferung von »Rurutu« galt es nun auszuwerten und die alten Überlieferungen von jener Insel aus einer neuen Perspektive zu befragen. Die Quellenlage ist dürftig und schwer zugänglich. Jedoch besteht kein Zweifel an der überragenden Rolle der Herrscherlinie *Uruariʿis* oder *Manuura*, die aus ʿAvaʿi (dieses »Havaiki« wohl für Raʿiatea) stammte.[11] Die Osterinselschrift kennt ein Zeichen für *Uru-Ariki* (RR 682), vor allem aber solche für *manu-kura* (RR 600) in mannigfaltigen Abwandlungen, die meistens die Adligen betreffen. In mindestens zwei Textpassagen wird nun Rurutu vergesellt mit *manu-kura*! Mit anderen Worten: Unsere neue Entzifferung fügt den dort überlieferten Adelstitel mit jener Insel stimmig zusammen. Eine willkommenere Bestätigung für die Richtigkeit dieses Ansatzes kann man sich nicht denken. Wenn die »London-Tafel« die Aktion der Adligen von Rurutu als ein »Fliegen« (*rere*) umschreibt, bedient sie sich der wohlbekannten poetischen Wendung für die Reise eines Häuptlings.

Ich fasse zusammen: Die Namen von Inseln aus der Gruppe der Austral-Inseln (600 bis 700 km südlich von den Gesellschaftsinseln) sind in *Rongorongo*-Texten vermerkt. Sie erscheinen in Passagen, die inhaltlich eine Bestätigung zur geographischen Aussagekraft liefern. Die Entzifferung erschließt jetzt ebenfalls jenen Raum, den bereits andere Quellen als »schriftkundig und religionsverwandt« gegenüber der Osterinsel charakterisieren. Das »missing link« für die Südroute der *Hotu Matua*-Einwanderer dürfte damit gefunden worden sein. Ein Kontinuum von Ortsangaben für polynesische Seefahrer, fixiert in klassischen *Rongorongo*-Texten, reicht über eine Gesamtstrecke von mehr als 4000 km hinweg. Eine solche präzise Verknüpfbarkeit wirft für den Historiker die Frage nach dem Zeitpunkt des Geschehens auf. Die schriftkundigen Einwanderer, die am Strand der künftigen Königsresidenz anlandeten und diesen für sie doch wohl wichtigsten Bereich der Osterinsel mit *Hiro*-Hinweisen flankierten, trugen fixierte Überlieferungen aus den Gesellschafts- und Austral-Inseln in ihre neue Heimat zu einem Ankunftstermin, der relativ spät anzusetzen ist. Man mag streiten, ob wir uns bei einer Zeitreise im 14. oder 16. Jahrhundert wiederfinden würden; denn Kalkulationen mit genealogischen Listen liefern in Polynesien bekanntlich nur provisorische Näherungswerte. An einer relativ späten Zeitstellung dieses Importgutes im *Rongorongo*-Medium kann m. E. nicht mehr gezweifelt werden.

Wenn auch das *Rongorongo*-Medium nicht an den Beginn der Osterinselgeschichte gesetzt werden kann, umschließt es anscheinend doch Überlieferungen von unterschiedlicher Zeittiefe aus der alten und neuen Heimat. Es konserviert gewissermaßen eine Schichtenfolge von Themenkreisen aus verschiedenen Etappen der Kulturentwicklung. Wo die *Rapanui*-Gesänge der traditionskundigen Meister längst verstummt und verschollen sind, verbleiben uns so wenigstens die Stichworte dazu als Merkzeichen in Holz, die wir neu verstehen lernen müssen.

Es wird unabweisbar deutlich, daß *Rongorongo*-Studien einen Realitätsgehalt besitzen. Die oft so mühselig voranschreitende Entzifferung wirkt insgesamt kumulativ und gewinnt dort an Aussagekraft, wo übergeordnete Themen detaillierte Konturen anzunehmen beginnen, die für Ethnologen und Archäologen nachvollziehbar sind. *Rongorongo*-Studien entschleiern eingekerbte Vergangenheit Stück für Stück.

Anmerkungen

[1] GELB, I. J., *Von der Keilschrift zum Alphabet. Grundlagen einer Schriftwissenschaft,* Stuttgart 1958
[2] ENGLERT, SEBASTIAN, *Island at the center of the world,* New York 1970
[3] BARTHEL, THOMAS, *Grundlagen zur Entzifferung der Osterinselschrift,* Hamburg 1958
[4] BARTHEL, THOMAS, *Pre-contact writing in Oceania.* Current Trends in Linguistics Vol. 8. Linguistics in Oceania 1165–1186, 1970
[5] KRUPA, VIKTOR, »Moon« in the writing of Easter Island. Oceanic Linguistics 10, 1971, S. 1–10
[6] BIANCO, JEAN, *Comment je déchiffre l'écriture pascuane.* Kadath 20, 1976, S. 30–40
[7] BARTHEL, THOMAS, *Maui auf der Osterinsel.* Anthropos 69, 1974, S. 705–747
[8] BARTHEL, THOMAS, *Rongorongo-Studien (Forschungen und Fortschritte bei der weiteren Entzifferung der Osterinselschrift).* Anthropos 58, 1963, S. 372–436
BARTHEL, THOMAS, *Diskussionsbemerkungen zu einem Rongorongo-Text.* Acta Ethnographica XII, Budapest 1963, S. 65–83
[9] FEDOROVA, IRINA, *Issledovanija Rapanujskich Tekstov (Untersuchungen der Rapanui-Texte).* Akademija Nauk SSSR, Institut Etnografii (Hrsg.), Zabytye Sistemy Pis'ma (Vergessene Schriftsysteme), Moskau 1982, S. 23–98
[10] ENGLERT, SEBASTIAN, *Tradiciones de la Isla de Pascua,* Padre Las Casas (Chile) 1939
[11] VÉRIN, P., *L'ancienne Civilisation de Rurutu (Iles Australes — Polynésie Française). La période classique.* Mémoires O.R.S.T.O.M. No. 33, Paris 1969

Bibliographie

BARTHEL, THOMAS, *Zur Frage der lunaren Zeichen in der Osterinselschrift.* Asian and African Studies VIII, Bratislava 1973
BARTHEL, THOMAS, *Rongorongo und Folklore.* Oceanic Studies. Festschrift Koskinen, Helsinki 1982
MÉTRAUX, ALFRED, *Ethnology of Easter Island.* BMB 160, Honolulu 1940
STIMSON, FRANK, *Preliminary Report of the Cornelius Crane Expedition of Bishop Museum to the Austral Islands.* Ms. Peabody Museum, Salem, Mass. (o. J.)

Die Schriftzeichen der Osterinsel

Jean Guiart

Die Schriftzeichen der Osterinsel sind schon vielfach abgehandelt worden; ihre Enträtselung scheint jedoch ein unmögliches Unterfangen zu sein. Leider wurde bisher nichts gefunden, was mit dem Stein von Mariette vergleichbar wäre, bei dem zwei Schriften, von denen eine bereits bekannt war, gegenübergestellt waren. Auch die bisher von sowjetischer bzw. französischer Seite (bei IBM) unternommenen Versuche, die Schriftzeichen mit Hilfe der Informatik zu analysieren, erbrachten zwar weitere Erkenntnisse hinsichtlich der Bedingungen, unter denen die Zeichen erstellt worden waren, konnten jedoch keinen neuen Aufschluß über die Bedeutung der Zeichen geben und werden auch künftig nicht in der Lage dazu sein, da uns hierfür jegliche Ansatzpunkte fehlen.

Bei allen diesen Versuchen wurde meines Erachtens der grundsätzliche Fehler gemacht, die Schriftzeichen der Osterinsel als ein alleinstehendes mysteriöses Phänomen zu betrachten und das, was einer Schrift ähnlich ist, in Bezug zu allen anderen Schriften aus entfernten Regionen zu setzen. Es handelt sich zwar um einen Code, aber nicht im Sinne unserer Geheimdienste. Er steht nicht für Phoneme, nicht einmal systematisch für einzelne Wörter.

Die gesamte Frage müßte im Rahmen des kulturellen ozeanischen Umfelds betrachtet werden. Alle traditionellen Kulturen des Südpazifiks besaßen Zeichensysteme, die auf Personen (Tatauierungen), Gegenständen, Bauten, Felsflächen im Freien, in Felsbehausungen oder in Grotten zu finden sind und die bisweilen die Forschung interessierten. Diese Systeme rechtfertigen die einleuchtende Hypothese von Alfred Métraux, daß es sich auf der Osterinsel nicht um eine Schrift im eigentlichen Sinne, sondern um ein mnemotechnisches System handelt, das als Gedächtnisstütze bei gesungenen Erzählungen diente.

Bei den bekannten Systemen, wie z. B. dem der Ureinwohner Zentralaustraliens[1], werden die Zeichen mit dem Finger verfolgt, während gleichzeitig Erzählungen über die Heldentaten der Vorfahren gesungen werden. Im Falle der »Aborigines« sind die Zeichen in Schieferplatten eingeritzt, die mit rotem Ocker und Emu-Fett eingerieben wurden. Die Motive wurden in einer Art »Wörterbuch« zusammengestellt, wobei jedem Zeichen eine gleichbleibende Bedeutung zugeordnet werden konnte. Die einzelnen Zeichen können jedoch einem Wort, einem Satz oder einem kompletten Vorgang entsprechen. Natürlich wird man einwenden, daß Australien zu weit von der Osterinsel entfernt ist.

Andere Systeme fanden weniger Beachtung. Dennoch gibt es eine ganze Reihe davon. Ein erster Versuch, der von Luquet[2] unternommen wurde, die Petroglyphen anhand der Aufzeichnungen von Archambault zu interpretieren, scheiterte an mangelnder ethnographischer Kompetenz. Auch hier wurde lange über das Mysterium gerätselt und von untergegangenen Völkern und Kulturen geredet, so als wäre es bei jedem interessanten Phänomen undenkbar, daß die Vorfahren der gegenwärtigen Einwohner die Erfinder eines solchen Systems gewesen sein könnten.

Inzwischen weiß man, daß die heutigen Melanesier durchaus in der Lage sind, fundierte Informationen zu liefern. Man stößt immer wieder auf die Motive menschlicher Gesichter; auf holzgeschnitzten Friesen von Türbalken, an Bordwänden von Pirogen-Modellen, die »Münzköpfe« enthalten, die den »heiligen Korb« (*nekare ka arii*) niemals verlassen dürfen, auf den Münzköpfen selbst, auf Speeren, an den Stielen von Kultbeilen. Diese Gesichter werden auch auf den Masken[3] dargestellt und symbolisieren stets den Gott, den Herrscher über das Land der Toten, der unter vielen Namen bekannt ist: Tee Pijopac, Gomawe, Urupwe, Kavörö, Bwee Dama usw. Er ist gleichzeitig Herr über Leben und Tod; Herr der Feuchtigkeit, die er liebt, weshalb er sich gerne am Fuße von Wasserfällen, in Strudeln bei Überschwemmungen aufhält; aber er ist auch eine Gefahr für schwangere Frauen, die vor ihm geschützt werden müssen; Herr über das Meereselement (Salzwasser), aus dessen Fluten er in Hienghene und Koumak als Maskenträger aufgestiegen ist; Herr über den Tod, mit dem er diejenigen bestraft, die gegen seine Gebote verstoßen; Herr der Auferstehung, die er in besonderen Fällen gewährt, beispielsweise um die Liebe eines verzweifelten Gatten zu belohnen. Von ihm erzählen die Lieder, wenn der heilige Korb geöffnet wird oder wenn man im mittleren Tal von Tchamba mit der Hand den Vertiefungen im Felsengestein folgt, die seine Spuren sein sollen.

Heute weiß man, daß die Petroglyphen jeweils einem Klan zuzuordnen sind, für den sie das unauslöschbare Zeichen ihres gegenwärtigen Daseins oder ihrer Vergangenheit sind. Die Schaffung von Reservaten für die meisten Kanaken im »Großen Land« (Neukaledonien) und die Zuweisung von Bezirken, in denen sie keinerlei Bodenrechte hatten, machte die Zuordnung dieser mit Zeichen versehenen Grenzsteine unmöglich, und die Erinnerung daran wurde als gemeinschaftsschädlich verdrängt. Heute, wo das spontane Anliegen der Melanesier darin besteht, daß jeder auf sein Land zurückkehren soll, dringt das nahezu ein Jahrhundert lang verschwiegene Wissen wieder an die Oberfläche.

Bei näherer Betrachtung stellt man fest, daß es möglich war, ein Verzeichnis der Motive nicht nur der Tatauierungen der Marquesaner[4] oder Maoris[5] zu erstellen, sondern auch derjenigen der marquesanischen Skulpturen und fein gearbeiteten Gravierungen der Diademe und des Ohrschmucks aus Perlmutt oder Schildpatt. Diese stellen Ereignisse aus dem Leben derjenigen Götter dar, auf die sich die Darstellungen beziehen. Auch hier kennt die mündliche Überlieferung Lieder, in denen diese Themen aufgegriffen werden.

Auf den Cook-Inseln wurden zwar die großen, in Form von Menschengesichtern geschnitzten Pfähle der alten Tempel von den tahitianischen Evangelisten verbrannt, geblieben sind uns jedoch unzählige tragbare Skulpturen. Sie stellen eine Gottheit dar, die über die Reihe der vergöttlichten Ahnen eines Stammes herrscht. Diese sind vorsichtig in Rindenbaststoffe (*tapa*)[6] eingewickelt, die ebenso heilig waren wie die Skulpturen selbst, die einem bestimmten Stamm gehörten. Auch der Götterstab (»staff god« von Mitiaro) auf den Cook-Inseln folgt demselben Muster, allerdings auf jeder Ebene in vierfacher Darstellung[7], die man bisweilen auch bei altem Brustschmuck aus Neuseeland wiederfindet. Auch die Ahnenstäbe in Neuseeland (»rakau whakapapa«), die oben und unten mit Menschenfiguren verziert sind und bei denen die einzelnen Generationen[8] durch Wülste voneinander getrennt sind (bei dem im Museum von Auckland ausgestellten Stab, der in zwei Beinen einer sitzenden Person endet[9], sind es insgesamt 22 Generationen [ex coll. Mair, Bay of Plenty, 1983]), zeigen ähnliche Strukturen wie die geschnitzten Friese des Gottes »Tiki« auf den Cook-Inseln. Die verzierten Anhänger (»rei niho«), die bei Grabungen auf der Südinsel entdeckt wurden (Okain's Bucht, Banks-Halbinsel) oder innerhalb der Familien auf der Nordinsel von Hand zu Hand weitergegeben wurden, könnten ebenfalls als Darstellung von Ahnenreihen interpretiert werden. Der im Museum von Auckland[10] ausgestellte Anhänger (Höhe 12,3 cm, Nr. 28859, ex Mrs. Lushington coll., Whangamumu Inlet, Northland), der aus dem 14. Jahrhundert n. Chr. stammen soll und zwei Personen, an jedem Ende eine, sowie 14 Ebenen darstellt, die jeweils als stilisiertes menschliches Bein gezeichnet sind, weist ebenfalls eine ähnliche Struktur wie die Darstellungen auf den Cook-Inseln auf. Einige moderne »whakapapa«[11] aus Knochen haben gröbere Formen, lassen sich aber in eine Reihe mit den »rei niho« stellen.

Die Innenseiten der Pfosten der großen Versammlungshäuser, deren aktuelle Ausmaße bis zur Mitte des letzten Jahrhunderts zurückzuverfolgen sind, erzählen von den Vorfahren und ihren Heldentaten. Bisweilen werden zwei Generationen übereinander dargestellt, und auch Heldinnen, auf die man sich als Vorfahren beruft, werden nicht vergessen.[12] Das Haus selbst ist als kosmische Vision und als Beweis einer bedeutenden Ahnenreihe, die die Verbindung zwischen den Göttern und den Menschen herstellt, zu betrachten. Noch heute zitiert jeder Redner auf den »marae« genannten Kultplätzen in irgendeiner Form den Gott Tane als seinen Vorfahren; danach folgt eine geschickt konstruierte Ahnengeschichte, deren Struktur dadurch bestimmt wird, daß aus jeder Generation die dem Vortragenden am nächsten stehende berühmte Person zitiert wird. Meistens handelt es sich um einen berühmten Krieger oder die erstgeborene Tochter einer großen Sippe.

Was erzählen die zahllosen Gesänge des Südpazifiks? Sie sind nichts anderes als ein Bericht, der bisweilen nahezu historischen Charakter besitzt, in anderen Fällen in Form von Symbolen vorgetragen wird, die für den Außenstehenden schwer zu entschlüsseln sind. Dabei werden stets Elemente der Ahnengeschichte, die nicht immer als solche erkennbar sind, mit Reise- und Wegbeschreibungen gemischt, weshalb sie von uns als mythisch eingestuft werden. Wesentlich dabei sind die mit Naturnamen umschriebenen Orte, deren bloße Nennung immer, gleich in welcher Form, ein aktuelles oder aktualisierbares Eigentumsrecht beinhaltet.

Jedes mit den Themen von Gesängen oder gesungenen Erzählungen geschnitzte, gravierte oder bemalte Material hat die Funktion, den Ablauf der rituellen Handlung zu erleichtern. Eine Interpretation der Ornamentik wird immer auf diese beiden Faktoren anspielen oder sich davon ableiten, wobei jeder der Kontrapunkt des anderen ist. Die Anspielungen können ganz direkt erfolgen oder aber schwer verständlich sein, da die Nennung in der Öffentlichkeit häufig durch Umschreibungen erfolgen muß, weil die »eigentlichen« Namen, die nur der betroffenen Familie bekannt sind, niemals ausgesprochen werden dürfen.

Daraus ergibt sich, daß jedes System von Motiven ausschließlich durch den örtlichen »Meister« dieser Ausdruckskunst interpretiert werden kann, so daß es eigentlich sein System ist, auch wenn es allgemeinere Verwendung findet. Unter diesen Bedingungen kann es keine eigentliche Schrift geben — und damit befinden wir uns bereits in einer Sackgasse, wenn wir aus unserer kulturellen Gewohnheit als »Büchermenschen« von Schrift sprechen.

Andererseits besitzen wir die Möglichkeit, im gesamten Südpazifik das Material zusammenzutragen, das erforderlich ist, um schließlich die den Europäern lange Zeit verborgenen Informationen zu erhalten und die bekannten plastischen Motive und Ausdrucksformen strenger zu interpretieren. So ist man heute dabei, die Bedeutungen der »Gope«-Platten von Neuguinea, der »Tjurunga« in Mittelaustralien, der bemalten Korkplatten von Arnhem-Land, der Palmbrakteen-Malereien des unteren Sapik-Tals zu sammeln. Damit kann ein erneuter vorsichtiger Versuch gewagt werden, die geschnitzten Bambusstöcke in Neukaledonien zu interpretieren, sobald man ihre Herkunft anhand der Schnitzereien im Dachgebälk genau lokalisieren kann.

Man muß alles oder nahezu alles über eine Kultur wissen, um sich auf ein solches Vorhaben einzulassen. Das bedeutet aber, daß es zum Scheitern verurteilt ist, wenn nicht die Ozeanier selbst einbezogen werden. Die beiden nicht immer deutlichen oder bisweilen sogar geschickt versteckten Grundlagen sind immer einerseits die Kenntnis der genealogischen Verbindungen der Lebenden mit den Toten und den Göttern, andererseits die Nennung der Orte, die die Bodenrechte einer Ahnenreihe begründen. Zeit und Raum sind gleichermaßen ausschlaggebend.

Die Berufung auf die Götter kann aus beiden Gründen erfolgen. Man beruft sich auf eine lokale Gottheit, weil ihre Heimat, der Ort ihrer Verehrung, im Mittelpunkt einer von ihren Getreuen in Besitz genommenen Gegend liegt oder weil sie der Kopf der Ahnenreihe ist, die ebendiese Gegend für sich beansprucht. Wenn man nicht weiß, wo die Gaben den Göttern dargebracht werden, wo die Gebete gesprochen werden — wobei es sich um Umschreibungen heiliger Orte oder verschiedene Erscheinungsformen einer Gottheit handeln kann — und wer dafür zuständig ist, so wird man weder die Lieder noch ihre in plastischen Darstellungen veranschaulichten Themen jemals verstehen.

Nur durch das Zusammentragen detaillierter Informationen über jeden einzelnen Ort und jede einzelne Familie, eben der Informationen, die die traditionelle ozeanische Bildung vermittelt, werden wir zu Erkenntnissen gelangen, die die Ozeanier uns bisher in gewisser Weise hartnäckig vorenthalten haben — nicht etwa, weil sie sie verloren hatten (wie sie uns oft glauben machen wollten), sondern weil sie gute Gründe hatten, den Gebrauch, den wir davon machen würden, zu fürchten.

Die in Form von hohlen Holzkörpern geschnitzten Truhen der alten Maoris (waka tupapaku), in denen Gebeine bedeutender Personen aufbewahrt wurden, waren nicht gleichmäßig mit Verzierungen bedeckt, wie dies in der Maori-Kunst nach der Einführung des Eisens der Fall war, sondern waren bisweilen, abgesehen von einer Betonung der Scharniere durch für die Maori-Kunst typische komplexe Spiralen, lediglich mit einer Art vertikalem Fries geschmückt, der in bizarren Zickzacklinien über die Brust, den Bauch oder die Seite des Körpers verlief. Diese Friese verschwanden anscheinend mit der Christianisierung und wichen einer mit einer Metallklinge eingeritzten Ornamentik, die sämtliche verfügbaren Flächen bedeckte. Ihre Interpretation läßt die Existenz eines Systems erkennen, welches demjenigen entspricht, das ausführlich durch die Tatauierungen dokumentiert wird.

Anscheinend ist diesen vertikalen Friesen, die sich in eckigerer Form in den Grotten der Südinsel von Neuseeland wiederfinden, nicht die erforderliche Aufmerksamkeit geschenkt worden. Bei näherer Betrachtung stellt man fest, daß sie in verschiedenen Stufen angelegt sind, wie eine Art organisiertes Register. Jede der Stufen unterscheidet sich von der vorhergehenden bzw. der nachfolgenden Ebene und weist einzelne individualisierbare Motive[13] auf. Die jüngste Erklärung ist, daß sie die Geschichte einer Ahnenreihe erzählen, wobei ein Motiv auf das Geschlecht der Referenzperson der jeweiligen Generation hinweist (»ariki« Mann oder Frau) und ein Motiv ein markantes Ereignis aus deren Leben darstellt (wenn der/die Betreffende sich z.B. während eines Krieges im Sumpf verstecken mußte, findet sich das Zeichen eines Schilfstrauchs).[14]

Diese Ausdrucksform ähnelt sehr den Funden von Françoise Girard in den Felsbehausungen von Buang[15] in Neuguinea.

Es muß an dieser Stelle nochmals darauf hingewiesen werden, daß die Berufung auf die Toten und die Götter immer einen Erbanspruch auf Bodenrechte beinhaltet. Man spricht von denjenigen, an die man sich erinnert. Die materiellen Darstellungen können zwar nicht ihren Namen enthalten, wohl aber ihre Position in einer Abfolge ahnengeschichtlicher Stufen beschreiben.

Die Schrifttafeln der Osterinsel können nichts anderes bedeuten: Nämlich eine Folge von Personen und mit diesen Personen verbundenen Orten, an deren Position innerhalb einer Ahnenreihe erinnert wird, um auf diese Weise die genealogische und damit soziale Position sowie den Bodenanspruch ihrer Nachkommen zu rechtfertigen. Was noch zu klären bleibt, sind die Details der verwendeten Mittel. Doch der Versuch, Wort für Wort zu übersetzen, in der Hoffnung, Satzkonstruktionen zu finden, ist ein aussichtsloses Unterfangen.

Für die Zukunft bleibt uns die Aufgabe, für jedes einzelne System alle strukturierten Zeichensysteme im Südpazifik rationell und umfassend zusammenzutragen und nebeneinanderzustellen. Auf dieser Grundlage können wir dann neu beginnen, Vorstellungen auszuarbeiten. Es wird sehr schwierig sein, mehr zu erreichen. Dies könnte kein individuelles Unternehmen sein, sondern erfordert internationale Fachkommunikation und interdisziplinäre Forschung.

Anmerkungen

[1] Vgl. die Arbeiten von SPENCER und GILLEN sowie die Sammvon Tjurungas im Nationalmuseum für Afrikanische und Ozeanische Kunst, die von der Lutherischen Mission von Hermannsburg stammt. Sie umfaßt eine Dokumentation, die eine authentische Interpretation von den Aborigines, denen die Sammlung gehört, aus dem Jahre 1930 beinhaltet.

[2] Vgl. LUQUET, G. M., »L'art néo-calédonien. Documents recueillis par M. Marius Archambault«, Ethnologisches Institut, Paris 1928

[3] Vgl. GUIART, JEAN, »Mythologie du masque en Nouvelle Calédonie«, Gesellschaft der Ozeanisten, Paris 1988 (2. Auflage)

[4] Vgl. VON DEN STEINEN, KARL, »Die Marquesaner und ihre Kunst. Studien über die Entwicklung primitiver Südsee-Ornamentik«, 3 Bde., Reimer, Berlin 1925–1928. — Vgl. ferner: HANDY, WILLOWDEAN C., »L'Art des Iles Marquises«, Edition d'Art et d'Histoire, Paris 1938

[5] Bezüglich der Bedeutung der Maori-Tatauierungen im einzelnen vgl. SIMMONS, D. R., »Ta Moko. The Art of Maori Tattooing«, Methuen, Auckland 1986

[6] Drei Schichten Rindenbaststoff (*tapa*) wurden gefaltet, bevor sie aufgerollt und mit Kokosnußfasern (Sennit) zusammengebunden wurden: eine weiße *Tapa*-Schicht innen, eine hellbraune *Tapa*-Schicht in der Mitte und eine mit schwarzen Zickzacklinien verzierte *Tapa*-Schicht außen. Vgl. BARROW, T., »Art and life in Polynesia«, Wellington 1972, S. 124–125

[7] Vgl. Fig. 4, 5, S. 43, in GATHERCOLE, PETER; KAEPPLER, ADRIENNE L.; NEWTON, DOUGLAS, »*The Art of the Pacific Islands*«, National Gallery of Art, Washington 1978

[8] Vgl. HEAD, SYDNEY MOKO (Hrsg.), »Te Maori. Maori Art from New Zealand collections«, Abrams, New York 1984, S. 22–23

[9] Der Ahnenpfeiler von Te Hapuku ariki, Ngati Kahungunu (vgl. »Te Maori«, s. o. Anm. 8, S. 218), stellt 40 Generationsebenen dar. Die Zahl der Ebenen könnte möglicherweise eine Erklärung für das Verschwinden des Brustschmucks sein, da die Anzahl der Tage oder der zu schnitzenden Wülste den durch das verfügbare Material — Stein oder Fischbein von Pottwalen — vorgegebenen Rahmen übersteigt. Es mußte ein anderes Trägermedium gefunden werden, und Holz eignete sich hierzu am besten.

[10] »Te Maori«, s. o. Anm. 8, S. 80 und 117

[11] Vgl. S. 89–100 bei SKINNER, HENRY DEVENISH, »Comparatively speaking. Studies on Pacific Material Culture«, 1921–1972. University of Otago Press, Dunedin 1974

[12] Wie in der Fachliteratur beschrieben ist, wird ein doppelter Bezug, nämlich sowohl auf die mütterliche als auch auf die väterliche Abstammungslinie, akzeptiert. Ebenso — und vielleicht besser — könnte man dies dahingehend interpretieren, daß man sich in der betroffenen Generation auf die angesehenste Persönlichkeit beruft — unabhängig davon, ob es sich um einen Mann oder eine Frau handelt. In jeder Generation gibt es erstgeborene Töchter, aber nur die bestangesehenen finden sich in den genealogischen Berichten wieder, während die erstgeborenen Knaben, die eine unbedeutende Spur in der Erinnerung hinterlassen haben, einfach ausgelassen werden, es sei denn, daß ein Zuhörer, der die Realität genau kennt, den Namen des vergessenen Ahns und die wahrhaftigen genealogischen Verbindungen öffentlich nennt, um zu zeigen, daß der

Erzählende sich selbst wichtiger machen wollte, indem er sich direkter, als ihm zusteht, auf wichtige Persönlichkeiten der Vergangenheit beruft.

[13] Vgl. die Figur in Abb. 129, S. 100–101, bei: BARROW, T., »Maori Wood Sculpture of New Zealand«, Wellington 1969, die vom Dominion Museum, Wellington/Neuseeland, stammt. Das Stück von Waimamaku, Hokianga, im Museum von Auckland, wiedergegeben auf Tafel 7B bei: ARCHEY, GILBERT, »Whaowhia. Maori Art and its Artists«, Auckland 1977. Die Stücke der Tafeln 7D und 7E desselben Werkes (Bay of Islands, Auckland Museum, 6404 und 6505, ex coll. Hon. Vernon Reed). Die Tafeln 1, 2, 14, 16, 17, 38, 41, 44, 45, 57, 60, 69, 70 bei: FOX, AILEEN, »Carved Maori Burial Chests«, Bull. Nr. 13, Auckland Institute and Museum, 1983. Der Bauchschnitt des auf Tafel 36 wiedergegebenen Stückes (Piwakawaka Cave, Hokianga, National Museum, Wellington), das auf beiden Seiten durch ein Zickzack-Motiv geschmückt ist, zeigt links 25 und rechts 27 Ebenen. Es markiert möglicherweise die häufige Ungleichheit der Ebenen je nach der mütterlichen oder väterlichen Abstammungslinie und läßt daher eher an die genealogischen Dimensionen als an die Hypothese der Narbe einer Kaiserschnitt-Geburt denken, wobei kaum einleuchten würde, warum eine solche auf dem Bild eines vergöttlichten Ahnen festgehalten worden sein sollte. Vgl. auch die Fig. 4132 bis 4148, S. 76–82 bei SKINNER, »Comparatively speaking«, s. o. Anm. 11.

[14] D. R. SIMMONS, persönl. Mitteilung

[15] Vgl. GIRARD, FRANÇOISE, »Les peintures rupestres Buang«, Zeitschrift der Gesellschaft der Ozeanisten, 13, S. 5–49, Paris 1957

Sieben *tapa-*(Rindenbaststoff-)Arbeiten von der Osterinsel

HEIDE-MARGARET ESEN-BAUR

Zu den erstaunlichen megalithischen Hinterlassenschaften (*ahu* und *moai*) der alten Kultur der Osterinsel, dem großen Bestand an künstlerisch und symbolisch so vollkommen gestalteten Petroglyphen und den in großer Formenvielfalt geschaffenen und uns erhalten gebliebenen qualitätvollen Holzschnitzereien, die sämtlich aus dem Kult heraus ihre Bedeutung erlangen, gesellt sich ein weiterer Bereich traditionellen Kunstschaffens: die *tapa-*(Rindenbaststoff-)Figurinen.

Neben der Tatauierung, der Körperbemalung, und den Felsmalereien gehören sie zu den mehr vergänglichen Zeugnissen der alten Kultur.

Wir dürfen uns glücklich schätzen, daß heute — mehr als ein Jahrhundert nach dem endgültigen Zusammenbruch der alten Ordnung — einige Beispiele dieser fragilen Kunstwerke noch so gut erhalten sind. Denn sie erhellen einen Bereich dieser rätselhaften Kultur, über den wir kaum etwas wissen.

Von den sieben bekannten *tapa-*Gegenständen sind vier in dieser Ausstellung zu sehen. Es handelt sich hierbei um zwei menschliche Figuren (Kat. Nrn. 104, 105), eine Kopfbedeckung (Kat. Nr. 107) und einen Januskopf (Kat. Nr. 106). Den Leihgebern, dem Peabody Museum der Harvard University und dem New Brunswick Museum, sind wir für ihre Bereitschaft, sie für diese Ausstellung auszuleihen, sehr dankbar. Diese eindrucksvollen Stücke werden in Europa erstmals gezeigt. Die übrigen Stücke mußten aus konservatorischen Gründen an ihrem Standort verbleiben.

Während in den eingangs erwähnten Kunstgattungen eine gewisse formale, statuarische, monumentale, ja grandiose Komponente zum Ausdruck kommt, spricht aus den *tapa-*Figurinen ein anderer Geist: Unmittelbarkeit, Vitalität, die uns ganz in ihren Bann ziehen. Hier sind die strengen, formalen Maße durch die lebendige Haltung und die polychrome Bemalung aufgehoben und überwunden. Und vielleicht liegt hierin der Ansatz, auf ihre Funktion zu schließen!

Während die Vogelmann-Petroglyphen unseren Blick auf die hohen Götter, die *moai* ihn auf die verdienten Ahnen, die ihre Herkunft von diesen Göttern herleiteten, lenken, richten die *tapa-*Figurinen unseren Blick auf das Volk, das zwar letztlich auch im Banne des religiösen Systems und der davon abgeleiteten politischen Struktur steht, das jedoch seine täglichen Bedürfnisse auf einer anderen Ebene sieht und befriedigt. Zweifellos begegnen wir auch in der ikonographischen Ausgestaltung dieser Erlebnisebene den charakteristischen pascuensischen Motiven wieder.

Ikonographie der *tapa-*Figuren

Bei den *tapa-*Figurinen finden wir Motive und gestalterische Merkmale, auf die wir schon bei anderen Kunstgattungen aufmerksam gemacht haben. Manchmal klingt schon in einem einzelnen Motiv die Kultur der Osterinsel an, mit Sicherheit aber wird diese durch die Gesamtheit der Motive definiert. Die Betonung der Hand mit ihren langen, feinen Fingern und Nägeln ist ein solches Motiv, ebenso das eingesetzte, polychrome Auge, die wulstigen Augenbrauen, die halbrunden, hervorquellenden Augensäcke, die Betonung der Wirbelsäule, die Janusköpfigkeit oder die zoomorphe Komposition. Mit den Farben Rot, Weiß, Schwarz und Gelb, so berichten die ersten europäischen Besucher, bemalten die Osterinsulaner ihre Körper und färbten ihre *tapa-*Kleidung. Bei den Felsmalereien von *Orongo*, *Motu Nui* und *Ana-kai-tangata* fanden diese Farben Verwendung. Das Vulva-Motiv, Darstellungen von Tanzpaddeln (*rapa*) und Speerspitzen (*mata'a*) sind in allen Kunstgattungen zugegen. Gegen den Hintergrund der pascuensischen Ikonographie ist es unproblematisch, wenn wir erfahren, daß diese *tapa*-Figurinen in verschiedenen frühen Museumsunterlagen und Veröffentlichungen als marquesanisch oder hawaiisch ausgewiesen wurden.[1]

Provenienz der *tapa*-Figuren

Tapa-Figuren sind in Ozeanien u. a. in Melanesien, zum Beispiel bei den Baining, und auch auf den Marquesas gefertigt worden. Sie heben sich an Hand der ihnen eigenen Ikonographie eindeutig von den pascuensischen Beispielen ab.
Einen weiteren Hinweis auf die Provenienz dieser *tapa*-Figurinen liefert ihre *tapa*-Bespannung. Diese ist nicht etwa aus einem größeren, sondern aus einem aus schmalen Bahnen zusammengenähten Stück gearbeitet. Anders als auf den meisten polynesischen Inseln, wo die einzelnen Bahnen durch stetiges Schlagen zu größeren Stücken zusammengefügt wurden, fertigten die Osterinsulaner ihren Rindenbaststoff in der oben beschriebenen Technik. Diese Technik mag auf die ungünstigeren klimatischen Bedingungen, unter denen der Papiermaulbeerbaum (*Brousseonetia papyrifera*) auf der Osterinsel wuchs, zurückzuführen sein. Er wuchs hier, südlich des Wendekreises, weder sehr üppig noch sehr hoch. Die gewonnenen Baststreifen fielen somit verhältnismäßig schmal aus. Um ein breiteres Stück *tapa* herzustellen, war es deshalb weniger mühevoll, die Bahnen aneinanderzunähen, als sie durch Schlagen miteinander zu verfilzen.
Ein von Captain Cook (1774) mitgebrachtes großes Stück *tapa*, das heute im Pitt-Rivers Museum (Oxford) ausgestellt ist, sowie der mit Vogelmännern bemalte *tapa*-Mantel im Museo Fonck (Viña del Mar) sind ebenfalls aus aneinandergenähten Bahnen gefertigt.

Konstruktion der *tapa*-Figuren

Die Konstruktion der *tapa*-Figurinen ist von Heyerdahl ausführlich beschrieben worden[2] und soll hier nur kurz zusammengefaßt werden. Das Gerüst der Figurinen besteht aus *totora*-Bündeln (*Scirpus californicus*), die mit Faserstreifen zusammengebunden sind. Von diesem Gerüst führt ein Netz aus zahlreichen, unterschiedlich langen Fäden zur *tapa*-Haut, wodurch die Erhaltung der Form zusätzlich gesichert wird. Entstandene Hohlräume wurden mit kleineren *totora*-Bündeln oder mit *tapa*-Rollen ausgefüllt. Die tiefen Augenhöhlen wurden nachträglich mit Augen ausgefüllt, die aus einem genau zugeschnittenen, mit *tapa* überzogenen Stück Holz gearbeitet sind. Man befestigte sie mit feinen Stichen an der Figur. Die Zähne der menschlichen Figuren sind aus gefaltetem *tapa*-Stoff hergestellt und wurden einzeln angenäht. Die Finger bestehen entweder aus *totora*-Halmen oder aus schmalen Holzstücken, jeweils separat gefertigt und befestigt. Auch die kleinen Ohren sind aus *tapa* gestaltet. Nur im Falle der menschlichen Figur aus Belfast bestehen die Ohren aus europäischem Wollstoff. Sie wurden mit *tapa*-Fäden angenäht. Diese Figur trägt, im Gegensatz zu den anderen Figuren, ein Schamband aus *tapa*. Röntgenaufnahmen zeigen, daß ein Metalldraht im *totora*-Gerüst dieser Figur steckt. Bei einer anderen Figur (Kat. Nr. 105) wurden Penis und Hoden jeweils einzeln aus *tapa* gefertigt und sorgfältig an die Figur angenäht.
Nachdem die Figur mit allen gewünschten Details versehen war, wurde die *tapa*-Haut polychrom bemalt.

Datierung der *tapa*-Figuren

Aus den Eingangsunterlagen der Museen und auch angesichts der Tatsache, daß Werkstoffe europäischer Provenienz bei ihrer Herstellung (siehe Figur von Belfast) Verwendung fanden, ist davon auszugehen, daß sie nach dem europäischen Kontakt datieren. Sie wurden wahrscheinlich in der ersten Hälfte des 19. Jahrhunderts auf der Osterinsel erworben, d. h. einige Jahrzehnte vor dem endgültigen Zusammenbruch der alten Ordnung.
Die beiden heute in Kanada lagernden Figurinen gelangten mit dem Walfangschiff »Margaret Rait« im Juni 1844 nach St. John.[3] Ein Jahr zuvor waren sie auf der Osterinsel von der Besatzung dieses Schiffes erworben worden. Von St. John gelangten sie schließlich in das New Brunswick Museum.
Die vier Figurinen des Peabody Museum gehörten bis 1899 dem Boston Museum.[4] Weitere Informationen liegen nicht vor. Heyerdahl vermutet, daß sie durch den Kapitän der »Nancy«, der 1805 den ersten mißglückten Skla-

Abb. 105 Diese mit Tatauiermustern bemalte Rindenbaststoff-Figur gelangte in den 30er Jahren des 19. Jahrhunderts nach Europa. Länge: 47 cm; Breite: 14 cm; Tiefe: 5,5 cm. Ulster Museum, Belfast

Abb. 106 Zoomorphe Rindenbaststoff-Figur. Flache, ovale Holzstücke, mit tapa bezogen und bemalt, wurden in die Augenhöhlen eingefügt und angenäht

venhändlerüberfall auf der Osterinsel durchgeführt hatte, dorthin gelangt seien.[5]

Der Heimathafen dieses Kapitäns, New London, liegt ganz in der Nähe von Boston.

Die menschliche Figur im Museum in Belfast ist zwischen 1834 und 1838 von Gordon Augustus Thomson in Hawai'i erworben worden und war schon 1846 im Besitz des Museums. Heyerdahl schlägt auch von dieser Figur eine Brücke zu dem Kapitän der »Nancy«, da dieser nachweislich auf Hawai'i Station gemacht hatte.[6] Aufgrund der großen Ähnlichkeit der drei menschlichen tapa-Figurinen ist eine enge zeitliche Beziehung nicht auszuschließen. Doch um sie bis an das Geschehen im Jahre 1805 zurückzudatieren, bedarf es zusätzlicher Belege.

Paina-Figuren

Neben dieser menschlichen Figur besitzt das Museum in Belfast Teil eines etwa 40 cm langen tapa-Armes, der mit folgender knapper Beschreibung dem Museum übergeben wurde: »arm of an idol Sandwich Is.« Es handelt sich hier-

Abb. 107 Die Figur wurde im Jahre 1843 auf der Osterinsel von der Besatzung eines Walfängerbootes erworben. Länge: 63 cm; Breite: 13 cm; Tiefe: 12,5 cm. New Brunswick Museum, Kanada

bei um ein Geschenk von Professor Edgar, der es im Jahre 1834 im Museum deponierte. Eine ausführliche Beschreibung dieses Gegenstandes liegt inzwischen vor: »It is 40 cm long and has four real animal teeth at the end for claws. It is made of grass or rushes bound with white tapa cloth round which strips of black tapa cloth have been placed to give a striped effect. Around the ›wrist‹ is a band of red and orange tapa cloth. The teeth appear to be the canine teeth of a dog-like animal.«[7]
Aufgrund der Länge (40 cm) kann es sich hierbei nicht um einen Teil einer Figur handeln, die den oben besprochenen Figuren entspricht, da diese insgesamt nur etwa 50 cm groß sind. Falls es sich hierbei jedoch um einen Gegenstand von der Osterinsel handeln sollte, mögen wir hiermit Teil eines Armes einer *paina*-Figur vor uns haben. Solche Figuren wurden erstmals von den Spaniern, die die Osterinsel im Jahre 1770 besuchten, beschrieben. Agüera[8] berichtet: »Sie haben ein weiteres Bildnis oder Idol, bekleidet und tragbar, das etwa vier Meter lang ist. Genau genommen ist es die Figur eines Judas, mit Stroh oder trockenem Gras ausgestopft. Es hat Arme und Beine, und der Kopf hat grob geformte Augen, Nasenlöcher und

einen Mund. Es ist mit schwarzen Haarsträhnen aus Binsen geschmückt, die bis auf den halben Rücken herabhängen. An bestimmten Tagen tragen sie dieses Idol zu dem Platz, wo sie sich versammeln, und nach den Demonstrationen, die einige von ihnen veranstalten, nahmen wir an, daß die Veranstaltung der Wollust gewidmet war . . . .«. Auch DeLangle[9], der 1786 mit La Pérouse die Osterinsel besucht hatte, beschreibt *paina*-Figuren. Doch spätere Besucher, die Missionare und die ihnen nachfolgenden Forscher[10], bekamen *paina*-Figuren nicht mehr zu Gesicht. Allerdings gelang es ihnen, von ihren Informanten Näheres über die mit diesen Figuren verbundenen Feste zu erfahren. Diesen Quellen zufolge wurden *paina*-Figuren zu Festen, die im Sommer zum Andenken von Verstorbenen stattfanden, vor der Plattform aufgebaut. An diesen Festen nahm die gesamte Bevölkerung teil. Sie erstreckten sich über mehrere Tage. Sehr wichtig war das die Festlichkeiten abschließende große Festmahl. Die Figuren bestanden aus einem mit *tapa* bespannten relativ stabilen Gerüst aus Holz und Zweigen, so daß ein Mensch in sie hereinsteigen konnte. Der Kopf wurde separat gefertigt. Der lange schlanke Körper besaß dünne Arme und Beine. Die Figur trug eine aus schwarzen Federn hergestellte Krone. Nach dem Fest wurden diese Figuren nicht zerstört, sondern sorgfältig für das nächste Fest aufbewahrt.

Heyerdahl vermutet, daß *paina*-Figuren erst in der Zeit der Bilderstürme entwickelt wurden, zu einem Zeitpunkt also, als die Verehrung der Ahnen durch die *moai* zum Erliegen kam.[11] An Stelle der umgestürzten *moai*, so Heyerdahl, errichtete man *paina*-Figuren, um so mit der starken Tradition der Ahnenverehrung nicht vollständig brechen zu müssen. Inwieweit diese Erklärung zutrifft, muß die zukünftige Forschung klären.

In welcher Beziehung nun die kleinen *tapa*-Figurinen zu diesen *paina*-Figuren stehen, läßt sich heute noch nicht eindeutig beantworten. Man muß allerdings von einer engen Beziehung ausgehen. DeLangle[12] hatte beobachtet, daß den *paina*-Figuren um den Hals eine Art Korb hing sowie eine kleine *tapa*-Figur: »etwa zwei Fuß lang, mit gekreuzten Armen und hängenden Beinen«. Diese Beschreibung trifft zwar nicht auf die auf uns gekommenen Figurinen zu. Deren Haltung ist eine andere. Es handelt sich jedoch eindeutig um menschliche *tapa*-Figurinen im gleichen Maßstab.

Die uns erhalten gebliebenen *tapa*-Figurinen gehören einer nur bruchstückhaft erhaltenen Kunstgattung an, die sich nicht zweifelsfrei einem bestimmten Kultgeschehen zuordnen läßt. Aufgrund ihres emotionalen Charakters und der wenigen, möglicherweise aber relevanten Beobachtungen früherer Besucher ist anzunehmen, daß sie weniger eine Funktion im esoterischen Bereich der Priester und Häuptlinge innehatten, sondern daß ihre Funktion im rituellen Geschehen, an dem die gesamte Bevölkerung teilhatte, gründet.

Anmerkungen

[1] GLOVER, WINIFRED, *Polynesia*. Ulster Museum publication Nr. 255, 1984
[2] HEYERDAHL, THOR, *Die Kunst der Osterinsel*, Wien 1975, S. 296 f.
[3] ELLIOT, ROBERT S., *Easter Island's Tapa Legacy*. Journal of the New Brunswick Museum, 1978, S. 114–117; DERS., *Tapa Legacy Update — Of Whales and Tapa*. Journal of the New Brunswick Museum, 1979, S. 165–168
[4] HOWELLS, WILLIAM, *Tapa Cloth Figure*. Masterpieces of the Peabody Museum, Ausstellungskatalog. Peabody Museum of Archaeology and Ethnology, Cambridge, U.S.A., 1978, S. 42 f.
[5] HEYERDAHL, THOR, 1975 (s. o. Anm. 2), S. 300
[6] HEYERDAHL, THOR, 1975 (s. o. Anm. 2), S. 300
[7] GLOVER, WINIFRED, Brief an Robert S. Elliot vom 26. Oktober 1977, unveröffentlicht
[8] AGÜERA Y INFANZON, F. A. DE, *Journal of the principal occurrences during the Voyage of the Frigate »Santa Rosalia« in the year 1770*. Hakluyt Society, Reihe 2, Nr. 13, Cambridge 1908 (zitiert in Heyerdahl 1975, S. 196)
[9] LA PÉROUSE, J. F. G. DE, *A Voyage Round the World Performed in the Years 1785, 1786, 1787 and 1788 . . .*, London 1798 (zitiert in Heyerdahl 1975, S. 196)
[10] EYRAUD, E., *Lettre au T. R. P. Supérieur général de la Congrégation des Sacrés-Cœurs de Jésus et de Marie*. Ann. Assoc. Propagation de la Foi 38, Lyon 1866; MÉTRAUX, ALFRED, *Ethnology of Easter Island*. Bernice P. Bishop Museum Bulletin 160, Honolulu 1940; ROUTLEDGE, KATHERINE, *The Mystery of Easter Island*, London 1919
[11] HEYERDAHL, THOR, 1975 (s. o. Anm. 2), S. 196
[12] LA PÉROUSE, J. F. G. DE, 1798 (s. o. Anm. 9), zitiert in Heyerdahl 1975, S. 196

Konservierung der großen Steinbüsten

Michael Roth

Die europäischen Besucher der Osterinsel des 18. Jahrhunderts berichteten noch über entlang der Küste aufgestellte Riesenstatuen. Im Verlauf von inneren Unruhen auf der Insel sind nach und nach alle Statuen umgeworfen worden. Das Rätsel um diese Steinkolosse machte die Osterinsel weltberühmt. Erst in den letzten Jahrzehnten, als man einige der umgestürzten *moai* aufrichtete, stellte man die starken Verwitterungsschäden fest. Der Großteil der *moai* ist bereits unrettbar verloren. Die vorhandenen *moai* können nur durch eine baldige Konservierung erhalten werden. Folgend wird über die Probleme der Steinkonservierung und über einen Ende 1986 durchgeführten Feldversuch berichtet. Im Rahmen eines internationalen Kolloquiums soll im Herbst 1990 auf der Osterinsel der Feldversuch ausgewertet werden.

Die Werkstatt der *moai*

Nach unseren Kenntnissen sind Hunderte unterschiedlich hoher *moai*, die entlang der Küste der Insel, mit dem Gesicht landeinwärts gerichtet, auf Steinplattformen (*ahu*) aufgestellt waren, aus dem Gestein des Kraters *Rano Raraku* herausgeschlagen worden. Die Arbeitsstätten sind durch die entstandenen Nischen in der Kraterwand sowie durch die dort anzutreffenden unfertigen Statuen deutlich sichtbar. Am Berghang liegen auch heute noch eine große Anzahl der bei der Arbeit benutzten scharfen Basalt-Steinbeile (*toki*). Die den *moai* aufgesetzten zylindrischen roten Hüte (Haartracht?) (*pukao*) stammen aus kleineren Vulkanblasen mit dunkelrotem, sehr porösem Vulkanauswurf in einer anderen Gegend der Insel (*Puna Pau*).

Bis heute nicht geklärt ist die Frage, wie diese schweren Statuen transportiert und auf den Plattformen aufgerichtet worden sind.

Das Gestein, aus dem die *moai* gefertigt sind

Das Gestein des *Rano Raraku* ist ein Vulkantuff, ein vulkanisches Aschensediment mit Lapilli (erstarrte Lavabröckchen) von 1 bis 10 mm Durchmesser. Die Farbe des unverwitterten Steines ist grau-grün, etwas bräunlich. Im verwitterten Zustand ist die Farbe des Steines gelb-bräunlich, etwas nach Lehm aussehend. Das feinkörnige Bindemittel des Steines ist eine »saure« Lava, quarzitischer bis syenitischer Zusammensetzung, bestehend aus Quarz (25%), Feldspat (25%), Glimmer (20%) und Glasanteil (30%). Auch die Lapilli, d. h. die Kornphase, haben einen ähnlichen Aufbau. Der Stein hat eine geringe Festigkeit. Seine Dichte beträgt 1,54 kg/Liter, ein für einen Vulkantuff üblicher Wert. Auf Grund seiner hohen Porosität kann der Stein bis zu 22 m%, d. h. ca. 340 ml Wasser/Liter Stein (34 Vol.-%), aufnehmen. Auch dies ist ein üblicher Wert für einen Tuffstein. Der rote Vulkanauswurf für die Hüte bzw. Haarschöpfe ist im Vergleich zum Gestein der Statuen noch wesentlich leichter und mürber. Aufgespritztes Wasser wird spontan aufgesaugt.

Das Aussehen dieses roten Gesteins erinnert an eine rote Schlacke.

Verwitterungsprobleme

Die *moai* wurden in einer heute nicht mehr genau festzulegenden Zeit, überwiegend wohl erst nach Ablauf des 18. Jahrhunderts, gestürzt. Die Hüte rollten davon, die Köpfe der *moai* brachen ab. Zerbrochen mit dem Gesicht nach unten liegen sie heute vielerorts vor den Plattformen. Lediglich die am Berghang des *Rano Raraku* mit dem Rumpf in der Erde steckenden *moai* blieben unbeschädigt. Begin-

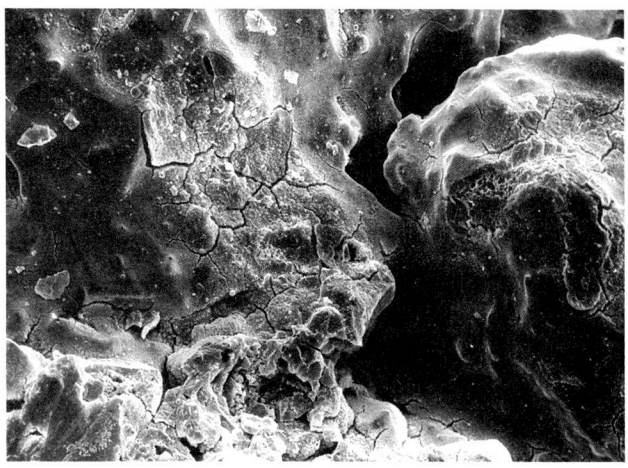

Abb. 108 Mikrorisse im Gestein des moai. Vergrößerung 1 : 500

Abb. 109 Verglasung im Auge des moai

nend Mitte der 50er Jahre unseres Jahrhunderts wurden eine Anzahl *moai* aufgerichtet und einige *ahu* restauriert. Im Rahmen eines UNESCO-Auftrages[1] wurden 1981 durch Herrn Prof. Dr. Wieslaw Domaslowski[2] von der Nikolaus-Kopernikus-Universität in Thorn/Polen die Verwitterungsprobleme der *moai* studiert und Konservierungsvorschläge unterbreitet.

Viele der am Boden liegenden Statuen sind z. T. schon zu Pulver zerfallen, andere sind an der der Witterung direkt ausgesetzten Rückenseite in 20 bis 30 cm Stärke abgewittert, und der noch vorhandene Stein ist mürbe. Als Ursache dieser Zerstörungen ist einerseits das hohe Wasseraufnahmevermögen des Steines und andererseits das die Verwitterung fördernde Klima der Insel verantwortlich.

Auf der Insel hat man hohe Niederschlagsmengen (1000 mm/Jahr), die als häufige kurze Regenschauer niedergehen. Infolge des hohen Wassersaugvermögens wird die Niederschlagsfeuchtigkeit vom Stein leicht aufgenommen. Der ständige, teils sehr lebhafte Wind begünstigt dann wieder eine schnelle Austrocknung an der Oberflächenzone des Steines. Der Feucht-Trocken-Wechsel auf der Insel ist also sehr häufig.

Tuff kann von der Entstehung her gesehen mit Zement verglichen werden: Ein Gemenge mineralischer Stoffe wird bei hoher Temperatur zum Sintern gebracht — im Falle des Tuff sogar geschmolzen — und sehr schnell abgekühlt. Diese Stoffe sind daher metastabil. Sie gehen bei Einwirkung von Wasser in einen anderen, einen stabilen Zustand über. Während aber Zement bei der Zugabe von Wasser recht schnell reagiert und zu einem Bindemittel führt, welches uns erlaubt, einen Beton mit hoher Druckfestigkeit herzustellen, reagiert der Tuff mit dem Wasser viel langsamer, wobei er zum Lehm umgewandelt wird. Die über Jahrhunderte auf den Tuff einwirkende Feuchtigkeit hat bei den *moai* in der verwitterten Zone einen Teil des Steines in lehmige Bestandteile verwandelt. Durch Quellen und Schwinden dieser lehmigen Bestandteile beim Feucht-Trocken-Wechsel entstanden im Stein netzförmige, mit dem Auge wahrnehmbare Risse, über die die Niederschlagsfeuchtigkeit noch tiefer in den Stein einzudringen vermag. Auch im Mikrobereich entstanden Risse, die im Inneren des Steines das Wasser noch besser verteilen. Durch das Ansteigen des Wasseraufnahmevermögens beschleunigt sich die Steinverwitterung immer mehr. An den nicht der direkten Witterung ausgesetzten Seiten der am Boden liegenden Statuen sind, infolge der Kieselsäureauswaschungen, an der Oberfläche graue Verglasungen entstanden, die gerissen sind. Mikroorganismen, die auf dem ständig feuchten Stein gut gedeihen, sind weitere Gründe für die Zerstörung der *moai*.

Gedanken zur Konservierung

Wegen der schon weit fortgeschrittenen Zerstörung sind die meisten heute noch am Boden liegenden Statuen unrettbar verloren. Um dieses Kulturgut der Menschheit zumindest zum Teil auch für die Nachwelt zu erhalten, sollten zumindest die bereits aufgerichteten Statuen, ca. 20 an der Zahl,

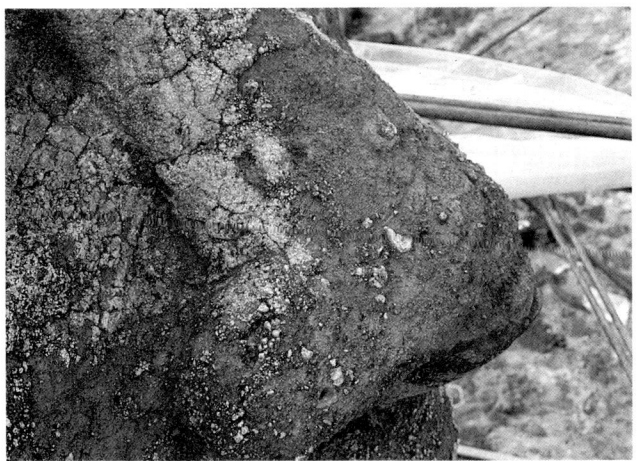

Abb. 110 Rissige Verkrustungen und Abplatzungen an der Nase des moai, 1986

konserviert werden. Darüber hinaus befinden sich eine größere Anzahl von *moai* am äußeren und inneren Kraterrand des *Rano Raraku*, die ebenfalls konservierungswürdig sind. Im ersten Schritt einer solchen Konservierungsmaßnahme muß dem durch die Verwitterung an Steinbindemittel verarmten und daher mürben Stein ein neues Bindemittel zugeführt werden, um so das Steingefüge zu konsolidieren.

Das Einführen von Bindemittel in den Stein läßt sich am erfolgreichsten durch eine Tränkung der Statuen mit entsprechenden Flüssigkeiten, die ein Steinbindemittel abscheiden, durchführen. Die wichtigsten Anforderungen, die keinen Kompromiß erlauben, sind:

— Da die Statuen wegen der vorhandenen Risse bis in tiefere Zonen, evtl. sogar im gesamten Querschnitt zerstört oder geschwächt sind, muß der verwendete Steinfestiger, um eine sehr gefährliche Krustenbildung zu vermeiden, möglichst die ganze Statue durchdringen. Es muß ein Produkt zum Einsatz kommen, welches ein gutes Penetrationsvermögen aufweist. Kunstharze, die als hochmolekulare Produkte nicht ausreichend eindringen und zur Krustenbildung führen, scheiden aus. Es muß ein unter den gegebenen Verhältnissen auf der Insel anwendbares Applikationsverfahren zur Verfügung stehen. Das Anwendungsverfahren muß gewährleisten, daß zwischen dem Stein und dem angebotenen flüssigen Festiger eine lange Kontaktzeit vorhanden ist.

— Im Stein soll ein mineralisches, hoch witterungsbeständiges Bindemittel abgeschieden werden, welches das verlorengegangene Steinbindemittel ersetzt. Organische Harze scheiden aus, weil sie als steinfremde Stoffe die physikalischen Eigenschaften (z. B. hygrische und thermische Dehnungen) zu stark verändern würden.

— Der Stein muß trotz Bindemitteleinlagerung in den Porenraum noch luft- und wasserdampfdurchlässig bleiben.

— Das Aussehen des Steines darf nicht verändert werden, d. h. keine Glanzbildung und keine Vergilbung auch nach einer langen Bewitterung.

— Das Bindemittel darf nicht klebrig sein.

— Die wesentlichste Anforderung, die allgemein für den Denkmalschutz die höchste Priorität haben muß, ist, daß die Maßnahme, wenn auch nicht reversibel, doch spätere Restaurierungen/Konservierungen nicht ausschließen darf.

Da, wie wir gesehen haben, das in den Stein eindringende Wasser für den Verwitterungsschaden ursächlich ist, sollte als Abschluß der Restaurierung und Festigung eine hydrophobierende d. h. wasserabweisende Behandlung durchgeführt werden. Das Ziel der hydrophobierenden Behandlung soll sein, die Steinoberfläche bis zu einer ausreichenden Tiefe für den Regen abweisend zu machen. Die Hydrophobierung soll die Aufnahme des Regenwassers verhindern oder zumindest stark reduzieren.

Für die Hydrophobierung muß ein ähnliches Anforderungsprofil gelten wie für die Festigung, mit der Ausnahme, daß im Falle der Hydrophobierung eine Durchtränkung der Statuen nicht eine unbedingte Notwendigkeit darstellt, d. h.:

— hohe Effektivität
— hohe Eindringtiefe
— hohe Wasserdampfdurchlässigkeit
— keine Farbtonänderung
— kein Glanz
— keine Vergilbung bei der Bewitterung
— klebfreies Auftrocknen
— lange Haltbarkeit
— Wiederholbarkeit der Maßnahme auch zu einem späteren Zeitpunkt

Die Möglichkeiten der Steinkonservierung

Das Beispiel der Steinverwitterung auf der Osterinsel mit einer von Industrieabgasen unbelasteten Umwelt zeigt, daß der Steinzerfall nicht — wie oft geäußert — die alleinige Folge der mit Schadstoff beladenen Luft der Industrieländer ist. Auch in früheren Zeiten versuchte man bei uns Steinbauten durch Oberflächenbehandlungen vor dem Zerfall zu schützen. Daß relativ wenige Steinbauten früherer Zeiten bis heute erhalten blieben, beweist, daß diese Bemühungen nicht unbedingt als erfolgreich anzusehen sind. Um diese Zeugen der Vergangenheit in der heute vorhandenen, aggressiv gewordenen Umwelt vor einem raschen Zerfall zu bewahren, ist eine wirksame Konservierung dieser Kulturgüter erforderlich.

Die Chemische Industrie betreibt schon seit mehreren Jahrzehnten mit großem Forschungsaufwand Arbeiten zur Entwicklung wirksamer Konservierungsmittel, die diesen Anforderungen entsprechen. Dem Restaurator können heute Konservierungsmittel zur Verfügung gestellt werden, die die gestellten Anforderungen sehr gut erfüllen. Der Stand der Technik wird nachfolgend geschildert.

Steinfestiger:

Die Anforderungen für einen brauchbaren Steinfestiger werden am besten von Produkten auf der Basis von Kieselsäureestern erfüllt. Spezielle Entwicklungen waren hier notwendig. Diese Produkte haben ein hervorragendes Eindringvermögen in poröse, saugfähige Steine. Durch optimierte Lösemittel konnte das Penetrationsvermögen der Kieselsäureester noch verbessert werden. Im Stein eingedrungen, reagiert der Kieselsäureester mit der im Stein vorhandenen Feuchtigkeit, wobei ein mineralisches, hoch witterungsbeständiges, glasartiges SiO_2-Gel als Steinbindemittel abgeschieden wird. Auch die anderen Anforderungen an einen Steinfestiger werden voll erfüllt.

Eingehende Untersuchungen in der Bundesrepublik Deutschland haben gezeigt, daß mit solchem Steinfestiger behandelte Steine nach einer zehnjährigen Bewitterung noch keinerlei Abbauerscheinungen aufweisen. An die Anwendung dieser Steinfestiger ist die Anforderung zu stellen, daß der Stein trocken sein muß und die gesamte verwitterte, mürbe Steinzone zu durchtränken ist.

Hydrophobierungsmittel:

Siliciumorganische Verbindungen haben sich seit Beginn der 50er Jahre bei mineralischen Baustoffen als sehr wirksame Hydrophobierungsmittel bewährt. Es sind heute Flächen vorhanden, die nach 35 Jahren eine fast unverändert hohe Wasserabweisung besitzen. Eingesetzt werden Siliconlösungen mit einem Wirkstoffgehalt von 5–10 Gew.-%. Das Lösemittel ist im allgemeinen ein Benzin. Der zu schützende Baustoff wird zwei- bis dreimal sehr satt (feucht in feucht) mit dem Imprägniermittel drucklos besprüht. Je nach der Saugfähigkeit des Baustoffes und der aufgetragenen Menge Imprägnierlösung dringt das Produkt mehrere Millimeter bis mehrere Zentimeter in den Baustoff ein. Nach dem Verdunsten des Lösemittels wird in der durchtränkten Baustoffzone die Kapillar- und Porenwand wasserabweisend ausgekleidet. Diese Baustoffzone ist, weil die Pore selbst nicht verstopft wird, hoch wasserdampf- und luftdurchlässig, aber für flüssiges Wasser nicht saugend. Die Imprägnierungen sind farblos, vergilben nicht und werden auch von Mikroorganismen nicht zerstört.

Die Konservierung des *moai Hanga Kio'e*

Bei dieser von P. Sebastian Englert als *moai Hanga Kio'e* benannten Steinbüste handelt es sich um einen *moai* der Plattform Nr. 18. Diesem war, wie vielen umgestürzten *moai*, der Kopf abgebrochen. Im Jahre 1972 wurde durch Mulloy[3] diese Anlage restauriert und der *moai* wieder aufgerichtet. Nach der Aufrichtung des *moai* ist die Verwitterung weiter fortgeschritten. An der landeinwärts gerichteten Frontseite entstanden starke, weiße Verkrustungen und infolge der Zersetzung des Tuffsteines braune Eisenverbindungen. Dies wurde noch gefördert durch die Verwendung von Zement im Verlaufe der Restaurierung. In den Augenhöhlen sind infolge von Kieselsäureauswaschungen (ein Zersetzungsprodukt des Tuffsteines) graue harte Verglasungen entstanden, die gerissen sind. Die weißen Verkrustungen sind 5–6 mm dick, gerissen und teilweise schon abgeplatzt. An der dem Meer zugewandten Rückseite der Statue, die nach dem Umstürzen nach oben gerichtet und daher direkt dem Wetter ausgesetzt war, ist die Abwitterung besonders groß. Am Rumpf ist der Abtrag 30–50 cm stark. In der Mitte des Hinterkopfes ist eine kreisrunde (Durchmesser ca. 30 cm) Vertiefung zu sehen. Auch am Rumpf ist eine solche Vertiefung zu erkennen. Diese Vertiefungen sind sicherlich am liegenden *moai* ausgearbeitet worden. Es wird vermutet, daß diese zur Aufbewahrung der Köder für Angler dienten. Trotz der geschilderten Mängel ist dieser *moai* in einem noch erhaltungswürdigen Zustand. Um den weiteren Bestand zu sichern, war es dringend notwendig, eine Konservierung durchzuführen. Die Konservierung dieses *moai* war einerseits ein wissenschaftlich-technisches und andererseits ein finanzielles Problem.

Die wissenschaftlich-technischen Aspekte der Konservierung sollten durch einen Modellversuch geklärt werden. Prof. Wieslaw Domaslowski empfahl bereits in seiner Studie 1981, eine Konsolidierung der Statuen mit Hilfe des auf der Basis von Kieselsäureester aufgebauten Steinfestigers OH der Wacker-Chemie und eine anschließende Hydrophobierung mit einer Siliconlösung durchzuführen.

Vorversuche begannen im Jahr 1985, als durch Mitarbeiter

des Labors der Dirección de Archivos y Museos, Centro de Restauración (DAM) in Chile auf der Osterinsel Steine mit dem Steinfestiger OH behandelt wurden und zur Bewitterung ausgelegt worden sind. Anfang 1986 erhielt dann das Bautenschutz-Laboratorium der Wacker-Chemie, Werk Burghausen, einen 90 kg schweren Tuffstein von der Osterinsel für orientierende Prüfungen. Die durchgeführten Versuche zeigten, daß eine Konsolidierung des Steines mit dem Steinfestiger OH möglich ist und daß mit dem Hydrophobierungsmittel Wacker 090 die Wassersaugfähigkeit des Steines auf ein Minimum reduziert werden kann (von 10,3 kg/m² auf 0,1 kg/m² nach 30 Minuten).
Um die Produkte den örtlichen Anwendungsbedingungen (Wärme, Wind) anzupassen, wurde eine Produktmodifizierung vorgenommen. Der aus den Versuchen resultierende Konservierungsvorschlag der Wacker-Chemie war:
— Um ein Durchtränken der Statuen zu gewährleisten, soll der Steinfestiger OH durch die Kompressen-Methode aufgebracht werden.
— Nach einer Reaktionszeit von mindestens drei Wochen Wartezeit sollen die Verkrustungen und Verglasungen mit einem Mikro-Abrasionsgerät vorsichtig entfernt werden.
— Anschließend ist das Hydrophobierungsmittel Wacker 090, drucklos z. B. mit Hilfe einer Baumspritze, mehrmals satt, feucht in feucht, auf die Oberfläche des *moai* aufzusprühen.

Der von der Wacker-Chemie vorgeschlagene und auch von anderen Fachleuten gutgeheißene Konservierungsvorschlag ist anschließend am *moai Hanga Kio'e* erprobt worden. Dieser *moai* ist ohne Basis 4,9 m hoch, etwa 2 m breit und infolge der starken Abwitterung nur noch 0,6 – 1 m dick. Um die richtungweisenden Arbeiten entsprechend dem Konservierungsvorschlag fachgerecht durchzuführen, wurde die Wacker-Chemie gebeten, an Ort und Stelle die Arbeiten zu leiten. Ein Container mit dem Konservierungsmittel, Stromaggregat, Pumpen, Zellstoff-Watte, Werkzeugen etc. wurde zur Osterinsel geschickt. Hoechst in Santiago de Chile sorgte für eine tadellose Koordinierung. Das Centro de Restauración der DAM in Santiago schickte zwei Mitarbeiter zur Insel. Ausführung der Konservierung erfolgte zwischen dem 26. 11. und 12. 12. 1986.
Zum Schutz des *moai* während der Konservierungsarbeiten vor Niederschlägen wurde zuerst auf ein schon errichtetes Eisenstangen-Gerüst mit Folien ein Schutzzelt aufgebaut. Die Statue wurde dann mit einer 24lagigen, 120 cm breiten Zellstoff-Watte (Fa. Papierfabrik Hedwigsthal in Raubach)

Abb. 111   Rückseite der Figur in Hanga Kio'e

zweimal umwickelt. Vorher wurden die Vertiefungen wie Augenhöhlen und Nasenlöcher mit Zellstoff-Watte ausgestopft. Nachdem die Zellstoff-Watte mit einem breiten Kunststoffband fest an die Statue angepreßt war, wurde über die Statue eine PE-Schlauchfolie gezogen und mit dem breiten Kunststoffband fest angepreßt. Über ein Vorratsgefäß, welches sich am Gerüst befand, wurde der Steinfestiger OH mit Hilfe eines Schlauches auf die nicht mit dem Zellstoff belegte Schädeldecke des *moai* geleitet. Der Steinfestiger wurde direkt vom Stein aufgesaugt oder lief in die die Statue umgebende Zellstoff-Kompresse. Die Kompresse gab den Steinfestiger OH an den Stein ab. Der Auftrag erfolgte kontinuierlich über acht Stunden, bis der Steinfestiger OH an der Basis des *moai* auslief. Dann wurde am Kopf des *moai* die PE-Folie verschlossen. Die PE-Ummantelung hatte

Abb. 112 Der in Zellstoffwatte verpackte moai wird über die nicht abgedeckte Schädeldecke über ein Vorratsgefäß mit dem Wacker Steinfestiger OH getränkt

die Aufgabe, während der Tränkung die Reaktion des Steinfestigers OH mit der Luftfeuchtigkeit zu verhindern. Außerdem verhindert die Folienabdeckung, daß der Steinfestiger bzw. das Lösemittel, begünstigt durch Wind und Wärme, nach außen abdunstet. Am folgenden Tag wurde die Tränkung in gleicher Weise wiederholt. Der Verbrauch an Steinfestiger OH betrug insgesamt 360 kg (1. Behandlung 250 kg, 2. Behandlung 110 kg). Auf Grund des Verbrauches kann davon ausgegangen werden, daß die Statue im wesentlichen durchtränkt wurde. Damit der in der Kompresse befindliche Steinfestiger OH voll vom Stein aufgesaugt werden konnte, wurden Folie und Kompresse erst 3 Tage nach der letzten Tränkung entfernt. Danach wurde das Regenschutz-Zelt un-

ten und oben seitlich geöffnet und damit die Abdunstung des Lösemittels und die Reaktion mit der Luftfeuchtigkeit ermöglicht. Nach weiteren 3 Tagen wurde auch das Regenschutz-Zelt abgebaut. Nach einer Reaktionszeit von 2 Monaten wurde durch Mitarbeiter der DAM mit Hilfe einer Baumspritze in mehreren Arbeitsgängen feucht in feucht das Hydrophobierungsmittel Wacker 090 S mod. aufgetragen.

Die Erfahrungen:
Die vorgeschlagene Konsolidierung konnte ohne Schwierigkeiten in die Praxis umgesetzt werden. Es sind keine prinzipiellen Probleme entstanden. Dieses Verfahren ist für alle schon aufgerichteten *moai* geeignet. Zu beachten ist künftig:
— Wegen der häufigen Niederschläge ist es absolut notwendig, daß das Regenschutz-Zelt mindestens 2 Monate vor der Konservierung aufgebaut und durch eine gute Belüftung für eine weitgehende Austrocknung der Statue gesorgt wird.
— Ablaufrinnen und Auffanggefäße sollen verhindern, daß der am Ende des Tränkungsvorganges an der Basis auslaufende Steinfestiger OH den Stein (Basalt) der Basis verunreinigt.

Beurteilung der Konservierung im August 1988

Nach einer fast zweijährigen Bewitterung konnte festgestellt werden, daß sich der konservierte *moai* in einem sehr guten Zustand befindet. Die vor der Festigung mürbe Oberfläche ist jetzt hart und sehr stabil. Der sofort nach der Hydrophobierung sich einstellende Abperleffekt für aufgespritztes Wasser ist infolge der Staub- und Salzablagerung (Gischt vom Meer) nicht mehr vorhanden und die Oberfläche ist benetzbar. Die Wassersaugfähigkeitsmessungen an der am stärksten der Witterung ausgesetzten Rückenseite zeigt jedoch, daß trotz des fehlenden Perleffektes die Statue kein Wasser aufsaugt. Der *moai* ist als wasserdicht anzusehen, wodurch die Verwitterung gestoppt ist.

Abschließende Betrachtungen

Auf der Osterinsel befinden sich Hunderte von Steinstatuen (*moai*), die entlang der Küste auf Altären (*ahu*) ursprünglich aufgestellt waren. Sie bestehen aus Tuffstein und wurden mit Steinwerkzeugen (*toki*) aus dem Felsen des Kraters *Rano Raraku* herausgeschlagen. Die *moai* wurden während der nach Ende des 17. Jahrhunderts beginnenden Unruhen im Laufe der Zeit meist mit dem Gesicht nach vorne umgestürzt. Viele dieser *moai* sind schon stark verwittert. Seit Mitte der 50er Jahre unseres Jahrhunderts wurden ca. 20 Stück dieser *moai* aufgerichtet. Diese *moai* und weitere noch guterhaltene *moai* am bzw. im *Rano Raraku* können nur erhalten werden, wenn sie möglichst schnell konserviert und vor dem Einfluß der Witterung geschützt werden.

Ein Modellversuch zeigte, daß bei einem *moai* durch die Konsolidierung mit einem in Europa gut bewährten Steinfestiger auf der Basis von Kieselsäureester und eine anschließende Hydrophobierung mit Siliconen die Verwitterung gestoppt, zumindest sehr verlangsamt werden kann. Unsere bisherigen Kenntnisse über die Haltbarkeit einer solchen Konservierung lassen hoffen, daß die Verwitterung um 30 bis 50 Jahre hinausgezögert werden kann. Das Verfahren erlaubt, daß bei einer nachlassenden Wirkung die Maßnahme, z. B. die Hydrophobierung, wiederholt werden kann.

Anmerkungen

[1] HYVERT, G., *Les statues de Rapa Nui. Conservation et restauration*, UNESCO 1972
[2] DOMASLOWSKI, WIESLAW, *Les statues en pierre de l'Ile de Pâques*, UNESCO 1981
[3] MULLOY, WILLIAM, *Preliminary report of the restoration of ahu Huri a Urenga and two unnamed ahu at Hanga Kio'e, Easter Island*, 1973

Die Abformung von zwei moai *und einer* ahu-*Fassade auf der Osterinsel sowie die Ausformung zur Gewinnung originalgetreuer Kopien*

Ursula Hänig und Dieter Sauer

Eines der wichtigen Ziele der Ausstellung war es, den Besuchern einen Eindruck von der Großartigkeit und Monumentalität der kolossalen Steinfiguren und Kultwände zu vermitteln. Da ein Transport der Originale wegen der Größe der Objekte sowie wegen der Unmöglichkeit, sie aus ihrem kulturellen Zusammenhang zu lösen, nicht zur Erörterung stand, blieb nur der Weg, die Erlaubnis für eine natur- und originalgetreue Abformung der Exponate zu erreichen. Ohne solche Beispiele der kolossalen Steinmetzarbeiten wäre jede Ausstellung über die Kultur der Osterinsel ein Torso.

Die Abformung der Fassade von Vinapu I

Am 22. 4. 1988 brach deshalb ein siebenköpfiges Team zur Osterinsel auf. Das Team bestand aus zwei Wissenschaftlern, einem Fotografen, einem Gerüstbauer und drei technischen Fachkräften für die Vorbereitung und Durchführung der Abformung. Unmittelbar nach Ankunft begannen die Arbeiten am ersten Objekt: der Fassade der Tempelplattform Vinapu I. Vorher wurde das vorausgeschickte Material gesichtet und in der Nähe der Arbeitsstelle bereitgestellt. Nach einer sorgfältigen Besichtigung der ausgewählten Fassade wurde diese zunächst mehrmals mit flüssiger Methylzellulose isoliert, damit sich die später aufgetragene Silikon-Kautschukschicht nicht mit der teilweise verwitterten Oberfläche verbinden konnte.

Sowohl vor wie nach dem Auftrag von Methylzellulose wurden kleinere Proben aus Silikon-Kautschuk auf die Oberfläche aufgetragen, um herauszufinden, ob eine einwandfreie Trennung gewährleistet ist. Anschließend wurde die Fassade der Tempelplattform vollständig mit Silikon-Kautschuk eingestrichen, nachdem die Grundmasse, M-Polymer 435 T, mit dem Härter 914 T vermischt worden war (hierbei handelte es sich um Produkte der Wacker Chemie GmbH; der Grundmasse wurde jeweils 5 Prozent Härter zugesetzt). Wegen seines großen Gesamtgewichts (ca. 200 kg) sowie wegen des besseren Handling — aber auch wegen des Ziels einer möglichst schonenden Entformung — mußte der so entstehende Silikonmantel in 14 Stücke unterteilt werden. Zu diesem Zweck wurden ca. zehn Zentimeter hohe Trennstreifen aus Pappe auf den Silikonmantel aufgeklebt und anschließend ebenfalls mit Silikon ummantelt.

Da sich die flexible Silikonform für einen späteren Ausguß allein nicht eignet, mußte zusätzlich eine stabile Hartschale (Widerlager) aus Epoxid-Harz (Ebatherm MT2-4 der Eberhard-Chemie GmbH) angefertigt werden. Dies war auch deshalb notwendig, damit sich beim Transport der flexiblen Silikonformen keine unerwünschten Verformungen ergaben. Zunächst wurde die glasfaserverstärkte Grundmasse mit dem Härter vermischt und anschließend mit dem Spachtel auf die Silikonhaut aufgetragen, wobei auch die Pappe-Trennstreifen wieder ummantelt wurden — mit Ausnahme des oberen Abschlusses. Diese Arbeit mußte mehrfach in dünnen Schichten wiederholt werden.

Nach Abschluß des Aushärte-Prozesses wurden die Trennstege durchbohrt, damit später die Paßgenauigkeit der einzelnen Formteile durch Verschraubung gewährleistet werden konnte. Nach sorgfältiger Numerierung der einzelnen Widerlager-Teile wurden diese von der Silikonhaut abgenommen. Nach Entfernung der auf der Silikonhaut aufgebrachten Pappe-Trennstreifen, die sich zwischen den Silikon-Kautschuk/Epoxidharz-Trennstegen befanden, wurde die Haut an diesen sich ergebenden Trennlinien exakt mit einem scharfen Messer durchtrennt. Die Silikonformteile wurden numeriert und anschließend vorsichtig von der Wandoberfläche abgenommen.

Die Abformung der beiden Steinbüsten am *Rano Raraku*

Die Arbeit der Abformung der ausgewählten kolossalen Steinbüsten (*moai*) am *Rano Raraku* gestaltete sich wegen des abschüssigen Geländes und der Höhe der Figuren ungleich schwieriger. Zunächst mußten einige Tonnen des benötigten Materials sowie Gerüstteile, Handwerkszeug etc. zur ca. 15 km vom Lager entfernt liegenden Abformstelle transportiert werden. Hierbei, wie auch bei anderen Hilfsarbeiten, wurde das Team von Osterinsulanern unterstützt.

Zuerst wurde rund um die erste Figur ein Gerüst gebaut; anschließend wurde die gesamte Figur wieder mehrmals mit Methylzellulose isoliert. Dann erfolgte das Auftragen des vorbereiteten Silikon-Kautschuks auf die gesamte Oberfläche. Zur sorgfältigeren Beschichtung der ungleichmäßigen, teilweise verwitterten Oberfläche erfolgte die Auftragung mit der bloßen Hand.

Auch hier wurden wieder Trennstreifen aus Pappe angebracht und zunächst mit Silikon ummantelt. So ergaben sich Trennstege, die nach Ummantelung mit Epoxidharz zu geeigneten Formteilen (sechzehn bzw. dreiundzwanzig) für schonende Entformung sowie für Transport und spätere Ausformung führten.

Das anschließende Auftragen des Epoxidharzes in mehreren Schichten gestaltete sich besonders schwierig, weil das Material unerwünschte Fließeigenschaften zeigte und nur in millimeterdicken Schichten aufgetragen werden konnte. Bei diesen Auftragungsarbeiten, die wiederum mit dem Spachtel erfolgten, halfen auch Osterinsulaner mit.

Nachdem das Material ausgehärtet war, wurden die Trennstege durchbohrt, da es bei diesen charakteristischen Steinbüsten auf besondere Genauigkeit ankam. Anschließend wurden die numerierten Epoxidharzschalen vorsichtig abgelöst. Nach Entfernung der Pappstreifen erfolgte die exakte Trennung der Silikonhaut sowie die vorsichtige Entfernung des Objekts.

Die Abformung des zweiten ausgewählten *moai*, der in unmittelbarer Nähe des ersten steht, erfolgte in gleicher Art und Weise.

Die Abformungsarbeiten wurden unter großem Zeitdruck geleistet. Insgesamt standen für sämtliche Arbeiten auf der Osterinsel nur drei Wochen zur Verfügung. Außerdem beeinträchtigten gelegentliche starke Regenfälle und heftige Winde den Fortgang der Arbeiten.

Der Abtransport der Formen, Widerlager und des gesamten übrigen Materials vom *Rano Raraku* in das Lager in der Nähe von *Hangaroa* erfolgte per Lkw, der bis in die Nähe der Abformungsstelle gelangen konnte. Von dort wurde das Material zum Flughafen *Mataveri* gebracht und gelangte mit einer Boeing 707 der LAN Chile nach Santiago. In Santiago erfolgte die seemäßige Verpackung einschließlich des Verschraubens der einzelnen Formteile/Widerlager. Sowohl auf dem chilenischen Festland wie auf der Osterinsel hat Hoechst Chile wertvolle Unterstützung und Hilfe gewährt. Der Transport der wertvollen Formen nach Hamburg erfolgte in zwei Zwanzig- bzw. Vierzig-Fuß-Containern mit der »Humboldt Express« von Hapag-Lloyd.

Eine erste *moai*-Abformung im Jahre 1975

Nicht unerwähnt bleiben soll in diesem Zusammenhang eine erste Abformung eines *moai*, die bereits im Jahre 1975 auf der Osterinsel erfolgte. Harold Krusell Johansen[1], Mitarbeiter des Museo Nacional de Historia Natural, erinnert sich an den von Frau Dr. Grete Mostny, die bis 1982 Direktorin des Museo Nacional de Historia Natural, Santiago de Chile, war, erteilten Auftrag, eine Kopie einer kolossalen Steinbüste anzufertigen. Ziel war es auch hier, eine zuverlässige Wiedergabe der Form des Objektes zu erreichen, insbe-

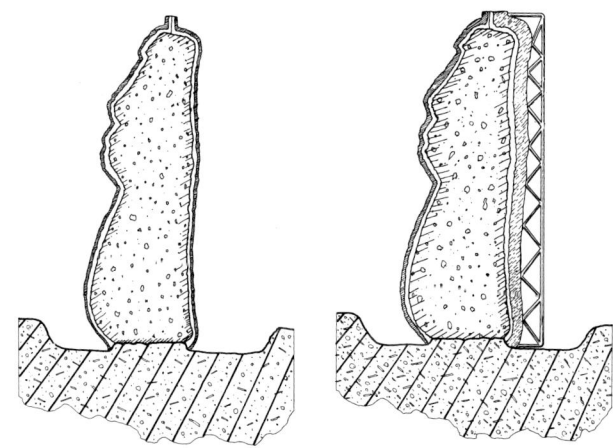

Abb. 113   Erstabformung im Jahre 1975
a) Silikonkautschukschicht von 0,5 cm Stärke. Widerlager der Gesichtsseite wurde hergestellt aus einem mit Glasfaser verstärkten Epoxidharz, das der Rückseite aus Glasfaserlaminat, Sand und Zement. Dazwischen eine dünne Wachsschicht
b) Auf die Rückseite wurde zur Stabilisierung eine dicke Mörtelschicht und mit Zementmilch getränkte Glasfasermatten aufgetragen. In einer weiteren Mörtelschicht wurde eine Eisenkonstruktion eingebettet

Abb. 114 Fassade von Ahu Vinupu I vor Beginn der Arbeit

Abb. 115 Auftragen des Epoxids auf die Silikonhaut

Abb. 116 Durchbohren der Trennstege vor der Entformung

Abb. 117 Sämtliche Hartschalen sind entfernt

Abb. 118 Entfernen einer Silikonhaut

Abb. 119   Die Arbeitsgruppe am Rano Raraku

Abb. 120   Auftragen der Hartschale

Abb. 121   Abnahme der ersten Hartschale

Abb. 122   Entfernen einer Silikonhaut von der größeren Figur

Abb. 123   Entformungsarbeit

Abb. 124 Kopie der Steinbüste Nr. 5 im Park Quinta Normal, Santiago

sondere, wenn dieses Objekt der Zerstörung durch Verwitterung ausgesetzt ist.

Auch damals gab es viele Widrigkeiten, die das Projekt erschwerten, wenn nicht gar in Frage stellten; unter anderem Probleme mit dem Transport, dem Material, der Witterung etc.

Die Begrenzung in der *moai*-Auswahl ergab sich durch die Raumhöhe des Museums, in dem die Kopie später aufgestellt werden sollte (2,68 Meter). Ursprünglich war der *moai* 263 aus dem Steinbruch, der mit dem auf dem Bauch eingeritzten Segelschiff, vorgesehen. Doch wegen Materialknappheit mußte eine andere Steinbüste, *moai* 5, ausgewählt werden (Höhe 2,30 Meter). Dieser *moai* steht in *Hangaroa*, gegenüber dem alten Regierungsgebäude.

Auch bei dieser Erstabformung wurde Material der Wacker Chemie GmbH verwendet: der Silikon-Kautschuk RTV 539.

Zur Vorbereitung der Abformung wurde diese Steinbüste etwa dreißig Zentimeter ausgegraben. Dann wurde nach Befeuchtung des Objektes der Silikon-Kautschuk in einer Stärke von etwa 0,5 Zentimeter aufgebracht. Die Form sollte später in zwei Teile getrennt werden. Hierfür wurden entsprechende Vorkehrungen getroffen.

Zur Stabilisierung der Silikonhaut wurde anschließend ein Widerlager aufgebracht, das für die Vorderseite (Gesichtsseite) aus einem mit Glasfaser verstärkten Epoxidharz bestand. Wegen Materialmangel mußte das Widerlager der Rückseite aus Glasfaserlaminat, Sand und Zement ausgebildet werden. Hier wurde zunächst eine dicke Mörtelschicht aufgebracht. Darauf kamen mit Zementmilch getränkte Glasfasermatten. Schließlich wurde eine weitere Mörtelschicht mit Eiseneinlage angebracht.

Um eine gute Entformung zu gewährleisten, wurde zwischen der Silikonhaut und den Widerlagerplatten eine dünne Wachsschicht aufgebracht, die eine saubere Ablösung der Hartschalen ermöglichte. Die Entformung erfolgte wohl ohne Probleme. Harold Krusell Johansen erwähnt, daß die elastische und reißfeste Silikonschicht mit ganz geringem punktuellem Druck abgezogen werden konnte, ohne daß sich Steinchen aus der Oberfläche lösten.

Die entformten Teile wurden nach Santiago de Chile gebracht, wo die Ausformung mit einer ca. 15 Zentimeter dicken Schicht aus Polyesterharz und gebrannter Tonerde erfolgte — verstärkt durch drei Schichten MAT 450 und Polyesterharz. Später (1980) wurde noch eine zweite Kopie angefertigt. Beide Kopien wurden mehrmals ausgestellt.

Ausformung von Fassade und Steinbüsten und originalgetreue Nachbildung der Oberflächen

Nach Ankunft der Container auf dem Gelände der Hoechst AG am 18. Juli 1988 wurden die Silikonformen und Widerlager ausgeladen und die Hohlformen an den bereits vorgegebenen Trennlinien in jeweils zwei Hälften geteilt (Hinterkopf und Gesichtsteil). Zur Stabilisierung mußten diese Hohlteilhälften mit Holzgerüsten unterbaut und abgestützt werden. Hierbei sowie bei zahlreichen weiteren Arbeiten leisteten die Mitarbeiter der Hoechst AG wertvolle Unterstützung. Die Silikonhaut-Teile wurden sorgfältig in die stabilisierte Hohlform eingepaßt.

Sämtliche Ausformungsarbeiten wurden von einem Team

Abb. 127 Auftragen der Kupplungsschicht

Abb. 128 Die fertige Kopie wird aufgerichtet

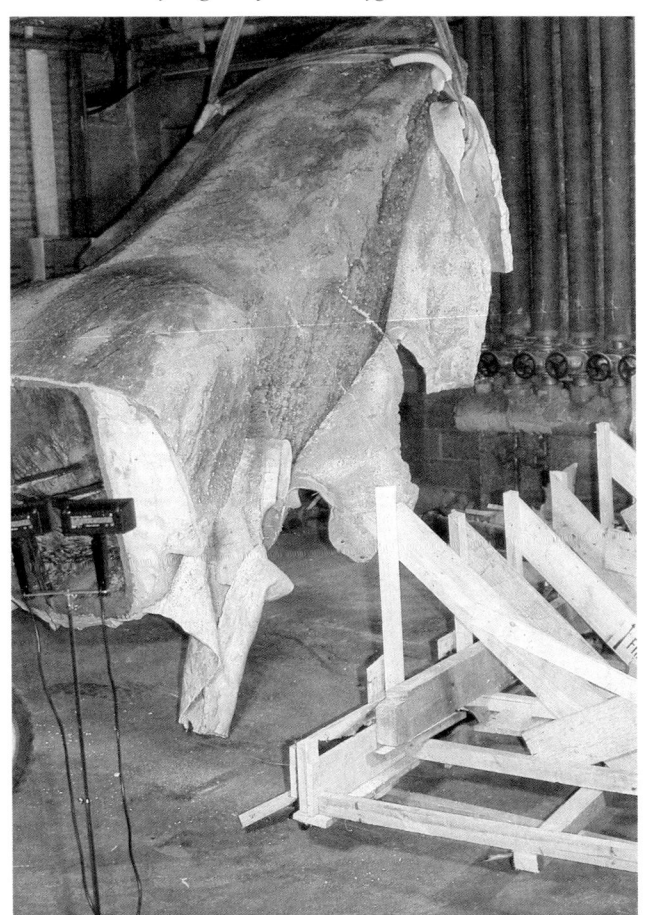

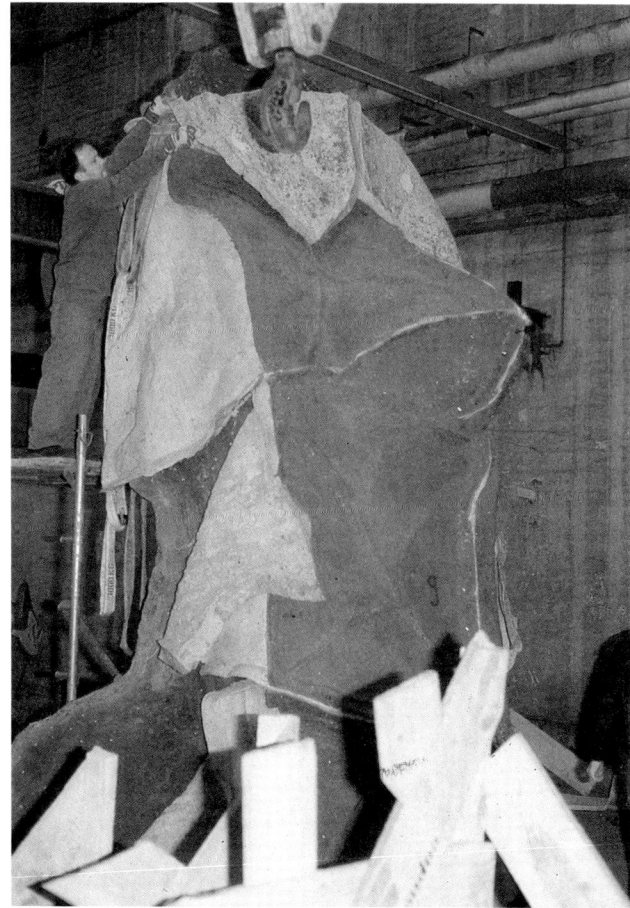

Abb. 129 Abnahme von Hartschale und Silikonhaut

Abb. 130 Naturgetreue Kopien der zwei moai vom Rano Raraku sind fertiggestellt

von Präparatoren des Senckenbergmuseums ausgeführt. Der Direktor des Museums, Professor Dr. W. Ziegler, hat dazu dankenswerterweise seine Mitarbeiter und Mitarbeiterinnen über Monate hinweg zur Verfügung gestellt.

Zur Ausformung, d. h. zur Erstellung der Positivformen, wurde zunächst die Innenseite der Silikonhaut mit PVA-Trennlack isoliert (zwei Schichten). Anschließend wurde die Grundmasse — es handelte sich um ein Epoxidharz XW 918 der Ciba Geigy AG — mit Tixotropiermittel XD 5039 eingedickt und mit Araldit-Farbpasten eingefärbt. Der Härter HM wurde zugesetzt, um eine Aushärtung des Grundharzes zu erreichen.

Diese Masse wurde mit dem Pinsel auf die Silikonhaut aufgetragen. Nach ca. zwei bis drei Stunden konnte der Vorgang wiederholt werden. Nach weiteren zwei bis drei Stunden erfolgte das Auftragen einer dünnen Kupplungsschicht — bestehend aus Epoxidharz XW 918, Härter und Glasfaserschnitzeln in sechs Millimeter Länge.

Zur Fortsetzung der Arbeiten — in der Regel am nächsten Tag — erfolgte der Auftrag einer Reinharzschicht (XW 918 + HM), auf die nach einer Anhärtungszeit bis zum Klebepunkt schließlich die eigentlich stabilisierende Endschicht in einer Dicke von ca. zwanzig Millimetern aufgetragen wurde. Hierbei handelt es sich um ein mineralisch gefülltes, glasfaserverstärktes Epoxidharz von Ciba Geigy, Araldit LV 573, das mit dem Härter HY 2959 versetzt wurde.

Der Auftrag dieser Endschicht wie aller übrigen Schichten erfolgte sowohl mit dem Pinsel als auch per Hand, wobei dies nur mit entsprechender Schutzkleidung, Gasmasken und Gummihandschuhen sowie einer mobilen Absaugvorrichtung ausgeführt werden konnte. Diese Endschicht mußte innerhalb eines Tages kontinuierlich aufgetragen werden.

Zur Erreichung der geforderten Stabilität — angesichts von Höhe und Gewicht der Kopien (5,30 bzw. 4,00 Meter Höhe, 800 bzw. 700 kg) — mußten zusätzliche Längs- und Querverstrebungen angebracht werden. Dies geschah durch Befestigung von Drainageröhren aus Kunststoff, die anschließend mit Araldit ummantelt wurden.

Das gesamte für die Ausformung benötigte Material hat Ciba Geigy dankenswerterweise unentgeltlich zur Verfügung gestellt. Außerdem standen Experten von Ciba Geigy beratend zur Verfügung.

Nach Beendigung der Ausformungsarbeiten wurden zunächst die Hinterseiten der *moai*-Abgüsse entformt, d. h. Hartschale und Silikonhaut wurden entfernt. Die verbleibenden Abgußhälften wurden mit Hilfe von Gabelstaplern auf die noch im stabilisierenden Gerüst mit dem Gesicht nach unten liegende jeweilige vordere Hälfte aufgesetzt. Anschlie-

Abb. 125   Ein moai wird ausgepackt

Abb. 126   Unterbau des Widerlagers

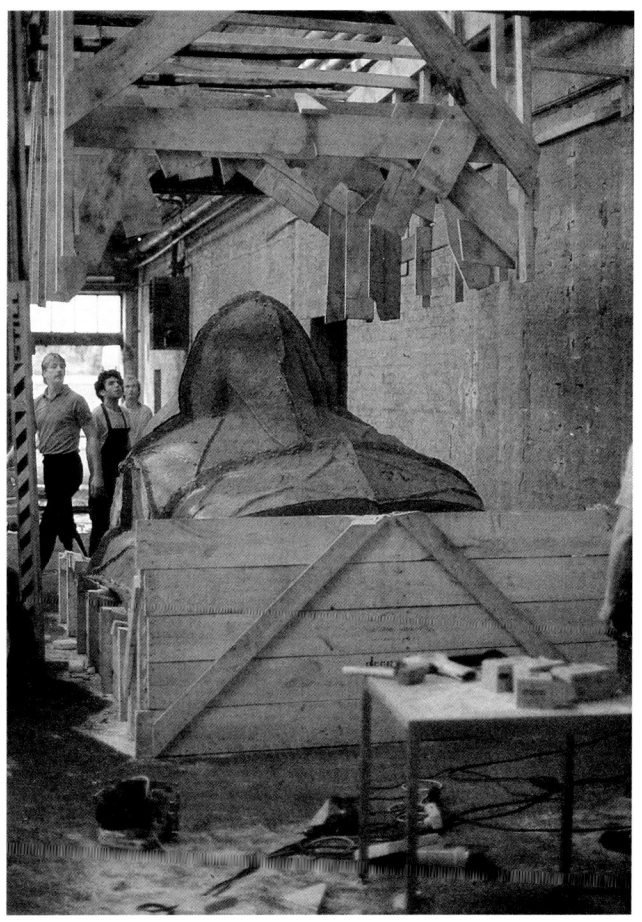

ßend wurden die Hälften mit Epoxidharz XW 918 (+ Härter HM) verspachtelt. Danach wurden zur weiteren Befestigung der beiden Hälften vorbereitete Flacheisen eingepaßt und verschraubt. Zur Erhöhung der Gesamtstabilität wurde schließlich die verspachtelte und verschraubte Nahtzone mit Araldit beschichtet.

Zur Vorbereitung einer standfesten Verschraubung der später aufrechtstehenden Figuren wurde am Fuß des jeweiligen *moai* eine Eisenkonstruktion aus Vierkantrohren montiert. Anschließend wurde der Fuß mit der Trennscheibe begradigt.

Die so vorbereiteten Köpfe wurden mit einem fahrbaren Kran aus dem Gerüst gehoben und anschließend aufgerichtet. Danach wurden Widerlager und Silikonhaut von der Vorderseite entfernt. Der Anblick der jetzt aufrechtstehenden Abbildungen entschädigte die Mannschaft für viele Mühen und Widrigkeiten. Der Ab- und Ausformungsprozeß war gut gelungen; auch die in die Feinschicht eingemischte Farbmischung traf die Farbe der Originale ziemlich genau.

Es folgten Wochen der gestaltenden Behandlung der Oberfläche und aufwendiger Retuschierarbeiten. Die Oberflächen der Originalfiguren, von denen zahlreiche Fotos vorlagen, wiesen unterschiedlich starke Verwitterungseinflüsse auf und waren zum Teil stark mit Flechten bewachsen. Der poröse vulkanische Stein (Tuff) zeigte aufgrund der Verwitterungseinflüsse eine ganze Farbskala von Schwarz bis Ockergelb. Alte Beschädigungen gestalteten die Oberfläche zerklüftet und interessant.

Dieses Erscheinungsbild mußte nun, nachdem sämtliche auf der Oberfläche befindlichen Nähte mit feinen Schleifgeräten behandelt worden waren, durch kolorierende Feinarbeit (mit Lascaux-Acrylfarben) mit dem Ziel der höchstmöglichen Übereinstimmung mit dem Original nachgebildet werden.

Die fertiggestellten Exponate sind eine Bestätigung für die gestalterische und präparatorische Kompetenz der Arbeitsgruppe. Sie erfüllen aber auch den interessierten Betrachter mit Staunen und Bewunderung angesichts ihrer Monumentalität — aber auch ihres unverwechselbaren, rätselhaften Ausdrucks.

Bibliographie

[1] KRUSELL, HAROLD, *Replica de un moai para el Museo Nacional de Historia Natural.* Santiago de Chile – Año 1977, 1988

Die Osterinsel heute

HEIDE-MARGARET ESEN-BAUR UND CHRISTIAN WALTER

Bis zum Jahre 1862, in dem die ersten Überfälle der peruanischen Sklavenhändler stattfanden, hatten die Osterinsulaner ihre Unabhängigkeit bewahren können. Nicht die gelegentlichen Kontakte mit der Außenwelt, sondern interne Machtkämpfe hatten die Bevölkerung dezimiert. Die Annexion durch die Spanier im Jahre 1770 war Episode geblieben. Das Leben hatte sich trotz dieser Kontakte zwar im Rahmen überlieferter Traditionen vollzogen, doch es scheint, daß sich diese Traditionen aufgrund innerer Spannungen und des Wissens um die Außenwelt schneller veränderten.

Bevölkerungsentwicklung

Um die Mitte des letzten Jahrhunderts dürften etwa noch 4500, zur Zeit der Kulturblüte, zwischen 1450 und 1650 n. Chr., etwa 10 000 Menschen auf der Osterinsel gelebt haben. Pater Roussel zählte im Jahre 1868 nur noch 900 Insulaner.
Die Reduzierung von 4500 auf 900 in knapp zwei Jahrzehnten ist in erster Linie auf das Vorgehen der Sklavenhändler zurückzuführen, die mit etwa vierzehn Schiffen annähernd 1500 Einwohner nach Peru gebracht haben[1] – nicht alle gegen ihren Willen, wie McCall nachweisen konnte. Von diesen gelangten nur wenige Überlebende aufgrund der Intervention des Bischofs Jaussen und in Begleitung des Laienbruders Eyraud im Jahre 1864 in ihre Heimat zurück. Die von den Heimkehrenden mitgebrachten ansteckenden Krankheiten führten zu einer weiteren Dezimierung der Bevölkerung.[2]
Die Anstrengungen der Missionare, diese tragische Entwicklung aufzuhalten, wurden schon im Jahre 1868 durch die Ankunft des Franzosen Dutroux-Bornier gestört, der die wirtschaftliche Ausbeutung der Insel einleitete. Im Auftrag der Firma Brander, die in Tahiti ansässig war, »erwarb« Dutroux-Bornier von den Insulanern Land und richtete eine Schaffarm ein. Schon bald gerieten die auf der Insel ansässigen Europäer, deren Zielvorstellungen so unterschiedlich waren, miteinander in Konflikt, der so ernst war, daß die Missionare im Jahre 1871 mit 168 Osterinsulanern die Insel verließen. Zuvor waren schon andere Insulaner nach Tahiti übergesiedelt, um dort auf Branders Farmen zu arbeiten. Nach weiteren Abwanderungen sowie aufgrund schlechter Versorgung und aufgrund der Hoffnungslosigkeit der wenigen Überlebenden gab es nach Pinart[3] im Jahre 1877 nur noch 111 Bewohner auf der Osterinsel.
Erst nach dem Tode Dutroux-Borniers im Jahre 1877 und mit der Übernahme der Schaffarm durch Alexander Salmon entspannte sich die Situation. Die Bevölkerung erholte sich langsam, so daß 1888, im Jahr der chilenischen Annexion, 178 Bewohner gezählt wurden. Dieser Trend hat sich kontinuierlich fortgesetzt. Heute leben 1938 Insulaner auf der Osterinsel (siehe Bevölkerungstabelle).

Siedlungsstruktur

Die drastische Dezimierung der Bevölkerung in kurzer Zeit blieb nicht ohne Auswirkungen auf die Siedlungsgewohnheiten der Osterinsulaner. Zur Zeit innerer Eigenständigkeit und größerer Bevölkerungsdichte befand sich eine große Anzahl von Siedlungen entlang der Küste. Im Jahre 1866 erwähnen die Missionare noch folgende Ortschaften: *Anakena, Tongariki, Vaihu, Vinapu, Mataveri* und *Hangaroa*. Innerhalb weniger Jahre wurden drei dieser Siedlungen aufgegeben. Die Bevölkerung zog in die Nähe der beiden Missionsstationen in *Hangaroa* und *Vaihu* sowie nach *Mataveri*, wo sich das Haus des Verwalters der Schaffarm befand.

SIEDLUNGSSTÄTTEN
1866–1988

1866

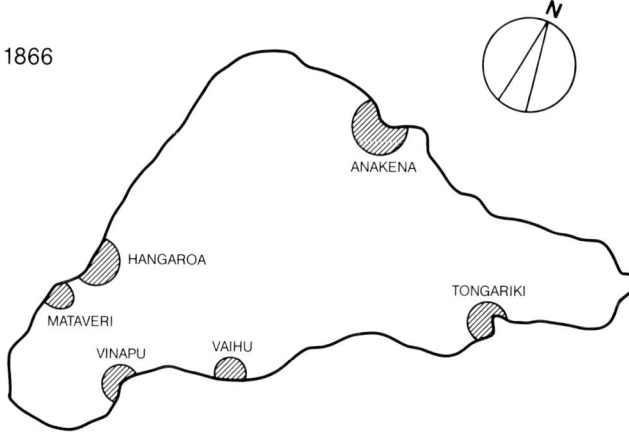

1870

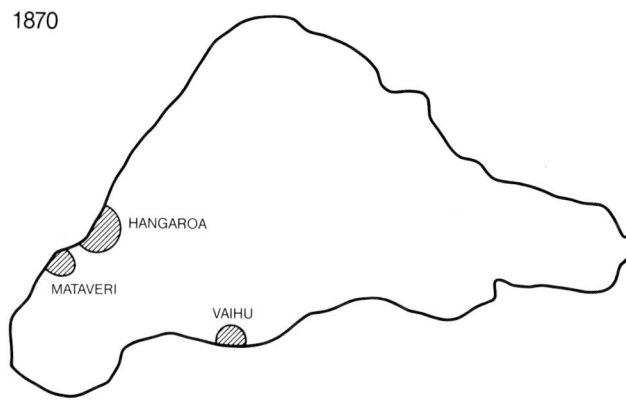

1872

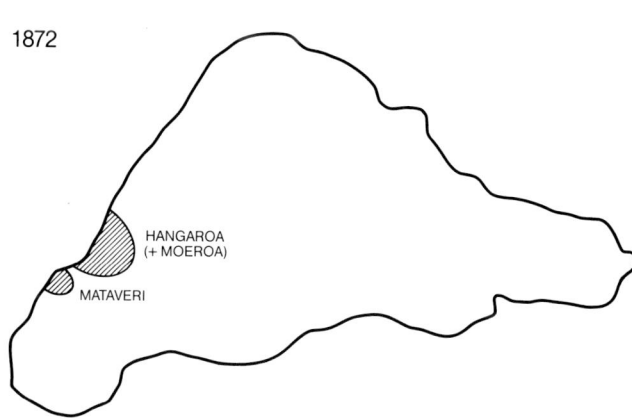

Abb. 131

Nach dem Abzug der Missionare im Jahre 1871 wurde *Vaihu* aufgegeben. Die verbleibende Bevölkerung siedelte nun nur noch in *Mataveri* und *Hangaroa*.

Diese Siedlungsgebiete sind bis heute erhalten. Wie die Zukunft aussieht, ist ungewiß. Es gibt Bestrebungen, weitere Dörfer zu gründen; zunächst in *Vaihu*. Eine Ausdehnung, die dem Stand von 1866 entsprechen würde, findet ebenfalls Befürworter.

Die Jahre von 1888–1966

Für die Osterinsulaner war die Zeit zwischen 1888 und 1966 einerseits durch willkürliche privatwirtschaftliche Ausbeutung ihrer Insel sowie stiefmütterliche politische Behandlung, andererseits durch sporadische, ab 1935 jedoch kontinuierliche seelsorgerische Betreuung gekennzeichnet.

Der aufmerksame Leser der Pfarrchronik[4], die 1937 beginnt, sieht, daß die Osterinsulaner sehr selbstbewußt auftreten — sowohl in Verhandlungen mit der Kirche wie auch mit dem Militärgouverneur, denen sie ihre Wünsche nach Neuerungen und auch ihre Verärgerungen offen vortragen. Die Osterinsulaner empfinden zunehmend ihre Isolation und wünschen ihrer Weltabgeschiedenheit zu entfliehen. Pater Englert schreibt: »Im Januar (1944) abenteuerliche Fahrt von fünf einheimischen Jungmännern, die rudernd zum Kontinent kommen wollten. Schon nach einigen Tagen fühlten sie sich von schlechtem Wetter und dem stürmischen Meer bedroht. Sie warfen Lebensmittel ins Meer, um nicht zu versinken. Als sie schon Gefahr liefen, Hungers zu sterben, kam ihnen zufällig ein amerikanisches Schiff entgegen, das sie in Antofagasta ablud. Das Abenteuer war schlecht vorbereitet, aber menschlich sehr zu verstehen, besonders die Jugend will aus dem engen Kreis heraus und andere Welten kennenlernen.«[5] Ein Jahr zuvor hatten sich sieben Insulaner heimlich auf das Versorgungsschiff geschlichen. Als sie entdeckt wurden, kehrte das Schiff mit ihnen zur Osterinsel zurück.

Im Jahre 1945 berichtet Pater Englert von dem Unternehmen der Familie Pakarati. Die Witwe des Katechisten Nikolaus Pakarati, Pohati, sowie Elisabeth Ranguitaki und Tenatau wollten nach Tahiti zurückkehren. Pater Englert »weigerte sich, das Boot am Ostertag zu segnen, was sicher klug war, wenn es ihm auch den Unwillen der Erbauer des Bootes eintrug. Der Pater konnte nicht gegen den Willen der Militärbehörde die Familie Pakarati in besonders auffallender Weise unterstützen«.[6] Die Pakaratis gaben ihren Plan, nach Tahiti zu segeln, allerdings nicht auf. In der Pfarrchronik heißt es: »1948 kam die Nachricht, daß die sechs Pakarati, die etwa

3600 Meilen nach Tahiti in einem schwachen Fahrzeug gerudert waren, . . . gerettet sind und in Tahiti leben. 30 Tage ohne Essen; 27 Tage ohne Wasser. Ein Wunder der Barmherzigkeit Gottes.«[7]

Diese Fluchtversuche und fünf weitere Unternehmungen dieser Art zwischen 1954 und 1958 machten die Weltöffentlichkeit auf das Los der isoliert lebenden Osterinsulaner aufmerksam. Danach wurde den Osterinsulanern in größerem Umfang als bisher die Möglichkeit eingeräumt, mit dem jährlichen Versorgungsschiff nach Chile zu gelangen. Pater Englert schreibt: »Im Monat Juli 1963 schrieben sich bei der Militärbehörde 172 Personen ein, die mit dem Schiff ›Pinto‹ bei der nächsten Fahrt auf das Festland gehen wollten. Man sieht die überstarke Tendenz, die Insel zu verlassen, wenn auch nicht alle hinübergehen können.«[8]

Abb. 132   Die »Presidente Pinto« von Hangaroa, 1964

Die eigentliche Öffnung und Besserung der Zustände auf der Osterinsel begann in den 50er Jahren. Ein entscheidendes Ereignis ist der erste Flug eines Wasserflugzeugs zur Osterinsel im Jahre 1951. Eine Landebahn wurde jedoch erst durch eine Gruppe von etwa 80 Nordamerikanern im Jahre 1964 gebaut. Ab 1965 flog lediglich die chilenische Luftwaffe die Osterinsel gelegentlich an. Der erste kommerzielle Flug fand im Jahre 1967 statt. Inzwischen wird die Osterinsel im Linienverkehr bis zu dreimal wöchentlich von der chilenischen Fluggesellschaft LAN Chile angeflogen. Charterflüge erhalten gelegentlich Landeerlaubnis.

Ein weiteres wichtiges Ereignis der 50er Jahre war die Übernahme der privaten Farm (Compañía Explotadora), deren Vertrag im Jahre 1953 endete, durch die chilenische Marine. Möglicherweise rückte in den 50er Jahren die Osterinsel auch deshalb ins staatliche Interesse, weil der damalige chilenische Staatspräsident, Gonzales Videla, Ehrenpräsident der »Gesellschaft der Freunde der Osterinsel« war.

Von besonderer Bedeutung für die weitere Öffnung der Insel war die Ankunft der Norwegischen Expedition im Jahre 1955 unter Leitung von Thor Heyerdahl, die mit Erlaubnis der chilenischen Regierung acht Monate lang umfangreiche archäologische und sonstige wissenschaftliche Untersuchungen durchführte und durch zahlreiche Publikationen die Osterinsel erstmals weltbekannt machte.

Besonderes Aufsehen erregte Thor Heyerdahl, als er im Jahre 1947 versuchte mit seinem berühmten Balsafloß »Kon-Tiki« von der Westküste des südamerikanischen Festlandes nach Polynesien zu gelangen.

Doch es waren die Ereignisse der 60er Jahre, insbesondere die des Jahres 1964, die den Osterinsulanern zu einer größeren Autonomie verhalfen. Im Februar dieses Jahres kam der Franzose F. Mazière mit seiner tahitischen Frau zur Osterinsel. Er übte auf der Insel und anschließend in seinen Publikationen offene Kritik an den Lebensumständen der Osterinsulaner.[9] Er bemerkte, daß die Osterinsulaner nur nominell Chilenen, ohne Wahlberechtigung, seien. Auf ihrer Insel durften sie nur mit Erlaubnis der Militärbehörde das Dorf verlassen, weil fast das gesamte Inselland für 40 000 Schafe, 2000 Pferde und 2000 Kühe und Schweine als Weideland genutzt wurde.[10]

Im Juni desselben Jahres kamen etwa 80 Nordamerikaner mit der »Mirfak«, um den Flughafen zu bauen. Im gleichen Monat erreichte die »Spencer Baird« mit amerikanischen Geologen und anderen Wissenschaftlern die Insel. Im September wurde in Chile der liberale Politiker Eduardo Frei zum Präsidenten gewählt. Und im Dezember kam die 38 Köpfe zählende kanadische Expedition (Metei) mit der »Cape Scott« zur Osterinsel.

Das Versorgungsschiff »Presidente Pinto« war über ein Jahr nicht mehr zur Osterinsel gelangt. Den Osterinsulanern fehlte es u. a. an Seife, Mehl, Öl, Zucker, Tee, Schuhen und Medikamenten.

In dieser Zeit wurde der Ruf nach Unabhängigkeit durch einen charismatischen jungen Lehrer, Alfonso Rapu, vehement vertreten. Die Osterinsulaner verfaßten einen offenen Brief an den neuen Präsidenten Frei, der heimlich auf das Festland gelangte und noch vor seiner Veröffentlichung in der chilenischen Presse von der ›New York Times‹ kommentiert wurde.

Der chilenische Staat, auf die Zustände aufmerksam gemacht, reagierte umgehend und leitete eine neue Gesetzgebung ein, die im Gesetz 16441 des Jahres 1966 ihren Niederschlag fand. Die Insel erhielt den Status eines ›departamento‹ der Provinz Valparaiso. Alfonso Rapu wurde in öffentlicher Wahl zum Bürgermeister gewählt.

Die Jahre ab 1966

Als Folge des neuen Status mußten zusätzliche Regierungsbeamte auf die Insel versetzt werden. Die Zahl der Nichtinsulaner stieg von 29 (1950) auf 125 (1960) und weiter auf 172 (1965).

Mit der Öffnung der Insel sahen sich nicht nur die Insulaner einer neuen Situation gegenüber; auch der chilenische Staat mußte umdenken. Verschiedene Projekte wurden entwickelt, die die Wirtschaft der Insel profitabel gestalten sollten. Obwohl weiterhin ein Teil der Insel den Schafen vorbehalten blieb, ging der Anteil des Farmlandes auf der Insel zurück. Der Flächenanteil des Nationalparks, 1935 gegründet, nahm demgegenüber zu.

Bevölkerungszahlen

	Jahr	Insulaner	Fremde
1.	1862	ca. 4500	
2.	1868	900	ca. 15
3.	1870	600	ca. 15
4.	1871	275	ca. 5
5.	1877	111	
6.	1886	157	11
7.	1888	178	ca. 15
8.	1900	213	14
9.	1911	228	keine Daten
10.	1917	266	29
11.	1922	303	8
12.	1936	474	20
13.	1946	625	26
14.	1954	845	50
15.	1958	938	115
16.	1960	1030	125
17.	1965	974	172
18.	1970	1108	491 (incl. 80 ± USAF)
19.	1972	1355	511 (keine USAF)
20.	1988	1938	795

Quellen:
1.–4. MCCALL, G., *Reaction to disaster*, Dissertation, Australian National University 1976
5. PINART, ALPHONSE, *Voyage à l'Ile de Pâques*, Paris 1878, S. 238
6.–19. MCCALL, G., *Reaction to disaster*, Dissertation, Australian National University 1976
20. AREVALO, MARIO, *Osterinsel*, 1989

Schon seit Beginn der Übernahme der Insel durch Chile wurde darüber nachgedacht, wie das subtropische Klima der Insel wirtschaftlich zu nutzen sei. Verschiedene Studien sollten klären, ob die Insel als Lieferant für Ananas, Zuckerrohr, Bananen und ähnliche Früchte in Frage komme. Die hohen Transportkosten wie auch die ungewissen Liefertermine bei Schiffstransporten sprechen jedoch gegen eine solche Nutzung.

Wiederholt hat man auch, an den Fischreichtum der Insel denkend, von einer fischverarbeitenden Industrie geträumt. Da es aber bis heute noch keinen richtigen Hafen gibt, ist das Ent- und Beladen der Schiffe ein langwieriges Unternehmen. Seit Mitte der 70er Jahre werden drei moderne Landungsfahrzeuge benutzt; aber je nach Wetterlage und Brandung kann das Ent- und Beladen von 1000 Tonnen bis zu einer Woche dauern. Aufgrund der hohen Kosten wird die Luftfrachtkapazität nicht für den Export genutzt.

Noch bis 1966 auf Schiffe angewiesen, können Touristen seit 1967 mit dem Flugzeug zur Osterinsel gelangen. Im ersten Jahr waren es 444 Flugtouristen, im Jahre 1973 stieg die Zahl auf 5634 — eine Zahl, die bis heute nicht wieder erreicht wurde (siehe Tabelle). Der Anteil der ausländischen Touristen stieg ständig an, wobei die aus Frankreich, den USA und Deutschland kommenden Besucher mehr als 56% der Ausländer im Zeitraum von 1972 bis 1974 ausmachten.

Bei solchen Besucherzahlen mußte natürlich auch die Infrastruktur der Insel verbessert werden. Die ersten Touristen mußten sich noch mit einem Zeltdorf zufriedengeben und wanderten oder ritten über die Insel. Dann brachte ein amerikanisches Reiseunternehmen Kleinlastwagen, mit denen die Gruppen über die holprigen Wege der Insel transportiert wurden. Das 40-Betten-Zeltdorf war dem Andrang der Touristen nicht mehr gewachsen, und die Insulaner sahen eine Möglichkeit, durch die Aufnahme von Touristen einen (Neben-)Verdienst zu erhalten. Häuser wurden umgebaut, Zimmer angebaut, neue Gebäude errichtet. Die Anzahl der verfügbaren Betten stieg rapide an, als auch die staatliche Hotelkette HONSA ein neues, aus Miami importiertes 120-Betten-Hotel eröffnete. Das Bettenangebot der Insulaner stieg von 70 (1971) innerhalb von drei Jahren auf 259 (1974), so daß 1974 insgesamt 379 Betten für Touristen bereitstanden.

Die Anzahl der für die Besucher verfügbaren Wagen war nicht so schnell gestiegen. 1971 wurden 7 Wagen und ein 17sitziger Bus eingeführt, so daß insgesamt 15 Fahrzeuge mit 154 Sitzen zur Verfügung standen. Als Anfang der 70er Jahre die »SS France« der Insel einen Besuch abstattete, war es natürlich unmöglich, alle Besucher gleichzeitig über die Insel zu transportieren. Die mehr als 1100 Passagiere mußten mit Personenwagen, Lastwagen, Treckern und Kutschen über die Insel reisen. Die Abenteuerlustigen ritten zu Pferd. In jenen Tagen gab es für den US-Dollar einen sehr lukrativen Schwarzmarkt in Chile, und so kam der chilenische Finanzminister, um den lokalen Reisebüroagenten, nachdem dieser an Bord der »SS France« für seine Dienste bezahlt worden war, mit Polizeischutz vom Hafen zur Bank zu begleiten, damit dieser das Geld zum offiziellen Wechselkurs und nicht auf dem Schwarzmarkt umtauschte.

Nach dem Bauboom der ersten Jahre kam es erst wieder 1986 zu größeren Anstrengungen, die Infrastruktur zu verbessern. Kleine Hotels wurden um- und ausgebaut, so daß 1989 460 Betten auf Touristen warten und rund 25 Wagen und Busse bereitstehen, die etwa 250 Touristen gleichzeitig befördern können. Obwohl die Osterinsulaner sich von der touristischen Entwicklung viel versprechen, liegen doch die Zahlen von 1984–1988 unter denen des Jahres 1973. Sehr viel hängt natürlich von der weiterhin einzigen Fluglinie ab, die die Insel bedient. Verschiedene ausländische Fluglinien haben Interesse gezeigt, die Osterinsel anzufliegen.

Die Flugzeuge aus Santiago bringen außer den Touristen auch Fracht, so z.B. Milchprodukte, Früchte, Fleisch, Getränke etc., die nicht oder nur schlecht per Schiff befördert werden kann. 1988 kam es dennoch zu Engpässen, so daß die chilenische Luftwaffe zweimal für die Bevölkerung Gasflaschen zum Kochen einfliegen mußte.

Neben der Verbesserung der Landebahn, die erstmals Mitte der 70er Jahre, dann Anfang der 80er Jahre und zuletzt im Jahre 1986 für 7 Millionen US-Dollar als Notlandebahn für die Raumfähre der NASA verlängert und ausgebaut wurde, sind auch wichtige öffentliche Gebäude im Dorf *Hangaroa* verbessert worden.

Nachdem 1964 größere Bohrungen für wasserhaltige Schichten in und um *Hangaroa* erfolgreich durchgeführt worden waren, sind 1967 *Mataveri* und das Zentrum von *Hangaroa* an ein Leitungswassersystem angeschlossen worden. Heute sind lediglich die zu hoch oder zu weit entfernt liegenden Häuser nicht mit diesem System verbunden. Trotzdem sammeln weiterhin viele Insulaner Regenwasser über ihre Dächer. Laut Statistik gab es im Jahre 1985 541 bewohnbare Häuser. Davon hatten 519 einen Anschluß an Leitungswasser und Strom. In den Jahren 1987 und 1988 kamen allein 110 vom Staat teilfinanzierte Schnellbauhäuser für minderbemittelte Familien dazu. Dasselbe Programm sieht für das Jahr 1989 noch einmal 50 bis 100 Häuser vor.

Die Stromversorgung mittels Dieselmotoren wird heute von der der CORFO unterstehenden Gesellschaft SASIPA betrieben, die vier von der amerikanischen Luftwaffe zurückgelassene Generatoren benutzt. Da das Dieselöl aber eingeführt werden muß, hat man sich auf andere Energiequellen besonnen, und so will man sowohl Wind als auch Holz als Grundlage für die Elektrizitätsgewinnung nutzen. Laut Auskunft des Gouverneurs wurden in den letzten Jahren knapp 750 000 Bäume angepflanzt, zum größten Teil Eukalyptus, die auch der Erosion entgegenwirken sollen, die aber zum größten Teil verfeuert werden sollen, so daß die Generatoren über einen Konverter mit dem beim Verbrennen erzeugten Gas betrieben werden können.

In einigen Privathäusern und Hotels wird auch mittels Sonnenenergie Wasser erwärmt.

Im Dorf *Hangaroa* selbst gibt es derzeit verschiedene Veränderungen. Man ist dabei, eine Straße, *Te Pito o te Henua*, zu asphaltieren. Danach soll auch die *Avenida Policarpo Toro* verbessert werden. Entlang dieser zwei Straßen sind immer mehr Läden entstanden. Dort, wo diese beiden Straßen aufeinandertreffen, steht das Rathaus und auch die Schule, die kürzlich renoviert worden ist. Auf einem Teil des Fußballfeldes wurde schon im Jahre 1984 eine Mehrzweckhalle errich-

Tourismus seit 1967

	Jahr	Touristenzahl	
1.	1967	444	
2.	1972	3806	
3.	1973	5634	
4.	1974	2756	
5.	1980	3600	
6.	1981	2078	
7.	1982	1697	
8.	1983	1794	
9.	1984	2705	
10.	1985	2624	
11.	1986	3564	
12.	1987	4163	
13.	1988	2712	bis September
		geschätzt max. 3500	

Quellen:
bis 1980 (1.–4.) PORTEOUS, D., *The Modernization of Easter Island*, in: Western Geographical Series, Band 19, 1981
von 1980 (5.–13.) SERNATUR, *Inselstatistik*, ohne Kreuzfahrtschiffe, 1988

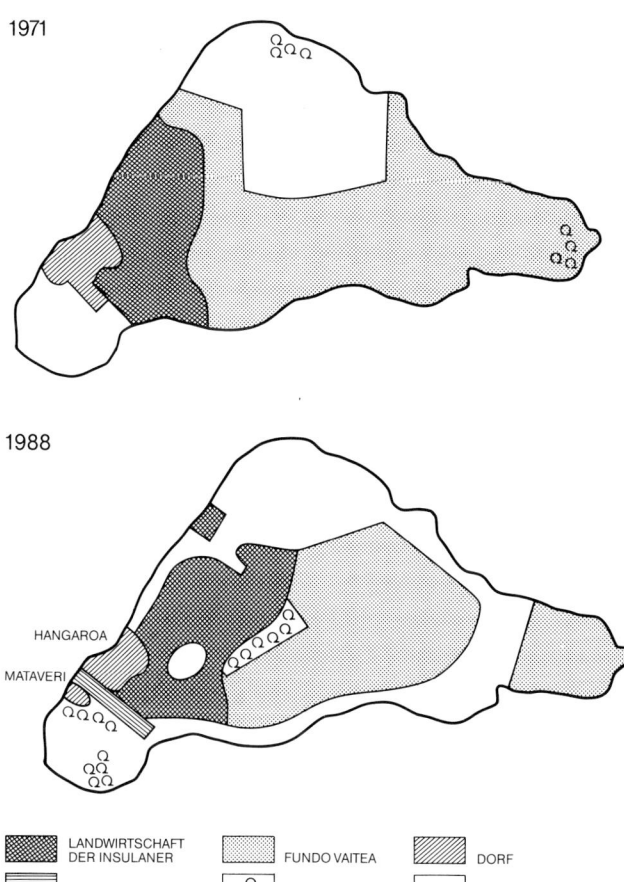

Abb. 133

tet, die sowohl für sportliche als auch für kulturelle Anlässe genutzt wird. Dem Sportplatz gegenüber befindet sich das Fremdenverkehrsbüro und nahebei liegen das Gericht, das Standesamt, die Paßbehörde, die Bank, die Telefongesellschaft und das Büro des Gouverneurs. Vom Rathaus landeinwärts gelangt man an verschiedenen Geschäften vorbei zur katholischen Kirche. Nur wenige Meter hinter der Kirche befinden sich das von den Carabineros geleitete Internat ›Hogar de Menores‹ und das Hospital, das mit zwei Ärzten und einem Zahnarzt für das Wohl der Insulaner sorgt.
Die beiden Siedlungsbereiche *Mataveri* und *Hangaroa* haben sich unterschiedlich entwickelt. *Mataveri* ist eher schachbrettartig angelegt und mit zum Teil vorfabrizierten uniformen Häusern für Regierungsbeamte bebaut, während auf der anderen Seite der Landebahn, die als Grenze zwischen diesen beiden Bezirken angesehen werden kann, die vorwiegend einheimische Bevölkerung wenig Wert auf symmetrische Ausrichtung der Grundstücke und Häuser legt. Obwohl in den letzten Jahren sowohl kleine Enklaven von kontinental-chilenischen Beamten in *Hangaroa* (Bank, Gericht, Hospital, Schule, Marine) eingerichtet wurden, als auch einige wenige insulanische Familien in *Mataveri* Platz fanden, so bleibt man doch vielfach unter sich.
In der Vergangenheit wurden aufgrund der begrenzten Ausbildungsmöglichkeiten viele Kinder zum Festland geschickt. Um diesen großen Exodus von Kindern und Jugendlichen einzuschränken, wurde die auf der Insel angebotene Schulausbildung immer weiter verbessert. Vor einigen Jahren wurde das Erlernen der lokalen Sprache (*Rapanui*) als Pflichtfach der acht Grundschulklassen eingeführt. Bis 1987 konnte man nur zwei der vier Oberschulklassen auf der Insel absolvieren. Im Jahre 1988 wurde das dritte Oberschuljahr eingeführt und inzwischen wurde beschlossen, im Jahre 1989 auch das letzte Oberschuljahr anzubieten. Bis zum Ausbau des Schulsystems hatte der Staat jährlich 30 Stipendien für eine weiterführende Schule mit Internat in Viña del Mar zur Verfügung gestellt.
Für die Osterinsulaner ist es seit vielen Jahren schwierig, einen Heiratspartner zu finden, der, wie die alten Sitten es verlangen, weiter entfernt verwandt ist als ein Cousin oder eine Cousine zweiten Grades. Heute werden immer mehr Ehen zwischen Insulanern und Chilenen, aber auch mit Ausländern eingegangen. Zwischen 1965 und 1973 kam es zu 132 Hochzeiten, aber nur bei 40 waren beide Partner Insulaner. Häufig kann man bei der Ankunft auf dem Flughafen *Mataveri* eine Gruppe von jugendlichen Insulanern finden, die sich unter den Fluggästen Freunde suchen, ganz speziell an den Tagen, an denen das Flugzeug aus Tahiti kommt, weil der größte Teil der französischen, in Tahiti stationierten Soldaten unter 30 Jahren ist. Heute leben mehr als ein Dutzend verheiratete Osterinsulaner in Deutschland, mehrere in Frankreich, den USA, Spanien, England, Australien und viele auf Tahiti.
Trotz der Verlockungen des im Ausland einfach und schneller erworbenen Geldes, die seit 1975 den Insulanern durch das Fernsehen immer wieder vor Augen geführt werden, sieht sich ein Großteil der Jugend veranlaßt, auf der Insel zu bleiben. Ohne eine abgeschlossene Schulausbildung, ohne einen erlernten Beruf ist es schwierig, in Chile oder anderen Ländern Fuß zu fassen. Aber viele Insulaner scheint der Gedanke, auf der Insel keiner geregelten Arbeit nachgehen zu können, nicht zu schrecken. Allen Familien steht Land zur

Verfügung, das zum Anbau geeignet ist. Zum Fischen oder zur Jagd mit der Harpune benötigt man keine Erlaubnis. Wer Geld verdienen will, der nimmt Gelegenheitsarbeiten an, sei es bei dem Entladen der Schiffe, dem Bau von Häusern und Straßen, dem Aufforsten der Insel, oder bei anderen von der Regierung beschlossenen Projekten. Viele warten auf die Verwirklichung des Hafenprojektes.

Eine sichere Arbeitsgelegenheit bietet der Tourismus. Sei es, daß man Fremde bei sich aufnimmt, für private Gästehäuser oder Hotels arbeitet, Souvenirs schnitzt oder verkauft oder für Reiseagenturen tätig ist. In einem Fall haben junge Insulaner eine Agentur eröffnet, die sich auf Reiterurlaub spezialisiert hat. Eine Gruppe von sechs Insulanern, die für die Touristen kochen und fischen, bietet einen vier- bis fünftägigen Rundritt an.

Andere Insulaner gehören Folklore-Gruppen an, von denen je nach Jahreszeit zwei bis vier auftreten. Gelegentlich reisen diese Gruppen nach Chile und in andere Länder. Alle Gruppen treten während der Osterinselwoche (*Tepati Rapa Nui*) auf, die jeweils Ende Januar/Anfang Februar stattfindet und während der auch die Miß Osterinsel gewählt wird.

Von offizieller Seite her hofft man durch dieses jährliche Festival mehr Touristen auf die Osterinsel zu locken. Doch der Termin ist meist erst wenige Tage vor dem Beginn der Festwoche bekannt, so daß sich ausländische Reiseagenturen darauf nicht einstellen können. Die meisten interessanten Aktivitäten finden zudem meist nachts im Dorf *Hangaroa* oder aber an der Nordküste statt. Das ist für viele Touristen, die während des Tages anstrengende Rundfahrten absolviert haben, kaum noch zu bewältigen, und sie bleiben dann lieber im Hotel.

So feiern die Osterinsulaner auch dieses Fest weitgehend nur für sich. Der zu diesen Festen gelegentlich erscheinende Tourist wird freundlich geduldet, doch das Fest wird nicht für ihn vorbereitet. Solche folkloristischen Veranstaltungen lassen nicht nur viel Stimmung aufkommen, sondern helfen auch, die alten Sitten und Gebräuche für die Jugend wachzuhalten.

Anmerkungen

[1] McCall, G., *Reaction to disaster*, Dissertation, Australian National University, Canberra 1976
[2] Eyraud, E., *Lettres des Missionaires*, 1864, in: Ann. de l'association de la propagation de la foi, Lyon 1866–67
[3] Pinart, Alphonse, *Voyage à l'Ile de Pâques: Le tour du Monde*, Paris 1878, S. 238
[4] Holzbauer, Hermann, Hrsg., *Missionsgeschichte der Osterinsel. Pater Sebastian Englert O. F. M. Cap. (1888–1969) zum 100. Geburtstag,* Eichstätt 1988
[5] Holzbauer, Hermann, Hrsg. (s. o. Anm. 4), S. 60
[6] Holzbauer, Hermann, Hrsg. (s. o. Anm. 4), S. 61
[7] Holzbauer, Hermann, Hrsg. (s. o. Anm. 4), S. 66
[8] Holzbauer, Hermann, Hrsg. (s. o. Anm. 4), S. 81
[9] Mazière, F., *Fantastique Ile de Pâques,* Paris 1965
[10] Boutilier, James A., *Metei: A Canadian Medical Expedition to Easter Island 1964–1965,* Vortragsmanuskript: Primer Congreso Internacional Isla de Pascua y Polinesia Oriental, Hangaroa 1984

Bibliographie

Englert, S., *Primer Siglo Cristiano de la Isla de Pascua,* 1964
Gana, I., *Memoria de la Marina por 1870,* 1870
Hunt, W., *Heirs of Great Adventure: The History of Balfour,* London Vol. 1, 1951, Vol. 2, 1960
Jaussen, Mgr., *Lettre à P. Auguste Jamet,* Archivos SSCC, Valparaiso 1871
Miklucho-M., *Ostrova Rapanui, Pitkern, Mangareva,* in: Izvestija Russkogo Geografičeskogo Obščestva 8, 1872, S. 42–55
Odeplan, *Plan de Desarrollo del Departamento de Isla de Pascua 1971–76,* Santiago 1972
Porteous, D., *The Modernization of Easter Island. Western Geographical Series,* Vol. 19, 1981, Appendix I
Reid, H., *A World Away,* Toronto 1965
Vergara, *La Isla de Pascua: Dominación y Dominio.* Santiago, Chile 1939, Appendix VIII

Gedanken zum heutigen Kunstschaffen auf der Osterinsel

HEIDE-MARGARET ESEN-BAUR

In Polynesien nahmen Holzschnitzereien im traditionellen Kunstschaffen einen breiten Raum ein. In den letzten Jahrzehnten haben einige bedeutende Ausstellungen in den Vereinigten Staaten (»Te Maori«[1] und »The Art of the Pacific Islands«[2]) und in Europa (»La Découverte de la Polynésie«[3]) ein beredtes Zeugnis von der Formenvielfalt und der hohen handwerklichen und künstlerischen Qualität dieser viele Jahrhunderte, wenn nicht Jahrtausende zurückreichenden Tradition gegeben.

In Ostpolynesien, vor allem auf Ra'ivavae, den Marquesas und insbesondere auf der Osterinsel, entwickelte sich neben der glanzvollen Holzplastik eine zweite bedeutende Tradition: die Steinplastik, die jedoch — abgesehen von den Steinplastiken der Osterinsel — noch wenig bekannt ist.

Auf der Osterinsel erreichte das Kunstschaffen in beiden Bereichen ein hohes Maß an Vollendung. Die in dieser Ausstellung zusammengetragenen Holzschnitzereien werden auch dem skeptischen Besucher Bewunderung abringen. Was jedoch die Steinplastik betrifft, deren Hauptcharakteristikum das Monumentale ist, so läßt sich diese im Rahmen einer Ausstellung niemals in ihrer ganzen Würde und Macht darstellen. Hier wurde der Versuch unternommen, anhand weniger kleinformatiger Originale sowie einiger Kolossalkopien und mit Hilfe einer reichhaltigen Bebilderung und Graphik, weiter unterstützt durch das geschriebene Wort, diesen Bereich darzustellen und auszudeuten. Dennoch merkt man diesen Ausstellungsstücken mehr als den ausgestellten Holzskulpturen an, wie sehr aus ihrem Zusammenhang herausgerissen sie hier vor uns stehen und wie sehr der von ihren Schöpfern beabsichtigte Eindruck verlorengegangen ist. Trotzdem bleiben auch sie nicht ohne Wirkung auf den Betrachter, der hier staunend einem in gestalterischer Besessenheit umgesetzten grandiosen Entwurf gegenübersteht.

Wie viele andere Bereiche der traditionellen Kultur ist die Kunst der Steinverarbeitung in Ostpolynesien und auch auf der Osterinsel heute weitgehend in Vergessenheit geraten. Auf der Osterinsel beschränkt sich die Produktion in Stein auf wenige, überwiegend kleinformatige Objekte, die thematisch im traditionellen Rahmen stehen. Darunter befinden sich gelegentlich sehr gelungene Objekte, wie sie Heyerdahl noch gesammelt hat[4] und wie etwa der Steinvogel in unserer Ausstellung (Kat. Nr. 139). Öffentliche Anlagen werden häufig mit Mauern aus roter Gesteinsschlacke eingegrenzt, die anschließend petroglyphisch verziert werden. Als Vorlagen dienen die Petroglyphen von *Orongo*. Der erst kürzlich fertiggestellte Vorbau der Kirche in *Hangaroa* ist ebenfalls mit Steinreliefs verziert, die allerdings wenig qualitätvoll sind. Die Riesenfratze von *Poike* begegnet uns in Hotels, Pensionen, Geschäften etc. in Form eines Aschenbechers aus Tuffstein. In einigen Vorgärten und auf öffentlichen Plätzen stehen kleinere *moai* mit und ohne *pukao*, die gegenüber ihren Vorbildern jedoch kaum bestehen können. Eine hochwertige Tradition der Steinverarbeitung ist nirgends anzutreffen. Vor kurzer Zeit hat sich immerhin eine Gruppe junger Männer zusammengefunden, die an die alte Tradition anzuknüpfen sucht und nun wieder Kolossalfiguren fertigt, wobei sie nicht das Ziel verfolgen, traditionelle Formen zu kopieren, sondern neue Wege beschreiten wollen.[5]

Die Holzschnitzkunst hat sich in vielen Gebieten Polynesiens ihre Bedeutung erhalten und wird sehr gepflegt. Im Zuge der Wiederbelebung der traditionellen Kultur wird beispielsweise in Neuseeland die hohe Tradition der Schnitzkunst, die hier nie ganz verlorenging, durch staatliche Maßnahmen gefördert. Verschiedene Kunsthandwerkszentren sind in den letzten Jahren entstanden, unter anderem auch eines in Roturua, aus dem schon eine Reihe exzellenter Arbeiten hervorgegangen ist. Auf der Osterinsel gibt es zwar (noch) keine vergleichbare Förderung seitens

Abb. 134 Der erst kürzlich fertiggestellte Vorbau der Kirche in Hangaroa ist mit Steinreliefs verziert, wobei traditionelle Motive verarbeitet wurden

des Staates, doch mit der Erweiterung des neuen Museums soll auch hier ein Kulturzentrum geschaffen werden, an das große Hoffnungen geknüpft werden. Joan Seaver berichtet, daß einige Insulaner jedoch befürchten, daß das Kulturzentrum eher Touristen als den Osterinsulanern zugute kommen wird.[6]

Die Holzschnitzkunst ist auf der Osterinsel auch ohne Kulturzentrum lebendig und kann historisch betrachtet auf eine ungebrochene Tradition zurückblicken. Das Selbstbewußtsein, mit dem der heutige Osterinsulaner auftritt, wurzelt mit Sicherheit auch in dem Selbstwertgefühl, das durch diese Tradition immer wieder gestärkt wurde. Seit ihrem ersten Kontakt mit den Europäern haben die Schnitzer der Osterinsel immer wieder erfahren, wie hoch diese ihre Schnitzereien eingeschätzt haben.

Nach den Sklavenhändler-Überfällen im letzten Jahrhundert (1862 und 1863) drohte auch die Holzschnitzkunst verlorenzugehen. Daß dies nicht geschah, ist im großen Maße das Verdienst eines Mannes, der 1877 sozusagen in letzter Stunde zur Osterinsel gelangte. Alexander Salmon wurde nach dem gewaltsamen Tod des Franzosen Dutroux-Bornier im Auftrage der Firma Brander 1877 zur Osterinsel geschickt, um die Geschäfte der Schafsfarm zu leiten. Er verließ die Insel elf Jahre später, als im Zuge der chilenischen Übernahme der Insel die Schafsfarm an die englische Gesellschaft Williamson & Balfour verpachtet wurde. Salmon war über seine polynesische Mutter mit der tahitischen Pomare-Dynastie verwandt. Zudem war er befreundet mit Bischof Jaussen, der sich nach den Überfällen der peruanischen Sklavenhändler für die Osterinsulaner eingesetzt hatte und auch ihrer Kultur großes Interesse entgegenbrachte. Dank dieses Interesses sind der Nachwelt einige der alten Schrifttafeln und andere bedeutende Gegenstände der alten Kultur erhalten. Der von Bischof Jaussen zu diesem kritischen Zeitpunkt eingeleiteten Missionierung ist es zu verdanken, daß die Osterinsulaner als ethnische Gruppe überhaupt überlebten.

Salmon, der anläßlich verschiedener ausländischer Besuche bemerkt hatte, wie groß das Interesse an Holzschnitzereien war, riet den Osterinsulanern, die selbst kaum noch Schnitzereien besaßen, ihre eigenen Bestände wieder aufzufüllen und auch einige für zukünftige Gelegenheiten zum Handel zu fertigen. Dieser Gedanke war sicherlich nicht neu, zu diesem Zeitpunkt aber war es wichtig, daß er ausgesprochen wurde und daß sich die Bevölkerung aufraffte und bald wieder intensiv schnitzte.

Die jetzt gefertigten Gegenstände, soweit es sich überhaupt nachvollziehen läßt, setzen die überkommenen Traditionen fort, d. h. zunächst entstanden keine neuen Formen. »Die Tradition ihrer Herstellung wurde einfach fortgesetzt und kann deshalb kaum als Imitation betrachtet werden. Tatsächlich waren es die gleichen Leute, die bisher hölzerne Bildnisse und Zubehör für magische und zeremonielle Zwecke geschnitzt hatten und die ihre Arbeit genau wie früher fortsetzten, jedoch für kommerzielle Verwendung«.[7] Das Wort kommerziell freilich dürfte auf die damalige Situation kaum anwendbar sein. Denn die Osterinsel wurde in dieser Zeit nur sehr sporadisch angelaufen. Selbst die Chilenen schickten nur alle ein oder zwei Jahre ein Schiff vorbei. Auch die Besuche der Missionare waren selten. Aus dieser Zeit liegen zudem Informationen vor, daß die Osterinsulaner in die alten Riten und Gebräuche zurückfielen, sofern die stark dezimierte Bevölkerung diese noch kannte und fähig war, sie zu gestalten, ein Zustand, der bis in die Zeit der Besuche von Knoche (1911) und Routledge (1914) andauerte. Der Katechist Pakarati, der im Jahre 1888 zur Osterinsel entsandt worden war, konnte diese Entwicklung nicht verhindern. Dieser Zustand begann sich erst mit der Ankunft der beiden Kapuzinerpatres im Jahre 1917 zu ändern. Der traditionelle Zusammenhang dürfte sich somit für eine Reihe der kleinformatigen Holzschnitzereien bis ins 20. Jahrhundert hinein erhalten haben.

Sofern die Holzschnitzereien aus diesem Zeitraum fein gearbeitet sind, fällt es schwer, sie sicher von früheren Stücken zu unterscheiden. Verschiedene Modifizierungen wurden jedoch durchgeführt, die gelegentlich eine genauere Identifizierung ermöglichen. So wurden beispielsweise unter dem Einfluß der Missionare und des Katechisten Pakarati die Genitalien einiger Figuren gegenüber früheren Stücken reduziert. Zu einem späteren Zeitpunkt jedoch, als von den Käufern möglichst authentische Stücke gewünscht wurden, verschwand diese Modifizierung wieder.

Ein weiteres Merkmal, das die jetzt gefertigten Figuren von den früher hergestellten unterscheidet, ist ihre Größe. Aber auch die Größe einer Figur war oft lediglich abhängig von der ganz unterschiedlichen Verfügbarkeit von Holz. Ein weitaus sichereres Erkennungszeichen alter Stücke ist nach wie vor das verwendete Material. Sofern Figuren aus *toromiro*-Holz geschnitzt sind, ist die Wahrscheinlichkeit, daß sie alt sind, sehr groß. Es besteht allerdings hierbei die Schwierigkeit, nachzuweisen, daß es sich tatsächlich um *toromiro*-Holz handelt. Mit Sicherheit sind viele Stücke — auch in dieser Ausstellung — aus *toromiro*-Holz hergestellt. Doch bei allen Objekten liegt neben der Aussage des Sammlers, des Besitzers oder des Schnitzers keinerlei verbindliche Information hierüber vor. Heyerdahl beschreibt die Situation im Jahre 1955: ». . . neuerdings haben einige Osterinsulaner, ganz besonders Pedro Atan, *moai kavakava* verfertigt, die den ursprünglichen Stücken in künstlerischer und handwerklicher Ausführung, Oberflächenpolitur und im Motiv völlig gleichkommen. Die letzten Stücke *toromiro*-Holz, die Pedro Atan und andere aufgehoben hatten, sind nun längst verbraucht, und überdies ist das letzte Exemplar von Sophora *toromiro* im Krater *Rano Kao* nach dem Besuch unserer Expedition im Jahre 1956 eingegangen«.[8]

Die Formenvielfalt, die die traditionelle Holzschnitzkunst der Osterinsel auszeichnet, wurde zunächst aufrechterhalten. Doch auch damals wurden schon große Tanzpaddel (*ao*) sehr selten hergestellt. Langfristig betrachtet, erlebte die Holzschnitzkunst eine starke Verarmung ihrer Formenvielfalt. Man paßte sich dem Geschmack der Käufer an, und die wünschten hauptsächlich den skelettierten *moai kavakava* oder die extrem flach gehaltene *moai papa*.

Die von Geiseler vielleicht ein wenig unbesonnen ausgesprochene Vermutung über das Alter der Holzschnitzereien: »Der Kultus der Holzidole ist noch nicht sehr alt und erst aufgekommen, nachdem die Anfertigung und direkte Verehrung der Steinidole von *Rano Raraku* aufzuhören begann«[9] hat sich bis heute gehalten. So vermutet Kaeppler, daß drei Figuren aus Leningrad, die sämtlich in unserer Ausstellung zu sehen sind (Kat. Nrn. 78, 12, 20), Prototypen für die drei Hauptypen der Holzschnitzkunst der Osterinsel seien: »Full figures in wood with the earliest known date of collection are three now in Leningrad. Apparently, they were collected either on the 1804 voyage of Lisanski or the 1816 voyage of Kotzebue. The three figures might be considered prototypes of the three ›classic‹ forms known as *moai kavakava*, a male figure with protruding ribs, *moai papa*, a flat figure that is usually female, and *moai tangata manu*, a figure which combines features of man and bird.«[10]

Dieser Auffassung ist zu widersprechen. In unserer Ausstellung befindet sich ein *moai kavakava*, der aus der Banks-Sammlung stammt. Banks hatte als Naturwissenschaftler Cook auf seiner ersten Reise um die Welt begleitet. Da Cook auf dieser Reise nicht die Osterinsel besucht hatte, muß dieses Stück später in die Banks-Sammlung eingegangen sein. Möglicherweise erhielt sie Banks von Mitgliedern der zweiten Reise, vielleicht sogar von Forster. Banks verstarb im Jahre 1820. Die Sammlung Banks, die etwa 100 Objekte umfaßte, wurde von dem Nürnberger Zoologen J. G. Wagler, der im Jahre 1832 verstarb, erworben.[11] Den genauen Zeitpunkt des Ankaufs wissen wir nicht, doch muß er zwischen 1820 und 1832 liegen. Es ist also sehr wahrscheinlich, daß es sich bei diesem Stück um eine Figur handelt, die älter ist als die Leningrader Figuren, die Kaeppler erwähnt. Diese Figur besitzt alle Attribute des »klassischen« *moai kavakava*.

Die Einschätzung Kaepplers läßt sich auch nicht mit den Ergebnissen der *rongorongo*-Forschung in Einklang bringen. Die *rongorongo*-Schrift, die auf hölzernen Tafeln eingekerbt wurde, wird weit vor die europäische Entdeckung datiert.[12] Es ist kaum denkbar, daß sich die hohe Holzschnitztradition, die hier vorliegt, lediglich darin erschöpfte, *rongorongo*-Tafeln herzustellen. Zudem erscheinen in der Schrift Motive, wie der Vogelmann und das Pektoral (*rei miro*), die wir in der figuralen Holzschnitzkunst wiederfinden. Eine Analyse der *Orongo*-Motive[13] hat gezeigt, daß sie weitgehend die figurale Holzschnitzkunst bestimmen. Es liegt nahe, daß die figurale Holzschnitzkunst ein wesentlicher Be-

Abb. 135   Riesenfratze von Poike. Aquarell von Henri Lavachery, das dieser während seines Forschungsaufenthaltes vor mehr als 50 Jahren angefertigt hat. Das Original befindet sich heute im Kon-Tiki Museum in Oslo

standteil des Vogelmann-Kultes war, der selbst nach der vorsichtigen Datierung der amerikanischen Kollegin[14] um 1500 auf der Osterinsel etabliert war, meines Erachtens aber wahrscheinlich schon um 1350 n. Chr. in Erscheinung getreten ist.

Wollte man auch grundsätzliche Überlegungen zur Holzschnitzkunst in Polynesien anstellen, so dürften auch hier Argumente zu finden sein, die der Auffassung widersprechen, daß die Holzschnitzkunst auf der Osterinsel eine Innovation jüngeren Datums ist, die sozusagen erst als Ersatz für die umgestürzten *moai* in Erscheinung tritt. Die Holzplastik hat nicht nur in Polynesien, sondern auch auf der Osterinsel eine tiefe zeitliche Dimension.

Die Osterinsulaner haben auch nach dem Zusammenbruch ihrer traditionellen Kultur noch lange Zeit fast sklavisch die traditionellen Formen nachgearbeitet. Experimentiert in der Holzplastik wurde erst im 20. Jahrhundert. Mit Sicherheit beschritt Juan Tepano, Métraux' Informant, hier neue Wege. In verschiedenen Museen der Welt liegen heute seine Figuren neben den alten Originalen.

Zur Zeit der Norwegischen Expedition (1956) war Pedro Atan der wohl bekannteste und beste Schnitzer auf der Osterinsel. Einige seiner schönsten Arbeiten sind dank des Entgegenkommens ihres Besitzers, Michael Dietrich, in dieser Ausstellung zu sehen. Doch auch Pedro Atan griff vornehmlich traditionelle Themen auf. Pedro Atan war eine Persönlichkeit, die sich durchaus neben Heyerdahl zu behaupten wußte. Heyerdahl zeichnet folgendes Bild von ihm: »Bescheidenheit gehörte nicht zu den stärksten Tugenden Pedro Atans, und er zögerte nicht, im Hinblick auf die eigenen Fähigkeiten und Kenntnisse Superlative zu benutzen. Wenn er auch von vielen als Prahler betrachtet wurde, konnte doch niemand leugnen, daß er die schönsten und genauesten Kopien der alten Holzschnitzereien auf der Osterinsel anfertigte. Seine Produkte waren begehrter und wurden gewöhnlich auch höher bezahlt als die der anderen Insulaner, unter denen viele ausgezeichnete Künstler waren.«[15]

Mit Sicherheit nahm das Schnitzen immer dann einen Aufschwung, wenn Wissenschaftler der Insel einen längeren Besuch abstatteten. Sie wußten die Schnitzereien zu schätzen und konnten sie auch bewerten. Später gelangten ihre Veröffentlichungen auch zur Osterinsel, und anhand der Bebil-

Abb. 136   Aus dem gewachsenen Felsen wurde die Riesenfratze von Poike gearbeitet. Heute werden nach diesem Motiv überdimensionale Gebrauchsgegenstände, z. B. steinerne Aschenbecher für öffentliche Gebäude und Parkanlagen, hergestellt

derungen in diesen Büchern arbeiteten die Schnitzer. Abgegriffene Bücher von Chauvet, Métraux, Barthel (*rongorongo*) und Heyerdahl habe ich in den Häusern vieler Schnitzer gesehen.

Die Holzschnitzkunst auf der Osterinsel hat sich in der Vergangenheit nicht gleichmäßig entwickelt. Ihre Entwicklung oder besser Behauptung verlief vielmehr in Schüben, sie war abhängig von Zufälligkeiten und Persönlichkeiten. Sie war aber immer lebendig und sie muß als eine wichtige Säule der Kultur gesehen werden, die den Osterinsulanern zur Identitätsfindung überaus wichtig war und ist.

In den letzten Jahrzehnten gingen von der katholischen Kirche starke Impulse aus, die die Holzschnitzkunst erneut belebten. Bis heute wurden sechs große Heiligenfiguren geschaffen, die die katholische Pfarrkirche in *Hangaroa* und die Kathedrale von Maipú in Chile schmücken.

Das Ganze nahm zunächst einen merkwürdigen, fast tragischen Verlauf. Im Juni 1970 hatten sich viele Osterinsulaner am Flughafen *Mataveri* versammelt. Sie erwarteten die Ankunft einiger Priester von Santiago, die ihnen zur Ausschmückung ihrer Kirche eine Figur der heiligen Carmen mitbringen sollten.[16] Die Priester kamen jedoch mit leeren Händen. Vielmehr baten sie die verblüfften Osterinsulaner, sich diese Figur selbst zu schnitzen. Nach einer kontrovers verlaufenden Diskussion erklärten sich etwa 20 Schnitzer bereit, diese Aufgabe anzupacken. In nur sechs Tagen (in Anlehnung an die biblische Schöpfungsgeschichte) wurde nun zwar nicht die heilige Carmen, statt dessen aber die Mutter Gottes mit ihrem Sohn aus dem Stamm eines *miro*-Tahiti-Baumes geschnitzt. Mit der Maria Madre de *Rapa Nui*, die unverkennbar formale Übereinstimmungen mit den berühmten Steinbüsten aufweist, begann eine Entwicklung, die zehn Jahre später dazu führte, die in dieser Ausstellung gezeigte Figur des Auferstandenen Christus zu schnitzen (Kat. Nr. 136).

Anläßlich des XI. Eucharistischen Kongresses im Jahre 1980 in Santiago kamen wiederum einige Priester zur Osterinsel, dieses Mal mit der Bitte, als sichtbares Zeichen des Glaubens der Osterinsulaner und als Zeichen der Verbundenheit mit der Eucharistischen Bewegung eine Figur zu schnitzen. Die Gemeinde beschloß, dieser Aufforderung nachzukommen und einen Auferstandenen Christus zu schnitzen. Doch gleichzeitig einigte man sich, eine weitere Figur, den Gekreuzigten Jesus, zu schnitzen, der auf der Insel als Erinnerung an diese Mission bleiben sollte.

Die Frauen erklärten sich bereit, die Schnitzer für die Dauer der Schnitzarbeiten mit Mahlzeiten zu versorgen. Benedicto Tuki leitete die Arbeit an der Figur des Auferstandenen Christus, während Leonardo Pakarati die Arbeit an der Figur des Gekreuzigten Christus überwachte.

Abb. 137   Der Schnitzer Benedicto Tuki im Jahre 1987

Am 28. Juni 1980 wurde der Baum, aus dessen Stamm die Figuren geschnitzt werden sollten, gefällt und zum Kirchplatz gebracht, so daß alle Gemeindemitglieder ihn sehen konnten. Am nächsten Tag wurde in der Messe auf die anstehenden Arbeiten hingewiesen; den Schnitzern und den Frauen wurden die Hände gewaschen und sie wurden gesegnet, damit sie ihre Arbeit gut vollenden möchten. Während der täglichen Messen betete die Gemeinde um Fortgang und Gelingen der Arbeit.

Wie zehn Jahre zuvor wurde auch diese Figur innerhalb einer Woche geschnitzt und am 6. Juli 1980 in der Messe geweiht. Anschließend wurde sie in einer Prozession durch *Hangaroa* getragen, zunächst zum Hafen, wo die Figur der

Maria Madre de *Rapa Nui* geschnitzt worden war, danach zum Krankenhaus und durch alle Wohngebiete der Insel. Zwei Tage später gelangte sie mit dem Flugzeug nach Santiago.

Benedicto Tuki erwähnt in einem Begleitschreiben[17], daß die Figur für die Brüder von *Rapa Nui*, die auf dem Kontinent in Chile leben, und für das chilenische Volk gedacht sei. Einmal im Jahr im September pilgern seitdem die auf dem Kontinent lebenden Osterinsulaner zur Kathedrale von Maipú, um in einer eucharistischen Feier die heilige Carmen zu ehren und den Auferstandenen Christus anzubeten. Die hölzerne Figur wird bei dieser Gelegenheit mit Muschelketten und Blumenkränzen geschmückt. Nach der Messe halten die Pilger ein Fest mit Essen, Gesängen und Tänzen. Zur gleichen Zeit feiern die Osterinsulaner in *Hangaroa* ein ähnliches Fest.

Die Figur des Auferstandenen Christus ist 210 cm groß. Sie trägt eine Krone, die aus zwei einander zugewandten Vögeln (*manu piri*) gestaltet ist, ein Motiv, das von *Orongo* und auch von den *rongorongo*-Schrifttafeln bekannt ist und hier den Heiligen Geist symbolisiert. Auch am Saum des Gewandes befinden sich traditionelle Motive. Aus den Flügeln des *manu piri* ist das Herz auf der Brust der Figur geformt, das das Heilige Herz Jesu darstellt. Die Augen der Figur sind, wie auch bei den traditionellen Holzschnitzereien, aus Obsidian und Knochen gestaltet. Am Sockel steht der Schriftzug: *Ko Yetu Oramai Rapa Nui* 1980, d.h.: Der Auferstandene Jesus. Alberto Hotu hat dieser Figur folgendes Lied gewidmet:

JETU ORA HAKA OU MAI

KA PAE MAI TE MANU HIRI MAI TE KONA ROA
HE KI MAI KI ANGA I TE ATA O TE HATU,
HE IRI TATOU, KI TE MIRO HORE
MAI »VAI TUPA A MANGA« E

CORO:
KU TOPA A TE ARIKI, MAI ROTO I TE MIRO
E RANGA E OHORO KOE
A TE VAI ROA ROA ERA

HE TANGATA I TARAI I TOONA A TA
HE ANGA VIE I KEU-KEU A TU I TE KAI
KU MAO A KOE NUA RAPA NUI
I KEU-KEU TAKO'A MAI AI.

HE VAIRUA TAPU I RUNGA
I TOU PUOKO,
HE HAOA I NOHO ENA I TOU RIMA RIMA,
I TOU KAVA-KAVA ENA I TOU VAE-VAE
HE TITA'A O TOU HANGA
MAI KIA MATOU

KA RANGA KA OHO TE ARIKI POKI
MAI RAPA NUI MAI TOU KAINGA
KI TE HENVA ROA ERA I TE KONA NGARO
HARE NUI-NUI ERA O MAIPU E.

Der auferstandene Christus

Es sind von weit her Missionare gekommen,
die von uns ein Bildnis des Herrn wünschten.
Wir gingen alle, um einen Baum zu schlagen,
der in »*Vai Tupa A Manga*« stand.

Aus der Mitte dieses Stammes
wurde der König geboren.
Er wurde über das Meer
zu einem weit entfernten Land gebracht.

Die Männer schnitzten das Bildnis,
die Frauen bereiteten ihnen die Mahlzeiten.
Wir danken der Gottesmutter Madre *Rapa Nui*,
die uns geholfen hat.

Die Figur auf Deinem Haupt
stellt den Heiligen Geist dar.
Die Wunden in Deinen Händen,
Deiner Seite und Deinen Füßen
geben Zeugnis von Deiner großen Liebe für uns.

Der Königssohn verließ
sein Land *Rapa Nui* und
gelangte zu einem anderen, geheimnisvollen Land,
das wir nicht sehen können,
zu dem großen Haus in Maipú.

Seit Beginn des Tourismus im Jahr 1955 ist die Qualität der Holzschnitzereien deutlich abgesunken. Als Anfang der 70er Jahre viele Besucher zur Osterinsel kamen, konnte die Nachfrage nach guten Schnitzereien nicht mehr befriedigt werden. Viele schlecht gemachte Stücke gelangten zum Verkauf und wurden, weil man nicht ohne Souvenir zurückkommen wollte, von den Touristen erworben. Eine ganze Reihe von neuen Schnitzkategorien wurde entwickelt: Kugelschreiberhüllen, Schlüsselanhänger, Salatbestecke etc. Der Souvenirhandel ist inzwischen weit über die beiden Bereiche traditionellen Kunstschaffens hinausgewachsen. So finden wir heute ein weites Angebot von T-Shirts, Kassetten, Aufklebern, Schallplatten, Briefmarken, Postkarten, Briefpapier etc. Darunter befindet sich viel Kitsch. Doch nach wie vor ist das wichtigste Souvenir eines jeden Touristen eine schöne, möglichst nach traditionellen Vorbildern gefertigte Holzschnitzerei.

Es gibt wohl kaum einen Haushalt auf der Osterinsel, in dem nicht das eine oder andere Familienmitglied schnitzt. Das Schnitzen ist hier Männersache. Nach Seaver versuchen sich heute jedoch auch schon einige Frauen in dieser Kunst.[18] Der Verkauf liegt weitgehend in den Händen der Frauen. Es gibt heute nicht nur viele Schnitzer auf der Osterinsel, es gibt vor allem viele gute Schnitzer. Doch nicht verschwiegen werden soll, daß es auch einige schlecht und nachlässig arbeitende Schnitzer gibt, die hoffen, für wenig Aufwand fürstlich bezahlt zu werden. Doch diese kennt man, und geachtet werden nur die, die gut sind.

Augenblicklich herrscht wieder eine rege Diskussion auf der Osterinsel, wie die Nachfrage nach qualitativ guten Stücken zu befriedigen sei. Eine Frage, die nicht zuletzt auch während unserer die Ausstellung vorbereitenden Besuche wiederholt gestellt wurde. Für Schnitzereien von hohem handwerklichen und künstlerischen Wert werden Urkunden ausgestellt, auf denen der Name des Gegenstandes, das benutzte Holz und der Name des Schnitzers angegeben sind. Entwickelt wurde diese Urkunde von der Gemeinschaft der Schnitzer, deren Vorsitzender derzeit Antonio Tepano Hito ist. Auch für Antonio ist das allgemeine Absinken in der Qualität der Holzschnitzereien besorgniserregend. Er sieht das Problem jedoch im größeren Rahmen der gesellschaftlichen Entwicklung. Antonio genießt großes Ansehen auf der Osterinsel und bemüht sich, die zukünftige Entwicklung seiner Insel mitzugestalten.

Die Situation der Schnitzkunst auf der Osterinsel wird beispielhaft deutlich an der Situation und den Ansichten von Antonio, die nachstehend folgen:

(Antonio wurde im Jahre 1943 auf der Osterinsel geboren, wo er auch die ersten Schuljahre verbrachte. Eine weiterführende Schule besuchte er in Santiago und erwarb dort gute Kenntnisse als Elektriker, Mechaniker, technischer Zeichner; auch machte er eine Verwaltungslehre durch. Nach acht Jahren kehrte er endgültig zur Osterinsel zurück. Seine Steckenpferde sind Unterwasserjagd, Photographie und Gitarre spielen [nur die alte Musik der Osterinsel]. Antonio hat drei Kinder. Seine Tochter studiert in Viña del Mar, die

Abb. 138   Plakat für das Rapa-Nui-Fest, das jährlich Ende Januar stattfindet

beiden Söhne gehen unterschiedlichen Berufen auf der Insel nach.)

»Unsere wirtschaftlichen Verhältnisse sind normal, um eine Familie ohne Probleme glücklich zu machen. Ich glaube, daß Menschen, die hinter ihrem Glück herlaufen, viele andere sie umgebende Werte übersehen und sogar das Schönste im Leben, Liebe und Zuneigung der Familie, verlieren, die doch die Basis der Schöpfung sind. Ich sehe es als ein Geschenk des Schöpfers an, auf dieser reinen und schönen Insel geboren zu sein neben meinen Mitbürgern. Und ich glaube, daß die Personen, die uns besuchen, angezogen werden sowohl durch die kulturellen und künstlerischen Werte wie auch durch den Frieden und die Ruhe dieser Insel. Nur kurze Zeit könnte ich anderswo leben. Bis heute kennt man die Namen der Schutzgeister jeder Familie. Legenden (*varua*), Kulte und Gesänge sind alle von größter Wichtigkeit. Denn jeder Bereich stellt eine Säule dar, die eine Epoche unserer Kultur kennzeichnet, und die wichtigsten Plätze der Insel sind die *ahu*, das Dorf *Orongo* und die *pipi horeko*, die Markierungen der Landaufteilungen nach Stämmen durch unsere Vorfahren.

Die Anwesenheit von Touristen auf der Insel halte ich für sehr wichtig, wegen des Austausches von Gedanken mit Leuten außerhalb unseres Lebenskreises, der das intellektuelle Niveau der Osterinsulaner bereichert, und wegen des Beitrages zum wirtschaftlichen Vorteil der Gemeinschaft. Auch die Anwesenheit von Wissenschaftlern halte ich für sehr wichtig. Sie können viel Unbekanntes unserer Kultur klären und gleichzeitig verläßlich über ihre Studien dem Rest der Welt berichten. Denn ich denke, daß das kulturelle Erbe der Insel der ganzen Welt gehört.

Auch die NASA als wissenschaftliche Organisation ist vorteilhaft für die Menschheit. Deshalb kann sie überall akzeptiert werden, und der Transporter kann in *Mataveri* landen, denn die Erforschung des Weltalls ist Sache der ganzen Menschheit. Es sind allerdings einige unserer Werte beim Ausbau des Flughafens verlorengegangen: erstens ein Wohnbezirk am westlichen Ende des Flughafens, zweitens die Grundmauern eines kleinen *ahu* (*Mahave*).

Die glücklichste Erfahrung, die ich gemacht habe, ist die Schaffung des Osterinsel-Gesetzes (Nr. 16.441), mit dem 1966 zum ersten Mal die Bewohner der Osterinsel als Chilenen gesehen und mit den gleichen Rechten ausgestattet wurden. In diesem Jahr, 1988, in welchem unsere Insel 100 Jahre unter chilenischer Verwaltung steht, glaube ich aber, daß sie schlecht verwaltet wurde. Ein Beispiel: Vor kaum einem Jahrzehnt und auf meinen Antrag hin wurde Gesetz, daß Folklore und unsere Sprache, das *Rapanui*, Pflichtfach an unserer Schule wurden. Denn auf diese Weise können wir unsere Identität bewahren. Aber noch immer fehlt in der Schule der Unterricht in der Bildhauerkunst.

Um eine feste Einnahmequelle aus Arbeiten der Gemeinschaft zu aktivieren, meine ich, daß der Staat eine Konservenfabrik bauen müßte, sowohl für Früchte als auch für Fisch. So könnte man die Produkte des Meeres wie auch der Erde nutzen. Wir sind begeisterte Bauern und Fischer. Oder man sollte daran denken, ein Kühlhaus zu bauen, damit wir die Produkte der Insel auf andere Märkte bringen können. Der Vorteil dieser Idee ist, daß wir nicht mehr bei den verschiedenen amtlichen Stellen wegen Lohnarbeit betteln gehen müßten, sondern jede Familie könnte wie ein Kleinunternehmen arbeiten. So könnte jeder lernen, ein Unternehmen oder eine Gesellschaft zu führen, und auf diese Weise seine wirtschaftliche Lage verbessern.

Außerdem meine ich, daß wir eine Form finden müssen, um unsere Gebräuche und Kultur zu bewahren und zu restaurieren, indem wir Organisationen schaffen, die jeden Bereich beschützen: Monumente, Bildhauerei, Holzschnitzerei, Musik und Tanz.

Das Negative, das auf der Osterinsel eintreten könnte, wäre: daß die Osterinsulaner sich in die Politik Festland-Chiles einmischten; daß die Aufforstung mit Eukalyptus fortgesetzt würde, obwohl man das Land sehr gut für Landwirtschaft nutzen könnte, um die Bevölkerung zu versorgen, die augenblicklich Gemüse zum Verzehr importiert; daß weiterhin private oder staatliche chilenische Organisationen den Landbesitz verwalteten, trotz geeigneter Osterinsulaner, die die gleichen Arbeiten verrichten könnten; und schließlich, daß die Regierung in Santiago weiterhin die Politik der Gleichheit für alle ohne Berücksichtigung unserer Isolierung und unserer besonderen Sitten und Gebräuche anwendete. Deshalb sind wir dabei, eine Organisation zu gründen mit dem Namen ›Pascua para Pascua‹, mit der wir den Behörden einmal die Unruhe anzeigen, zum anderen gleichzeitig auch mögliche Maßnahmen aufzeigen möchten. Diese Organisation wird von mir angeführt und soll in Übereinstimmung mit der chilenischen Verfassung gegründet werden.«

Aus Antonios Worten spricht ein unabhängig denkender Geist, der selbstbewußt seine Gefühle und Gedanken äußert. Antonio zeigt das gesunde Selbstbewußtsein, das die Osterinsulaner, die nur einige tausend Menschen zählen, heute auszeichnet. Die Osterinsulaner entsprechen nicht dem Bild, das so häufig von flüchtig durchreisenden Journalisten verbreitet wird, die mit der traurigen Nachricht an die Öffentlichkeit herantreten, daß die Osterinsulaner unter dem Einfluß der westlichen Zivilisation ihr Leben nicht sinnvoll gestalten könnten. Damit verkennen sie die Situation und leisten auch den Osterinsulanern keinen guten Dienst. Jede Gesellschaft ist stetem Wandel ausgesetzt. Die Osterinsulaner haben in voreuropäischer Zeit vielfältige Wandlungen erlebt und dabei Großes geleistet. Auch dem Wandel, der nach der Entdeckung durch die Europäer eintrat, sind sie nicht erlegen.

Anmerkungen

1. MEAD, SIDNEY MOKO, *Te Maori*. Maori Art from New Zealand Collections. Ausstellungskatalog, Auckland 1984
2. *The Art of the Pacific Islands*. Ausstellungskatalog, Washington 1979
3. *La Découverte de la Polynésie*. Ausstellungskatalog, Paris 1972
4. HEYERDAHL, THOR, *Die Kunst der Osterinsel*. Wien 1975
5. WELGE, FRIEDHELM, *Am Nabel der Welt. Ein Bildhauer sieht sein Mekka, die Osterinsel*. Frankfurt a. M. 1989
6. SEAVER, JOAN, »Some observations on the arts today in the navel of the world«, in: *Development of the Arts in the Pacific*, Hrsg. P. J. C. Dark, Occasional Papers, no. 1, Pacific Arts Association, Wellington 1984
7. HEYERDAHL, THOR, 1975 (s. o. Anm. 4), S. 69
8. HEYERDAHL, THOR, 1975 (s. o. Anm. 4), S. 202
9. GEISELER, Kapitänleutnant, *Die Osterinsel. Eine Stätte prähistorischer Kultur in der Südsee*. Berlin 1883, S. 14
10. KAEPPLER, ADRIENNE L., »Aspects of Polynesian Aesthetic Traditions«, in: *The Art of the Pacific Islands*. Ausstellungskatalog, Washington 1979, S. 89
11. MÜLLER, CLAUDIUS C., *400 Jahre Sammeln und Reisen der Wittelsbacher*. Ausstellungskatalog, München 1981, S. 21
12. BARTHEL, THOMAS S., *Grundlagen zur Entzifferung der Osterinselschrift*. Hamburg 1958
13. ESEN-BAUR, HEIDE-MARGARET, *Untersuchungen über den Vogelmann-Kult auf der Osterinsel*. Wiesbaden 1983
14. VAN TILBURG, JO ANNE, *Power and symbol: The stylistic analysis of Easter Island monolithic sculpture*. Dissertation, University of California, Los Angeles 1986
15. HEYERDAHL, THOR, 1975 (s. o. Anm. 4), S. 139
16. SEAVER, JOAN, »Maria de Rapa Nui«, in: *Rapa Nui Notes*, Nr. 6, 1987/88, S. 1 f.
17. TUKI, BENEDICTO, 1980: *Begleitbrief für die Figur des Auferstandenen Christus*. Archiv, Kathedrale von Maipú, unveröffentlicht
18. SEAVER, JOAN, »Maria Madre de Rapa Nui revisited«, in: *Rapa Nui Journal*, Band 2, Heft 2, 1988, S. 1 f.

Katalog 1–154

HEIDE-MARGARET ESEN-BAUR

Standardisierte Holz- und Knochenschnitzereien

Die hochpolierten Holzschnitzereien der Osterinsel gehören zu den bekanntesten und schönsten Schnitzwerken der Südsee. Die Holzschnitzkunst entwickelte sich hier in verschiedene Richtungen. Es entstanden sowohl naturalistische, allerdings in Konventionen erstarrte, figurale Bildnisse wie auch hochstilisierte, aus Abstraktion und Verkürzung hervorgegangene Gegenstände. Und schließlich wurden in nicht unbeträchtlichem Umfang in großer Variationsbreite sehr phantasievolle Schnitzereien geschaffen.

Wann diese kleinformatige und überwiegend figurale Kunst entstanden ist, können wir aufgrund der Vergänglichkeit des Materials in den Tropen und der späten europäischen Entdeckung dieser Kultur nur vermuten. Kein einziger Gegenstand wurde aus archäologisch sicher datierten Stratigraphien geborgen, sondern sie kamen auf uns durch Tauschhandel. Die ersten Gegenstände gelangten durch die zweite Cook-Expedition, die im Jahre 1774 die Osterinsel besuchte, nach Europa. Doch dürfen wir annehmen, daß sie einer langen Tradition der Holzschnitzkunst entstammen (s. a. die Beiträge von F. Forment (S. 116 ff.) und H.-M. Esen-Baur (S. 168 ff.).

Mehr wissen wir über Gebrauch und Funktion dieser Gegenstände. Kapitänleutnant Geiseler, der im Jahre 1882 die Osterinsel auf Wunsch des Direktors der Ethnologischen Abteilung der Königlichen Museen in Berlin besuchte, schreibt: »Zu einer dieser Hauptfestzeiten (z. B. Reifen der Kartoffeln, der Hauptfischzeit, Zeit des Eierholens von der Insel Motu Nui) nun zieht die gesamte Bevölkerung des Dorfes, aufs festlichste geschmückt und mit bemaltem Körper, nach dem dazu bestimmten Platze. Jeder schleppt hierzu soviel Holzidole mit, wie er nur bisher anfertigen konnte, und mit je mehr Idolen ein Mann behangen ist, desto besser soll es sein und um so mehr nützen seine Gebete beim Hauptgotte. So soll es vorkommen, daß eine einzige Person oft unter der Last von 10 bis 20 anhängenden Gottheiten einherkeucht und mitsingt.

Bei den Gesängen auf dem Platze, welche dreistimmig vorgetragen werden, werden die Idole dann entblößt und nach dem Takte in den Armen gewiegt. Nächst dem Wunsche, die größte Zahl solcher Idole zu besitzen, besteht auch der, dieselben in möglichst feiner Ausführung zu haben, so daß ein solches Fest gleichzeitig eine Parade mit den Holzgöttern bildet, deren mehr oder weniger gelungene Ausführung Neid und Gespött erregen.«[1]

Im folgenden soll gezeigt werden — soweit wir durch mündliche Überlieferungen oder frühe Augenzeugenberichte dazu in der Lage sind —, welche Bedeutung den einzelnen Gegenständen über die vorstehend zitierten allgemein gehaltenen Erklärungen Geiselers hinaus zukommt.

---

[1] Geiseler, Kapitänleutnant, »Die Osterinsel. Eine Stätte prähistorischer Kultur in der Südsee«, Berlin 1883, S. 32

Moai kavakava

Der bekannteste Holzfigurentypus von der Osterinsel ist eine männliche, ausgemergelt anmutende Figur mit vorgewölbtem, skelettiertem Brustkorb, wovon sich auch ihr Name herleiten läßt (*kavakava* = Rippen).
Der übergroße, schmale und oft leicht nach vorn geneigte Kopf ist mit vielen sorgfältig gearbeiteten Details versehen, die in ihrer Gesamtheit diesen Figuren ein stark expressives Aussehen verleihen.
Das Gesicht wird beherrscht durch die lange schmale gebogene Nase mit naturalistisch gestalteten Nasenflügeln. Die wulstigen, breiten, in den Mundwinkeln hochgezogenen Lippen sind leicht geöffnet, so daß Zähne sichtbar werden. Unter den runden eingelegten Augen aus Obsidian und Knochen sind oft rundgewölbte Tränensäcke angedeutet. Darunter fallen die Wangen stark ein. Mit einem breiten, scharfkantigen Kinn, das mit einem Spitzbart versehen ist, kommt das Gesicht zum Abschluß.
Die langen Ohrläppchen hängen, vom Kopf abstehend, oftmals bis zum Unterkiefer herab und zeigen den üblichen Ohrschmuck, runde Ohrpflöcke. Am dünnen Hals zeichnet sich ein ausgeprägter Kehlkopf ab. Von den Schultern hängen lange magere, im Ellbogen leicht gebeugte Arme an den Seiten herunter. Die Hände sind nicht vollplastisch ausgearbeitet, sondern lediglich in Relief gestaltet, doch ist der Handknöchel betont. Der Brustkorb, dessen Rippenzahl von Figur zu Figur variiert, endet in der Mitte mit dem weit über dem Bauch hervorstehenden Schwertfortsatz. Auf dem gewölbten Bauch ist der Nabel markiert. Der Penis, ohne Hodensäcke, ist beschnitten und leicht erigiert. Die Beine sind im Verhältnis zum Körper und auch zu den Armen zu kurz und stämmig. Im Knie leicht gewinkelt, enden sie in viel zu kleinen Füßen, auf deren Ausgestaltung kein Wert gelegt wurde. Doch auch hier ist der Knöchel angedeutet. Auf dem Rücken tritt die Wirbelsäule, mit sorgfältig gestalteten einzelnen Wirbeln, stark hervor.
Auf dem Kopf sind statt Haaren anthropomorphe, zoomorphe oder Phantasiewesen in Flachrelief eingekerbt (sogenannte Kopfglyphen). Einige dieser Motive wiederholen sich in der *rongorongo*-Schrift. Möglicherweise handelt es sich hierbei um Embleme einzelner Stämme.
Nach der Legende war es der Kulturheros *Tuu-ko-ihu*, der den ersten *moai kavakava* schnitzte. Nach Englert[1] könnte er der Ehemann von *Ava Rei Pu*, der Schwester von *Hotu Matua*, gewesen sein. Die *moai kavakava*-Figuren sind als Ahnenbildnisse zu interpretieren.

---

[1] Englert, S., »Island at the Center of the World«, New York 1970, S. 61

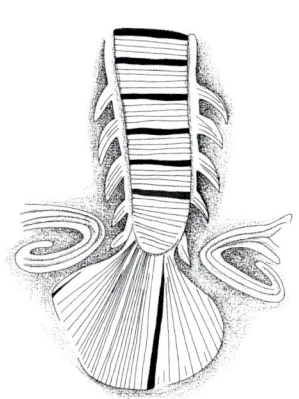

1
Moai kavakava

Staatliches Museum für Völkerkunde, München
Inv. Nr. 193
Höhe: 45,5 cm; Breite: 9 cm
Material: Schwammholz, Perlmutt

Die Kopfglyphe zeigt einen durch symmetrisch verlaufende Linien gezeichneten Haarschmuck, eine Languste darstellend. Die Figur stammt aus dem Nachlaß des Botanikers Sir Joseph Banks (1743–1820), der Cook auf seiner ersten Weltumseglung begleitet hatte. Der Nachlaß Banks' wurde von dem Nürnberger Zoologen Johann Georg Wagler (1800–1832) aufgekauft und gelangte noch vor 1888 in den Besitz des Museums.

2
Moai kavakava — kurzohrig

Otago Museum, Dunedin
Inv. Nr. D. 36.984
Höhe: 29,5 cm; Breite: 7,0 cm
Material: *toromiro*-Holz, Obsidian, Knochen

In verschiedenen Details weicht diese Figur von den übrigen *moai kavakava*-Figuren ab: Sie ist wesentlich kleiner, der Mund ist in den Winkeln stark nach unten gezogen, der Kopf ist im Verhältnis zum Körper sehr groß und die Ohren sind kurz.
Die Kopfglyphe zeigt einen hockenden Vierfüßler mit einem zwischen den Hinterbeinen lang hervorragenden Schwanz, der der gegabelten Schwanzflosse eines Wals entspricht. Das Gesicht der Glyphe ist anthropomorph gestaltet, die Hände sind dreifingrig.
Die Figur gelangte im Jahre 1936 in den Besitz des Museums.

3
Moai kavakava

Auckland Institute and Museum, Auckland
Inv. Nr. 2751
Höhe: 45,5 cm; Breite: 8,5 cm
Material: Holz, Knochen

Die Kopfglyphe zeigt ein kauerndes anthropomorphes Wesen mit Federkopfschmuck und langen Ohren. Unter den gespreizten Hinterbeinen befindet sich der stilisierte Schwanz dieses Wesens.
Das Stück gelangte im Jahre 1928 aus der Edge-Partington-Sammlung in den Besitz des Museums.

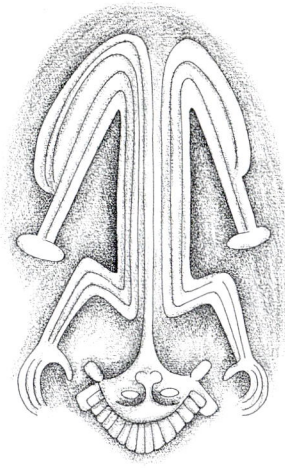

◁ 4
Moai kavakava

Sammlung Ladrière, Paris
ohne Inv. Nr.
Höhe: 46 cm
Material: *toromiro*-Holz, Obsidian, Knochen

Die Kopfglyphe dieses schönen hochpolierten Bildnisses zeigt ein kauerndes anthropomorphes Wesen.
Das Stück gelangte aus der Sammlung Jacob Epstein in den Besitz von C. Ratton und ist jetzt im Besitz des Antiquars Guy Ladrière (Paris). Es soll durch die zweite Cook-Expedition (1774) nach Europa gekommen sein.

5
Moai kavakava

Canterbury Museum, Christchurch
Inv. Nr. E. 150.1132
Höhe: 41,6 cm; Breite: 8,5 cm
Material: *toromiro*-Holz, Obsidian, Knochen

Die Kopfglyphe zeigt zwei Vögel mit gebogenen Schnäbeln, die je einen Flügel ausbreiten.
Die Figur stammt aus der Oldman-Sammlung[1], die im Jahre 1948 an die neuseeländische Regierung verkauft wurde.

[1] Oldman, W. O., »The Oldman Collection of Polynesian Artifacts«, New Plymouth, N. Z. 1943

6
Moai kavakava

Museo Preistorico ed Etnografico »Luigi Pigorini«, Rom
ohne Inv. Nr.
Höhe: 40 cm; Breite: 9 cm
Material: Holz, Obsidian, Knochen

Die Figur ist im Vergleich zu Kat. Nr. 4 weniger expressiv geformt. Die Gesichtszüge deuten auf die Darstellung eines älteren Mannes hin. Bemerkenswert ist, daß vom Hals über die Schultern zu den Oberarmen ein Grat verläuft.
Das Stück gelangte im Jahre 1886 in den Besitz des Museums.

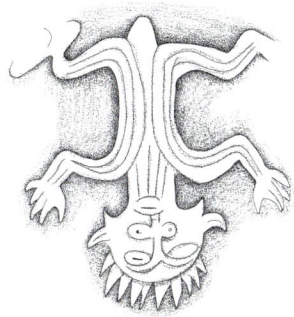

7
Moai kavakava

Musée de l'Homme, Paris
Inv. Nr. 87.31.67
        87.31.67.2 Kette
        87.31.67.3 Lendenschurz
Höhe: 35 cm
Material: Holz, Obsidian, Knochen, *tapa*

Die Figur unterscheidet sich von den übrigen *moai kavakava*-Figuren in erster Linie durch ihre Größe, aber auch durch die Unausgewogenheit in ihren Proportionen. Die langen Arme reichen bis hinunter zu den Knien, der Brustkorb mit nur sieben Rippen ist im Verhältnis zum Körper extrem kurz, die stark gewölbte Stirn betont den ohnehin übergroßen Kopf. Ursprünglich besaß die Figur — zusätzlich zu der Kette und dem *tapa*-Schurz — auch eine Perücke aus schwarzem, stark gelocktem menschlichen Haar[1], die inzwischen verlorengegangen ist.
Die Kopfglyphe entspricht in ihrer Darstellung weitgehend der unter Kat. Nr. 3 beschriebenen.
Die Figur wurde von A. Pinart im Jahre 1877 auf der Osterinsel erworben und gelangte zehn Jahre später in den Besitz des Museums.

[1] Stephen-Chauvet, Dr., »L'Ile de Pâques et ses mystères«, Paris 1935, Abb. 133

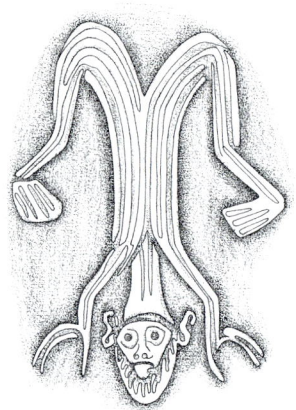

8
Moai kavakava

Museo Missionario Etnologico, Vatikan
Inv. Nr. 3657
Höhe: 43 cm
Material: Holz, Obsidian, Knochen

Die Kopfglyphe stellt vermutlich eine anthropomorphe Eidechse dar. Hals und Körper sowie Arme und Beine sind mit einem Linienmuster verziert. Da lineare Verzierungen bei fast allen Kopfglyphen anzutreffen sind, nicht aber bei ähnlichen Petroglyphen, liegt die Vermutung nahe, daß hiermit auch die Kopfhaare angedeutet werden sollten.
Bemerkenswert bei dieser Figur ist der weit nach vorn gebeugte Oberkörper mit vorgestrecktem Kopf und vorgeschobenem Kinn.
Die Figur gelangte im Jahre 1925 in den Besitz des Museums.

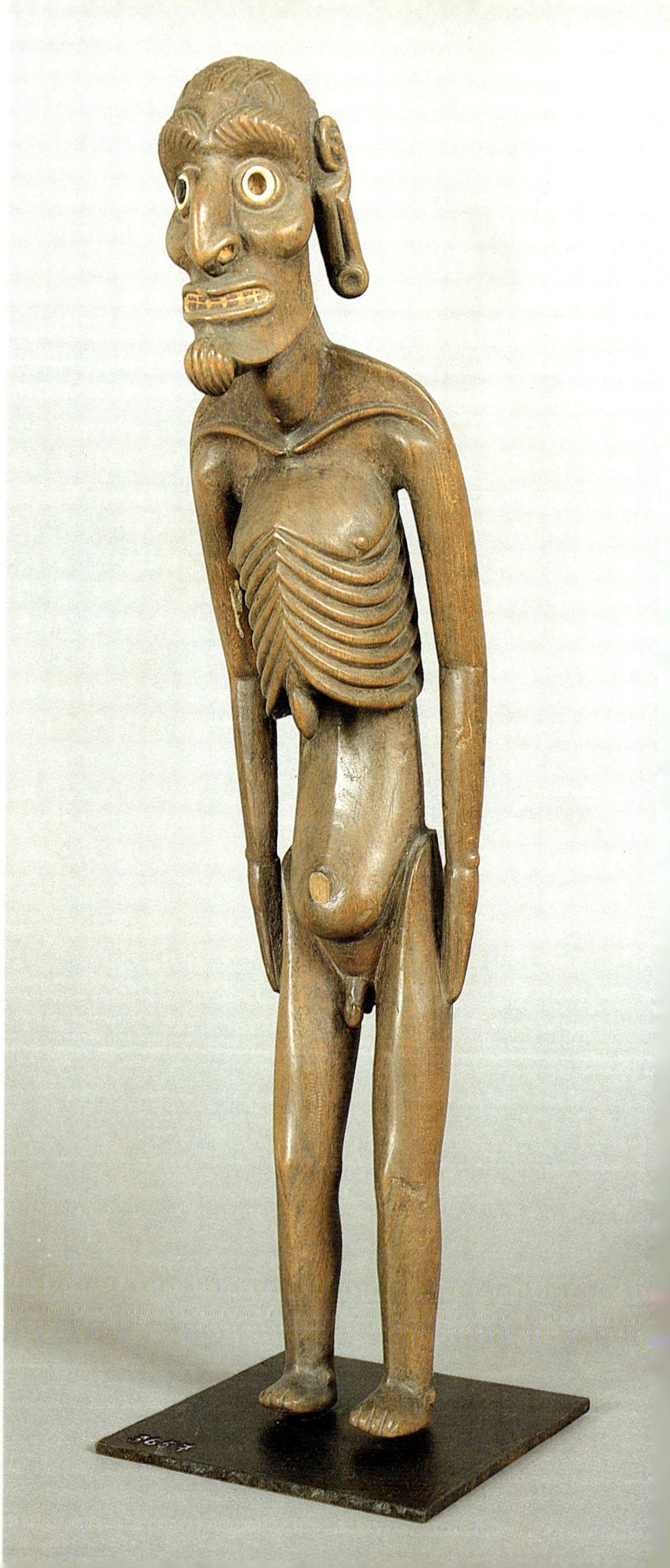

Moai papa (paapaa, pa'a pa'a)

Neben der männlichen Figur des *moai kavakava* steht eine völlig anders konzipierte, weit weniger naturalistisch gehaltene weibliche Figur: die *moai papa*-Figur. Ein rundplastisch ausgearbeiteter Kopf mit einem etwas vorgeneigten, wohlproportionierten Hals sitzt auf einem sehr flachen *(papa),* breiten Körper. Dieser Figurentyp ist seltener als die in großer Anzahl vorhandenen *moai kavakava*-Figuren.

Im Verhältnis zum Körper ist der Kopf dieses Figurentyps oftmals zu klein; die gebogene Nase ist weniger ausgeprägt als bei den *moai kavakava*-Figuren. Unter den kräftigen, unterteilten Augenbrauenwülsten sitzen runde, aus Obsidian und Knochen gestaltete Augen. Die Ohren sind lang und am Kopf eng anliegend. Trotz verschiedener Gemeinsamkeiten weicht die Gestaltung des Gesichts von der des männlichen Figurentyps stark ab, denn dieses verläuft im weiteren fast völlig glatt. Die feinen Lippen sind fest zusammengepreßt und in den Mundwinkeln nach unten gezogen. Das gibt den Figuren einen herben, fast maskulinen Ausdruck, und sie erscheinen alt. Dieser Eindruck wird unterstrichen durch einen häufig anzutreffenden Spitzbart. Unter den durch dünne Bogen gekennzeichneten Schlüsselbeinen sind große, flache hängende Brüste nur im Relief dargestellt. In gleicher Technik ist der Nabel wiedergegeben. Die Vulva ist eingekerbt.

Ähnlich wie bei den steinernen Kolossalfiguren liegen die Arme eng am Körper. Ein Arm, gewöhnlich der rechte, ist im Ellbogen gebeugt und liegt über dem Körper. Die rechte Hand, mit feinen langen Fingern, liegt unterhalb der linken Brust, die linke zeigt auf die Vulva. Diese Haltung der Hände und Arme findet sich auch in der Maori-Kunst, wo Simmons[1] den Gestus als Symbol für die Empfängnis deutete. Der Daumen ist in einem unnatürlichen Schwung jeweils nach oben gerichtet. Das Rückgrat ist nur durch eine feine, senkrecht verlaufende Linie angedeutet. Die Hüftknochen sind ebenfalls nur in schwachem Relief erkennbar. Die Füße sind kurz und nicht ausgestaltet. Doch auch an ihnen, wie an den Händen, sind die Knöchel durch Wölbungen hervorgehoben. Bei einigen Figuren ist das Kopfhaar durch ein sorgfältig gearbeitetes Linienmuster dargestellt, gelegentlich findet sich auf dem Kopf ein in Flachrelief gezeichnetes Motiv wie bei den *moai kavakava*-Figuren.

---

[1] Simmons, D., »Whakairo, Maori Tribal Art«, Oxford 1985, S. 44

9
Moai papa

Museo Nacional de Historia Natural, Santiago
Inv. Nr. 5500 317
Höhe: 61,5 cm; Breite: 12,5 cm; Tiefe: 5,2 cm
Material: Holz, Obsidian, Knochen

Die flachen weiblichen Figuren sind in der Regel zehn Zentimeter größer als die *moai kavakava-* und die *moai tangata-*Figuren. Untereinander variieren sie vor allem in der Körperdicke (zwischen 2 und 6 cm). Das Gesicht des vollplastisch gearbeiteten Kopfes trägt oftmals sehr realistische Züge und steht damit im krassen Widerspruch zu dem nach starren Konventionen gearbeiteten flachen Körper. Bei dieser Figur handelt es sich allerdings nicht um eine in diesem Sinne spannungsreiche Komposition.

Die Figur gelangte im Jahre 1870 in den Besitz des Museums.

10
Moai papa

Museo Nacional de Historia Natural, Santiago
Inv. Nr. 5504 321
Höhe: 43,0 cm; Breite: 11,8 cm; Tiefe: 3 cm
Material: *toromiro-*Holz, Obsidian

Die verhältnismäßig kleine Figur besitzt einen fast knabenhaften Körper, wie er bei den *moai tangata-*Figuren üblich ist. In der Rückansicht ist sie von diesen Figuren nicht zu unterscheiden. Darüber hinaus hat sie, wie diese, kurze Ohren und einen kleinen Spitzbart. Doch die durch feine Striche angedeuteten Kopfhaare sind typisch für die weiblichen flachen Figuren, ebenso die Haltung und Ausgestaltung der Arme und Hände.

Die Figur gelangte zusammen mit Kat. Nr. 9 im Jahre 1870 in den Besitz des Museums.

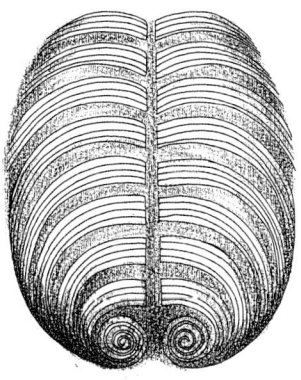

11
Moai papa

Ulster Museum, Belfast
Inv. Nr. 149:1927
Höhe: 67 cm
Material: Holz, Obsidian, Knochen

Die außergewöhnliche hermaphroditische Figur — mit einem kleinen Spitzbart und Penis — wurde dem Museum im Jahre 1927 von R. J. Evans geschenkt. Aus dem der Schenkung beigefügten Bericht geht hervor, daß die Figur nach dem Abzug der Missionare von der Osterinsel im Jahre 1871 in europäische Hände gelangte. Die ihr ursprünglich um den Hals hängende Speerspitze (*mata'a*) ist inzwischen verlorengegangen.
Der Kopf ist mit symmetrisch verlaufenden linearen Verzierungen bedeckt, die über der Stirn in zwei Spiralen enden.

12
Moai papa

Museum N. N. Miklucho-Maklaja, Leningrad
Inv. Nr. 402-1
Höhe: 58 cm; Breite: 15,5 cm; Tiefe: 2,3 cm
Material: Holz, Obsidian, Knochen

Die für diesen Figurentyp sehr konsequent gearbeitete Figur gelangte im Jahre 1826 in den Besitz des Museums.

Moai tangata

Das polynesische Wort *tangata* bedeutet Mensch. Es handelt sich hierbei um sehr realistische männliche Figurinen mit einem fast knabenhaften Körper. Dieser Figurentyp wurde weniger als die *moai kavakava-* und *moai papa-*Figuren durch Konventionen verfremdet. Nach Heyerdahl könnte »die Figurine die Menschheit im Gegensatz zu der flachen Erdmutter und dem ausgemergelten, halbgöttlichen aku-aku darstellen«[1].
Figuren in »klassischer« Ausgestaltung sind äußerst selten.

Bei der großen Anzahl abweichender männlicher Figuren sind Merkmale der *moai kavakava-* und der *moai papa-*Figuren unterschiedlich stark eingeflossen. In seltenen Fällen fehlen ihnen die charakteristischen Merkmale wie das eingelegte Auge, der Spitzbart, Kopfreliefs und die im Nacken gearbeitete Vorrichtung zum Aufhängen.

[1] Heyerdahl, Th., »Die Kunst der Osterinsel«, Wien 1975, S. 211

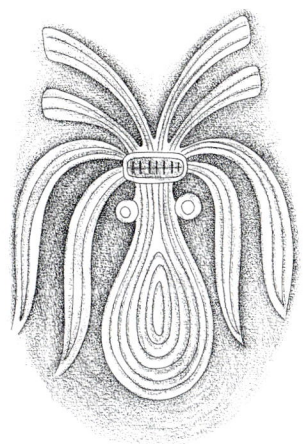

◁ 13
Moai tangata

Museo Nacional de Historia Natural, Santiago
Inv. Nr. 5503 320
Höhe: 36,7 cm; Breite: 9,2 cm; Tiefe: 5,0 cm
Material: Holz, Obsidian, Knochen

Die Figur hat große Ähnlichkeit mit der *moai papa*-Figur (Kat. Nr. 9), mit der sie 1870 nach Chile gelangte.
Die Kopfglyphe zeigt einen Kraken.

14
Moai tangata

Museum N. N. Miklucho-Maklaja, Leningrad
Inv. Nr. 402-2
Höhe: 42 cm; Breite: 11 cm; Tiefe 5 cm
Material: *toromiro*-Holz, Obsidian, Knochen

Die wohlproportionierte Figur mit sehr realistischen Gesichtszügen hat eine sehr schöne Patina. Die Kopfglyphe besteht aus drei Gesichtern mit langen wallenden Bärten.
Die Figur gelangte mit verschiedenen anderen Gegenständen Anfang des 19. Jahrhunderts, also vor dem endgültigen Zusammenbruch der Kultur, in den Besitz des Museums.

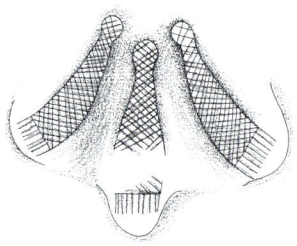

15
Moai tangata

Musée de l'Homme, Paris
Inv. Nr. 87.31.66
Höhe: 29 cm
Material: Holz, Obsidian, Knochen, Menschenhaar, *tapa*

Zur Zeit der ersten Kontakte mit Europäern war die Haartracht der Männer nicht einheitlich. Während einige Männer die Haare in einem Bündel auf dem Kopf befestigten (siehe Abbildung von Loti im Beitrag von E. Vogler), trugen andere sie relativ kurz geschnitten, wie dargestellt von Hodges (siehe Abbildung im Beitrag von E. Vogler).
Das Bündel auf dem Kopf dieser Figur ist aus Menschenhaar gefertigt. Daneben sind drei einzelne, kreuzweise schraffierte Glyphen eingeritzt, die Heyerdahl[1] als Kämme deutet. Zierkämme, wie wir sie aus anderen polynesischen Gesellschaften kennen, sind für die Osterinsel jedoch nicht weiter belegt. Ebenfalls erhalten ist eine Schambinde aus *tapa*.
Die Figur gelangte im Jahre 1887 als Geschenk des Prinzen Roland Bonaparte in den Besitz des Museums.

[1] Heyerdahl, Th., »Die Kunst der Osterinsel«, Wien 1975, S. 304

16
Moai tangata

Roemer- und Pelizaeus-Museum, Hildesheim
Inv. Nr. V 64
Höhe: 57 cm
Material: Holz, Obsidian, Knochen

Bemerkenswert sind die kurzen Ohren, vor allem aber die Gestaltung des Hinterkopfes und des Rückens. Unter dem kahlen, hochgewölbten, kugeligen Hinterkopf ist die Nackenhaut unterteilt ähnlich wie bei einer von Routledge im Jahre 1914 gesammelten Figur, die heute im Besitz des British Museum (Inv. Nr. 1920.5-6.240) ist[1].
Das Rückgrat ist durch eine tiefe Rinne markiert.
Die Figur stammt aus dem Bestand des Museums Godeffroy in Hamburg. Das Roemer-Museum erwarb sie von C. A. Pöhl, der ab 1882 das Museum Godeffroy leitete und bei der Auflösung des Museums in den Jahren 1885/86 einen Teil des völkerkundlichen Bestandes erwarb und diesen später weiterverkaufte.

[1] Heyerdahl, Th., »Die Kunst der Osterinsel«, Wien 1975, Tafel 82a

Moai tangata manu

Die wenigen uns erhaltenen Vogelmann-Schnitzereien sind sehr unterschiedlich gestaltet. Sie gehören deshalb nicht formal, sondern nur thematisch zu den standardisierten Figuren. Sie variieren in der Größe, in der Schnabelgestaltung und in der allgemeinen Körperhaltung. Gemeinsam ist ihnen lediglich die Grundkonzeption, d. h. die Verbindung zwischen Mensch und Vogel.

Die Bedeutung des Wortes *manu* ist Vogel. Die Kombination von Mensch und Vogel, wobei ein Vogelkopf mit einem menschlichen, männlichen Körper verschmilzt, ist uns in verschiedenen und stark voneinander abweichenden Varianten erhalten. Es ist ein Motiv, das sowohl in der Felsbilder-Kunst, insbesondere in *Orongo*, aber auch in der *rongo-rongo*-Schrift auftritt. Es hat auch im übrigen Ozeanien eine weite Verbreitung[1] und ist als Motiv in fast allen Kulturen und zu fast allen Zeiten nachweisbar[2,3]. An dieses Motiv knüpfen sich zweifellos einige der ältesten religiösen Vorstellungen der Menschheit.

Wie an anderer Stelle[4] dargelegt wurde, ist die Fruchtbarkeitssymbolik eng mit diesem Zwitterwesen verbunden. Die Frage nach der Fruchtbarkeit des Menschen sowie der Tiere und Pflanzen hat die Menschheit seit jeher bewegt. Trotz aller Bemühungen ist es ihr bis heute nicht gelungen, diese Vorgänge in dem gewünschten Maße zu beherrschen. Dem prähistorischen Menschen fehlte in weitaus größerem Maße als dem Menschen heute die Möglichkeit der Einflußnahme auf diese Vorgänge. So entwickelte er religiöse und mythologische Vorstellungen, mit deren Hilfe er sie zu beeinflussen hoffte bzw. mit deren Hilfe er sich die begehrte Fruchtbarkeit zu erzwingen suchte.

Giedion schreibt über das Wesen des Vogelmenschen sowie anderer hybrider oder auch maskierter Wesen, daß sie Ausdruck der niemals endenden Suche des Menschen seien, eine Verbindung mit den unsichtbaren Kräften, die seine Geschicke leiten, herzustellen. Diese seien menschliche Behältnisse, denen es gegeben ist, in direkten Kontakt mit den Überirdischen zu treten.

Für das Vogelmann-Wesen der Osterinsel ist die Fruchtbarkeitssymbolik nicht zu bestreiten, denn zu den den Vogelmann begleitenden Motiven gehört in erster Linie das Vulva-Motiv.

Nach Routledge[5] ist die Vulva das neben dem Vogelmann zweithäufigste Motiv in *Orongo*: Die Vulva finden wir zusammen mit Vogelmännern auf dem Rücken der bedeutenden *Orongo*-Büste *Hoa-haka-nana-ia*. Ein aus Holz geschnitzter Vogel, heute im Britischen Museum, ist mit dreiundvierzig Vulven verziert. Die ungewöhnliche petroglyphische Szene von *Vai Tarakai Uva* zeigt einen Vogelmann, umgeben von siebzehn Vulven.

Der Vogelmann ist ebenfalls mit vielen Gesichtsdarstellungen, in denen die Hauptgottheit der Osterinsel — *Makemake* — dargestellt wurde, vergesellt. Die herausragende Eigenschaft dieses Gottes ist seine Schöpferkraft: Sonne, Mond, Sterne, die Erde und die ersten Menschen wurden von ihm erschaffen. *Makemake* hat auch die Vögel zur Osterinsel gebracht und wählte bei diesem Akt als Erscheinungsform den Schädel. In Ozeanien sind sowohl Todes- als auch Fruchtbarkeitssymbolik mit dem menschlichen Schädel verbunden. Auch in den Vorstellungen der Osterinsulaner konzentriert sich in diesem Organ die *mana*-Kraft der Ahnen, derer man sich versicherte, um Fruchtbarkeit zu erlangen.

---

[1] Barrow, T., »Material evidence of the bird-man concept in Polynesia«; in: Polynesian culture history. Essays in honor of Kenneth P. Emory, B. P. Bishop Museum Special Publication 56, Honolulu 1967

[2] Armstrong, E. A., »The folklore of birds«, London 1958

[3] Giedion, S., »The eternal present. The beginnings of art«, Kingsport 1962

[4] Esen-Baur, H.-M., »Untersuchungen über den Vogelmann-Kult auf der Osterinsel«, Wiesbaden 1983

[5] Routledge, K., »The mystery of Easter Island«, London 1919

17
Moai tangata manu

Sammlung Ladrière, Paris
ohne Inv. Nr.
Höhe: 19,5 cm; Breite: 6 cm; Tiefe: 4,5 cm
Material: Holz

Der hier abgebildete Vogelmann besitzt keinen Schnabel. Doch die Schwanzquaste, die angelegten Flügel sowie die V-artige Verzierung, womit das Gefieder angedeutet werden soll, weisen ihn sicher als Vogelmann-Figur aus. Auch seine sitzende Haltung ist ungewöhnlich. Er teilt sie nur mit der verlorengegangenen Vogelmann-Figur von Braunschweig. Verschiedene Merkmale wie Brüste, Nabel und die Scheibe auf dem Rücken oberhalb der Schwanzquaste sind bei diesen beiden sitzenden Figuren besonders betont und stehen weit hervor.

Die Figur hat oftmals den Besitzer gewechselt. Nach dem Tode von Charles Ratton gelangte sie zusammen mit einigen anderen Osterinsel-Gegenständen in den Besitz von Guy Ladrière.

18
Moai tangata manu

Peabody Museum of Archaeology and Ethnology, Cambridge, USA
Inv. Nr. 53606
Höhe: 23,5 cm; Breite: 4,5 cm
Material: *toromiro*-Holz, Faser

Die kleine Figur weist überwiegend Vogelmerkmale auf. Lediglich die anthropomorphen Beine sowie die besonders betonte Wirbelsäule entsprechen den Konventionen menschlicher Figuren.
Das Stück gelangte im Jahre 1899 in den Besitz des Museums.

19
Moai tangata manu

Etnografisk Museum, Oslo
Inv. Nr. 2438
Länge: 32 cm
Material: Holz

Ähnlich wie bei dem ebenfalls abgebildeten Vogelmann Kat. Nr. 20 ist der Kopf dieser Figur absichtlich doppeldeutig gestaltet. Im Profil betrachtet ist es der Kopf eines langschnäbligen Vogels mit gezähntem Schnabel. Aus anderer Perspektive (auf den Schnabel des Vogels schauend) ist das Gesicht eines bärtigen Mannes zu erkennen, dessen Gesichtszüge denen der *moai kavakava*-Figur entsprechen.
Der lange Körper besitzt auf der Bauchseite Rippen und einen leicht hervorstehenden Schwertfortsatz sowie einen zwischen den Schenkeln liegenden Penis. Die dünnen Arme sind auf den Rücken gelegt und verschmelzen mit der Schwanzquaste. In der erhaben gearbeiteten Wirbelsäule und etwas unterhalb davon sind Löcher für eine Aufhängeschnur gebohrt.
Dieses Stück gelangte im Jahre 1871 in den Besitz des Museums.

20
Moai tangata manu

Museum N. N. Miklucho-Maklaja, Leningrad
Inv. Nr. N 736-204
Höhe: 33,5 cm; Breite: 5,5 cm; Tiefe: 5,0 cm
Material: *toromiro*-Holz

Diese sehr interessante Variante des Vogelmannes wird seit vielen Jahrzehnten in mehr oder weniger genauer Wiedergabe auf der Osterinsel für den Verkauf an Touristen produziert. Daneben werden gelegentlich auch Kopien eines sehr formvollendeten Vogelmannes hergestellt, der sich heute im Besitz des British Museum (Inv. Nr. 1928: 5-17.1) befindet. In beiden Fällen handelt es sich um einzigartige Figuren.
Abgesehen von den Armen ist der menschliche Körper wie bei den *moai kavakava*-Figuren gestaltet. Doch anstelle von Armen besitzt die Figur auf den Rücken gelegte Flügel. Die betonte Wirbelsäule ist verkürzt und endet mit einem halberhabenen Knopf, an den sich eine Schwanzquaste anschließt. Die Figur trägt auf dem Kopf eine üppig gestaltete Vogelmaske mit einem langen gebogenen Schnabel, sehr wuchtigen geteilten Überaugenwülsten und stark hervortretenden halbrunden Tränensäcken.
Blickt man von oben auf den Schnabel, so erschließt sich aus dieser Perspektive ein männliches Gesicht mit langem Bart.
Das Stück gelangte Anfang des 19. Jahrhunderts nach Rußland und befindet sich seit 1828 im Besitz des Museums.

Moko

Die anthropomorphen Eidechsen-Figuren (*moko*) sind häufig aus gekrümmten Holzstücken geschnitzt. Ähnlich wie die Vogelmann-Figuren ist auch dieses Mischwesen mit menschlichen Gliedmaßen entsprechend den pascuensischen Konventionen gestaltet. Der flache dreieckige Kopf hat oft eingelegte Augen, kräftige Überaugenwülste und eine anthropomorphe Nase. Auf dem leicht gewölbten Schädel wurden, wie bei den *moai kavakava*-Figuren, mitunter Glyphen eingekerbt. Der schmale breite Mund reicht bis zu den kurzen Ohren und ist gelegentlich leicht geöffnet. Entlang des halben Rückens verläuft, etwas erhaben, ein Grat, der in einer Schwanzquaste endet und der somit ein wichtiges Detail mit den *moai tangata manu* gemeinsam hat. Seitlich des Grats sind Rippen eingekerbt, die auf der Bauchseite ihren weiteren Verlauf nehmen. Ein Zickzackmuster, wie wir es bei den großen Steinfiguren und bei den *tapa*-Figuren gelegentlich auch antreffen, ziert mitunter den dicken Hals. Die langen dünnen Arme mit sehr feinen Händen sind in Brusthöhe angewinkelt und reichen bis zum Kinn, wo häufig eine Vulva eingekerbt ist. Zwischen den langgestreckten Beinen liegt ein beschnittener Penis.

Diese *moko*-Figuren fanden auch als Keulen Verwendung. Sie wurden vor den Häusern ins Erdreich gesteckt, um die bösen Geister fernzuhalten. Gleichzeitig standen sie somit auch griffbereit im Falle eines Angriffs. Nach Routledge[1] wurden mit Hilfe dieser Keulen nach Beendigung der Feierlichkeiten die Festhäuser (*koro*) abgerissen.

Moko sind uns in ganz unterschiedlicher Qualität überliefert. Die grob geschnitzten und größeren Stücke wurden vornehmlich als Gebrauchsgegenstände, die kleinen qualitätvollen und hochpolierten Stücke als Zeremonialobjekte verwendet.

[1] Routledge, K., »The mystery of Easter Island«, London 1919

22
Moko

Musées Royaux d'Art et d'Histoire, Brüssel
Inv. Nr. ET 45.51
Breite: 12,5 cm; Länge: 37,5 cm
Material: Holz, Obsidian, Knochen

Von Ostpolynesien und der Osterinsel liegen viele Daten vor, die es gestatten, von einer hier vorhandenen Eidechsen-Dämonologie zu sprechen[1]. Eidechsen waren gefürchtete Wesen, die durch eine Vielzahl ritueller Handlungen beschwichtigt, günstig gestimmt oder vertrieben werden mußten. Um sich dieser bösen Geister zu entledigen, wurden geschnitzte *moko*-Figuren rituell begraben. Andere wurden zur Abwehr böser Geister vor den Schlafhäusern in die Erde gesteckt. Und schließlich hängte man sich sehr fein geschnitzte Exemplare bei gewissen Feierlichkeiten um den Hals.
Diese exzellente Schnitzarbeit wird für den letztgenannten Zweck geschaffen worden sein. Eine Durchbohrung für die Aufhängeschnur ist zwischen dem 6. und 7. Wirbel gearbeitet worden.
Bemerkenswert sind die langen dünnen Arme mit feinen Händen und Fingern, die bis unter das Kinn reichen, wo eine Vulva in feiner Kreuzschraffur eingeritzt ist. Eine andere Besonderheit ist die Glyphe auf dem hochgewölbten Kopf. Der Hals ist im Zickzackmuster verziert.

21
Moko

Canterbury Museum, Christchurch
Inv. Nr. E. 150.1128
Höhe: 5,7 cm; Breite: 42 cm; Tiefe: 4,5 cm
Material: Holz

Die schöne Schnitzerei weist zwei Besonderheiten auf: Die zum Kinn zeigenden Hände haben jeweils sieben Finger. Die Lippen sind mit feinen Strichen, dem üblichen Tatauiermuster entsprechend, markiert.
Das Stück stammt aus der Oldman-Sammlung und gelangte im Jahre 1948 in den Besitz des Museums.

[1] Barthel, Th., »Das achte Land«, München 1974, S. 168

25
Rei miro

Australian Museum, Sydney
Inv. Nr. A.18853
Breite: 32 cm
Material: Holz

Auf dem Rückweg nach Deutschland im September 1883 hat Weisser, der mit Kapitänleutnant Geiseler die Osterinsel im Jahr zuvor besucht hatte, eine große Anzahl von Osterinsel-Artefakten in Australien verkauft. Zu den verkauften Gegenständen gehörten: Schädel, einige *tahonga*-Bälle, *tapa*-Stoff, Obsidian-Speerspitzen, *moko*-Figuren, männliche Figuren, Nadeln, Fischnetze, Basttaschen etc. und nicht zuletzt das hier abgebildete Pektoral, von dem auch eine Zeichnung Weissers in Geiselers Buch (1883)[1] erschienen ist. W. W. Thorpe[2] veröffentlichte 1924 die diesem Gegenstand beim Verkauf beigefügte Information: »Breast Plate of the old kings of Rapanui, being a sign of the highest rank with hieroglyphics of the old Rapanui language. Belongs to the king's family as a relic. As the Peruvians in 1860 came to Rapanui and took the last king Maurata and a great number of the people to the Chincha Islands it was left to the chief Hangeto. Exchanged for a bird musket, revolver and opera glass.« Ein weiterer in deutscher Sprache verfaßter Zettel war an das Pektoral geheftet: »Rei-miro, Brustschmuck der Rapanui-Könige, 1882, 250–300 Jahre alt. Geschenk des Herrn A. A. Salmon, Mataveri Rapanui, 23. 9. 82 (– ?) die Anwesenheit auf Rapanui. Gehörte dem Häuptling Hangeto, 19.–23. Sept. 1882 (unterschrieben) Weisser.«
Das Stück gelangte im Jahre 1883 in den Besitz des Museums.

[1] Geiseler, Kapitänleutnant, »Die Osterinsel. Eine Stätte prähistorischer Kultur in der Südsee«, Berlin 1883
[2] Thorpe, W. W., »An inscribed wooden gorget from Rapanui (Easter Island)«, Journal of the Polynesian Society, Nr. 131, Auckland 1924, S. 149 f.

26
Rei miro

Institut und Sammlung für Völkerkunde der Universität Göttingen
Inv. Nr. OZ 1546
Höhe: 12,5 cm; Breite: 44 cm; Dicke: 3 cm
Material: Holz, Obsidian, Knochen

Auf der rechten Seite des gebogenen Fischkörpers ist die mondsichelartige Einkerbung. Die Bohrung für die Aufhängeschnur befindet sich auf der Rückseite.
Das Stück wurde 1936 von dem Ethnographika-Händler Arthur Speyer für das Museum erworben.

27
Rei miro

Rautenstrauch-Joest-Museum, Köln
Inv. Nr. 32601
Höhe: 7,5 cm; Breite: 30 cm; Dicke: 1 cm
Material: Holz

Bemerkenswert ist die tiefe Rille, die entlang der bärtigen Köpfe auf der mit der mondsichelartigen Vertiefung versehenen Seite verläuft. Eine weitere Besonderheit ist ein in Flachrelief in der Nähe des linken Kopfes gearbeitetes Band. Heyerdahl[1] vermutet, daß hiermit die Verzurrung eines Binsenschiffes wiedergegeben ist.
Das Stück gelangte im Jahre 1915 in den Besitz des Museums.

[1] Heyerdahl, Th., »Die Kunst der Osterinsel«, Wien 1975, S. 306

28
Rei miro mit spitzbärtigen Köpfen

Museo Missionario Etnologico, Vatikan
Inv. Nr. AU 918
Höhe: 31 cm; Breite: 76,5 cm
Material: Holz

Dieses Pektoral zeichnet sich vor allem durch seine Größe aus.
In der mondsichelartigen Vertiefung sind noch Spuren weißer
Farbe vorhanden.
Das Stück gelangte im Jahre 1925 in den Besitz des Museums.

29
Rei miro mit Meermuscheln

Etnografisk Museum, Oslo
Inv. Nr. 2437
Länge: 92,5 cm
Material: Holz

Pektorale mit stilisierten Meermuscheln an ihren Enden sind im Vergleich zu anders gestalteten Pektoralen verhältnismäßig groß. Sie zählen zu den formvollendetsten Holzschnitzereien der Osterinsel.
Das Stück gelangte im Jahre 1871 in den Besitz des Museums.

30
Rei miro aus einem gebogenen Hühnerkörper

Bishop Museum, Honolulu
Inv. Nr. B 3642
Breite: 56 cm
Material: *toromiro*-Holz, Obsidian, Knochen

Realistischer als Kat. Nr. 32 ist dieses Pektoral, das aus einem gebogenen Hühnerkörper gestaltet ist und seitlich durch Kopf und Schwanz begrenzt wird. Die mondsichelartige Einkerbung befindet sich auf der rechten Seite des Tieres.
Das Stück gelangte im Jahre 1920 in den Besitz des Museums.

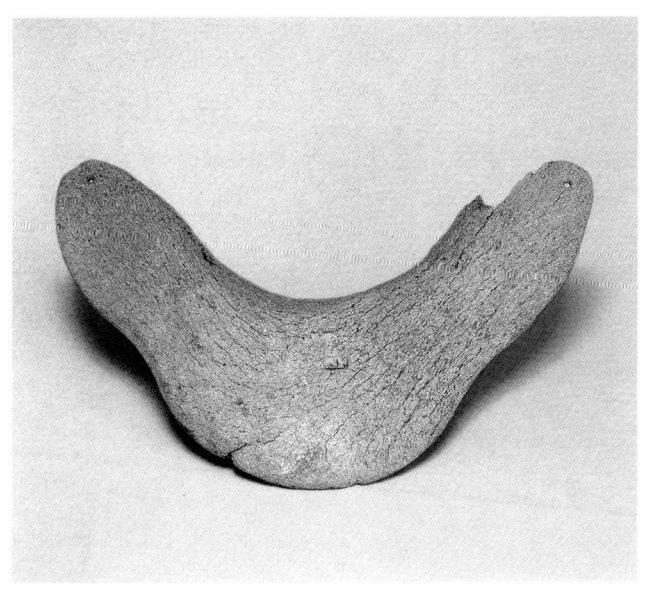
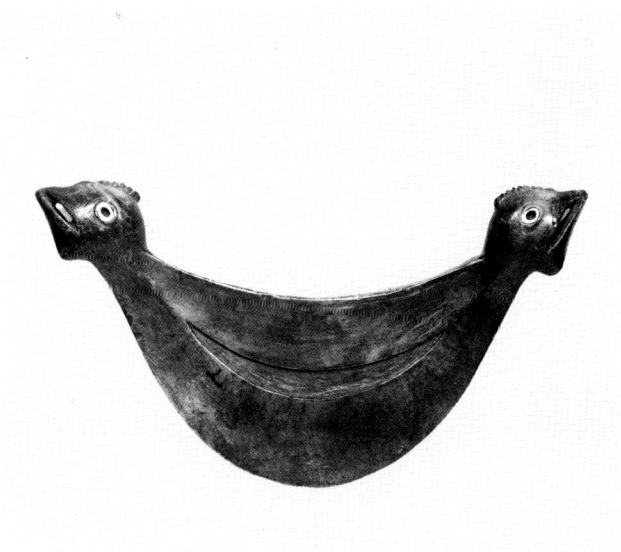

31
Rei miro aus Walknochen

Bishop Museum, Honolulu
Inv. Nr. B 3578
Breite: 24 cm
Material: Walknochen

Dieses einzigartige Stück hat Perforationen für die Aufhängeschnur in den hochstehenden unverzierten Enden.
Das Stück gelangte im Jahre 1921 in den Besitz des Museums.

32
Rei miro

Sammlung Ladrière, Paris
ohne Inv. Nr.
Breite: 24 cm
Material: Holz, Obsidian, Knochen

Dieses ungewöhnliche Pektoral hat in der Vergangenheit oft den Besitzer gewechselt. Einer seiner Vorbesitzer war Paul Eluard (1895–1952), Mitbegründer der surrealistischen Bewegung und ein bedeutender Lyriker dieses Jahrhunderts.
Das Stück gelangte in den 50er Jahren in den Besitz dieser Sammlung.

Tahonga

In engverwandten ostpolynesischen Sprachen hat das Wort *taonga* (sic) etwa die Bedeutung »hochgeschätzter Besitz«, »Kleinod«. Es handelt sich beim *tahonga* um einen etwa faustgroßen eiförmigen (nach Englert[1], herzförmigen) Anhänger. Andere Autoren registrieren eine auffallende Ähnlichkeit mit der Kokosnuß[2].

Die Oberfläche ist in der Regel durch hervortretende rundbogige Stege in vier gleich große sowie in eine kleinere viereckige Zone unterteilt. Mit wenigen Ausnahmen wurde nur die viereckige Zone gestalterisch verändert. Das für die Aufhängeschnur vorgesehene Loch wurde immer durch die hier vorhandene Wölbung gebohrt. In dieser Fläche sind gelegentlich feine Einkerbungen oder auch nur zwei eingelegte Augen gearbeitet. Häufiger ragen aus diesem Viereck rundplastisch gestaltete doppelköpfige anthropomorphe oder auch zoomorphe Wesen hervor, die jeweils mit den für die Kunst der Osterinsel so typischen eingelegten Augen ausgestattet sind.

Die *tahonga* galten als weiblicher Schmuck, und es wird berichtet, daß sie, mit einer Schnur aus Frauenhaar miteinander verbunden, sowohl über die Schultern als auch vor der Brust hängend getragen wurden. Möglicherweise knüpft sich hieran eine Fruchtbarkeitssymbolik, doch diese Vermutung läßt sich durch Überlieferungen oder Aufzeichnungen früher Reisender nicht erhärten.

Diesen Schnitzereien sehr ähnlich sind Gegenstände, die wir zu den Amuletten rechnen müssen. Gegenstände also, die den Besitzer vor Unheil bewahren oder aber die in ihnen verkörperte Fähigkeit zum Wohle des Besitzers stärken sollten.

[1] Englert, S., »La Tierra de Hotu Matu'a. Historia, Etnología y Lengua de la Isla de Pascua«, Padre Las Casas 1948, S. 498
[2] Heyerdahl, Th., »Die Kunst der Osterinsel«, Wien 1975, S. 307

33
Tahonga

Sammlung Ladrière, Paris
ohne Inv. Nr.
Höhe: 11,5 cm
Material: Holz

Ein formvollendeter, hochpolierter *tahonga*-Ball aus der Sammlung des Bischofs Jaussen.

34
Tahonga

Etnografisk Museum, Oslo
Inv. Nr. 2441
Höhe: 11,8 cm; Breite: 10,4 cm
Material: *toromiro*-Holz

Bemerkenswert ist die eingeritzte Glyphe — eine Schildkröte darstellend — auf der bauchigen glatten Fläche. Die Form dieses *tahonga*-Balles erinnert an einen Krug. Ein ähnliches, jedoch unverziertes Exemplar befindet sich in Edinburgh (Inv. Nr. 1950, 323), zwei weitere in der Sammlung der Picpus-Missionare (Rom).
Das Stück gelangte im Jahre 1871 in den Besitz des Museums.

35
Tahonga mit Vogelkopf

Musées Royaux d'Art et d'Histoire, Brüssel
Inv. Nr. ET 35.5.297
Höhe: 12,7 cm; Breite: 7,8 cm
Material: *toromiro*-Holz

Dieses von Ratten benagte Stück kam im Jahre 1935 zutage und wurde den Wissenschaftlern der Französisch-Belgischen Expedition geschenkt. Über den Rücken des eiförmigen Körpers verläuft eine erhaben gearbeitete Wirbelsäule, durch deren oberes Ende ein Loch für die Aufhängeschnur gebohrt ist. Auf der oberen Schnabelhälfte und auf der linken Seite der Figur verlaufen feine eingeschnittene Linien.
Das Stück gelangte im Jahre 1935 in den Besitz des Museums.

36
Tahonga mit Fischmensch

Museum für Völkerkunde SMPK, Berlin
Inv. Nr. VI 4875
Fischmensch: Länge: 22,5 cm; Breite: 6 cm; Tiefe: 2,5 cm
tahonga: Höhe: 6,5 cm; Durchmesser: 8 cm
Material: *toromiro*-Holz, Bast

Das Zwitterwesen, das Heyerdahl[1] für einen anthropomorphen Vogel hält, ist mit einem *tahonga*-Ball durch eine Bastschnur verbunden. Die Perforation für die Aufhängeschnur ist durch den flachen Leib der Figur gebohrt.
Das Stück gelangte im Jahre 1883 in den Besitz des Museums.

[1] Heyerdahl, Th., »Die Kunst der Osterinsel«, Wien 1975, Taf. 105

 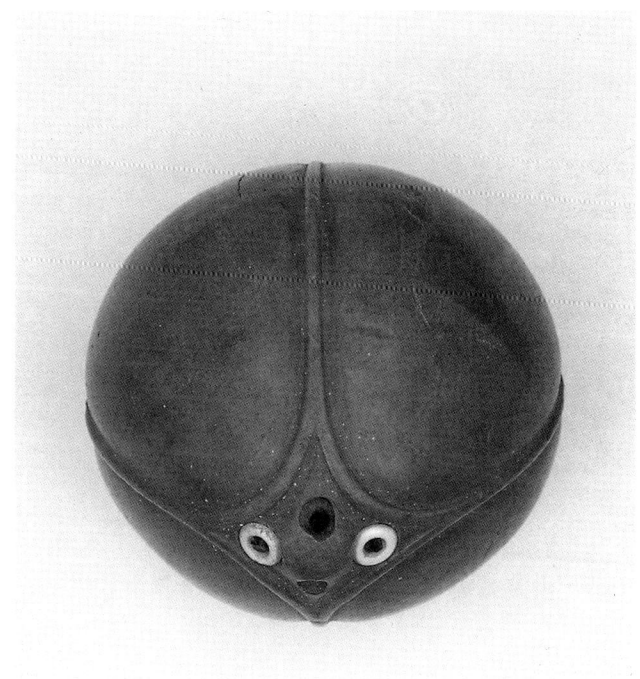

37
Tahonga

Etnografisk Museum, Oslo
Inv. Nr. 2443
Höhe: 7,5 cm
Material: Holz

Dieser *tahonga*-Ball ist Kat. Nr. 33 ähnlich, jedoch kugeliger. Interessant ist die Eintragung für dieses Objekt im Museumskatalog aus dem Jahre 1871: »Die Imitation einer Kokosnuß, aus Holz geschnitzt; gegenwärtig gibt es nur noch Wurzeln größerer Palmen auf der Insel.«
Das Stück gelangte im Jahre 1871 in den Besitz des Museums.

38
Tahonga

Congregazione dei SS Cuori, Rom
Inv. Nr. 15
Höhe: 11 cm
Material: Holz, Obsidian, Knochen

Neben den Löchern für die Aufhängeschnur befinden sich in der oberen rechteckigen Fläche zwei eingelegte Augen.
Das Stück stammt aus der Sammlung des Bischofs Jaussen.

39
Tahonga mit Vogelkopf

Congregazione dei SS Cuori, Rom
Inv. Nr. 12
Höhe: 14 cm
Material: Holz

Die Gestaltung der *tahonga*-Bälle scheint keinen festen Konventionen unterworfen gewesen zu sein. Sowohl anthropomorphe wie auch zoomorphe Motive wurden verarbeitet. Dieses Beispiel zeigt einen aus einem Ei herausbrechenden Vogel, wahrscheinlich eine Rauchseeschwalbe (*manu tara*). Stephen-Chauvet[1] hingegen deutet den ovalen Ball als Vogelkörper, die vier darüber verlaufenden erhabenen Grate als das stilisierte Gefieder des Vogels.
Das Stück stammt aus der Sammlung des Bischofs Jaussen.

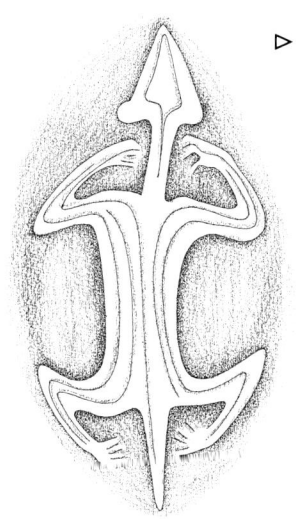

[1] Stephen-Chauvet, Dr., »L'Ile de Pâques et ses mystères«, Paris 1935, Abb. 91

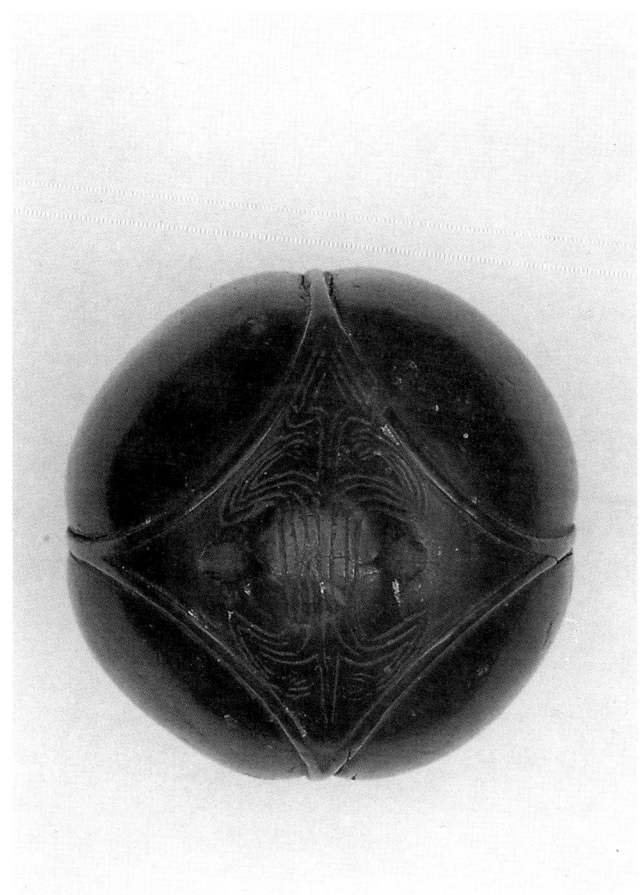

40
Tahonga

Congregazione dei SS Cuori, Rom
Inv. Nr. 13
Höhe: 10 cm
Material: Holz

Die obere viereckige, ein wenig hochgewölbte Fläche ist mit einer Glyphe verziert. Sie stellt ein kauerndes anthropomorphes Wesen (*moko*) mit langem Penis dar.
Das Stück stammt aus der Sammlung des Bischofs Jaussen.

41
Tahonga mit zwei menschlichen Köpfen

Congregazione dei SS Cuori, Rom
Inv. Nr. 11
Höhe: 9,7 cm
Material: Holz, Obsidian, Knochen

Zwei menschliche Köpfe, die in entgegengesetzte Richtung blicken, ragen aus der gewölbten oberen Fläche des Balles hervor. Die Perforation für die Aufhängeschnur verläuft zwischen den Zwillingsköpfen. Die Gesichter haben auffällig große Augenhöhlen mit eingelegten runden Augen, eine Hakennase und ein stark nach vorn geschobenes Kinn. Die runde Erhöhung auf ihren Köpfen mag hochgebündelte Haare darstellen.
Das Stück stammt aus der Sammlung des Bischofs Jaussen.

Ua

Der an seinem oberen Ende mit einem Januskopf verzierte lange Stab (*ua*) dürfte auf der holzarmen Osterinsel weniger eine Waffe als ein Zeremonialobjekt, letztlich also ein Rangabzeichen gewesen sein. Die sehr viel kürzere *paoa*-Keule, die dem *ua*-Stab sehr ähnlich ist, dürfte dagegen in erster Linie als Waffe gedient haben. Geiseler[1] definiert sie als eine Handkeule zum Kämpfen. »Dieselben werden in den verschiedensten Formen angefertigt, am unteren Ende gewöhnlich mit einem geschnitzten Frauenkopf versehen.«

Der Januskopf besitzt wie die menschlichen Figurinen eingelegte Augen aus Obsidian und Knochen. Die halbrunden Tränensäcke sind ebenso stark gewölbt wie bei den *moai kavakava*-Figurinen, die Nase ist naturalistisch, die Ohren eng anliegend und lang. Das Haar bedeckt die Stirn bis zu den Augen und ist durch Furchen dargestellt, die über den hochgewölbten Schädel in leichtem Schwung verlaufen. Unter dem dünnen, aber breiten Mund beginnt ohne jeglichen Übergang der Stab.

In Ozeanien sind vergleichbare Schnitzwerke nicht bekannt. J. L. Young[2], dessen polynesische Sammlung im Jahre 1920 in den Besitz des Bishop Museums (Honolulu) überging, wußte über diese *ua*-Stäbe, von denen er dreizehn Stück besaß, folgendes zu berichten:

»Stäbe oder Bâton aus hartem Holz mit geschnitzten Frauengesichtern, die beidseitig an ihrem oberen Ende auftreten, wurden in Stammesversammlungen oder anläßlich von Beratungen von den Delegierten bestimmter Familien gebraucht. Der Träger eines solchen Stabes war berechtigt, im Namen der Familie, deren Eigentum er war, zu sprechen. Die Gesichter stellen die Ahnfrau der Familie dar. Von ihr leiteten die Familien ihren Anspruch auf Landbesitz ab. — U bedeutet Milch, auch Frauenbrust, *Ua* [Genitivform] heißt Besitz von Milch = Geber von Milch = Frau.«

In zwei Zeichnungen von Loti sind *ua*-Stäbe abgebildet. Einmal handelt es sich um die berühmt gewordene Zeichnung, die Loti Sarah Bernhardt widmete und die im Beitrag von E. Vogler (Seite 71) abgebildet und besprochen ist. Zum anderen ist es die Zeichnung einer Hütte, neben der ein Häuptling steht, der sich auf einen *ua*-Stab lehnt (abgebildet im Beitrag von E. Vogler Seite 70).

Aus diesen Hinweisen wird deutlich, daß der *ua*-Stab den Rangabzeichen und nicht den Kampfwaffen zuzuordnen ist.

---

[1] Geiseler, Kapitänleutnant, »Die Osterinsel. Eine Stätte prähistorischer Kultur in der Südsee«, Berlin 1883

[2] Young, J. L., »Catalogue of Polynesian Collection of J. L. Young«, Auckland ca. 1920, S. 1

42
Ua

Etnografisk Museum, Oslo
Inv. Nr. 2435
Länge: 92,8 cm
Material: Holz, Obsidian, Knochen

Dieses Stück gelangte im Jahre 1871 in den Besitz des Museums.

43
Ua

National Museum of New Zealand, Wellington
Inv. Nr. 353 B
Länge: 159,7 cm; Breite: 7,2 cm
Material: Holz, Obsidian, Knochen

Das Stück stammt aus der Oldman-Sammlung und gelangte im Jahre 1948 in den Besitz des Museums.

44
Ua

National Museum of New Zealand, Wellington
Inv. Nr. 1114
Höhe: 120 cm; Breite: 6,3 cm
Material: Holz, Obsidian, Knochen

Dieser *ua*-Stab ist mit einer Glyphe verziert.
Das Stück stammt aus der Oldman-Sammlung und gelangte im Jahre 1948 in den Besitz des Museums.

48
Ao

Museum für Völkerkunde, Wien
Inv. Nr. 22845
Länge: 220 cm
Material: Holz, Obsidian, Knochen

Das obere Paddelblatt ist beidseitig mit weitgehend übereinstimmenden Schnitzereien verziert. Dargestellt ist ein menschliches Gesicht mit schmaler Nase und einem kleinen, in den Mundwinkeln nach oben gebogenen Mund. Die kräftigen Brauen sind mit einem feinen Grätenmuster verziert. In die mandelförmigen Augenhöhlen sind kleine runde Augen aus Obsidian und Knochen eingefügt. Über der niedrigen Stirn ist — durch senkrechte Rillen markiert — eine stilisierte Federkrone gearbeitet. Die lang herunterhängenden Ohrläppchen sind mit den üblichen kreisrunden Ohrpflöcken dekoriert. Zwischen Nase und Oberlippe ist in Flachrelief eine Verzierung angebracht, die entweder eine Tatauierung oder einen Nasenschmuck darstellt.
Das Stück gelangte im Jahre 1884 in den Besitz des Museums.

49
Ao

National Museum of New Zealand, Wellington
Inv. Nr. 1116
Länge: 163,8 cm; Breite: 17,15 cm
Material: Holz

Das Stück stammt aus der Oldman-Sammlung und gelangte im Jahre 1948 in den Besitz des Museums.

50
Rapa

Congregazione dei SS Cuori, Rom
Inv. Nr. 29
Länge: 61,5 cm
Material: Holz

Die beiden abgebildeten Tanzpaddel unterscheiden sich geringfügig in Länge und Breite ihrer Paddelblätter. Darüber hinaus verläuft bei Kat. Nr. 51 der von der stilisierten Nase ausgehende Grat ununterbrochen über den dünnen Hals hinab bis zum unteren Blatt.
Das Stück stammt aus der Sammlung des Bischofs Jaussen.

51
Rapa

Sammlung Ladrière, Paris
ohne Inv. Nr.
Länge: 56 cm
Material: Holz

Das Stück stammt aus der Sammlung des Bischofs Jaussen.

Kohau Rongorongo

Der Schrift der Osterinsel (*kohau rongorongo*) sind zwei Beiträge (T. Barthel [Seite 125 ff.] und J. Guiart [Seite 134 ff.]) in diesem Band gewidmet. Zur weiteren Orientierung des Lesers ist nachfolgend der Bestand des »CORPUS INSCRIPTIONUM PASCHALIS INSULAE« (nach Barthel[1,2]) zusammengestellt. Diese Aufstellung vermittelt dem Leser eine Vorstellung davon, wie bruchstückhaft und weit verstreut die Unterlagen für die Entzifferungsarbeit sind. Es handelt sich hierbei um fünfundzwanzig hölzerne Schriftdenkmäler, von denen vier in der Ausstellung zu sehen sind.

Exemplar A mit dem Namen *Tahua*
Pater Roussel erwarb dieses Stück auf der Osterinsel und schickte es zusammen mit vier weiteren Tafeln (B, C, E und P) nach Tahiti an Bischof Tepano Jaussen. Heute befindet es sich im Besitz der Picpus-Missionare (Rom).
Breite: 91,4 cm; Höhe: 11,5 cm
Auf jeder Seite befinden sich acht Schriftreihen mit insgesamt etwa 1825 Zeichen.

Exemplar B mit dem Namen *Aroukou-Kurenga*
Es gelangte mit den Exemplaren A, C, E und P im Jahre 1868 nach Tahiti zu Bischof Jaussen. Heute befindet es sich im Besitz der Picpus-Missionare (Rom).
Breite: 41,7 cm; Höhe: 16,6 cm
Auf der Vorderseite befinden sich 10, auf der Rückseite 12 Zeilen mit insgesamt etwa 1290 Zeichen.

Exemplar C mit dem Namen *Mamari*
Es gelangte mit den Exemplaren A, B, E und P im Jahre 1868 nach Tahiti zu Bischof Jaussen. Heute befindet es sich im Besitz der Picpus-Missionare (Rom).
Breite: 30 cm; Höhe: 21 cm
Auf jeder Seite befinden sich 14 Zeilen mit insgesamt etwa 1000 Zeichen.

Exemplar D mit dem Namen *Echancrée*
Es wurde von Pater Zumbohm vor 1868 von der Osterinsel nach Tahiti gebracht und Bischof Jaussen übergeben. Es war in eine sechzehn Meter lange, aus Menschenhaar geflochtene Schnur gewickelt. Heute befindet es sich im Besitz der Picpus-Missionare (Rom).
Breite: 30 cm; Höhe: 15 cm
Auf einer Seite befinden sich 6, auf der anderen Seite 7 Zeilen mit insgesamt etwa 270 Zeichen.

Exemplar E mit dem Namen *Keiti*
Es gelangte mit den Tafeln A, B, C und P im Jahre 1868 nach Tahiti zu Bischof Jaussen. Die Tafel verbrannte im Ersten Weltkrieg, doch Abgüsse sind vorhanden.
Breite: 39 cm; Höhe: 13 cm
Auf einer Seite befinden sich 8, auf der anderen Seite 9 Zeilen mit insgesamt etwa 880 Zeichen.

Exemplar F ohne Namen
Es gelangte über die Picpus-Missionare, die dieses Stück von Bischof Jaussen erhalten hatten, in den dreißiger Jahren dieses Jahrhunderts in den Besitz von Stephen-Chauvet (Paris).
Breite: 11,5 cm; Höhe: 8 cm
Auf jeder Seite befinden sich 6 Zeilen mit insgesamt etwa 99 Zeichen.

Exemplar G mit dem Namen *Kleine Santiagotafel*
Es gelangte im Jahre 1870 durch Kapitän Gana nach Santiago und befindet sich heute im Besitz des Museo Nacional de Historia Natural in Santiago. Das Objekt wurde von den Missionaren kurz zuvor in einem *Orongo*-Haus gefunden.
Breite: 32 cm; Höhe: 12 cm
Auf jeder Seite befinden sich 8 Zeilen mit insgesamt etwa 720 Zeichen.

Exemplar H mit dem Namen *Große Santiagotafel*
Es gelangte mit Exemplar G (Kleine Santiagotafel) im Jahre 1870 in den Besitz des Museo Nacional de Historia Natural in Santiago. Das Objekt wurde von den Missionaren kurz zuvor in einem *Orongo*-Haus gefunden.
Breite: 45 cm; Höhe: 11,5 cm
Auf jeder Seite befinden sich 8 Zeilen mit insgesamt etwa 1580 Zeichen.

Exemplar I mit dem Namen *Santiago-Stab*
Es gelangte zusammen mit den Exemplaren G (Kleine Santiagotafel) und H (Große Santiagotafel) im Jahre 1870 in den Besitz des Museo Nacional de Historia Natural in Santiago.
Länge: 1,25 m; Durchmesser: 6 cm
Auf dem Stab befinden sich etwa 2320 Zeichen.

Exemplar J mit dem Namen *Londoner Rei Miro I*
Es gelangte im Jahre 1870 in den Besitz des British Museum.
Länge: 70 cm
Auf dem Pektoral sind zwei Schriftzeichen.

Exemplar K mit dem Namen *Londoner Tafel*
Es gelangte 1903 in den Besitz des British Museum.
Breite: 21 cm; Höhe: 7,3 cm
Auf jeder Seite befinden sich 3 komplette und 2 unvollständige Zeilen mit insgesamt etwa 150 Zeichen.

Exemplar L mit dem Namen *Londoner Rei Miro II*
Es wurde 1875 auf einer Auktion in London erworben und ist im Besitz des British Museum.
Länge: 53 cm
Auf dem Pektoral befindet sich eine Zeile mit etwa 50 Zeichen.

Exemplar M mit dem Namen *Große Wientafel*
Es wurde 1886 in Hamburg für das Wiener Museum für Völkerkunde gekauft und ist heute noch im Besitz dieses Museums.
Breite: 28,5 cm; Höhe: 14 cm
Die Tafel ist stark beschädigt. Heute sind noch etwa 50 Zeichen zu erkennen.

Exemplar N mit dem Namen *Kleine Wientafel*
Es gelangte mit dem Exemplar M (Große Wientafel) 1886 in den Besitz des Wiener Museums für Völkerkunde.
Breite: 25,5 cm; Höhe: 5,2 cm
Auf jeder Seite befinden sich fünf Zeilen mit insgesamt etwa 220 Zeichen.

Exemplar O mit dem Namen *Berlintafel*
Es gelangte im Jahre 1883 in den Besitz des Berliner Museums für Völkerkunde.
Breite: 1,03 m; Höhe: 13 cm
Der Erhaltungszustand ist schlecht und so sind heute nur noch etwa 90 Zeichen erkennbar.

Exemplar P mit dem Namen *Große Leningradtafel*
Es wurde von Miklucho-Maklay im Jahre 1871 in Papeete von Bischof Jaussen erworben. Die Tafel gelangte mit vier anderen Exemplaren (A, B, C, E) im Jahre 1868 nach Tahiti. 1891 ging sie in den Besitz des Leningrader Völkerkunde-Museums über.
Breite: 62 cm; Höhe: 14 cm
Auf jeder Seite befinden sich 11 Zeilen mit insgesamt etwa 1540 Zeichen.

Exemplar Q mit dem Namen *Kleine Leningradtafel*
Es gelangte zusammen mit Exemplar P (Große Leningradtafel) in den Besitz des Leningrader Völkerkunde-Museums.
Breite: 42 cm; Höhe: 9 cm
Auf jeder Seite befinden sich 8 Zeilen. Heute sind noch etwa 900 Zeichen zu erkennen.

Exemplar R mit dem Namen *Kleine Washingtontafel*
Es wurde im Jahre 1886 von dem Zahlmeister Thomson der »Mohican« auf der Osterinsel erworben und später in der Smithsonian Institution in Washington D. C. deponiert.
Breite: 24 cm; Höhe: 9 cm
Auf jeder Seite befinden sich 8 Zeilen. Heute sind noch etwa 400 Zeichen zu erkennen.

Exemplar S mit dem Namen *Große Washingtontafel*
Es gelangte mit Exemplar R (Kleine Washingtontafel) in den Besitz der Smithsonian Institution, Washington D. C.
Breite: 63 cm; Höhe: 12 cm
Auf einer Seite befinden sich 8, auf der anderen Seite 9 Zeilen. Heute sind noch etwa 720 Zeichen zu erkennen.

Exemplar T mit dem Namen *Honolulutafel I*
Es gelangte im Jahre 1920 in den Besitz des Bishop Museum (Honolulu), das es von dem Sammler J. L. Young aus Auckland (Neuseeland) erwarb.
Breite: 30 cm; Höhe: 9 cm
Auf der schlecht erhaltenen Tafel sind nur noch etwa 140–150 Zeichen zu erkennen.

Exemplar U mit dem Namen *Honolulutafel II*
Es gelangte mit den Exemplaren T und V im Jahre 1920 in den Besitz des Bishop Museum.
Breite: 68 cm; Höhe: 8 cm
Auf der schlecht erhaltenen Tafel sind nur noch etwa 20–30 Zeichen zu erkennen.

Exemplar V mit dem Namen *Honolulutafel III*
Es gelangte mit den Exemplaren T und U im Jahre 1920 in den Besitz des Bishop Museum.
Breite: 71 cm; Höhe: 9 cm
Auf der schlecht erhaltenen Tafel sind nur noch etwa 22 Zeichen zu erkennen.

Exemplar W mit dem Namen *Honolulutafel IV*
Es wurde im Jahre 1886 beim Besuch der »Mohican« von Leutnant Symonds auf der Osterinsel erworben und gelangte 1914 über die Familie Gifford in den Besitz des Bishop Museum.
Breite: 6 cm; Höhe: 2 cm
Auf der schlecht erhaltenen Tafel sind nur noch 3 Schriftzeichen zu erkennen.

Exemplar X mit dem Namen *Vogelmann*
American Museum of Natural History (New York).
Höhe: 44 cm
Auf der rechten Körperhälfte, auf Schnabel, Hinterkopf, Nacken, Brust, Kreuz, Unterleib und Oberschenkel befinden sich insgesamt 35–40 Zeichen.

Exemplar Y – *Tabaksbüchse*
Musée de l'Homme (Paris).
Breite: 4,6–4,7 cm; Höhe: 2,6–2,8 cm; Länge: 7,1 cm
Es handelt sich um eine Seemannsarbeit, die vor 1880 aus zerschnittenen Schrifttafeln angefertigt worden sein muß.
Schriftzeichen befinden sich nur auf den Außenseiten von sechs Stücken; z. T. 2–3 Textzeilen. Von den ursprünglich etwa 90 Schriftzeichen sind etwa zwei Drittel noch zu erkennen.

[1] Barthel, Th., »Grundlagen zur Entzifferung der Osterinselschrift«, Hamburg 1958
[2] Barthel, Th., »Rongorongo-Studien«, Forschungen und Fortschritte bei der weiteren Entzifferung der Osterinselschrift; in: Anthropos, Nr. 58, 1963

52
Kohau rongorongo »Aroukou-Kurenga«

Congregazione dei SS Cuori, Rom
Inv. Nr. 2
Höhe: 16,6 cm; Breite: 41,7 cm
Material: Holz

Pater Roussel schickte diese Schrifttafel zusammen mit vier weiteren nach Tahiti an Bischof Jaussen. Auf der Vorderseite befinden sich zehn, auf der Rückseite zwölf Zeilen mit insgesamt etwa 1290 Zeichen in boustrophedon-Anordnung.

53
Kohau rongorongo »Mamari«

Congregazione dei SS Cuori, Rom
Inv. Nr. 3
Höhe: 21 cm; Breite: 30 cm
Material: Holz

Auf jeder Seite dieser Tafel befinden sich vierzehn Zeilen mit insgesamt etwa 1000 Zeichen in boustrophedon-Anordnung. Sie gelangte zusammen mit den Kat. Nrn. 52.54 im Jahre 1868 nach Tahiti zu Bischof Jaussen.

58
Zusammengesetzte Fischfigur

Peabody Museum of Archaeology and Ethnology, Cambridge, USA
Inv. Nr. 53610
Länge: 30 cm; Höhe: 14 cm; Breite: 5 cm
Länge des menschlichen Kopfes: 8,2 cm
Material: *toromiro*-Holz, Obsidian, Knochen

Aus dem Bauch eines flachen, gebogenen Fischkörpers ragt ein menschlicher Kopf mit Hals hervor, der mit den für die Osterinsel typischen Gesichtszügen ausgestattet ist.
Das Stück gelangte im Jahre 1899 in den Besitz des Museums.

59
Zurückgelehntes Monstrum

Rijksmuseum voor Volkenkunde, Leiden
Inv. Nr. 547-3
Länge: 31 cm
Material: Holz, Obsidian (Gips, Nägel)

In seinen Proportionen ist der breite runde Kopf mit den abstehenden Ohren wenig typisch für die Osterinsel. Doch im Detail sind die charakteristischen Merkmale des Kunstschaffens der Osterinsel vorhanden: kräftige, schraffierte Überaugenwülste, eingelegte Augen, hervorquellende Tränensäcke. Die Figur ist entsprechend den Krümmungen des Holzes gebogen und gedreht. Der Körper ist nur angedeutet und läuft in einen Stumpf mit Knauf aus. Sowohl in den Knauf wie auch in den Schädel sind tiefe Löcher gebohrt, die eine magische Bedeutung haben mögen. In Höhe der Schultern ist der erhabene Grat der Wirbelsäule durchbohrt für die Aufhängeschnur. Die Beschädigungen an linker Braue und Unterlippe sind mit Gips gefüllt, in den zusätzlich Nägel geschlagen wurden.

Das Stück gelangte im Jahre 1886 in den Besitz des Museums.

60
Frau mit großer Vulva

Otago Museum, Dunedin
Inv. Nr. D. 36.985
Höhe: 19,2 cm; Breite: 2,3 cm; Tiefe: 3,5 cm
Länge der Vulva: 8,5 cm
Höhe der Figur: 14,5 cm
Material: Holz

Die hier abgebildete hockende Figur hat wie die kleinere Figur in der Figurenkomposition (Kat. Nr. 83) ebenfalls zwei Vulven. Eine übergroße Vulva befindet sich in realistischer Anordnung zwischen den angezogenen Beinen. Die zweite außergewöhnlich große Vulva schließt sich der ersten nach unten und hinten an. Ihre Labien sind im Anschluß an die Klitoris vollständig gespalten. Die Figur hat einen stark vorgewölbten Bauch, der vermuten läßt, daß es sich um eine Gebärende handelt. Beide Hände liegen auf dem Bauch über der ersten Vulva, wie bei der vorherigen Figur. Doch ihre Gesichtszüge sind denen der *kavakava*-Figuren ähnlicher als denen der weiblichen *papa*-Figuren. Die Ohren sind kurz, der Schädel glatt und unverziert. An ihrem vorgeschobenen scharfkantigen Kinn befindet sich ein Spitzbart. In die großen mandelförmigen Augen sind kleine Vertiefungen für Einlagen gearbeitet.
Die Figur gelangte im Jahre 1936 in den Besitz des Museums.

61
Weibliche Figur

Rautenstrauch-Joest-Museum, Köln
Inv. Nr. 48526
Höhe: 65 cm
Material: Holz, Obsidian, Knochen

Das Sammeldatum dieser sehr eindrucksvollen weiblichen Figur ist unbekannt. Schon allein aufgrund ihrer Größe ist es wahrscheinlich, daß sie aus nachmissionarischer Zeit datiert, vielleicht auch erst in diesem Jahrhundert entstanden ist.
Die Figur gelangte im Jahre 1966 in den Besitz des Museums und stammt aus der Sammlung Claus Meyer, Düsseldorf.

62
Hockende Frau

Museo Preistorico ed Etnografico »Luigi Pigorini«, Rom
Inv. Nr. 32571
Höhe: 23 cm
Material: Holz, Obsidian, Knochen

Bei den Holz- und Steinschnitzereien begegnen uns nur ausnahmsweise hockende Figuren. Es ist wahrscheinlich, daß es sich bei dieser Figur um eine Gebärende handelt.
Die Länge der Vulva bestätigt die in mündlichen Überlieferungen erwähnte Praxis der künstlichen Manipulation von Labien und Klitoris. Abgesehen von der Haltung entspricht die Figur in vielen Details den *moai papa*-Figuren.
Das Stück gelangte im Jahre 1886 in den Besitz des Museums.

63
Kniender Mann

Peabody Museum of Archaeology and Ethnology, Cambridge, USA
Inv. Nr. 53596
Höhe: 21,5 cm; Breite: 6 cm; Tiefe: 7 cm
Material: Holz, Obsidian, Knochen

Das Gesicht dieser bartlosen Figur weist große Ähnlichkeit mit den Gesichtern der *kavakava*-Figuren auf. Auffällig sind die aus zwei Spiralen gearbeiteten Ohren. Die Kopfglyphe stellt einen doppelköpfigen Fregattvogel dar, wie er auch bei den Schriftzeichen anzutreffen ist. Die rechte Hand ruht auf dem Unterleib, während die linke, wie bei männlichen Figuren üblich, an der Seite herunterhängt.
Das Stück gelangte im Jahre 1899 in den Besitz des Museums.

64
Männliche Figur mit Vogelschwanz

Rautenstrauch-Joest-Museum, Köln
Inv. Nr. 405 86
Höhe: 21,5 cm; Breite: 5,3 cm; Tiefe: 3,9 cm
Material: Holz

Die natürliche Torsion des Holzes nutzend, wurde diese Figur geschaffen. Durch die starke Verwitterung sind Einzelheiten kaum noch zu erkennen. Der Kopf — ohne eingelegte Augen — hat keinen Schnabel. Die nach hinten gefalteten Arme berühren die Schwanzquaste über dem Gesäß. Ein Loch für eine Aufhängeschnur ist vorhanden.
Das Stück gelangte im Jahre 1883 in den Besitz des Museums.

65
Weibliche Figur

Auckland Institute and Museum, Auckland
Inv. Nr. 4793
Höhe: 33,4 cm; Breite: 6 cm; Durchmesser: 4 cm
Material: *toromiro*-Holz, Obsidian, Knochen

Die Torsion im Holz wird den Schnitzer zu dieser Komposition inspiriert haben. Dadurch wurde es notwendig, den Körper in der Hüfte und den Kopf zur Seite und nach hinten zu biegen. Diesen Schwung hat der Schnitzer bewußt in der Ausgestaltung des Gesichts fortgeführt, indem er die eingelegten Augen unterschiedlich groß arbeitete und die sie umgebenden tiefen Rinnen in verschiedene Richtungen verlaufen ließ. Bemerkenswert sind die kräftigen ununterbrochenen Augenbrauen, der runde Mund, die Haltung der Hände sowie die drei senkrecht über das Kinn verlaufenden Rinnen, die möglicherweise einen Spitzbart oder aber eine Tatauierung darstellen.
Das Stück gelangte im Jahre 1930 in den Besitz des Museums.

66
Fuß

Bishop Museum, Honolulu
Inv. Nr. B.4553
Höhe: 8,5 cm; Fußlänge: 4,5 cm; Fußbreite: 2,6 cm
Material: *toromiro*-Holz, Bast

Amulett eines durch Elephantiasis verstümmelten Fußes mit Beinansatz.
Das Stück gelangte im Jahre 1920 in den Besitz des Museums.

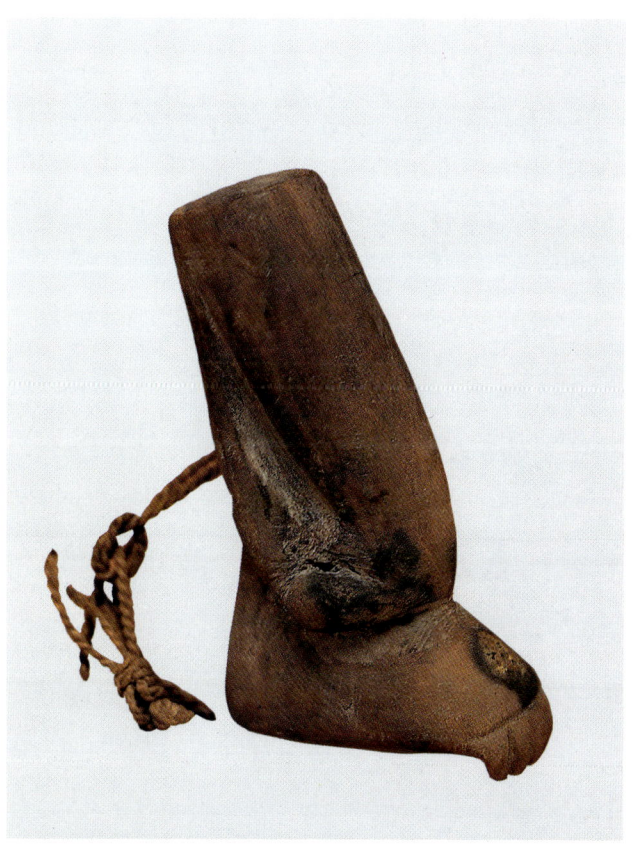

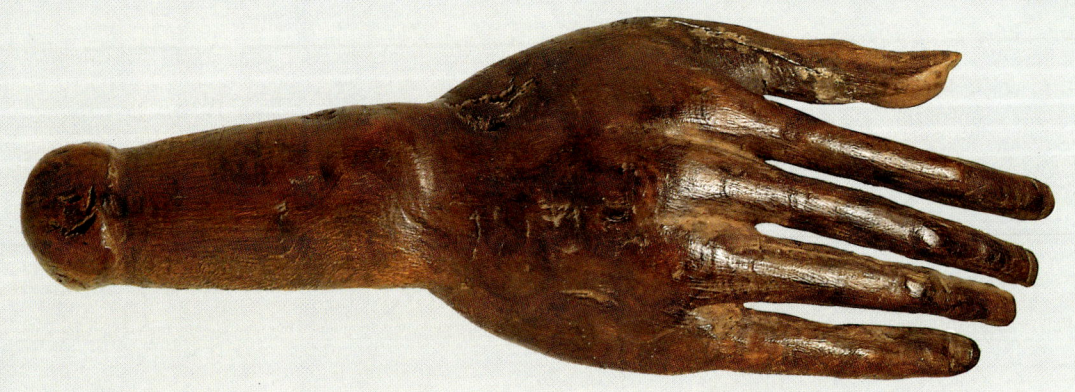

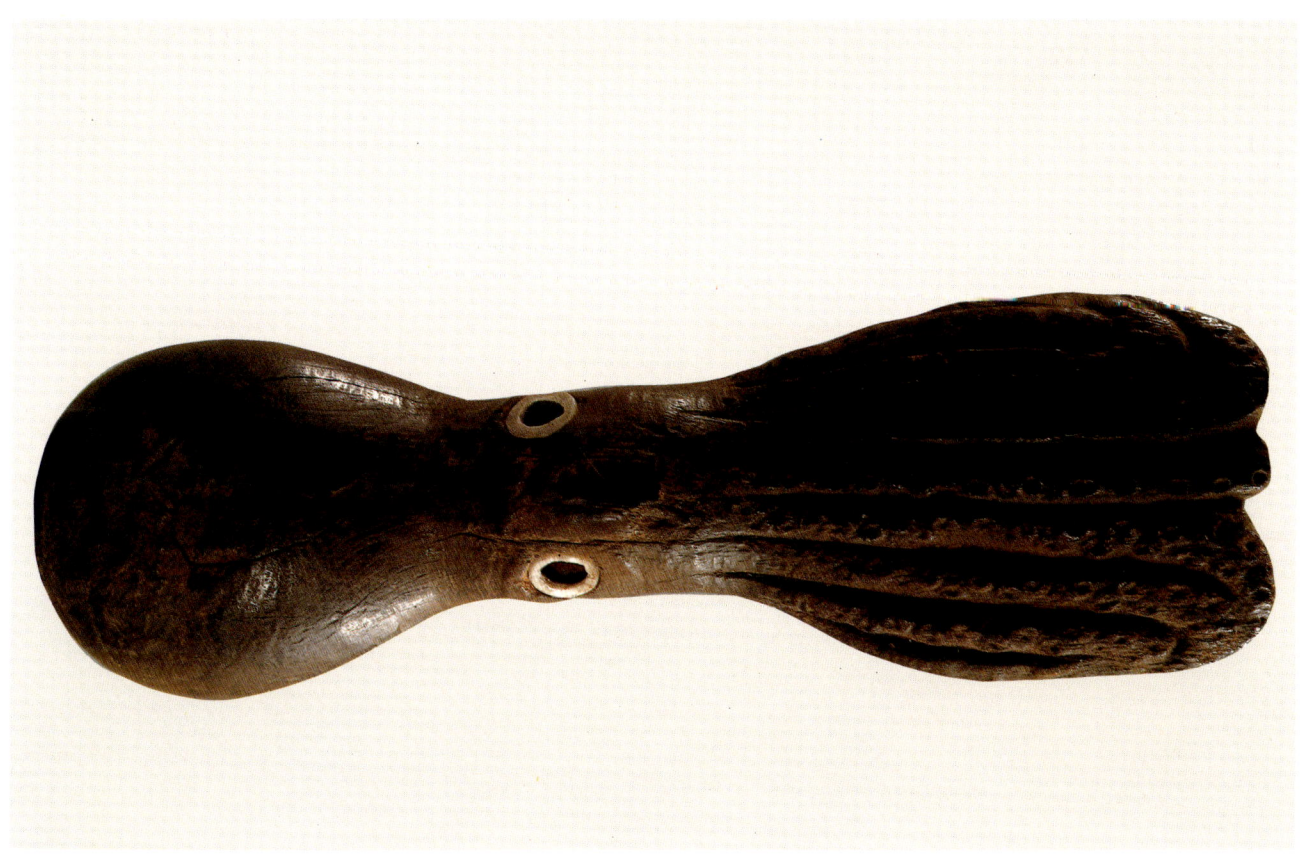

67
Hand

Museo del Carmen de Maipú, Chile
ohne Inv. Nr.
Länge: 35 cm; Breite: 13 cm
Material: Holz

Die hier abgebildete, sehr feinfühlig gestaltete Hand wurde wahrscheinlich im Jahre 1911 von Knoche auf der Osterinsel erworben.
Das British Museum (Inv. Nr. OCD 2532) besitzt eine im Jahre 1774 von Forster gesammelte Hand mit feinen durchgebogenen Fingern und langen Nägeln. Eine nach photographischer Vorlage kürzlich auf der Osterinsel gefertigte Kopie dieser Hand (Kat. Nr. 151) ist, zusammen mit anderen Beispielen modernen Kunstschaffens, in dieser Ausstellung zu sehen. Eine dritte Hand erhielt Picasso von seinem Freund, Pierre Loeb, und integrierte sie später in eine Skulptur (»Femme en robe longue« 1943).
Wann das Stück in den Besitz des Museums gelangte, ließ sich nicht ermitteln.

68
Tintenfisch

Museum für Völkerkunde, Wien
Inv. Nr. 22868
Länge: 19 cm
Material: *toromiro*-Holz, Obsidian, Knochen

Diese naturgetreue Schnitzerei hat auf der Bauchseite zwei Perforationen für eine Aufhängeschnur.
Das Stück gelangte im Jahre 1884 in den Besitz des Museums.

69
Schildkröten-Anhänger

Rautenstrauch-Joest-Museum, Köln
Inv. Nr. 32 600
Länge: 13 cm; Höhe: 8 cm; Dicke: 6,5 cm
Material: Holz

Dieser Schildkrötenkopf ist mit einem tiefen Rillenmuster und um die Augen mit einem Grätenmuster verziert. Zusätzlich biegen sich um den Hinterkopf zwei fischartige Glyphen. Zwei Löcher für eine Aufhängeschnur sind vorhanden.
Das Stück gelangte im Jahre 1915 in den Besitz des Museums.

70
Schildkröte

Peabody Museum of Archaeology and Ethnology, Cambridge, USA
Inv. Nr. 53608
Länge: 14 cm; Breite: 8 cm; Dicke: 6 cm
Material: *toromiro*-Holz, Obsidian

Unter dem Hals dieser sehr realistisch gearbeiteten Schildkröte befindet sich die Durchbohrung für die Aufhängeschnur. Das Stück gelangte im Jahre 1899 in den Besitz des Museums.

76
Dicker Zwerg mit Spitzbart

Museo Etnográfico de la Universidad de Buenos Aires
Inv. Nr. 20741
Höhe: 32 cm; Breite: 13 cm; Tiefe: 14,5 cm
Material: Holz, Obsidian, Knochen

Diese Figur ist von der Gesamtkonzeption her zwar atypisch, doch anhand verschiedener Merkmale läßt sie sich sicher als eine Arbeit von der Osterinsel bestimmen. Es sind dies: wuchtige Überaugenwülste, eingelegte Augen aus Obsidian und Knochen, die in einen Spitzbart übergehende Kinnverzierung und die Kopfglyphe.
Die Figur gelangte im Jahre 1915 in den Besitz des Museums.

77
Gekrümmte, stockähnliche Figur

Museum N. N. Miklucho-Maklaja, Leningrad
Inv. Nr. N 736-205
Länge: 52,0 cm; Breite: 4,5 cm
Material: Holz

Der Schnitzer hat den langgestreckten, undifferenzierten Körper mit einem sehr sorgfältig gearbeiteten, doch völlig untypischen Kopf versehen. Die Augen sind nicht wie üblich als Vertiefungen, in die Obsidianstücke und Knochenringe gelegt wurden, sondern im Hochrelief gestaltet. Stirn und Augenbrauen fehlen. An ihre Stelle treten tiefe Rillen, die über den hochgewölbten Scheitel verlaufen. Die dünnen, etwas vorgewölbten Lippen sind in den Mundwinkeln nach oben gezogen und reichen fast bis zu den Ohren, die zwar lang, aber ebenfalls undifferenziert sind. Die Nase dagegen ist realistisch, das Kinn scharfkantig und spitzzulaufend, jedoch bartlos.
Das Stück gelangte im Jahre 1828 in den Besitz des Museums.

78
Atypische männliche Figur

Museum N. N. Miklucho-Maklaja, Leningrad
Inv. Nr. N 736-203
Höhe: 30 cm; Breite: 5 cm
Material: Holz

Diese grob gearbeitete Figur, die nur wenige Merkmale des *kavakava*-Figurentyps aufweist, betrachtet Kaeppler[1] als deren Prototyp. Angesichts der frühen Datierung der vollentwickelten *kavakava*-Figur aus der Banks-Sammlung (Kat. Nr. 1) wird diese Interpretation in Frage gestellt.
Das Stück gelangte im Jahre 1828 in den Besitz des Museums.

[1] Kaeppler, A., »Aspects of Polynesian aesthetic traditions«; in: »The art of the Pacific Islands«, Ausstellungskatalog, Washington D. C. 1979, S. 89

79
Sich windender zoomorpher Mann

Museum für Völkerkunde, Leipzig
Inv. Nr. PO 436
Länge: 21,0 cm; Breite: 5,2 cm; Durchmesser: 2,7 cm
Material: *toromiro*-Holz, Obsidian, Knochen

Der ovale tierische Kopf dieses aus einem bizarr gewachsenen Ast geschnitzten Mannes hat große Ähnlichkeit mit einer zoomorphen Figur, die sich heute im Besitz des British Museum (Inv. Nr. 8700) befindet. In dieser Ausstellung ist sie in moderner Nachbildung zu sehen (Kat. Nr. 149).
Die Figur hat eine Durchbohrung für eine Aufhängeschnur.
Das Stück wurde im Jahre 1877 auf der Osterinsel erworben und gelangte zwischen 1877 und 1881 in den Besitz des Museums.

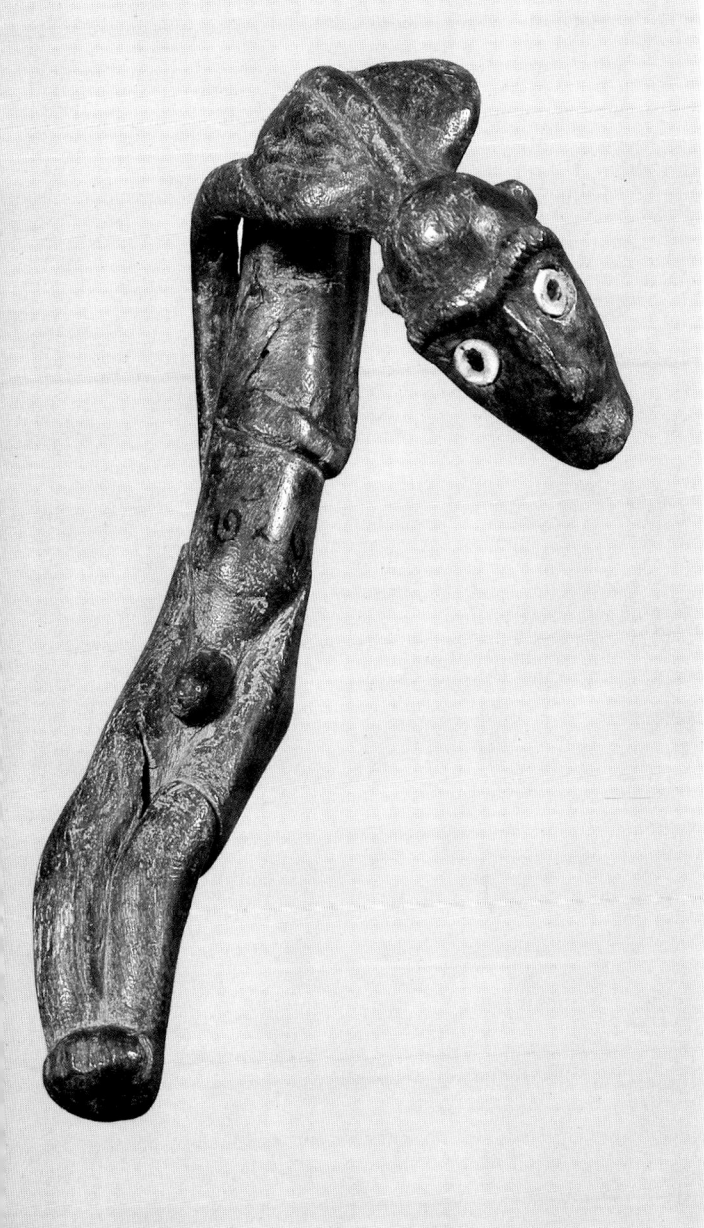

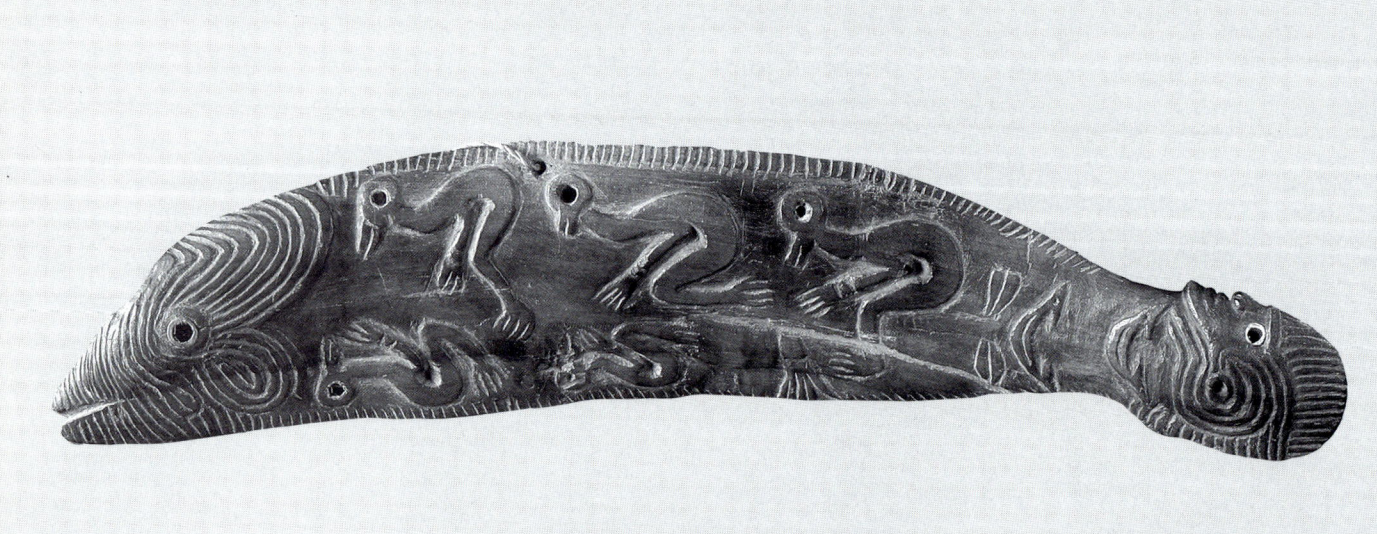

80
Kompositfigur

Field Museum, Chicago
Inv. Nr. 273243
Länge: 31,5 cm; Breite: 8,5 cm; Dicke: 1,8 cm
Material: *toromiro*-Holz, Obsidian, Knochen

Sowohl der menschliche wie auch der Fischkopf sind sorgfältig geschnitzt und vollständig mit feinen, regelmäßig verlaufenden gebogenen Rillen verziert. Dieses Muster setzt sich beidseitig entlang der Unter- und Oberkante fort. Die übrigen Flächen sind mit fünfzehn kauernden Vogelmännern bedeckt. Sowohl die Vogelmänner wie auch die Endköpfe haben eingelegte Augen, die teilweise verlorengegangen sind. In der Nähe des menschlichen Kopfes sind zudem zwei *rei miro* und zwei Vulven eingeritzt.

Das Stück stammt aus der Fuller-Sammlung und wurde im Jahre 1907 zusammen mit der zoomorphen Figur (siehe Katalog Nr. 81) auf der Osterinsel erworben. Es gelangte im Jahre 1908 in den Besitz des Museums.

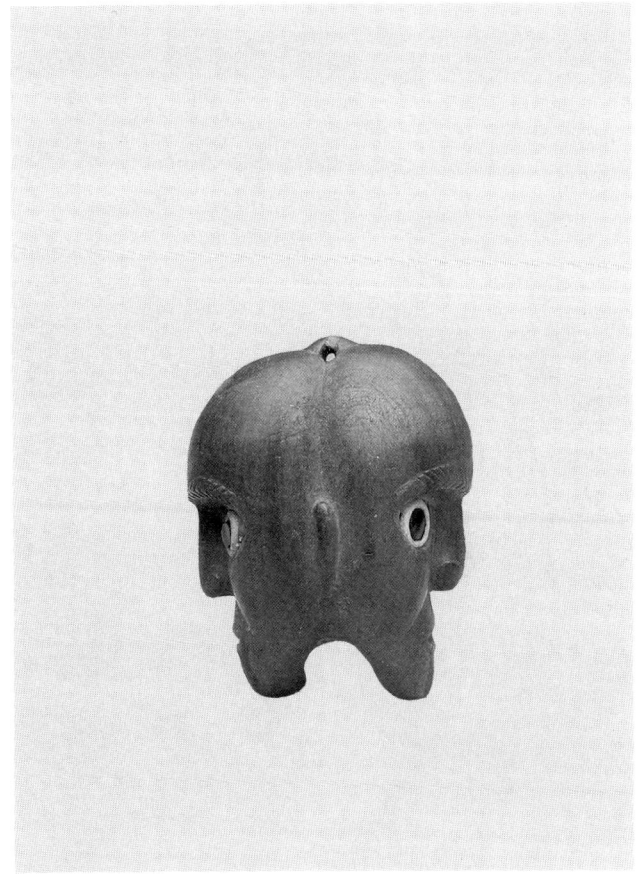

81
Zoomorphe Figur

Field Museum, Chicago
Inv. Nr. 273242
Länge: 31,9 cm; Breite: 13,0 cm; Dicke: 2,0 cm
Material: *toromiro*-Holz, Obsidian, Knochen

Bemerkenswert ist die sich über beide Seiten erstreckende Verzierung und die Kopfform. Der Kopf (eines Meerestieres?) ist mit regelmäßig gebogenen Rillen verziert. Die Körperverzierung dagegen wirkt unruhig, da hier verschiedene naturalistische Motive (Vögel, Fische, Vogelmänner) mit rein ornamentalen Motiven scheinbar willkürlich zusammengefügt sind.
Die Figur ist mit einem Aufhängeloch versehen.
Das Stück stammt aus der Fuller-Sammlung und wurde im Jahre 1907 auf der Osterinsel erworben. Es gelangte im Jahre 1908 in den Besitz des Museums.

82
Janusköpfiger Anhänger

Peabody Museum, Salem
Inv. Nr. E-5307
Höhe: 8,5 cm; Breite: 7,0 cm; Tiefe: 5,5 cm
Material: *toromiro*-Holz, Obsidian, Knochen

Ein realistischer Januskopf mit zwei ähnlichen Gesichtern. Auffällig sind die kurzen Ohren und die großen runden Augen aus Obsidian und Knochen. Drei senkrecht über das Kinn verlaufende Einkerbungen sollen entweder die übliche Kinntatauierung oder einen Spitzbart darstellen. Die Augenbrauen werden durch ein Grätenmuster betont. Ansonsten ist das polierte Stück unverziert. Ein Aufhängeloch ist vorhanden.
Das Stück gelangte im Jahre 1851 in den Besitz des Museums.

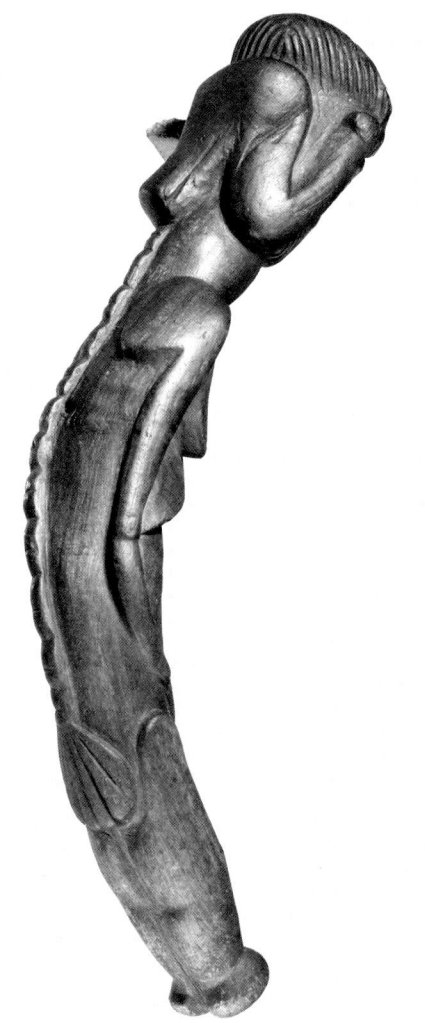 

83
Kompositfigur

Peabody Museum, Salem
Inv. Nr. E-31.545
Höhe: 29,4 cm
Material: *toromiro*-Holz

Charakteristische Merkmale verschiedener Figurentypen sind in dieser Komposition vereinigt. Die Gestaltung der Rückseite mit einer erhaben gearbeiteten Wirbelsäule, die in einer Schwanzquaste zum Abschluß kommt, entspricht der der Vogelmann- und Eidechsen-Figuren. Es fehlen jedoch die Rippen. Die flachen hängenden Brüste und die auf dem Unterleib ruhenden Hände sind Merkmale des *moai papa*-Figurentyps. Doch der zwischen den Beinen liegende Penis ist typisch für Vogelmann-Figuren. Der Brustkorb steht nur wenig über dem Unterkörper hervor und ist ohne Rippen dargestellt.

Von besonderem Interesse ist die Gestaltung des Kopfes. Dieser besteht aus dem Körper einer kopflosen kleinen kauernden Figur, deren Beine nach oben gerichtet sind. Diese Figur besitzt zwei große Vulven mit vergrößerter Klitoris, die das Haar und das Gesicht der großen Figur gestalten.

Das Stück gelangte erst im Jahre 1959 in den Besitz des Museums, soll aber zwischen 1838 und 1841 auf der Osterinsel erworben worden sein.

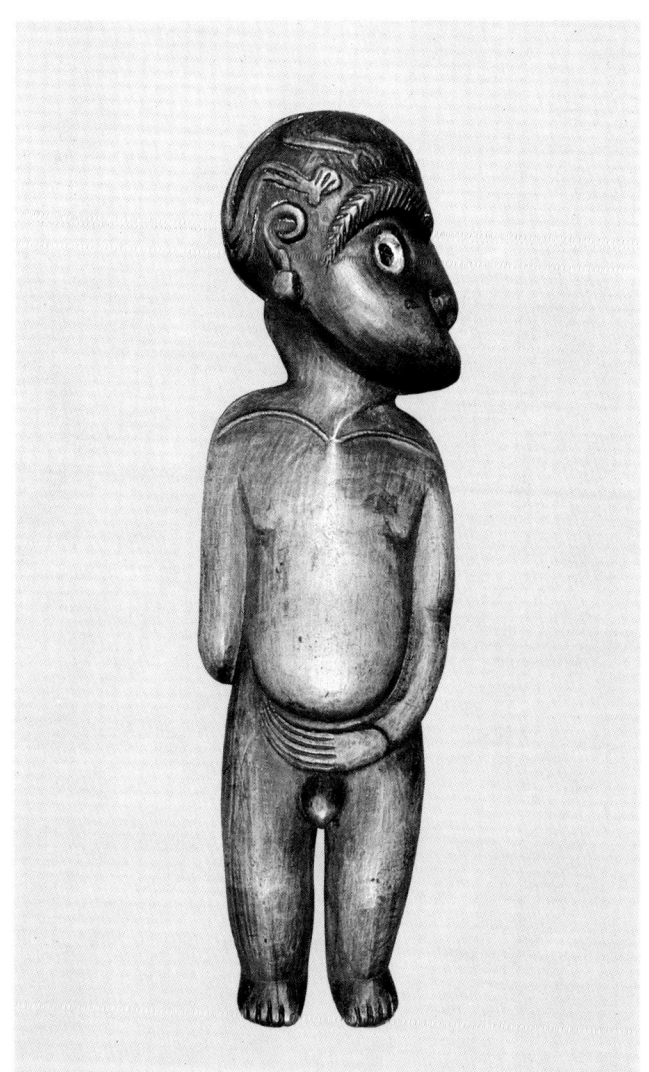
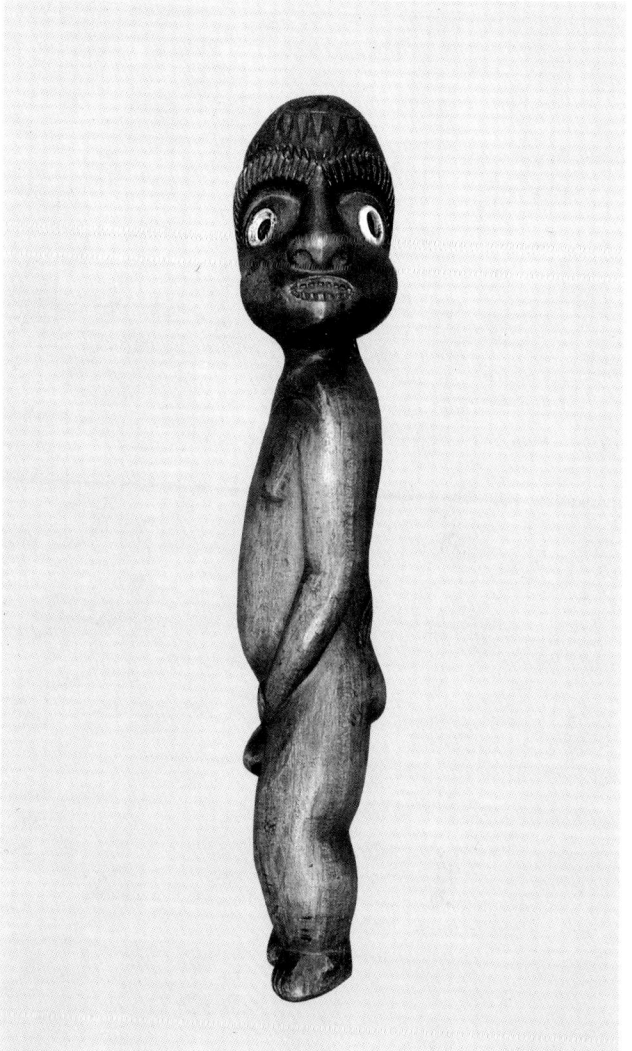

84
Canterbury Museum, Christchurch

Inv. Nr. E-150 11 29
Höhe: 21,1 cm; Breite: 6 cm; Tiefe: 3,8 cm
Material: Holz, Obsidian, Knochen

Bemerkenswert an dieser Figur ist der um neunzig Grad nach links gedrehte Kopf mit vorgeschobenem Kinn und aufgeblähten Backen. Während die rechte Hand auf den Rücken gelegt ist, befindet sich die linke Hand unter dem leicht gewölbten Bauch. Die Hände haben lange, feingliedrige Finger, wobei der Daumen der linken Hand abgespreizt ist. Die Ohren sind kurz und mit runden Ohrpflöcken verziert. Der Hals ist für eine Aufhängeschnur durchbohrt. Auffallend sind die Symmetrie und die ausgewogene Linienführung dieser kleinen, stämmigen Figur.
Die Kopfglyphe zeigt ein anthropomorphes Wesen mit Füßen und dreifingrigen Händen; der Kopf trägt eine Federkrone.
Die Figur stammt aus der Oldmann-Sammlung und gelangte im Jahre 1948 in den Besitz des Museums.

85
Kauernde Figur

Peabody Museum, Salem
Inv. Nr. E-25404
Länge: 15,5 cm
Material: Holz

Die Figur weicht in verschiedenen Merkmalen von Kat. Nr. 86 ab, insbesondere durch den im Winkel zum Körper geschnitzten eiförmigen Kopf. Die Figur hat zwar eine erhaben gestaltete Wirbelsäule, doch sie kommt nicht mit einer Schwanzquaste zum Abschluß. Auf der Bauchseite fehlt der Penis. Kopf und hintere Extremitäten sind mit einem tiefen Rillenmuster verziert.
Das Stück gelangte vor 1870 in den Besitz des Museums.

86
Kauernde Figur

Peabody Museum, Salem
Inv. Nr. E-13896
Länge: 22 cm
Material: Holz

Diese Figur unterscheidet sich von den *moko*-Figuren dadurch, daß ihre hinteren Extremitäten angewinkelt und nicht gestreckt sind. Doch sie besitzt wie diese einen dreieckigen Kopf, vom Rumpf getrennt durch einen Hals, der mit Wellenlinien verziert ist, sowie das bis zu den kurzen Ohren heranreichende Maul, die angewinkelten und unter dem Hals liegenden Arme, die erhaben gestaltete Wirbelsäule, die in einer Schwanzquaste endet, den zwischen den Beinen liegenden Penis und den gewölbten Bauch. Eine Öse, durch das hochstehende Rückgrat gebohrt, für eine Aufhängeschnur ist vorhanden.
Das Stück gelangte vor 1870 in den Besitz des Museums.

87
Janusköpfiger Mann

Museo de Concepción
Inv. Nr. A.IV.1
Höhe: 27 cm
Material: *toromiro*-Holz, Obsidian, Knochen

Die beiden Gesichter der Figur sind einander sehr ähnlich. Runde Augen sind in mandelförmige, hervorquellende Augenregionen eingefügt. Die Augenbrauen verlaufen als ununterbrochener Grat über die Stirn, der seitlich jeweils in stark betonte Tränensäcke übergeht. Der durch eine Rille dargestellte Mund ist klein, die Ohren sind lang. Fünffingrige Hände liegen auf dem gewölbten Leib. Im Gegensatz zu den dünnen Armen sind die Beine kräftig.
Die Figur gelangte spätestens im Jahre 1888 in den Besitz des Museums.

Kleine Steinfiguren (moai maea)

Sehr einfach gearbeitete und sehr unterschiedlich gestaltete kleine Steinbüsten und -köpfe sind in geringer Anzahl in Museumssammlungen erhalten. Ihre Herstellung war an keine erkennbare Konvention gebunden. Doch verschiedene gestalterische Elemente, die in anderen Bereichen des Kunstschaffens voll ausgearbeitet wurden, sind auch bei diesen Stücken anzutreffen. Dazu gehören die Betonung des Kopfes unter Vernachlässigung des Körpers, die eingelegten Augen mit starken Überaugenwülsten, die Janusköpfigkeit und vor allem die strikte Frontalität.

Frühe Besucher erwähnen, daß kleine Steinfiguren zu beiden Seiten der Hauseingänge in den Boden eingelassen waren. Damit ist ein Hinweis auf ihre Funktion gegeben. Sie sollten, wie die heterogenen Holzschnitzereien, die familienspezifischen Haus- bzw. Schutzgötter darstellen. Gefunden wurden nur wenige dieser Figuren in situ. Einige Beispiele stammen aus den *Orongo*-Häusern, andere aus Familienhöhlen.

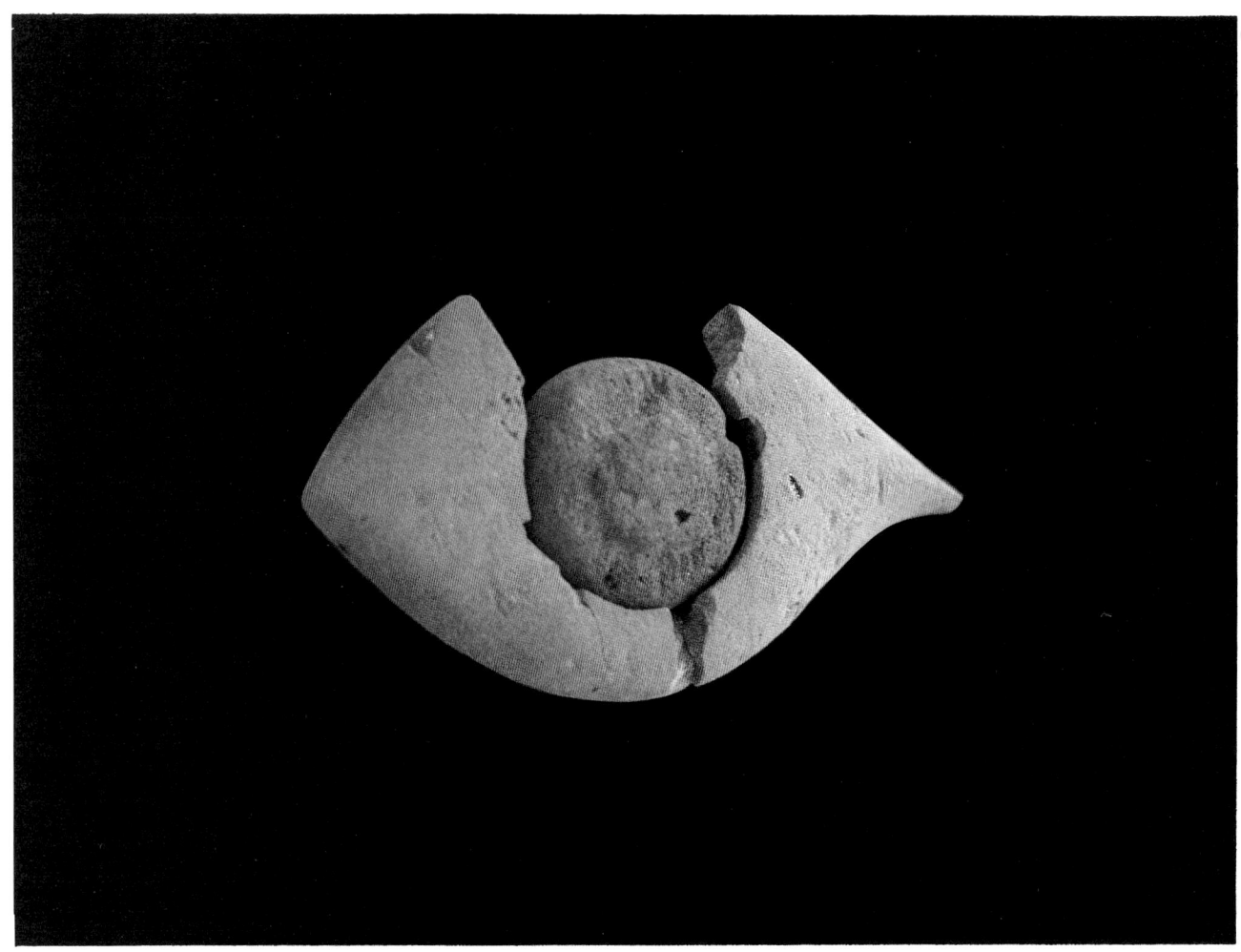

88
Moai-Auge

Museo Padre Sebastian Englert, Hangaroa
ohne Inv. Nr.
Höhe: 18 cm; Breite: 33 cm; Durchmesser der Iris: 15,5 cm
Material: Koralle, rote Gesteinsschlacke
Fundort: *Anakena*

Das Auge wurde im Jahre 1978 im Zuge archäologischer Arbeiten nahe der Plattform *Naunau* gefunden. Zuvor hatte man allerdings schon vermutet, daß die von den Plattformen gestürzten *moai*, die tiefe Augenhöhlen aufweisen, ähnlich wie die hölzernen Figuren ursprünglich eingelegte Augen gehabt haben müßten. Doch erst mit diesem Fund im Jahre 1978 konnte die These bestätigt werden.

89
Steinkopf mit Hals

Musée de l'Homme, Paris
Inv. Nr. 90.78.2
Höhe: 26 cm
Material: Stein

Die Gestaltung des Mundes bei den Steinfiguren ist sehr unterschiedlich; gewöhnlich ist der Mund geschlossen und besitzt Lippen. Hier hingegen — wie bei der Figur aus Brüssel (Kat. Nr. 90) — ist er lediglich durch eine dünne Rinne markiert. Die Augen hatten vermutlich früher Einlagen.
Die Skulptur gelangte im Jahre 1890 in den Besitz des Museums.

90
Grober Steinkopf mit Hals

Musées Royaux d'Art et d'Histoire, Brüssel
Inv. Nr. ET 35.5.295
Höhe: 19 cm; Breite: 12,3 cm
Material: vulkanischer Tuffstein
Fundort: eine Höhle nahe der Plattform *Tepeu*

H. Lavachery hat das Stück in situ gefunden.
Es befindet sich seit 1935 im Besitz des Museums.

91
Monströser Steinkopf

Sammlung Ladrière, Paris
ohne Inv. Nr.
Höhe: 12,5 cm; Tiefe: 12,2 cm; Breite: 7,2 cm
Material: schwarzer Basalt, poliert

Der Antiquar Charles Ratton, der diese Skulptur erwarb, glaubte in ihr ein Stück aus Westindien zu besitzen. Erst Heyerdahl[1] konnte schlüssig nachweisen, daß es sich hierbei um eine Skulptur von der Osterinsel handelt. Dieses Stück hat in der Tat große Ähnlichkeit mit einem verschollenen — durch Abguß und Abbildung jedoch gut dokumentierten — Kopf, den Knoche 1911 auf der Osterinsel angekauft hatte.

Aus der Schmalseite des Steins ist ein herzförmiges Gesicht mit großem offenen Mund, kurzer, breiter Nase und runden Augen herausgearbeitet. Die Augenbrauen sind geteilt und der Kopf hoch gewölbt. Zu beiden Seiten des Gesichts, etwa in Höhe des Mundes, sind Konturen sichtbar, die Heyerdahl als angewinkelte Arme deutet. Es ist jedoch wahrscheinlicher, daß es sich hierbei um Darstellungen von Vulven handelt. Die Vergesellung von Gesicht und Vulva kann mit vielen Beispielen belegt werden, unter anderem auch mit dem nachfolgend abgebildeten Steinkopf. Auf der Rückseite der Skulptur und an ihren Seiten sind sechs Buckel gearbeitet, deren Bedeutung uns nicht bekannt ist.

[1] Heyerdahl, Th., »Die Kunst der Osterinsel«, Wien 1975, S. 358

◁ 92
Steinkopf mit Vulva

Museo Nacional de Historia Natural, Santiago
Inv. Nr. 5521 338
Höhe: 35,5 cm; Breite: 28,3 cm; Tiefe: 20,3 cm
Material: grauer, vulkanischer Stein

Aus der gewölbten Seite des Steins ist ein Gesicht im Relief herausgearbeitet worden. In den großen ovalen Augen, die in ihrer Mitte tief ausgehöhlt sind, haben vermutlich ursprünglich Obsidianscheiben und Knochenringe gesteckt. Die Augen werden durch die tiefhängenden Tränensäcke betont. Die lange und schmale Nase sowie der Mund mit aufgeworfenen Lippen sind realistisch gestaltet. Der Stein ist im Bereich der mittleren Kinnpartie bearbeitet worden. Doch es ist nicht klar, ob hier das gängige Tatauiermuster oder aber ein Spitzbart dargestellt werden sollte. Oberhalb der Nasenwurzel auf der niedrigen Stirn ist eine Vulva deutlich sichtbar eingekerbt. Die Vertiefung unterhalb des linken Tränensackes ist wahrscheinlich keine Beschädigung, sondern von magischer Bedeutung.
Das Stück gelangte im Jahre 1870 nach Chile und bald darauf in den Besitz des Museums.

93
Grober Steinkopf

Musées Royaux d'Art et d'Histoire, Brüssel
Inv. Nr. ET 35.5.90
Höhe: 40 cm; Breite: 32 cm
Material: blasiger Basalt
Fundort: Höhle *Heu*

Der sehr grob gearbeitete Steinkopf ist Kat. Nr. 90 sehr ähnlich. Es handelt sich dennoch um ein interessantes Stück, da es im Jahre 1934 von der Französisch-Belgischen Expedition im Boden der sehr bedeutenden Höhle *Heu* gefunden wurde. Hier ist das Gesicht des Gottes *Makemake* in unendlichen Variationen in den Stein gearbeitet, wobei gelegentlich die natürliche Form des gewachsenen Steins zur Darstellung genutzt wurde. Lavachery hat von dieser Höhle ein Aquarell angefertigt.
Das Stück ist seit 1935 im Besitz des Museums.

99
Vogelmänner

Peabody Museum of Archaeology and Ethnology, Cambridge, USA
Inv. Nr. 64852
Höhe: 59 cm; Breite: 83 cm; 35 cm
Material: vulkanischer Stein
Fundort: unterhalb von *Orongo*

Zwei einander gegenüber hockende Vogelmänner — mit gemeinsamen Händen und Füßen dargestellt — haben die Köpfe so weit zurückgebogen, daß sich die Schnäbel nur an den Spitzen berühren.
Während der Schnabel des linken Vogelmannes dem des Fregattvogels nachempfunden ist, ist der Schnabel des rechten Vogelmannes aus einer langgestreckten Vulva geformt. Neben der linken Figur ist eine große Vulva in Hochrelief gearbeitet. Auf dem Hals der rechten Figur ist eine weitere Vulva lediglich eingeritzt wie auch auf dem Körper der linken. In einer Vertiefung neben der rechten Figur ist möglicherweise eine fünfte Vulva in Hochrelief gearbeitet.
Das Stück gelangte zusammen mit Kat. Nr. 102 im Jahre 1905 in den Besitz des Museums.

◁ *Umzeichnung zur Abbildung 139*

100
Vogelmann

Musées Royaux d'Art et d'Histoire, Brüssel
Inv. Nr. ET 35.5.310
Höhe: 21,2 cm; Breite: 11,9 cm
Material: weißer, weicher ryolithischer oder trachytischer Stein
Fundort: *Motu Nui*

Métraux erkannte hierin eine Figur mit langen Ohren; Lavachery deutete sie als laufende Figur mit Federkrone. Forment[1] vermutet, daß es sich um einen Vogelmann mit zwei Vogelköpfen handelt. Unter dem linken Fuß ist vermutlich ein Ei der Seeschwalbe dargestellt, die zum Brüten die Insel aufsucht. Die Suche nach dem ersten Ei der Seeschwalbe löste jedes Jahr einen erbitterten Wettkampf unter den Inselstämmen aus.
Das Stück gelangte 1935 in den Besitz des Museums.

[1] Forment, Francina A. M., »Le Pacifique aux îles innombrables. Île de Pâques«, Bruxelles 1981, S. 152 (Museumskatalog)

101
Frau mit Vulven

Museo Nacional de Historia Natural, Santiago
Inv. Nr. 5518 335
Höhe: 35,5 cm; Breite: 22,5 cm; Tiefe: 14,0 cm
Material: grauer vulkanischer Stein

Der Frauenkörper ist mit sechs Vulven bedeckt: auf der niedrigen Stirn über dem rechten Auge, unter dem linken Auge, auf der Brust und auf dem Unterleib. Die Figur hat eingelegte Augen, eine breite Nase, einen kleinen Mund mit vollen Lippen. Die Arme sind dick und lang, die Beine kurz und stämmig. Füße und Hände sind ohne Sorgfalt gestaltet. In der Genitalzone befindet sich anstelle der Vulva ein Loch.
Das Stück gelangte zusammen mit Kat. Nr. 103 im Jahre 1870 in den Besitz des Museums.

102
Vogelmann

Peabody Museum of Archaeology and Ethnology, Cambridge, USA
Inv. Nr. 64851
Höhe: 46 cm; Breite: 31 cm; Tiefe: 23 cm
Material: vulkanischer Stein
Fundort: unterhalb von *Orongo*

Dargestellt ist ein kauernder Vogelmann mit fünf Vulven. Die größte Vulva berührt das Gesäß, eine andere den Schnabel. Unter dieser befindet sich eine dritte und zwei weitere sind auf den Rücken des Vogelmannes eingekerbt. Körper und Schnabel sind schwungvoll gebogen, während Arm und Bein sowie Hand und Fuß im Verhältnis zum elegant wirkenden Körper plump und zu dick gearbeitet sind. Das runde Auge ist sehr groß. Der Kehlsack ist deutlich gezeichnet; nimmt man dazu den gebogenen Schnabel, ist hiermit der Fregattvogel definiert.
Das Stück gelangte im Jahre 1905 in den Besitz des Museums.

[1] Métraux, A., »Ethnology of Easter Island«, B. P. Bishop Museum Bulletin 160, Honolulu 1940
[2] Marshall, D., »Island of Passion. Ra'ivavae«, London 1960
[3] Gudgeon, W. E., »Easter Island lengthening of the clitoris«, Journal of the Polynesian Society, Band 13, Auckland 1904

103
Vogelmann mit menschlicher Figur

Museo Nacional de Historia Natural, Santiago
Inv. Nr. 5519 336
Höhe: 35 cm; Breite: 46,5 cm; Tiefe: 16,3 cm
Material: grauer vulkanischer Stein

Ein Vogelmann ist hier mit einer kleineren, mit dem Kopf nach unten gerichteten menschlichen Figur dargestellt. Eine große Vulva ist auf das Gesäß des Vogelmannes geritzt. Der angewinkelte Arm ist auf das angezogene Bein gestützt. Die zu große Hand zeigt zum gebogenen, verhältnismäßig kleinen Schnabel.
Die kleinere menschliche Figur ist ebenfalls mit angewinkeltem Arm und Bein dargestellt. Der Kopf ist weit zurückgebogen, so daß das Gesicht nach oben gerichtet ist.
Es ist denkbar, daß hier die Inspektion der Vulva einer Frau durch den Vogelmann dargestellt ist. Aus verschiedenen Quellen ist bekannt, daß in Ozeanien die Manipulation und die zeremonielle Beschauung der Geschlechtsorgane vorgenommen wurden[1,2,3]. Auch für die Osterinsel sind Überlieferungen bekannt, in denen Tempelanlagen erwähnt werden, die der Inspektion der weiblichen Geschlechtsorgane dienten.
Das Stück gelangte im Jahre 1870 in den Besitz des Museums.

Rindenbaststoff-(tapa)Figuren

Im vorliegenden Band behandelt H.-M. Esen-Baur (S. 139 ff.) diese wenig bekannten und äußerst fragilen Kostbarkeiten. Sie sind vor etwa 150 Jahren, d.h. vor dem endgültigen Zusammenbruch der alten Ordnung, entstanden. Neben dem eher sachlichen und nüchternen Stil vieler Gegenstände aus Holz und Stein erscheinen diese Figuren im Kontext der Osterinsel-Kunst fremdartig. Doch in ihnen begegnen uns Motive und gestalterische Merkmale, die die Kultur der Osterinsel definieren.

104
Sitzende männliche Figur

Peabody Museum of Archaeology and Ethnology, Cambridge, USA
Inv. Nr. 53543
Höhe: 40 cm; Breite: 15,5 cm; Tiefe: 16 cm
Material: Binsen, Rindenbaststoff, Holz

Diese sitzende Figur ist im Vergleich zu Kat. Nr. 105 besser proportioniert. Doch auch sie hat einen übertrieben großen Kopf, der durch seine eindrucksvolle Bemalung zusätzlich betont wird. Über den Kopf verläuft ein breiter Kamm, der im Gesicht in eine große Hakennase übergeht. Im breiten, leicht geöffneten Mund wird eine doppelte Zahnreihe sichtbar. Wie bei der Kat. Nr. 105 verlaufen drei senkrechte schwarze Streifen von der Unterlippe über das Kinn und Zickzackbänder über den Hals. Die kräftige Bemalung des Kopfes steht im Gegensatz zu der feinen Verzierung des Körpers. Neben einem Punktmuster auf Oberarm und Schulterblättern finden sich feine Streifen auf den Oberschenkeln, dem Rücken und über der Genitalzone. Auf das Gesäß sind große Kreise gemalt.
Das Stück gelangte mit Kat. Nrn. 105.107 im Jahre 1899 in den Besitz des Museums.

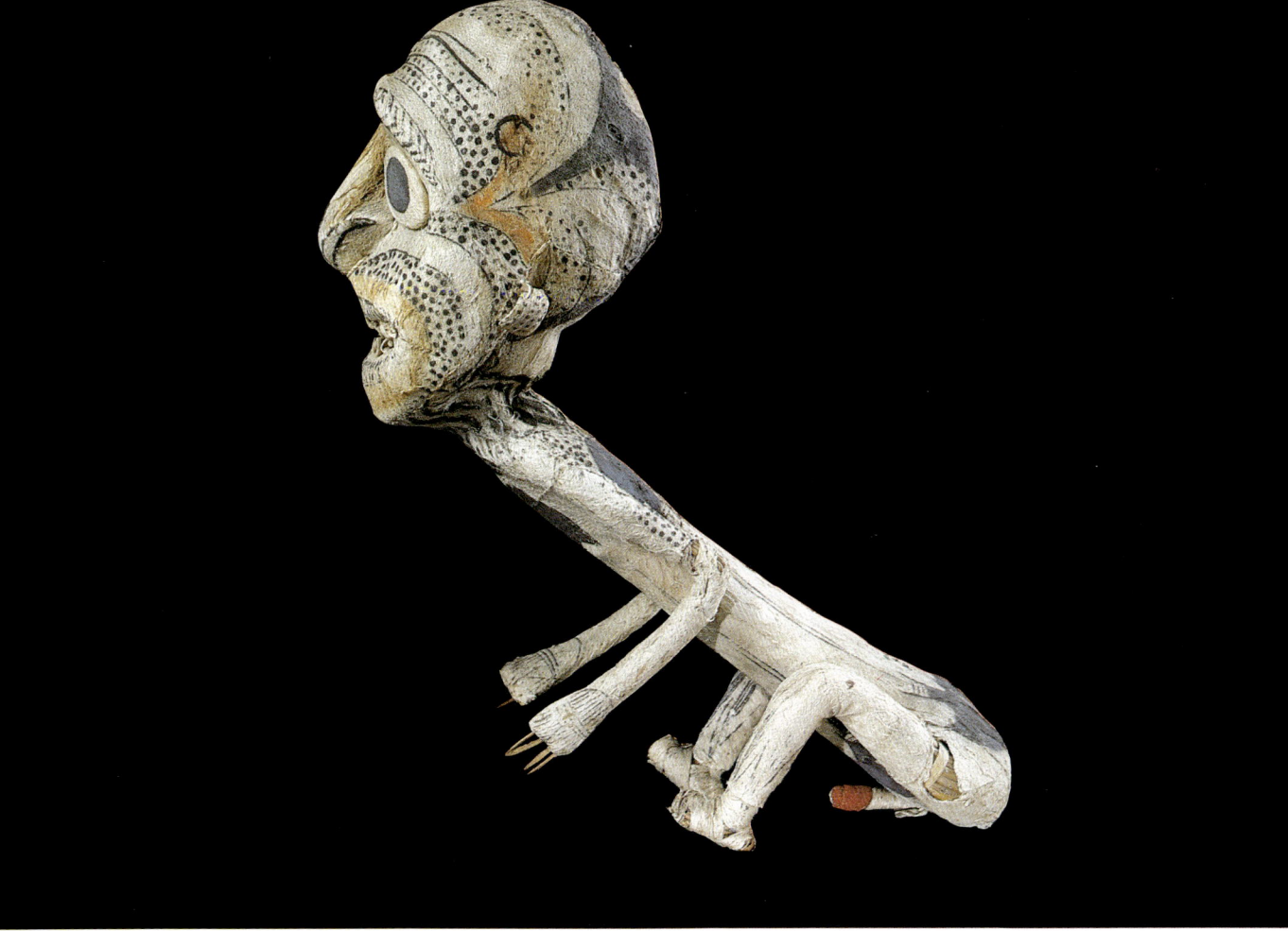

105
Sitzende männliche Figur

Peabody Museum of Archaeology and Ethnology, Cambridge, USA
Inv. Nr. 53542
Höhe: 48 cm; Breite: 12 cm; Tiefe: 19 cm
Material: Binsen, Rindenbaststoff, Holz

Der aufwärtsgerichtete Kopf besitzt eine große Nase und einen breiten, leicht geöffneten Mund, der Zähne erkennen läßt. Der Kopf ist im Verhältnis zum flachen Körper viel zu groß. Arme und Beine sind dünn und unproportioniert. Die Finger sind durch lange Holzstäbe dargestellt, Penis und Hoden sind aus *tapa* geformt und einzeln angenäht. Die Bemalung entspricht den überlieferten Tatauiermustern und erstreckt sich in Streifen und Punkten über den ganzen Körper. Am Hals sind gezackte Wellenlinien gemalt, ein Muster, das auch bei den großen Steinfiguren und bei Holzschnitzereien (*moko*) anzutreffen ist. Auf der Brust dieser Figur ist eine große Speerspitze (*mata'a*) gemalt, die an einer langen Stange befestigt wurde. Zwei kleine *mata'a* zieren den Unterleib. Ihre Stangen verlaufen über den Körper und enden kurz unterhalb der Brust. Der Rücken ist mit vier Speerspitzen verziert: zwei erstrecken sich von den Schulterblättern nach unten, zwei sind auf des Gesäß gemalt. Im Nacken ist die Figur mit einer Vulva verziert. Von der Unterlippe über das Kinn verlaufen drei Linien.

Das Stück gelangte mit Kat. Nr. 107 im Jahre 1899 in den Besitz des Museums.

◁ ◁ 106
Januskopf

New Brunswick Museum, Kanada
ohne Inv. Nr.
Höhe: 20,3 cm; Breite: 19,7 cm; Tiefe: 19,7 cm
Material: Binsen, Rindenbaststoff, Holz

Diese Figur wurde mit einer weiteren Figur (siehe den Beitrag von Esen-Baur) von der Besatzung des Walfangschiffes »Margaret Rait« im Jahre 1843 auf der Osterinsel erworben und gelangte 1844 nach Saint John, wo sie zunächst im »Mechanics Institute« lagerte. Später ging sie in den Besitz des New Brunswick Museum über.
Jedes Gesicht dieser janusköpfigen Figur hat einen anderen Ausdruck, ein Effekt, der einzig durch die unterschiedliche polychrome Bemalung erreicht wurde.

◁ 107
Kopfschmuck

Peabody Museum of Archaeology and Ethnology, Cambridge, USA
Inv. Nr. 53541
Höhe: 12 cm; Länge: 30 cm; Breite: 28 cm
Material: Binsen, Rindenbaststoff, Holz

Es handelt sich hierbei offensichtlich um eine Kopfbedeckung mit anthropomorphen Merkmalen: einem grotesken Gesicht mit großen Augen, starken Überaugenwülsten, runder Nase und einem ovalen, offenen Mund. Frühen Reisenden und auch von Métraux[1] befragten Osterinsulanern war diese Kopfbedeckung nicht bekannt. Die *tapa*-Bespannung ist mit den Farben Orange und Schwarz bemalt. Die Bemalung erinnert an überlieferte Tatauiermotive.
Das Stück gelangte im Jahre 1899 in den Besitz des Museums.

[1] Métraux, A., »Ethnology of Easter Island«, B. P. Bishop Museum Bulletin 160, Honolulu 1940, S. 227

Waffen, Werkzeuge, Geräte und andere Gegenstände des täglichen Bedarfs

Sämtliche Gegenstände des täglichen Lebens, von der Waffe über den Angelhaken bis hin zur Kleidung, wurden mit einfachen Werkzeugen aus Stein, vulkanischem Glas (Obsidian), Knochen oder Holz, oftmals in mühevoller Handarbeit und nicht selten in meisterhafter Ausführung, aus den Produkten der Natur hergestellt. Durch eine materialgerechte Ver- und Bearbeitung, die darauf beruht, daß der naturverbundene Mensch sehr genau die Grenzen und Potenzen dieser Materialien kennt, bleibt im fertigen Gegenstand in der Regel die Qualität der Echtheit der Materialien voll erhalten. Durch religiös oder kultisch bedingte Veränderungen der Oberfläche, z. B. Anbringen üppiger Ornamente, kann diese Qualität verlorengehen. Doch auf der Osterinsel ist eine solche Überlagerung bei der Herstellung der täglichen Gebrauchsgüter äußerst selten.

Die nachfolgend abgebildeten Exponate geben kein vollständiges Bild von dem verhältnismäßig bescheidenen Inventar der Gegenstände des alltäglichen Bedarfs der alten Kultur. Die Schlichtheit dieser Gegenstände läßt sich zwar mit der natürlichen Kargheit der Insel erklären. Dennoch verblüfft dieser Befund angesichts der großartigen Leistungen in anderen Bereichen, wie in der Steinmetzkunst und in der Schriftentwicklung.

108
Steinkissen (ngaru'a) mit Vulven

Bishop Museum, Honolulu
Inv. Nr. B 4454
Höhe: 15,9 cm; Breite: 26 cm
Material: Basalt

In großer Anzahl sind an den steinigen Küstenabschnitten der Osterinsel von der Natur geschliffene Kieselsteine zu finden, die als Pflastersteine und Steinkissen Verwendung fanden. Doch nur die Steinkissen wurden petroglyphisch verziert, häufig — wie bei dem hier abgebildeten Stein — mit Vulven. Das Stück gelangte 1919 in den Besitz des Museums.

109
Kalebasse mit Eiern

Museum für Völkerkunde, Wien
Inv. Nr. 22842
Höhe: 23 cm; Durchmesser: 26 cm
Material: Kürbishohlform, Eier

Zu dem bescheidenen Inventar der Schlafhäuser gehörten u. a. Kalebassen, die vornehmlich als Trinkwasserbehälter dienten. In ihnen wurden jedoch auch Kleingegenstände wie beispielsweise Eier aufbewahrt.
Das Stück gelangte im Jahre 1884 in den Besitz des Museums.

110
Kalebasse mit Federn

Museum für Völkerkunde, Wien
Inv. Nr. 22843
Höhe: 12 cm; Durchmesser: 12 cm
Material: Kürbishohlform, Federn

Diese spitzzulaufende Kalebasse hat oben eine kleine kreisrunde Öffnung, die mit einem *tapa*-Stöpsel geschlossen wurde. Darin befindet sich eine Anzahl weißer Vogelfedern. Sie gehörte zum spärlichen Inventar der Schlafhäuser.
Die Osterinsulaner, die ihre warmen Speisen in Erdöfen (*umu*) zubereiteten, benötigten und kannten auch keine Töpferware. Als Behältnisse dienten ihnen aus Bast geflochtene Taschen, Netze und Kalebassen.
Das Stück gelangte im Jahre 1884 in den Besitz des Museums.

111
Steinkissen (ngaru'a) mit einer Vulva

Musées Royaux d'Art et d'Histoire, Brüssel
Inv. Nr. ET 35.5.222
Höhe: 12,4 cm; Breite: 20,2 cm
Material: Basalt

Das Stück gelangte im Jahre 1935 in den Besitz des Museums.

112
Hausfundamentstein

Musées Royaux d'Art et d'Histoire, Brüssel
Inv. Nr. ET 35.5.87
Länge: 64,2 cm; Höhe: 24,6 cm
Material: Basalt
Fundort: *Hanga Ohonu*

Eine besondere Hausform von der Osterinsel ist das sog. *hare paenga* (*hare* = Haus, *paenga* = geschnitzter Stein). Das Fundament dieses Hauses wurde aus einzelnen aneinandergereihten Steinen in Form eines langgestreckten Ovals gebaut. (Weitere Informationen siehe Beitrag von H.-M. Esen-Baur.)
Das Stück gelangte im Jahre 1935 in den Besitz des Museums.

113
Garn

Museum für Völkerkunde SMPK, Berlin
Inv. Nr. IV 4957
Durchmesser: 7,7 cm
Material: Bast des Papiermaulbeerbaums

Das Garn ist aus zwei Fasern fein gedreht und etwa 0,1 cm dick. Es wurde zum Anfertigen von Fischernetzen und Tauwerk gebraucht.
Das Garn gelangte im Jahre 1883 in den Besitz des Museums.

114
Schnur aus Menschenhaar (hiri)

Museum für Völkerkunde SMPK, Berlin
Inv. Nr. VI 4988

Schnüre aus geflochtenen Menschenhaaren wurden häufig hergestellt. Die Tafel »Echancrée« war in eine sechzehn Meter lange Schnur aus Menschenhaar gewickelt. *Tahonga*-Kugeln sind gelegentlich mit Schnüren aus Menschenhaar verbunden worden.
Die Schnur gelangte im Jahre 1883 in den Besitz des Museums.

◁ ◁ 115
Kopfschmuck aus Federn

Rautenstrauch-Joest-Museum, Köln
Inv. Nr. 32775
Breite: 85 cm; Höhe des Bastringes: 11 cm
Material: Hühnerfedern, Bast

Schon die ersten europäischen Besucher haben den Osterinsulanern ein ausgeprägtes Schmuckbedürfnis bescheinigt. Dieses äußerte sich jedoch weniger in der Verzierung des profanen Gebrauchsgutes, sondern in der Verzierung des eigenen Körpers. Sämtliche zur Verfügung stehenden Mittel und Techniken kamen hier zum Einsatz. An erster Stelle stand die Tatauierung und die Körperbemalung. Darüber hinaus wurden schön bemalte und sorgfältig zusammengenähte *tapa*-Mäntel gefertigt sowie Muschelketten und vor allem Holzschnitzereien, die man sich um den Hals hängte. Und schließlich wurden vielfältig gestaltete und z. T. sehr prächtige Kopftrachten aus geflochtenen Binsen, Bast und Federn gearbeitet.
Bei dem starken Prestigedenken der Osterinsulaner gaben diese Gegenstände auch immer einen Hinweis auf den Rang des Geschmückten und auf seine soziale Stellung. Der Federkopfschmuck galt somit als Statussymbol. Geiseler[1] berichtet von einem kleinen Federkranz (*wána-wána*), der aufgesetzt wurde, »um Revanche für einen Toten zu fordern«. Ein anderer Kopfschmuck aus langen und gerade abstehenden Federn, *Ko íro* genannt, »wird nur von den Vortänzern ... getragen«. Der Federkopfschmuck für Kämpfer im Kriege wurde Geiseler gegenüber mit der Bezeichnung *hau kúra-kúra* genannt.
Die drei hier ausgestellten Beispiele bezeugen, daß die Verarbeitung von Federn ein hochentwickeltes und bedeutendes Handwerk war.
Das Stück gelangte im Jahre 1916 in den Besitz des Museums.

[1] Geiseler, Kapitänleutnant, »Die Osterinsel. Eine Stätte prähistorischer Kultur in der Südsee«, Berlin 1883, S. 35. 52

117
Federkranz aus 12 Lagen

Museum für Völkerkunde, Wien
Inv. Nr. 22873
Dicke: 15 cm; innerer Durchmesser: 18 cm;
äußerer Durchmesser: 45 cm
Material: Hahnenfedern, Bast

Das Stück gelangte im Jahre 1884 in den Besitz des Museums.

◁ 116
Konischer Kopfschmuck aus Federn
(hau moroke)

Museum für Völkerkunde, Wien
Inv. Nr. 22871
Höhe: 24 cm; unterer Durchmesser: 34 cm
Material: Hahnenfedern, Bast

Das Stück gelangte im Jahre 1884 in den Besitz des Museums.

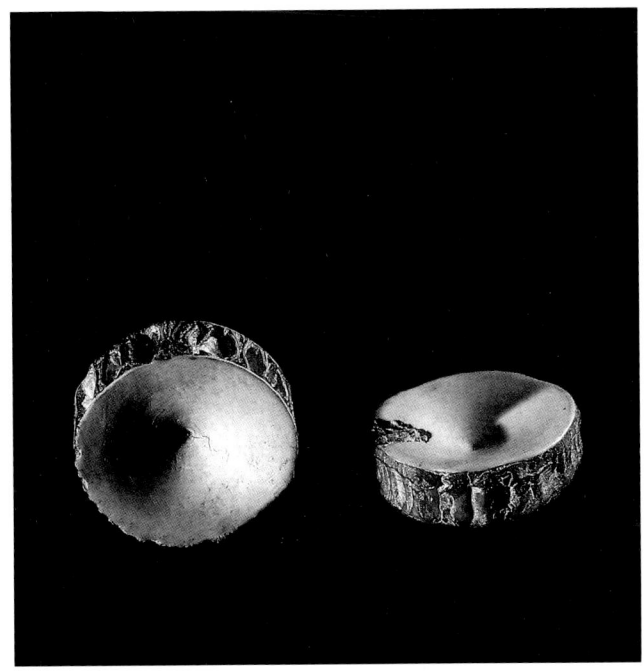
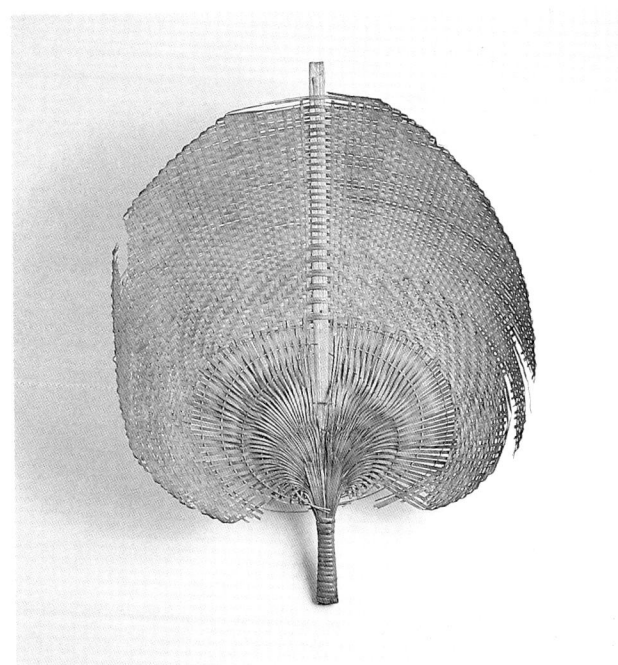

118
Ohrpflöcke

Museum für Völkerkunde, Wien
Inv. Nr. 22848
Durchmesser: 4 cm; Dicke: 1 cm
Material: Fischwirbel vom Hai (= *ivi mango*)

In voreuropäischer Zeit ließen sich sowohl Männer wie Frauen die Ohrläppchen durchbohren und künstlich verlängern. Hodges zeichnete 1774 (siehe den Beitrag von E. Vogler) zwei Osterinsulaner, denen die Ohrläppchen bis auf die Schultern herunterhängen. Im Zusammenhang mit dieser Sitte wurde zwischen den zwei großen antagonistischen Gruppen der Osterinsel, *hanau momoko* (Kurzohren) und *hanau eepe* (Langohren), differenziert. Doch diese Zuordnung beruhte auf einer falschen Übersetzung. Nach Englert[1] heißt *momoko* = puntiagudo, *eepe* = corpulento, somit ist *hanau momoko* mit: die Dünnen, *hanau eepe* mit: die Stämmigen zu übersetzen.

[1] Englert, S., »La Tierra de Hotu Matu'a. Historia, Etnología y Lengua de la Isla de Pascua«, Padre las Casas 1948, S. 473, 427

119
Fächer

Museo del Carmen de Maipú, Chile
ohne Inv. Nr.
Höhe: 42,5 cm; Breite: 36 cm
Material: Schilf

In den Museumssammlungen der Welt sind Fächer von der Osterinsel eine Rarität. Weder Heyerdahl[1] noch Métraux[2] erwähnen Fächer. Wahrscheinlich wurden Fächer erst nach dem Kontakt mit anderen polynesischen Inseln, insbesondere mit Tahiti, auf der Osterinsel hergestellt.
Wann das Stück in den Besitz des Museums gelangte, ließ sich nicht ermitteln.

[1] Heyerdahl, Th., »Die Kunst der Osterinsel«, Wien 1975
[2] Métraux, A., »Ethnology of Easter Island«, B. P. Bishop Museum Bulletin 160, Honolulu 1940

120
Tapa-Schlegel (ika)

Museum für Völkerkunde SMPK, Berlin
Inv. Nr. VI 4916
Länge: 46 cm; Durchmesser: 4,3 cm
Material: *toromiro*-Holz

Der Schlegel wurde zum Klopfen bei der Herstellung von *tapa* (Rindenbaststoff vom Papiermaulbeerbaum) benutzt. (Siehe auch den Beitrag von Esen-Baur.) Nur zwei *tapa*-Schlegel sind erhalten[1]. Beide wurden von Geiseler im Jahre 1882 auf der Osterinsel erworben.
Das Stück gelangte im Jahre 1883 in den Besitz des Museums.

[1] Métraux, A., »Ethnology of Easter Island«, B. P. Bishop Museum Bulletin 160, Honolulu 1940, S. 214

121
Schlegel in Form einer Banane (papahia)

Bishop Museum, Honolulu
Inv. Nr. 5980
Länge: 34,3 cm
Material: *toromiro*-Holz

Der Schlegel, in Form einer Banane geschnitzt, wurde bei der Zubereitung des Essens benutzt. Er mag auch als handliche Waffe (Keule) Verwendung gefunden haben.
Das Stück gelangte im Jahre 1902 in den Besitz des Museums.

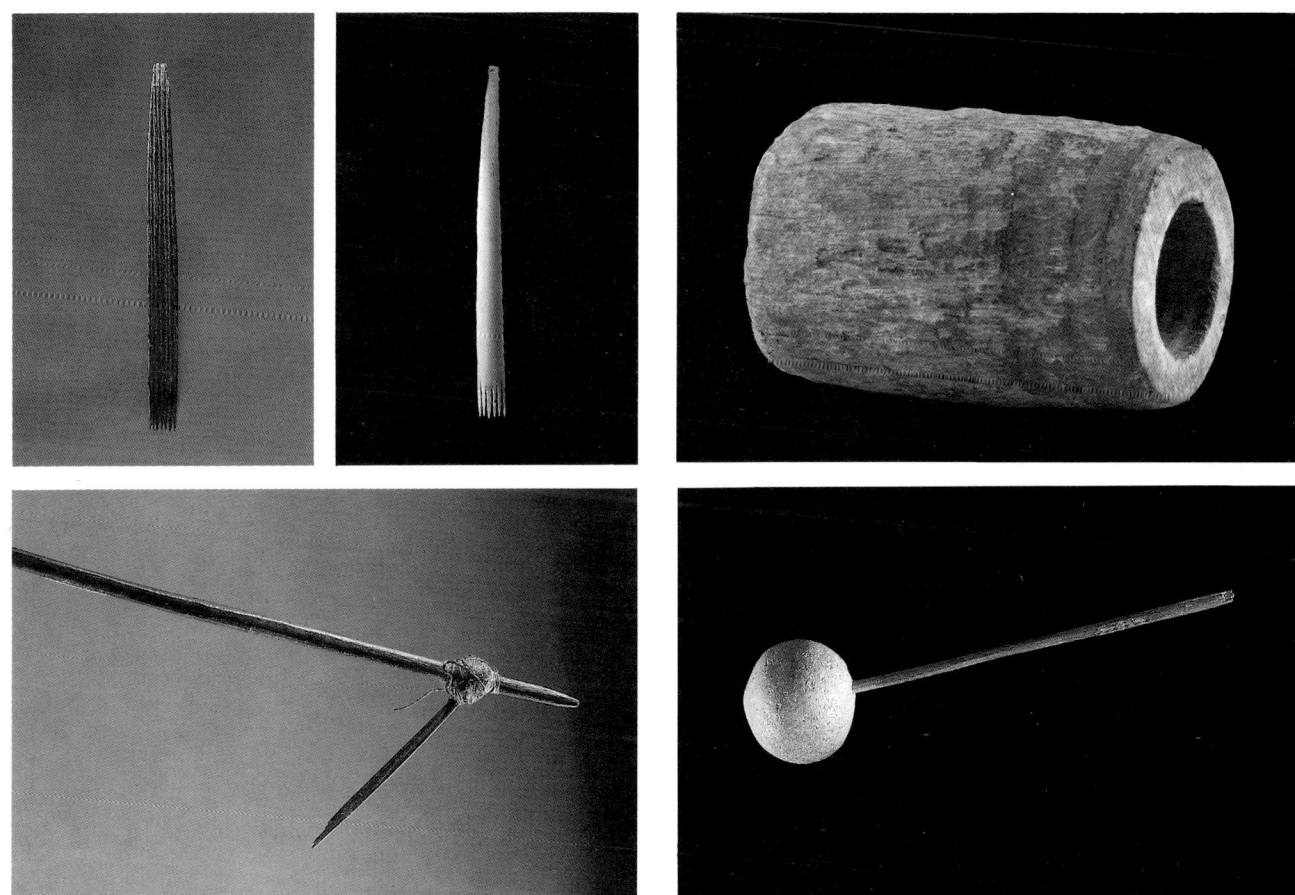

122
Tatauiergeräte

Museum für Völkerkunde, Wien und Museum für Völkerkunde SMPK, Berlin
Inv. Nr. 22830, 22834 2 unbefestigte Tatauiernadeln (*uhi*)
22826 1 befestigte Tatauiernadel
22837 1 Tatauierklopfer
VI 4930 1 Holzdose für Farbe zum Tatauieren
Länge der Tatauiernadeln: ca. 8 cm;
Länge des Holzstäbchens: ca. 20 cm;
Länge des Tatauierklopfers: ca. 14 cm
Material: Vogelknochen, Holz, Stein, *tapa*-Streifen und Bastfäden

Die Tatauiernadeln mit fünf bis sieben Zähnen wurden mit *tapa*-Streifen und feinen Bastfäden an einem Holzstab befestigt. Die Tatauierfarbe wurde aus verbrannten *ti*-Blättern und dem Saft der *poporo*-Pflanze (Solanum nigrum) gewonnen und in kleinen Holzdosen oder Kalebassen aufbewahrt. Mit dem Tatauierklopfer — gefertigt aus einer roten Steinkugel, in der ein langes dünnes Holzstäbchen steckte — wurde die Nadel in die Haut getrieben.

Die Praxis des Tatauierens (und der Körperbemalung) war weit verbreitet, wie uns die ersten Besucher berichten. Sowohl Männer als auch Frauen ließen sich tatauieren. Die Vollkörpertatauierung war wahrscheinlich den Anführern vorbehalten. Tatauiermuster in großer Vielfalt sind überliefert, unter anderem auch auf den sieben *tapa*-Figuren, die an anderer Stelle in diesem Buch besprochen und abgebildet sind.

Nach Ankunft der Missionare im Jahre 1864 wurde diese Praxis aufgegeben.

Die Gegenstände gelangten im Jahre 1883 (Berlin) und im Jahre 1884 (Wien) in den Besitz der Museen.

123
Phallisches Zündgerät

Museum für Völkerkunde, Wien
Inv. Nr. 22853
Länge: 14 cm
Material: weiches Holz

Feuerpflüge sind gelegentlich in Form einer realistischen Glans Penis geschnitzt, häufiger jedoch in der Form eines kauernden zoomorphen oder anthropomorphen Wesens. Die Rinne zum Feuerreiben befindet sich in der Regel auf der Bauchseite. Die dazugehörigen Reibstöcke sind mit wenigen Ausnahmen verlorengegangen. Einige Geräte zeigen deutliche Feuerspuren, die sie als echte Gebrauchsgegenstände ausweisen. Nicht auszuschließen ist, daß sie auch als Amulette getragen wurden. Am Rektum einiger Geräte befindet sich ein Loch, durch das eine Schnur gezogen wurde.
Das Stück gelangte im Jahre 1884 in den Besitz des Museums.

124
Gebrauchspaddelblatt (pararaha)

Museum für Völkerkunde SMPK, Berlin
Inv. Nr. IV 4874
Länge: 51 cm; Breite: 13,5 cm; Tiefe: 7,7 cm
Material: Holz

Dieses Paddelblatt (*pararaha*) wurde mit einer Schnur an einem Stiel (*kukuru*) befestigt. Es handelt sich hierbei also um ein Kompositpaddel, dessen Machart sich aus dem Holzmangel auf der Osterinsel erklärt. Von keiner anderen Inselgesellschaft Ozeaniens wurden Kompositpaddel gefertigt. Bemerkenswert ist die Rückseite des Paddelblattes, denn dort erhebt sich ein hoher Grat im rechten Winkel zum Blatt, der am Unterende verdickt ist. Durch die Bohrlöcher, beidseitig am oberen Ende des Blattes, wurde die Schnur, womit der Stiel am Paddelblatt befestigt wurde, gezogen.
Das Stück gelangte im Jahre 1883 in den Besitz des Museums.

125, 126, 127
Angelhaken (mangai maea)

Angelhaken wurden aus Stein, Knochen, Perlmutt und Holz gefertigt. Bemerkenswert ist, daß die Angelhaken aus Knochen gelegentlich aus zwei Teilen, die kunstvoll mit Baststreifen zusammengebunden wurden, bestehen.
Kompositangelhaken sind außerhalb der Osterinsel auch auf Neuseeland und Hawai'i gefertigt worden. Kompositangelhaken aus poliertem Basalt sind von der Osterinsel nicht bekannt. Diese hochpolierten steinernen Angelhaken sind nur in wenigen Exemplaren überliefert. Geiseler[1] schreibt: »In früheren Zeiten hatte man mit vieler Mühe gearbeitete steinerne Fischangel, welche in hohem Werthe standen. Es war nur noch ein Exemplar vorhanden, welches Herr Salmon selbst besaß und es als große Rarität schätzte.«

[1] Geiseler, Kapitänleutnant, »Die Osterinsel. Eine Stätte prähistorischer Kultur in der Südsee«, Berlin 1883, S. 37

Angelhaken
Höhe: 2,5 cm
Material: Perlmutt
Aus dem Besitz von Stephen-Chauvet

Sammlung Ladrière, Paris
ohne Inv. Nr.
Kompositangelhaken
Höhe: 5,5 cm
Material: Menschenknochen, Bast
Wahrscheinlich im Jahre 1840 nach Frankreich gelangt.

Angelhaken
Höhe: 5 cm
Material: Basalt, poliert
Gesammelt von Brander im Jahre 1875

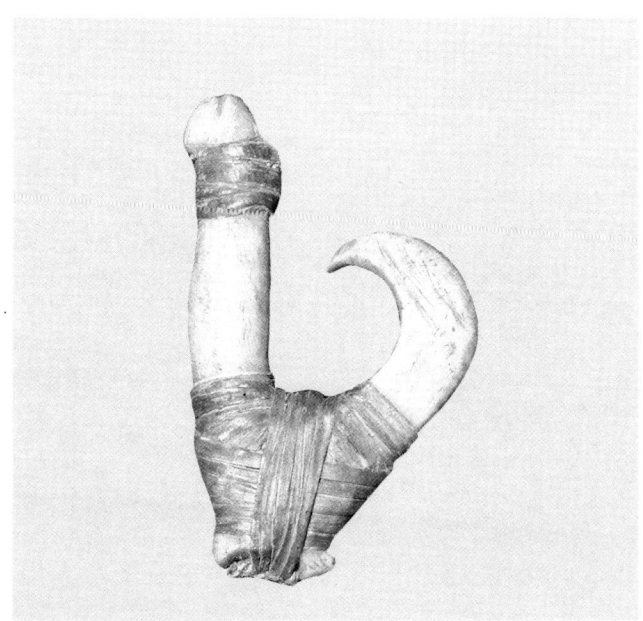

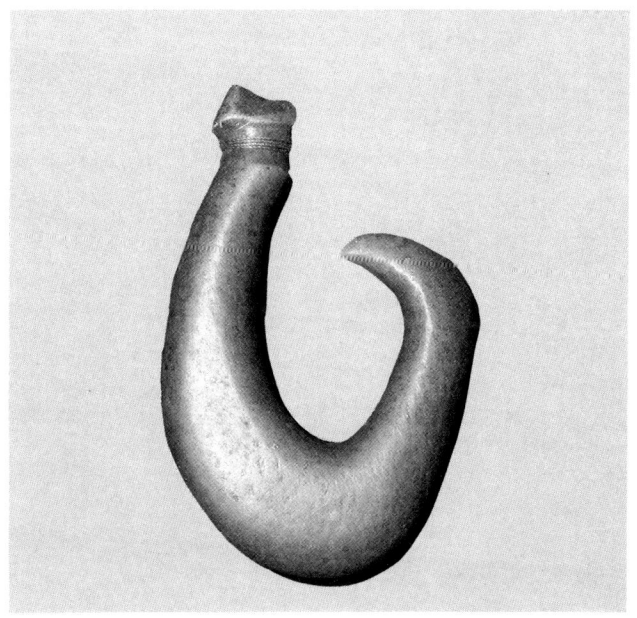

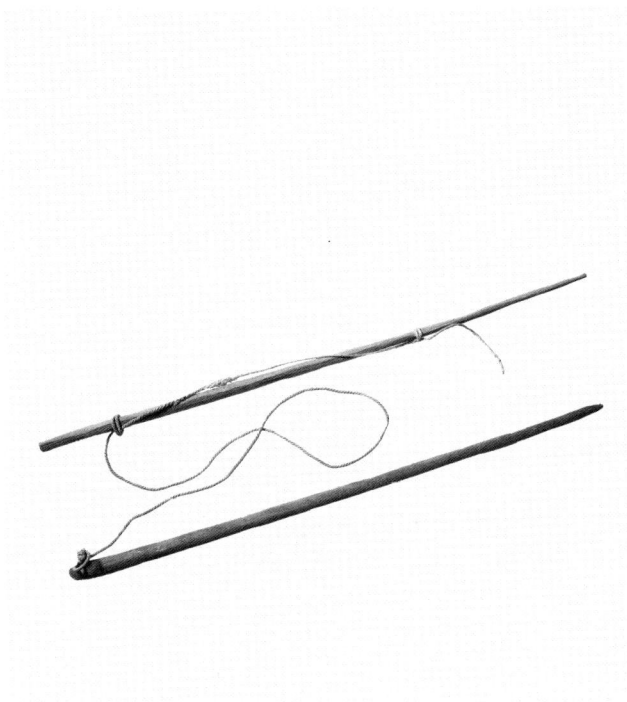

128
Angelhaken

Museum für Völkerkunde, Wien
Inv. Nr. 22816
Höhe: 6,4 cm
Material: Stein

Das Stück gelangte im Jahre 1884 in den Besitz des Museums.

129
Aalschlinge (here koreha)

Museum für Völkerkunde SMPK, Berlin
Inv. Nr. VI 4922 a, b
Länge a: 62,5 cm; Länge b: 64,2 cm; Durchmesser a: 2 cm;
Durchmesser b: 1,4 cm
Material: Holz, Schnur aus Binsen

Geiseler[1] berichtet, daß der Aalfang besonders intensiv betrieben wurde und daß dafür ein eigenes Fanggerät entwickelt worden war. »Während dem Fische nun die an einem Holze befestigte Lockspeise durch die am anderen Holze befindliche Schlinge entgegengehalten wird, zieht der Eingeborene die Schlinge zu, sobald der Fisch, durch die Speise angelockt, den Kopf durchgesteckt hat.«
Das Stück gelangte im Jahre 1883 in den Besitz des Museums.

---

[1] Geiseler, Kapitänleutnant, »Die Osterinsel. Eine Stätte prähistorischer Kultur in der Südsee«, Berlin 1883, S. 37

130
Speerspitze (mata'a)

Museum für Völkerkunde SMPK, Berlin
Inv. Nr. VI 4872
Länge: 19 cm; Breite: 15,5 cm
Material: Obsidian

Das Stück gelangte im Jahre 1883 in den Besitz des Museums.

131 a, b
Speerspitzen (mata'a)

Rautenstrauch-Joest-Museum, Köln
Inv. Nr. 32598
Höhe: 18 cm; Breite: 10 cm
Material: Obsidian
Inv. Nr. 32599
Höhe: 10 cm; Breite: 10 cm
Material: Obsidian

Die Stücke gelangten im Jahre 1915 in den Besitz des Museums.
Die verbreitetste und gefürchtetste Waffe war die aus vulkanischem Glas (Obsidian) geformte Speerspitze (*mata'a*), die, umwickelt mit *tapa*, mit Binsengarn an einem Stiel (*kohau*) befestigt wurde. Zum Festkeilen wurden noch zwei kleine Holzstückchen an jeder Seite eingesetzt.

132, 133
Steinbeile (toki)

Private Leihgabe
Höhe: 22,7 cm bzw. 15,2 cm; Breite: 8 cm bzw. 7,8 cm
Material: dunkelgrauer Basalt

Die Steinbeile der Osterinsel sind sehr einfach gearbeitet. Métraux[1] unterscheidet zwei Steinbeiltypen: Typ I mit einem viereckigen, Typ II mit einem runden Querschnitt. Typ I-Steinbeile sind in Ozeanien weit verbreitet und alt; Typ II-Steinbeile sind eine lokale Entwicklung, die jedoch Ähnlichkeiten mit Steinbeilen aus Neuseeland und von den Chatham Inseln aufweist. Zeremonialsteinbeile sind in wenigen Beispielen überliefert.

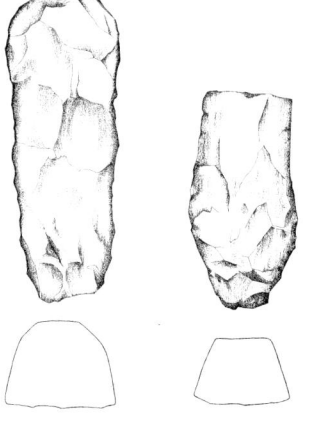

[1] Métraux, A., »Ethnology of Easter Island«, B. P. Bishop Museum Bulletin 160, Honolulu 1940, S. 273–275

134, 135
Steinbeile (toki)

Private Leihgabe
Höhe: 18,1 cm bzw. 11 cm; Breite: 4,7 cm bzw. 4 cm
Material: heller bzw. schwarzer Basalt

Beide Steinbeile besitzen eine sorgfältig geschärfte und geglättete Schneide und wurden zur Holzbearbeitung verwendet. Derartig gut bearbeitete Steinwerkzeuge sind außerordentlich selten.

Modernes Kunstschaffen

Die Holzschnitzkunst ist auf der Osterinsel heute lebendig und kann historisch betrachtet auf eine ungebrochene Tradition zurückblicken (siehe auch den Beitrag von Esen-Baur, Seite 168 ff.). Diese Tradition hat in der Vergangenheit dazu beigetragen, das Selbstwertgefühl der Osterinsulaner zu stärken. Auch heute ist das Schnitzen eines der wichtigsten Betätigungsfelder vieler Männer. Ganze Familien bestreiten ihren Lebensunterhalt durch den Verkauf von Schnitzereien an Touristen.

Zum Verkauf wird heute viel minderwertige Ware angeboten. Doch daneben entstehen immer noch Schnitzereien von großer handwerklicher Qualität. Der einzelne Schnitzer wie auch die Gemeinde sind voll Stolz und mit Genugtuung erfüllt, wenn Besucher diese Arbeiten würdigen. Doch durch den zunehmenden Touristenstrom ist ein weiteres Absinken der Qualität fast vorprogrammiert, es sei denn, daß einzelne weitblickende Persönlichkeiten dieser Entwicklung entgegenwirken können.

Pläne zur Wiederbelebung der alten Kultur mit Werkstätten, Seminaren, Wettbewerben und Kunstausstellungen sind noch in der Entwicklung. Wenn diese Programme in absehbarer Zeit verwirklicht werden, wird ein weiterer Verfall im Kunstschaffen verhindert. Ob die Schnitzer jedoch dann zu einer originären Kunstäußerung gelangen, bleibt zweifelhaft. Denn die Touristen sind daran interessiert, traditionelle Figurentypen zu erwerben.

136
Auferstandener Christus (Ko Yetu Oramai)

Templo Votivo, Maipú
ohne Inv. Nr.
Höhe: 2,10 m
Material: *miro tahiti*, Obsidian, Knochen
Schnitzer: mehrere Schnitzer unter Leitung von Benedicto Tuki

Die Figur wurde im Jahre 1980 innerhalb einer Woche auf der Osterinsel geschnitzt (siehe den Bericht von Esen-Baur) und anschließend nach Chile geflogen. Sie steht heute in der Kathedrale von Maipú.

137
Rauchseeschwalbe

Sammlung Dietrich, Stuttgart
ohne Inv. Nr.
Höhe: 12 cm; Breite: 18 cm; Länge: 22 cm
Material: rote Gesteinsschlacke aus dem Krater *Puna Pau*

Die Plastik stellt einen brütenden Vogel dar. Das leicht gespreizte Gefieder sowie die nach unten abgebogenen Schwanzfedern und der nach hinten gerichtete Kopf sind eindeutige Indizien für die Schlafstellung während des Brütens.
Für beide steinernen Rauchseeschwalben gilt, daß es »singende Steine« sind. Wenn der Tuffstein wassergesättigt ist, entsteht durch das Ablösen der Wassermoleküle an der Porenwand ein deutlich hörbares singendes Geräusch.
Das Stück wurde im Jahre 1973 auf der Osterinsel erworben.

138
Rauchseeschwalbe (manu tara)

Sammlung Dietrich, Stuttgart
ohne Inv. Nr.
Höhe: 23,5 cm
Material: Holz; aus einer Baumwurzel geschnitzt
Schnitzer: Pedro Atan Pakomio

Da die Wurzelknolle beim Entrinden mit dem Messer beschädigt worden wäre, hat der Schnitzer sie mit Feuer behandelt. Brandspuren sind deutlich sichtbar.
Der wie aus einem Ei hervorbrechende und in die Luft strebende Vogel ist kompositorisch der *tahonga*-Figur (Kat. Nr. 39) eng verwandt.
Das Stück wurde im Jahre 1973 im Haus des Schnitzers in Viña del Mar erworben.

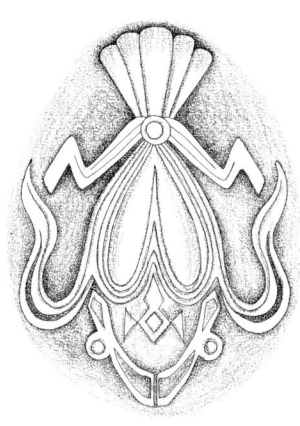

147
Moai kavakava

Sammlung Esen-Baur, Kronberg
ohne Inv. Nr.
Höhe: 46 cm
Material: Holz
Schnitzer: Antonio Tepano Hito

Die Kopfglyphe zeigt ein komplexes Vogelmotiv, das auch auf einer *moai kavakava*-Figur in London (Inv. Nr. EP-20) anzutreffen ist.
Das Stück wurde im Jahre 1984 auf der Osterinsel erworben.

148
Moai papa

Sammlung Esen-Baur, Kronberg
ohne Inv. Nr.
Höhe: 52 cm
Material: Holz
Schnitzer: Antonio Tepano Hito

Als Vorlage dienten dem Schnitzer Abbildungen von einer *moai papa*-Figur, die sich heute im Museum in Edinburgh befindet (Inv. Nr. 1895, 373).
Das Stück wurde im Jahre 1988 auf der Osterinsel erworben.

149
Zoomorphes Wesen

Sammlung Dietrich, Stuttgart
ohne Inv. Nr.
Höhe: 38 cm
Material: Holz (*miro pupu*), Obsidian, Knochen

Das Original wurde im letzten Jahrhundert auf den Chinchainseln gefunden und befindet sich heute im Besitz des British Museum (Inv. Nr. 8700). Der Schnitzer hat diese Figur nach Abbildungen angefertigt.
Das Stück wurde im Jahre 1973 auf der Osterinsel erworben.

150
Schachfiguren

Sammlung Dietrich, Stuttgart
ohne Inv. Nr.
Höhe: zwischen 7,6 und 5,5 cm
Material: Holz (*miro pupu*)

Die Köpfe von Dame und König entsprechen denen der *moai kavakava*-Figuren, ihre Körper denen der Kolossalfiguren (*moai*). Läufer und Springer sind als Vogelmänner (*tangata manu*), der Turm ist als janusköpfiger *ua*-Stab gearbeitet. Und für die Bauern standen die Kolossalfiguren (*moai*) Modell.
Das Spiel wurde im Jahre 1973 auf der Insel erworben.

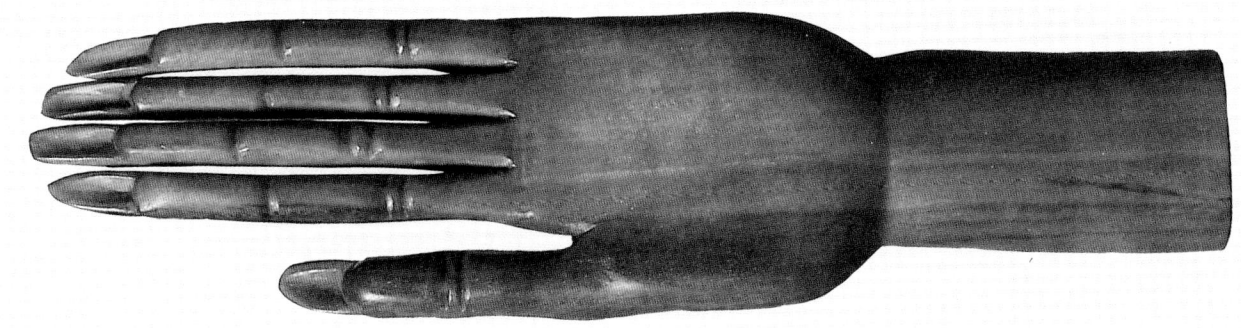

151
Hand

Sammlung Esen-Baur, Kronberg
ohne Inv. Nr.
Höhe: 36,4 cm; Breite: 8,6 cm
Schnitzer: Antonio Tepano Hito
Material: Holz

Der Schnitzer hat die Hand nach Abbildungen[1] gefertigt. Das Original wurde im Jahre 1774 von Forster auf der Osterinsel erworben und befindet sich heute im British Museum (Inv. Nr. EP-32).

Forster berichtet, daß »... dies hübsch gearbeitete Stück« von dem mitreisenden Polynesier *Maheine* entdeckt worden war.

»... so fand er eines Tages eine geschnitzte Frauens-Hand von gelben Holz, ungefähr in der natürlichen Größe. Die Finger derselben waren aufwärts gebogen, wie sie die Tänzerinnen auf Tahiti zu halten pflegen; und die Nägel daran waren sehr lang; denn sie stunden mehr als dreyviertel Zoll über die Spitzen der Finger hervor ... *Maheine* schenkte es hernachmals meinem Vater, der es im brittischen Museo niedergelegt hat.«[2]

Das Stück wurde im Jahre 1988 auf der Osterinsel erworben.

[1] Heyerdahl, Th., »Die Kunst der Osterinsel«, Wien 1975
[2] Forster, G., »Reise um die Welt«, Hrsg. G. Steiner, Frankfurt 1967, S. 496

152
Schildkröte

Sammlung Esen-Baur, Kronberg
ohne Inv. Nr.
Länge: 15,5 cm
Material: grauer Tuff
Künstler: Hipolito Juan Icka N.

Das Stück wurde im Jahre 1988 auf der Osterinsel erworben.

153
Stein mit Petroglyphen verziert

Sammlung Bechtel, Frankfurt
ohne Inv. Nr.
Höhe: 12 cm; Breite: 14 cm; Tiefe: 9 cm
Material: grauer Tuff

Diese annähernd eiförmige Plastik stellt zwei Vogelmänner, ein Ei haltend, und zwei Vogelmänner, eine Vulva umschlingend, dar.
Das Stück wurde im Jahre 1988 auf der Osterinsel erworben.

154
Stein mit Petroglyphen verziert

Sammlung Welge, Frankfurt
ohne Inv. Nr.
Höhe: 30 cm; Breite: 18 cm; Tiefe: 12 cm
Material: rotbrauner Tuff
Künstler: Antonio Tepano Hito

Eine plastische Umsetzung eines mit *Orongo*-Petroglyphen bedeckten Felsbrockens: drei hockende Vogelmänner, einer davon eine Vulva haltend, vier *Makemake*-Gesichter und drei Vulven.
Das Stück wurde im Jahre 1988 auf der Osterinsel erworben.

Abbildungsnachweis

Abb. 1, 2, 4, 5, 17, 96, 97, 99–104: R. Klein-Rödder
Abb. 3: NASA-Photo
Abb. 6, 62, 64, 66, 67, 136: M. Dietrich
Abb. 7, 11, 15: G. Zizka
Abb. 9, 14: E. Haupt
Abb. 10: J. Mehl
Abb. 12: B. Alden
Abb. 13, 16, 56, 68, 123, Umschlag Museumsausgabe: J. Stüwe
Abb. 18: Anton de Herera, Madrid 1601
Abb. 19, 21, 24, 26, 27: Stiche nach Bildvorlagen von S. Parkinson, 1773
Abb. 20: Lithographie von L. Choris, 1822
Abb. 22, 30, 35, 36: Stiche nach Bildvorlagen von W. Hodges; James Cook, Voyage towards the South Pole and around the world . . ., London 1777
Abb. 25: Lithographie von J. Arago, 1823
Abb. 28, 29: Stiche aus dem Reisebericht von G. H. von Langsdorff, 1812
Abb. 31: Stich aus dem Bildatlas zur 3. Reise des Kapitäns James Cook, London 1784
Abb. 32, 49: Stiche aus: Tweejaarige Reyze rondom de wereld, Dordrecht 1728
Abb. 33, 34: W. Wachter
Abb. 37: National Maritime Museum, London
Abb. 38, 41: Stiche von der Reise des La Pérouse, aus: Stephen-Chauvet, L'Ile de Pâques et ses mystères, Paris 1935
Abb. 39: Handkolarierter Stich von Louis Choris, Vues et paysages des Régionos equinoxiales Recueillis, Paris 1826
Abb. 40: Stich von Pierre Loti, aus: Illustrierte Länderkunde, 1873
Abb. 41: Stich von Pierre Loti, aus: Stephen-Chauvet, L'Ile de Pâques et ses mystères, Paris 1935
Abb. 42: Stich von Pierre Loti, Harper's Weekly, 26. April 1873, reproduziert nach: Th. Heyerdahl, Die Kunst der Osterinsel, Wien 1975
Abb. 43: Stich von Alphonse Pinart, aus: Stephen-Chauvet, L'Ile de Pâques et ses mystères, Paris 1935
Abb. 44: Kunstsammlung Nordrhein-Westfalen
Abb. 45: Edelmann Kunstinstitut, Frankfurt am Main
Abb. 46: Reproduziert aus: Une semaine de bonté, Paris 1934
Abb. 47: Reproduziert aus: P. Schamoni, Max Ernst, Maximiliana, München 1974
Abb. 48, 132: K. Edinger
Abb. 50, 51, 52, 53, 54, 57, 58, 63, 65, 70, 117, 118, 121, 122, 125–129, 137: H.-M. Esen-Baur
Abb. 55, 134: D. Baur
Abb. 59, 139: W. Obmann
Abb. 60, 61: W. Mulloy, reproduziert nach: Th. Heyerdahl/ E. Ferdon (Hrsg.), The Archaeology of Easter Island I, Chicago, New York, San Francisco 1961
Abb. 69: M. Opal
Abb. 71–77: G. Lee
Abb. 78: K. Sanger
Abb. 79, 80: Sammlung Guy Ladrière, Paris
Abb. 81, 82: R. Mommaerts
Abb. 83, 84, 94: R. Borremans
Abb. 85–89, 90, 92, 93, 95: F. Forment
Abb. 91: Musée de l'Homme, Paris
Abb. 98: Reproduziert aus: Th. Barthel, Grundlagen zur Entzifferung der Osterinselschrift, Habil.-Schrift, Hamburg 1958
Abb. 105: Ulster Museum, Belfast
Abb. 106, 107: The New Brunswick Museum, Saint John, Phot. Rob Roy
Abb. 108–112: M. Roth
Abb. 113: H. Krusell
Abb. 114, 115: K. Schmitt
Abb. 116, 119, 120: U. Hänig
Abb. 124: O. León
Abb. 130: U. Becker
Abb. 131, 133: P. Schall
Abb. 135: Aquarell von H. Lavachery
Abb. 138: Cesar Aguiler, Kurang Uka S/N, Isla de Pascua
Abb. Seite 280: Wolfgang Obmann

Katalog

Nr. 1: Staatliches Museum für Völkerkunde, München
Nr. 2, 60: Otago Museum, Dunedin
Nr. 3, 23, 65: Douglas Owens, Auckland
Nr. 4, 17, 32, 33, 51, 91, 125, 126, 127: Collection Guy Ladrière, Paris
Nr. 5, 21: Lloyd Park, Photographer, Christchurch, New Zealand
Nr. 6, 62: Museo Preistorico ed Etnografico 'Luigi Pigorini', Rom
Nr. 7, 15, 89: M. de la Planche, Mus. de l'Homme
Nr. 8, 28: Museo Missionario Etnologico, Vatikan; Foto P. Zigrossi
Nr. 9, 10, 13, 67, 87, 92, 96, 97, 98, 101, 103, 119, 136: Antonio Larrea, Santiago
Nr. 11: Ulster Museum, Belfast
Nr. 12, 14, 20, 54, 77, 78: Museum N. N. Miklucho-Maklaja, Leningrad
Nr. 16, 45: P. Windszas, Roemer- und Pelizaeus-Museum, Hildesheim
Nr. 18, 58, 63, 70, 72, 99, 102, 104, 105, 107: Peabody Museum — Harvard University, Cambridge, Mass., Photograph by Hilleh Burger
Nr. 19, 29, 34, 37, 42, 46, 74: Ann Christine EEK, Universitetet i Oslo
Nr. 22, 93: Speltdoom, Brüssel
Nr. 24: Archives Laurens, Paris
Nr. 24a: U. Helfer, Offenbach
Nr. 25: Ric Bolzan, The Australian Museum, Sydney
Nr. 26: Harry Haase, Göttingen
Nr. 27: 61, 64, 69, 117, 131: Rheinisches Bildarchiv, Köln
Nr. 30, 31, 66, 108, 121: B. P. Bishop Museum, Honolulu
Nr. 35, 90, 100, 111, 112: A. C. L., Brüssel

Nr. 36, 47, 94, 113, 114, 120, 122, 124, 129, 130: SMPK, Museum für Völkerkunde, Berlin (West), Abt. Südsee, Fotoatelier des Museums für Völkerkunde
Nr. 38, 40, 41, 73: Foto Corpolongo, Rom
Nr. 39: Vincenzo Modica, Rom
Nr. 43, 44, 84: Dr. Heide-Margaret Esen-Baur
Nr. 48, 56, 68, 71, 109, 110, 116, 117, 118, 122, 123, 128: Gerhard Veseley, Museum für Völkerkunde, Wien
Nr. 49: Jan Nauta, Wellington
Nr. 50, 52, 53: Archivio SS. CC., Rom
Nr. 55: Neg./Trans. no 3550(2), Photo by Kerry Perkins Courtesy Department of Library Services American Museum of Natural History, New York
Nr. 57: Martin Taureg, Völkerkunde-Sammlung der Hansestadt Lübeck
Nr. 59: Rijksmuseum voor Völkerkunde, Leiden
Nr. 75, 76: Arrastía-Peña, Mus. Etnográfico »Juan B. Ambrosetti«, Buenos Aires
Nr. 79: Karin Wieckharst, Museum für Völkerkunde, Leipzig
Nr. 80: Courtesy Field Museum of Natural History, Chicago; Photographer June Bartlett
Nr. 81: Courtesy Field Museum of Natural History, Chicago; Photographer Diane Alexander White
Nr. 82, 83, 85, 86: Peabody Museum of Salem, Mass.; Photo by Mark Sexton
Nr. 88, 95: Museo Padre Sebastian Englert, Hangaroa
Nr. 106: The New Brunswick Museum, Saint John, New Brunswick; Phot. Rob Roy
Nr. 132, 133, 134, 135, 144, 145, 147, 148, 151, 152: Udo Becker, Frankfurt
Nr. 137, 138, 139, 140, 141, 142, 143, 146, 149, 150: Studio Kleiber, Fellbach
Nr. 153, 154: Siegfried Heidecke

Glossar

ahu	große, offene Tempelanlage; in anderen Gebieten Polynesiens *marae* genannt
akuaku	übernatürliches Wesen, Geist, familienspezifisch, sippenspezifisch
ana	Höhle
ao	großes Doppelblattpaddel, Zeremonialobjekt
ariki	Häuptling, König
eepe	stämmig
epe	Ohrläppchen
hanau	Menschengruppe, Rasse
Hanau Eepe	Name einer Menschengruppe, deren Angehörige durchweg stämmig gebaut waren
Hanau Momoko	Name einer Menschengruppe, deren Angehörige durchweg schlank gebaut waren
hanga	Bucht
hare	Haus
hare moa	Hühnerhaus
hare paenga	Schlafhaus für die Angehörigen führender Familien in Bootsform. Die Fundamentsteine wurden aus Basalt gefertigt.
hau	Hibiscus (*Triumfetta semitriloba*)
ha'u	Hut
Hiro	Name eines Gottes, der auch im übrigen Polynesien bekannt war
hopu	Diener
hopu manu	Diener, der im Wettstreben um das erste Ei der Rauchseeschwalbe nach *Motu Nui* schwamm
ika	Fisch; Menschenopfer
iti	klein
ivi atua	Priester
kahi	Thunfisch
kai	essen
kiea	rote Farbe
kio	Flüchtender
kio'e	polynesische Ratte (*Rattus concolor*)
kohau rongorongo	Schrifttafeln
komari	Vulva
koro	Fest
kumara	Süßkartoffel (*Ipomoea batatas*)
kura	rot
mahute	Papiermaulbeerbaum (*Broussonetia papyrifera*)
Makemake	Schöpfergott; wichtigster Gott der alten Osterinsulaner
mana	übernatürliche Macht
manavai	durch hohe Steinmauern eingefaßter Garten
manu kura	der heilige rote Vogel
manupiri	zwei einander gegenüber hockende Vogelmänner
manu tara	Rauchseeschwalbe
maori	Meister
mata	Auge; Sippe
mata'a	Speerspitze aus Obsidian
matatoa	Krieger
maunga	Berg
miro	Holz
Miru	Name des königlichen Stammes
moai	Figur
moko	Eidechse
motu	Inselchen
niu	Kokosnuß
noa	profan
nui	groß
Oteka	Name eines der zwei Boote, mit dem die Einwanderer unter *Hotu Matua* zur Osterinsel gelangten
Oua	Name des zweiten Bootes, mit dem die Einwanderer unter *Hotu Matua* zur Osterinsel gelangten
paoa	kleine hölzerne Keule
Paro	Name der etwa 10 Meter großen Figur auf der Plattform *Te Pito Kura*

pipi horeko	kleine Steinhäufchen, die als Grenzmarkierungen dienten	tangata	Mensch; Mann
poki	Kind	tangata hiva	Fremder
pukao	Kopfschmuck aus roter Gesteinsschlacke für die Kolossalfiguren	tangata manu	Vogelmann
		tapa	Rindenbaststoff
rangi	Himmel	tapu	heilig, verboten
rano	Kratersee, Krater	taro	*Colocasia antiquorum*; Knollenfrucht
rapa	kleines Doppelblattpaddel; Tanzpaddel	ti	*Cordyline terminalis*; eßbar; liefert Farbe
rei miro	mondsichelartiges Pektoral, das in der Regel von den *ariki* getragen wurde	tiki	Figuren in menschlicher Form
		toki	Steinbeil
roa	lang	totora	Schilf (*Scirpus riparius*)
		uhi	Yams (*Dioscorea* species)
rongorongo	Rezitation; Schrift	umu	Erdofen